編著　正野逸子
本田彰子

看護実践のための根拠がわかる

在宅看護技術

第4版

Evidence-Based Practice

メヂカルフレンド社

本書デジタルコンテンツの利用方法

本書のデジタルコンテンツは、専用Webサイト「mee connect」上で無料でご利用いただけます。

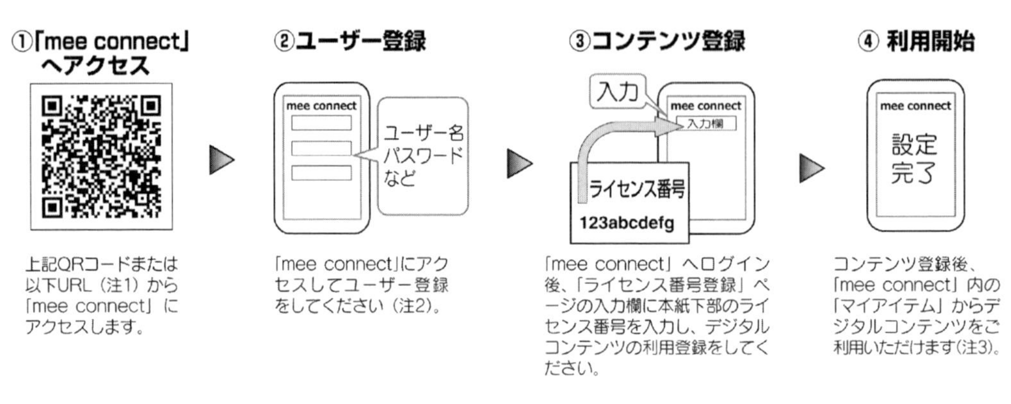

注1：https://www.medical-friend.co.jp/websystem/01.html
注2：「mee connect」のユーザー登録がお済みの方は、②の手順は不要です。
注3：デジタルコンテンツは一度コンテンツ登録をすれば、以後ライセンス番号を入力せずにご利用いただけます。

ライセンス番号　e019 0404 47hehj

※コンテンツ登録ができないなど、デジタルコンテンツに関するお困りごとがございましたら、「mee connect」内の「お問い合わせ」ページ、もしくはdigital@medical-friend.co.jpまでご連絡ください。

序

本書は，2015年に第3版として刊行された『看護実践のための根拠がわかるシリーズ 在宅看護技術』を，現在の在宅医療の変化への対応を考慮した内容に改訂し第４版としたものです。

社会の仕組みのなかで訪問看護が実践されるようになってから，「在宅看護」は常に社会状況に対応すべく発展してきました。介護保険制度，地域包括ケアシステムなど，人々の健康を守る新たな考え方や仕組みが示されるたびに，新たな看護の役割が生じ，そしてさらに拡大してきました。また，看護教育においては，地域看護学や老年看護学などの領域の一部としての存在から，カリキュラム改正において「地域・在宅看護論」として看護学の中心に置かれるようになってきました。

看護学を学び始めた皆さんは，看護とは何なのかを思い描くとき，どのような場面を想定するでしょうか。病院の一室でしょうか。医療機器に囲まれたベッドサイドでしょうか。看護の対象者である人々はそのような医療機関に行く前には，日常の「生活の場」にいます。現在は治療を受けるとしても，「生活の場」と切り離すことはできません。短い在院日数が現在の医療の目指すところですが，それはどのような健康状態であっても長く「生活の場」にいられるということでもあります。人々が安心・安全に「生活の場」にいられるようにすることが，これからの看護の基本的な考え方になるといえるでしょう。

本書では，「生活の場」において人々の健康の維持・回復・予防，および療養生活の支援に取り組み，さらに治療を継続する人々に医療的ケアを確実に，かつ安全に提供し，そして人生の終末期を尊厳あるかたちで迎えられるよう寄り添うための看護技術を示すものです。

第Ⅰ章・第Ⅱ章では，在宅看護の特徴を理解しながら，看護を提供するための基本的能力を身につけます。人々の健康を守るために必要なアセスメントの方法，社会の仕組みのなかで安全に医療や看護を提供するための方法を学びます。

第Ⅲ章では，在宅療養に伴う日常生活援助技術を学びます。療養環境や健康状態などその人その人に合わせた「生活の場」での療養を考えていくこと，どのように健康を維持しながら生活の質を高めるかという具体的な方法を身につけます。

第Ⅳ章では，在宅療養に伴う医療的な援助技術を学びます。在宅療養の場に医療的ケアのニーズが多くなっています。医療提供の仕組みや手続きを理解し，効果的に，かつ安全に実施する技術を身につけます。

第Ⅴ章では，在宅終末期ケアについて学びます。その人の人生の終末に関する納得できる意思決定の支援，安心・安楽の維持，そして家族ケアを含めて，在宅での看取りの支援の技術と態度を身につけます。

皆さんが本書を活用し，「生活の場」で在宅看護技術を発揮できることにより，在宅療養を継続できる人々と，在宅看護に喜びを感じる看護師が増えることを願っています。

2021年12月

正野逸子・本田彰子

本書の特長と使い方 — よりよい学習のために —

「学習目標」
各節の冒頭に，学習目標を提示しています。何を学ぶのか確認しましょう。

薬物療法に伴う援助③

インスリン自己注射と血糖自己測定(SMBG)

学習目標

- イン
- 在宅
- 療養

リン自己注射法と血糖自己測定（SMBG）の特徴を理解する。
明で宅のインスリン自己注射について看護技術を理解し，療養者・家族に説きる。
養者と家族が，インスリン自己注射・血糖自己測定を管理できるよう指導できる。
- 療養者のインスリン自己注射に関するニーズを把握し，日常生活の自立への支援ができる。

1 インスリ法の特徴

1）イン とは

膵臓の内分泌物質で，ランゲルハンス島から分泌され，身体のなかで唯一
イン る働きをもっている。常に一定量分泌されるインスリン（基礎分泌）と，食
れるインスリン（追加分泌）がある。健常者は基礎分泌が多く，食後も
れる。糖尿病患者には，足りないインスリンを補うためにインスリン療

糖尿病の薬物療法で，不足しているインスリンを注射により体外か
る。インスリンを体内へ取り入れるためのインスリン注射は，患者自

看護技術習得に不可欠な知識！
具体的な看護技術を提供する前に，技術習得のために必要な知識を解説しています。技術を用いる際の基盤となるので，しっかり理解しましょう。

2）在宅におけるインスリン自己注射の特徴

（1）在宅におけるインスリン自己注射の特徴

糖尿病の治療には，血糖値のコントロールを目的に食事療法，運動療法，薬物療法を用いる。血糖コントロールが不良な場合には，インスリン注射に切り替えることが多い。

（2）インスリン自己注射に関する法的取り扱い

注射は，医行為（医療行為；医師法第17条）であるため，原則として医師法に従い，医師または一部は看護師等のみが行う行為である。療養者が自己注射を実施する場合については，医師法第17条に抵触する。そこで，2005年３月，「医事法制における自己注射に係る取扱いについて」で厚生労働省は自己注射を患者自身が行う場合については，以下の①～⑤を満たしていれば違法性が阻却されると認識されている。したがって，違法性が阻却される場合には，患者やその家族が医師の適切な指導管理の下に在宅自己注射を行うことは，

306

個別性を考えた療養支援を

実際に療養者・家族に対して療養支援を行う場合には，本書で示している基本形をベースに，療養者・家族それぞれの個別性を考えて応用することが必要です。

応用できるようになるには，“なぜそうするのか？”といった根拠や留意点までをきちんと学び，基本形を確実に理解・習得することが第一歩です。

「看護技術の実際」
各節で習得してほしい看護技術の実際を，順を追って提示しています。正確な技術の習得には，本書で示している基本形を繰り返し練習し，頭とからだで覚えるよう意識してください。そうすることで，実習では療養者の個別性を尊重した技術を実施することが可能になります。

看護技術の「目的」
何を目指してこの技術を用いるのかを簡潔に示しています。

看護技術の実際

目　　的：

必要物品：

動画を観ることができる！

わかりやすい写真がたくさん！
写真を中心に，イラストや表などがもりだくさんで，イメージしやすくなっています。

方法と観察の視点

療養者・家族支援と根拠

方法に対する根拠が見やすい！
表形式で，左欄には順を追った技術の実施方法と観察の視点を，右欄にはそれに対応する療養者・家族支援と根拠を明示しています。表形式だから左右の欄を見比べやすく，また対応する箇所には番号（❶など）をふっているので，方法と療養者・家族支援に対する根拠がすぐにわかるようになっています。

●試し打ちの目的を説明
❷試し打ちによって，
など不具合が発見で
に指導する

Ⅳ-12 インスリン自己注射と血糖自己測定（SMBG）

文　献

1）中医協：医事法制
2）松村美穂子，他：
57（5）：329～
3）厚生労働省：重篤
4）独立行政法人

「文献」
引用・参考文献を提示しています。必要に応じてこれらの文献にもあたり，さらに学習を深めましょう。

動画の視聴法　How to watch videos

本書では，主要な看護技術の手順を動画で提供しています。ぜひご活用ください。

動画の視聴方法

動画は，専用Webサイト「mee connect」上で，ユーザー登録をしてライセンス番号を入力することでご利用いただけます。登録の詳しい方法およびライセンス番号は，巻頭（「序」の前のページ）にある「本書デジタルコンテンツの利用方法」をご覧ください。

動画で観ることのできる看護技術には，紙面中にQRコードがついています。

「mee connect」へのユーザー登録・ライセンス番号入力後に，お手持ちのスマートフォンでQRコードを読み取ると，個別の動画にアクセスできます。

また，下記URLにアクセスするか下のQRコードから動画の一覧ページをご覧いただくことができます。

http://www.medical-friend.co.jp/douga_ab/mc/konkyo/zaitaku/04/konkyo_zaitaku04.html

ご注意

- 動画は無料で視聴することができますが，視聴にかかる通信料は利用者のご負担となります。
- 本コンテンツを無断で複写，複製，転載またはインターネットで公開することを禁じます。

特別付録　看護技術「手順シート」

本書では，主要な看護技術の一連の流れをA4サイズの用紙１枚に簡略にまとめた「手順シート」を提供しています。演習や実習で看護技術を実施する際に手順を確認するのに役立ちます。

「手順シート」のご利用にも，専用Webサイト「mee connect」へのユーザー登録とライセンス番号の入力が必要となります（動画のご利用のために登録済みの場合は不要です）。

「手順シート」は下記URLまたはQRコードからからダウンロードすることができます。ぜひご活用ください。

【「手順シート」ダウンロード用サイト】
http://www.medical-friend.co.jp/douga_ab/mc/konkyo/zaitaku/04/konkyo_zaitaku04_ps.html

動画一覧 video list

第II章 在宅看護の技術の基盤

初回訪問時 61

第III章 在宅療養に伴う日常生活援助技術

片麻痺のある療養者（トイレ移動し排泄できる療養者）の排泄援助 111

片麻痺のある療養者（ベッドからポータブルトイレへ移動し排泄できる療養者）の排泄援助 114

自力で体位変換が困難な療養者の活動への援助 145

- 仰臥位から側臥位に
- ひもを活用した側臥位
- 水平移動
- 腰殿部挙上
- 仰臥位からの起き上がり
- 長座位から端座位に
- 仰臥位から座位（布団で臥床）
- 身体の引き上げ
- 車椅子への移乗

第IV章 在宅療養に伴う医療的な援助技術

酸素濃縮装置による酸素投与 186

消化器ストーマ装具の交換 284

ペン型注入器によるインスリン自己注射 313

血糖自己測定 317

編　集

正野　逸子　令和健康科学大学
本田　彰子　国際医療福祉大学成田看護学部

執筆者（執筆順）

本田　彰子　国際医療福祉大学成田看護学部
藤本奈緒子　西南女学院大学保健福祉学部
正野　逸子　令和健康科学大学
菊池　和子　元岩手県立大学
炭谷　靖子　元富山福祉短期大学
生野　繁子　九州看護福祉大学看護福祉学部
上野　まり　元自治医科大学看護学部
栗本　一美　新見公立大学健康科学部
荒木　晴美　元富山福祉短期大学
中山　優季　東京都医学総合研究所
光根　美保　医療法人社団 中津胃腸病院
野元　由美　産業医科大学産業保健学部
平山香代子　和洋女子大学看護学部
王　　麗華　大東文化大学スポーツ・健康科学部
遠藤　貴子　元東京医科歯科大学大学院保健衛生学研究科
土平　俊子　元人間総合科学大学保健医療学部
宇野さつき　ファミリー・ホスピス神戸垂水ハウス
大木　正隆　東京工科大学医療保健学部
浅海くるみ　東京工科大学医療保健学部
山﨑　智子　元東京医科歯科大学大学院保健衛生学研究科

目次 contents

第Ⅰ章 在宅看護の考え方 1

1 在宅看護の対象と技術の特徴 (本田彰子) 2

1 看護学のなかでの在宅看護の位置づけ …… 2
　1）「寝たきり老人」への訪問看護から地域包括ケアの流れ …… 2
　2）看護教育のなかでの在宅看護 …… 2
　3）医療と福祉の間にあるケアニーズ …… 3
2 在宅看護の対象となる人々 …… 3
　1）介護予防が必要な人 …… 3
　2）医療を自宅で継続する人 …… 4
　3）自宅にいることに周囲の支援が必要な人 …… 4
　4）安らかな人生の最期を迎えたい人 …… 5
3 看護の提供の方法・しくみ …… 6
　1）自宅への看護提供 …… 6
　2）仮の棲家・生活の場への看護提供 …… 6
　3）医療福祉とともに行う看護提供 …… 6
4 在宅看護で求められる看護師の知識と技術 …… 7
　1）身体の状況を医学的にとらえる力：臨床推論 …… 7
　2）社会のなかにある療養者家族をとらえる力：保健医療福祉制度の理解 …… 7
　3）高度医療に対応できる技術力：高度実践看護・特定行為看護 …… 7
　4）生活環境のなかで個別の看護を提供する創造力 …… 8

2 在宅看護の基本姿勢 (藤本奈緒子) 9

1 在宅看護を行う専門職としての姿勢・態度 …… 9
　1）在宅で看護を提供するということ …… 9
　2）訪問看護のマナー …… 9
2 服装・持ち物 …… 10
　1）訪問時の身だしなみ・服装 …… 10
　2）訪問バッグの準備 …… 11
3 療養者・家族とのかかわり方 …… 13
　1）訪問前の準備 …… 13
　2）訪問時のマナー …… 13
　3）訪問後の記録 …… 14

3 在宅看護における医行為 (本田彰子) 16

1 在宅療養者に必要な医療処置 …… 16
　1）在宅療養指導管理料 …… 16
　2）在宅療養者への医療処置提供の実際 …… 17
2 法制度のなかでの医療処置：医行為 …… 17
　1）医行為の実施者 …… 17
　2）介護職と医療処置 …… 18
3 特定行為 …… 19
　1）特定行為とは …… 19
　2）特定行為の実施 …… 19

第Ⅱ章 在宅看護技術の基盤 23

1 対象をとらえる技術① ヘルスアセスメント (正野逸子) 24

1 ヘルスアセスメントとは …… 24
2 在宅看護における観察 …… 24
　1）観察の意義と特徴 …… 24
　2）観察の技術 …… 25
　3）観察のポイント …… 26
3 在宅におけるヘルスアセスメント …… 31

1）ヘルスアセスメントの目的 …… 31
2）ヘルスアセスメントの実際 …… 31
4 定期的ヘルスアセスメントのポイント …… 34
1）目　　的 …… 34
2）アセスメントのポイントと方法 …… 34
3）ヘルスアセスメント結果の活用 …… 37

2 対象をとらえる技術② 家族アセスメントと家族支援（正野逸子） …… 38

1 家族の定義 …… 38
2 社会の変化と家族看護のニーズ …… 38
1）少子高齢化と家族の小規模化 …… 38
2）女性就労の変化 …… 38
3）地域包括ケアシステムの推進 …… 39
3 在宅看護における家族アセスメントの必要性 …… 39
1）家族の機能と家族アセスメントの必要性 …… 39
2）家族アセスメントの視点 …… 39
3）家族アセスメント時の留意点 …… 40
4）家族アセスメントの実際：家族看護過程 …… 40
4 家族アセスメントに有効な理論 …… 41
1）家族システム理論 …… 41
2）家族発達理論 …… 42
3）家族危機理論 …… 42
5 家族アセスメントモデル …… 45
1）カルガリー家族アセスメント・介入モデル …… 45
2）家族エンパワーメントモデル …… 45
3）家族生活力量モデル …… 46
4）家族アセスメントに活用できるツール …… 48
6 在宅看護における家族支援の特徴 …… 52
1）家族支援の目的 …… 52
2）家族への基本的な姿勢 …… 52
7 家族支援の実際 …… 53
1）療養者・家族員への援助 …… 53
2）家族の関係性に対する援助 …… 53
3）家族と社会との関係性に対する援助 …… 53

3 対象にアプローチする技術① コミュニケーション（菊池和子） …… 55

1 在宅看護におけるコミュニケーションの特徴 …… 55
1）地域の環境が及ぼす影響 …… 55
2）療養者・家族の相互関係による影響 …… 55
3）療養者・家族・看護師の相互関係による影響 …… 56
2 療養者・家族とのコミュニケーションの原則 …… 56
1）療養者・家族の意思の尊重と意思決定への支援 …… 56
2）療養者と家族の生活史への配慮 …… 57
3）家族のコミュニケーションスタイルを踏まえたコミュニケーション …… 57
4）プライバシーの保護と守秘義務 …… 57
3 人間関係を発展させるコミュニケーション技術 …… 57
1）初期の出会いの位相 …… 58
2）同一性出現の位相 …… 58
3）共感の位相 …… 58
4）同感の位相 …… 58
5）ラポート（ラポール） …… 58
4 言語的コミュニケーションが困難な場合のコミュニケーション技術 …… 59
1）視覚障害のある療養者 …… 59
2）聴覚障害のある療養者 …… 59
3）言語障害や筋萎縮性側索硬化症などにより会話が困難な療養者 …… 59
5 訪問看護におけるコミュニケーション …… 60
1）初回訪問前の準備 …… 60
2）初回訪問時のコミュニケーション …… 60
看護技術の実際 …… 61
A 初回訪問時 …… 61

4 対象にアプローチする技術② 在宅看護過程（炭谷靖子） …… 63

1 在宅看護における看護過程の意義 …… 63
2 在宅看護過程の展開 …… 64

1）情報収集 …… 64
2）アセスメント …… 67
3）目標設定 …… 67
4）問題・課題の抽出 …… 67
5）計　画 …… 67
6）援助の実施 …… 68
7）評　価 …… 68
8）看護過程における関連図の作成と活用 …… 69

5 技術を提供する在宅ケア体制①
地域包括ケアシステムにおける在宅看護 （生野繁子） 72

1 わが国の地域包括ケアシステムと在宅ケア体制の概要 …… 72
1）わが国が目指す地域包括ケアシステムの概要 …… 72
2）地域包括ケアシステムにおける在宅看護の考え方 …… 73
3）高齢社会における家族の変容 …… 74
4）多様化する在宅看護の場 …… 75
2 地域包括ケアシステムにおける看護職の役割 …… 75
1）訪問看護の場と役割の拡大 …… 75
2）看護小規模多機能型居宅介護 …… 76
3）在宅終末期ケアの充実 …… 76

6 技術を提供する在宅ケア体制②
在宅ケア体制とケアマネジメント （生野繁子） 77

1 在宅ケア体制におけるケアマネジメントの考え方 …… 77
1）入退院支援が重視される今日的課題 …… 77
2）生活障害と健康障害の統合としてのケアマネジメント …… 77
3）介護予防の視点 …… 78
4）トータルケアとしてのケアプラン …… 78
5）チームケア …… 78
6）介護保険におけるケアマネジメント …… 78
7）介護保険制度上のケアマネジャー …… 78
2 ケアマネジメントの定義・目的・プロセス・理念 …… 79
1）ケアマネジメントの定義 …… 79
2）ケアマネジメントの目的 …… 80
3）ケアマネジメントのプロセス …… 80
3 在宅マネジメントの機能と考え方 …… 81
1）ケアマネジメントの機能 …… 81
2）認知症のある療養者への支援 …… 81
3）在宅介護における終末期ケアの限界の見極め …… 82
4 在宅ケア体制における多職種連携の意義と方法 …… 82
1）在宅ケア体制における多職種連携の意義 …… 82
2）看護職チームの連携 …… 82
3）医療依存度の高い療養者に関する医師との連携 …… 83
4）在宅ケア体制の構成要素 …… 83
5 情報共有の方法 …… 84
1）ケアカンファレンスなどでの連絡・調整 …… 84
2）SNSタイムラインツールの活用やICT利用による変化 …… 84
6 在宅ケアにおける意思決定支援 …… 85
1）意思決定支援に関する動向 …… 85
2）個別性の尊重 …… 85
3）利用者の意向の尊重 …… 85
4）介護家族の意思決定支援 …… 85

7 技術を提供する在宅ケア体制③
在宅看護のリスクマネジメント （上野まり） 86

1 屋外で起こり得る事故と対策 …… 86
1）交通事故 …… 86
2）駐車違反 …… 87
2 屋内（訪問先）で起こり得る事故と対策 …… 87
1）利用者の転倒・転落・誤嚥・受傷 …… 87
2）熱中症 …… 87
3 在宅にみられる主な感染症とその対策 …… 88
1）スタンダードプリコーションの遵守 …… 88
2）尿路感染症 …… 89
3）インフルエンザなどのウイルス感染症 …… 89
4）MRSA（メチシリン耐性黄色ブドウ球菌）…… 89
5）疥　癬 …… 89
6）肺　炎 …… 90
7）結　核 …… 90
4 災害発生時の安全管理 …… 90
5 訪問看護師が被害者となる事故 …… 91

第Ⅲ章 在宅療養に伴う日常生活援助技術 93

1 食　事 (栗本一美) 94

1 在宅療養者の食事における看護技術の特徴 … 94
1）在宅療養者の食事の特徴 … 94
2）在宅療養での食事のアセスメント … 95
2 在宅療養者への食事支援と介護者への教育指導 … 96
1）療養者への食事支援 … 96
2）介護者への教育指導 … 99
3 嚥下障害がある場合の食事介助のポイント … 100
1）脳血管疾患 … 100
2）神経・筋疾患 … 101
3）口腔・咽頭疾患 … 101
4）心理的な影響 … 102
5）加齢の影響 … 102
看護技術の実際 102
A 片麻痺のある療養者の食事の援助 … 102
B 視力障害のある療養者の食事の援助 … 104

2 排　泄 (栗本一美) 106

1 在宅療養者の排泄における看護技術の特徴 … 106
1）自然排泄の維持と自力排泄への援助 … 106
2）排泄要求への迅速な対応 … 106
3）便器・尿器の工夫 … 106
4）残存機能の活用と環境整備 … 107
5）排泄に関するアセスメント項目 … 107
6）介護者の負担軽減への援助 … 107
7）褥瘡・感染症予防のための清潔援助 … 107
2 排泄用具の活用 … 107
1）尿　器 … 107
2）便　器 … 109
3）ポータブルトイレ … 110
4）お む つ … 110
看護技術の実際 111
A 片麻痺のある療養者（トイレ移動し排泄できる療養者）の排泄援助 … 111
B 片麻痺のある療養者(ベッドからポータブルトイレへ移動し排泄できる療養者)の排泄援助 … 114
C おむつを使用している療養者（脊髄損傷などで，尿意・便意がない，あるいははっきりしない療養者）の排泄援助 … 116
D 認知症療養者の排泄援助 … 117

3 清　潔 (藤本奈緒子) 119

1 在宅における清潔援助の意義 … 119
1）在宅療養者の身体的側面 … 119
2）在宅療養者の心理社会的側面 … 119
3）家族介護者や専門職にとっての意義 … 120
2 在宅療養者の清潔における看護技術の特徴 … 120
1）療養者の生活習慣を尊重し，自立を支援する … 120
2）清潔援助を拒否する療養者に対する援助方法 … 121
3）在宅における清潔援助の方法 … 121
4）在宅における清潔援助方法のポイント … 122
看護技術の実際 123
A 自力で座位保持ができる療養者の入浴・シャワー浴 … 123
B 自力で座位保持ができる療養者のトイレ（ポータブルトイレ）で行う陰部洗浄 … 126
C 自力で体動が困難な療養者のベッド上で行う全身清拭と更衣（家族介護者と2人で行う方法） … 127
D 自力で体動が困難な療養者のベッド上で行う洗髪 … 129
E 自力で体動が困難な療養者のベッド上で行う手浴・足浴 … 131
F 自力で体動が困難な療養者のベッド上で行う口腔ケア … 133

G 自力で立位保持ができる片麻痺（右側）がある療養者の更衣 …134
H 自力で体動が困難な療養者の整容：洗面，ひげそり，爪切り …136

4 活動と休息 （菊池和子） 139

1 在宅療養者の活動における看護技術の特徴 …139
　1）良い姿勢 …140
　2）ボディメカニクス …140
　3）活動における援助の背景となる原理 …140
2 活動への援助に関するアセスメント …142
3 活動への援助にあたっての留意事項 …142
　1）体位の変化による血圧への影響 …142
　2）転倒・転落の防止 …143
　3）生活意欲・生きがいへの支援 …143
4 在宅療養者の休息における看護技術の特徴 …143
5 睡眠のメカニズム …144
　1）概日リズムと睡眠の周期 …144
　2）年齢による睡眠の変化 …144
6 睡眠への援助に関するアセスメント …145
　1）睡眠に関するアセスメント項目 …145
　2）睡眠に関するアセスメント …145
看護技術の実際 145
A 自力で体位変換が困難な療養者の活動への援助 …145
B 睡眠への援助 …158

5 住まい・生活環境 （荒木晴美） 160

1 住まい・生活環境のとらえ方 …160
　1）住まい・生活環境とは …160
　2）療養者にとっての住まい・生活環境 …161
　3）療養者の住宅状況と地域環境 …161
　4）日本の住まいの特徴 …162
　5）家庭内事故の割合と課題 …163
2 在宅療養を支える住まい・生活環境の整備 …164
　1）目的と意義 …164
　2）住まい・生活環境の整備の基本 …164
　3）自立した生活を送るための住まい・生活環境の構造と留意点 …171
3 住まい・生活環境の改善と制度の利用 …171
　1）介護保険制度の利用による住宅改修 …171
　2）障害者総合支援法の利用による住宅改修 …171
　3）その他住宅改造費の助成 …171
　4）福祉用具との併用 …172

第Ⅳ章 在宅療養に伴う医療的な援助技術 175

1 在宅酸素療法 （中山優季） 176

1 在宅酸素療法における看護技術の特徴 …176
2 在宅酸素療法の適応 …176
3 在宅酸素療法を受ける対象の特徴 …177
4 在宅酸素療法の効果 …177
5 在宅酸素療法導入支援 …178
　1）導入の前提条件 …178
　2）在宅酸素療法に必要な機材（酸素供給機器） …178
　3）在宅酸素療法導入までの流れ …181
6 在宅酸素療法を受ける療養者への日常生活支援 …183
　1）毎日の体調の観察 …183
　2）日常生活支援 …184
　3）社会資源の活用 …185
看護技術の実際 186
A 酸素濃縮装置による酸素投与 …186

2 在宅人工呼吸療法 (中山優季) ―― 188

1 在宅人工呼吸療法における看護技術の特徴 …188
2 在宅人工呼吸療法の適応 …188
3 在宅人工呼吸療法を受ける対象の特徴 …190
4 在宅人工呼吸療法で用いる人工呼吸器の種類と特徴 …191
1）在宅用人工呼吸器の種類としくみ …191
2）在宅用人工呼吸器の取り扱いと観察点 …194
5 在宅人工呼吸療法導入支援 …194
1）本人・家族の受容（意思確認） …194
2）介護者と家庭環境の確認と課題整理 …196
3）条件整備 …196
4）打ち合わせ：在宅ケア会議 …197
5）試験外泊 …197
6）退院カンファレンス，在宅カンファレンス …197
看護技術の実際 197
A 非侵襲的人工呼吸による呼吸介助（マスクフィッティング） …197
B 気管切開式人工呼吸による呼吸介助 …198
C 持続陽圧呼吸による呼吸介助 …202

3 吸 引 (中山優季) ―― 203

1 在宅における吸引の看護技術の特徴 …203
2 痰の吸引手技の特徴 …205
1）上気道と下気道の清潔概念を区別する …205
2）吸引圧・時間・カテーテルの選択 …205
3）吸引器具の管理 …205
4）吸引実施中に起こりやすいトラブル …206
3 排痰ケアの重要性 …207
看護技術の実際 208
A 気管吸引 …208
B 口腔・鼻腔吸引 …211
C 排痰補助装置 …212

4 在宅末梢点滴静脈注射法 (光根美保) ―― 214

1 在宅末梢点滴静脈注射法における看護技術の特徴 …214
1）診療補助行為としての静脈注射 …214
2）看護師による静脈注射実施の条件 …214
2 末梢点滴静脈注射法の種類と特徴 …215
1）静脈注射の分類 …215
2）穿刺する血管の選択 …215
3 末梢点滴静脈注射法に関するトラブル・合併症とその対処法 …216
1）血管外漏出 …216
2）静 脈 炎 …216
3）皮下血腫 …216
4）末梢神経損傷 …216
5）感 染 …216
4 在宅末梢点滴静脈注射法の導入支援 …217
1）実施体制の整備と看護師の配置 …217
2）医師との連携 …217
看護技術の実際 219
A 末梢点滴静脈注射法の実施 …219
1）準 備 …219
2）実施・実施後 …220

5 在宅中心静脈栄養法 (光根美保) ―― 222

1 栄養療法の種類 …222
2 在宅中心静脈栄養法の定義と適応 …222
1）在宅中心静脈栄養法とは …222
2）在宅中心静脈栄養法の適応 …223
3 在宅中心静脈栄養法の実施 …224
1）カテーテルの種類と選択 …224

2）注入方法 ……225
4 在宅中心静脈栄養法の合併症 ……227
1）カテーテルによる合併症 ……227
2）代謝性合併症 ……227
5 HPNの支援 ……228
1）HPNの条件 ……228
2）HPN施行中の注意点 ……228
看護技術の実際 229
A 輸液の準備 ……229
B 皮下埋め込み式カテーテルの場合の穿刺，薬剤の注入 ……229
C 注入終了後のカテーテルの管理 ……231
D 注入終了，ヘパリンロック ……233
E カテーテルの管理 ……234

6 在宅経腸栄養法 （野元由美） ―235
1 在宅経腸栄養法の適応 ……235
1）適応基準と病態 ……235
2）投与経路 ……235
3）実施に関する意思決定 ……235
2 経腸栄養法の種類と特徴 ……236
1）経腸栄養法の種類 ……236
2）経腸栄養剤の種類 ……238
3）経腸栄養法の使用器具・器材 ……239
3 経腸栄養法に関連する合併症と対処法 ……241
1）機械的合併症：栄養チューブが原因となる合併症 ……241
2）消化器系合併症 ……242
4 在宅経腸栄養法の導入支援 ……243
1）在宅経腸栄養法実施の留意点 ……243
2）在宅経腸栄養法実施にかかわる費用，社会資源 ……243
看護技術の実際 244
A 経鼻チューブ挿入 ……244
B 栄養剤の注入 ……246
C 瘻孔造設部分のスキンケア ……248

7 腹膜透析 （野元由美） ―250
1 在宅における腹膜透析の特徴 ……250
1）PDの管理 ……251
2）PDの適応 ……253
3）PDの禁忌 ……253
4）PDのメリットとデメリット ……253
2 PDの実施 ……253
1）使用物品 ……253
2）PDの手順と留意点 ……254
3 合 併 症 ……254
1）感染経路 ……254
2）腹 膜 炎 ……254
3）出口部・トンネル感染 ……255
4 在宅での看護のポイント ……255
1）観　　察 ……255
2）腹膜透析バッグ交換時の清潔ケア ……255
3）カテーテルケア ……256
4）記　　録 ……256
5）日常生活上の指導 ……258
6）緊急時の対応 ……258
7）医療費と社会保障制度 ……259
看護技術の実際 260
A 透析バッグの交換 ……260

8 尿道留置カテーテルの管理 （平山香代子） ―263
1 在宅における尿道留置カテーテルの管理の特徴 ……263
2 尿道留置カテーテルに起因する問題の予防と対応 ……265
1）尿路感染症 ……265
2）尿路結石 ……266
3）膀胱萎縮 ……267
4）膀胱刺激症状 ……267

5）カテーテル周囲からの尿漏れ……267
6）カテーテルの抜去困難……267
3 非侵襲的カテーテルおよび清潔間欠導尿……268
1）非侵襲的カテーテル……268
2）清潔間欠導尿……268
看護技術の実際 269
A 清潔間欠導尿（CIC）……269
1）男 性……270
2）女 性……271
B 尿道留置カテーテルの管理……272

9 ストーマケア

（平山香代子）――274
1 在宅におけるストーマケアの特徴……274
1）療養者・家族のセルフケア確立の支援……274
2）排泄経路の変更に伴う心理的影響への支援……275
3）ストーマとストーマ周囲の皮膚の管理……275
4）排泄の管理……275
5）日常生活行動への援助……275
6）社会資源の活用……275
2 ストーマの種類と特徴……275
1）排泄物の特徴……278
2）食事の工夫……279
3 ストーマ用装具の種類と使用方法……280
1）皮膚保護剤……280
2）ストーマ袋……281
4 在宅におけるストーマケアへの支援……282
1）ストーマケアのモニタリング項目……282
2）災害時の対策……283
3）社会資源の活用……283
看護技術の実際 284
A 消化器ストーマ装具の交換……284
B 尿路ストーマ装具の交換……289

10 薬物療法に伴う援助① 服薬管理

（王麗華）――292
1 在宅における薬物療法に伴う援助の特徴……292
1）診療補助行為としての薬物療法に伴う援助……292
2）在宅での薬物療法に伴う援助の特徴……292
2 在宅での服薬管理の特徴……293
1）療養者と家族が服薬管理にかかわる……293
2）服薬や寝食や外出など日常生活との融合……293
3 薬物療法における薬剤の種類と特徴……293
4 在宅における服薬管理への支援……295
1）療養者の服薬状況の把握……295
2）在宅看護における服薬管理のアセスメントの視点……296
3）生活の場で生じやすい服薬管理のトラブル……296
5 在宅での服薬支援……296
看護技術の実際 298
A 内服薬の服用……298

11 薬物療法に伴う援助② 化学療法に伴う看護

（王麗華）――299
1 外来がん化学療法の特徴……299
1）化学療法について……299
2）外来がん化学療法の流れ……299
3）外来がん化学療法における関連職種の役割……300
2 外来がん化学療法看護の特徴……300
1）外来がん化学療法の患者の特徴……300
2）がん化学療法に関連する副作用……301
3）外来がん化学療法看護の特徴……301
3 化学療法に伴う在宅看護……302
1）外来がん化学療法のアセスメント……302
2）在宅療養者のセルフケアへの支援……302

4 外来がん化学療法中の在宅療養者への看護の実際 ……303
1）セルフケアの支援 ……303
2）家族への支援 ……303
3）緊急対応 ……303
4）インターネット上の社会資源へのサポート ……303
5）医療ケアチームの整備 ……305

12 薬物療法に伴う援助③ インスリン自己注射と血糖自己測定（SMBG）（王麗華）——306

1 インスリン療法の特徴 ……306
1）インスリンとは ……306
2）在宅におけるインスリン自己注射の特徴 ……306
3）在宅でのインスリン自己注射における支援 ……307
2 在宅におけるインスリン自己注射に伴う看護技術 ……308
1）インスリン製剤の特徴 ……308
2）インスリン注入器の特徴 ……309
3）持続的皮下インスリン注入療法 ……310
4）インスリン注射部位 ……310
5）尿糖・血糖の測定 ……311
6）低血糖症状への対応 ……311
7）シックデイの対処 ……312
8）視覚障害者のインスリン自己注射の事故 ……313
看護技術の実際 313
A ペン型注入器によるインスリン自己注射 ……313
B 血糖自己測定 ……317

13 褥瘡の予防とケア（遠藤貴子）——321

1 在宅における褥瘡ケアの特徴 ……321
1）褥瘡ケアの到達目標の設定 ……321
2）在宅で褥瘡ケアを行ううえでのポイント ……321
2 褥瘡の発生要因と分類 ……322
1）発生要因 ……322
2）褥瘡の深達度分類 ……323
3 褥瘡予防のリスクアセスメント ……325
1）ブレーデンスケール ……325
2）在宅版K式スケール ……325
4 褥瘡の予防的ケアと発生後のケア ……325
1）アセスメント内容と方法 ……325
2）体位の調整（ポジショニング）……330
3）栄養の管理 ……334
4）排泄の管理 ……335
5）褥瘡の局所ケア ……336
看護技術の実際 339
A 褥瘡予防のための援助（体圧測定，エアマットレスの底付きの確認）……339
B 創周囲皮膚と創洗浄のケア ……340
C 創傷被覆材の貼付 ……340

14 在宅リハビリテーション（土平俊子）——342

1 在宅リハビリテーションにおける看護技術の特徴 ……342
1）在宅リハビリテーションの特徴 ……342
2）在宅リハビリテーションの制度とチームケア ……343
3）在宅リハビリテーションの目標 ……344
4）在宅看護の在宅リハビリテーションの目標と機能 ……344
5）在宅リハビリテーションの事例紹介 ……344
6）在宅リハビリテーションにおける情報と看護師の役割 ……346
2 在宅リハビリテーション導入支援 ……346
1）在宅リハビリテーションの内容 ……346
2）在宅と通所でのサービスの調整 ……347
3）チームの連携とコミュニケーション ……347

4）在宅リハビリテーション計画と
評価カンファレンス ……347
3 主な疾患と在宅リハビリテーションの実際 …348
1）呼吸リハビリテーション ……348
2）心臓リハビリテーション ……349
3）エンド・オブ・ライフケアと
在宅リハビリテーション ……352
4 在宅看護の在宅リハビリテーションに
関する役割の拡大 ……353

15 在宅緩和ケア （宇野さつき） ——354

1 在宅緩和ケアとは ……354
2 在宅緩和ケアにおける看護師の基本的態度 …355
1）療養者・家族との
コミュニケーションへの配慮 ……355
2）アセスメントの重要性 ……355
3）生活状況の観察 ……356
4）症状体験の把握 ……356
5）療養者や家族のセルフケア行動の確認 …356
6）今後の経過の予測と対応 ……357
7）医療者が不在時の状況把握 ……357
8）在宅での服薬管理の支援 ……357
9）多職種との連携 ……358
3 身体的苦痛の緩和 ……358
1）疼　痛 ……358
2）悪心・嘔吐 ……366
3）便秘，下痢 ……368
4）食欲不振 ……370
5）呼吸困難 ……371
6）倦 怠 感 ……373
4 精神的苦痛の緩和 ……374
1）不安，抑うつ ……374
2）せ ん 妄 ……375

第Ⅴ章 在宅終末期ケア 377

1 在宅看取りとエンゼルケア （大木正隆，浅海くるみ） ——378

1 在宅での看取りの背景と考え方 ……378
2 看取りのケアに関連する様々な用語 ……378
3 病の軌跡 ……378
4 意思決定支援 ……379
1）ACP（アドバンス・ケア・プランニング）
とは ……379
2）訪問看護における意思決定支援の実際 …380
5 在宅での看取りのケアの考え方 ……381
6 在宅での看取りのケアにおいて
求められる訪問看護師の技術・能力 ……381
7 在宅での看取りにおける症状
（廃用症候群）緩和 ……383
8 在宅での看取りにおけるトータルペイン
（全人的苦痛）および援助 ……383
9 訪問看護師が実施する「死の準備教育」……384
10 終末期の時期別の訪問看護の目的と
具体的内容 ……385
11 在宅終末期におけるトライアングルケア ……388
12 情報通信機器（information and
communication technology：ICT）
を利用した訪問看護師による
医師代理の死亡診断 ……389
1）死亡診断等を取り巻く課題 ……389
2）ICTを利用した
死亡診断等を行う際の要件 ……389
3）ICTを利用した
死亡診断等を行う際の留意点 ……391
13 エンゼルケア ……391
1）エンゼルケアとは ……391
2）エンゼルケアの基本的な方法 ……392
3）訪問看護における
エンゼルケアの留意点 ……392

2 在宅でのグリーフケア （山﨑智子）

2 在宅でのグリーフケア （山﨑智子）――395

1 グリーフケアの理解……395
1）グリーフ（悲嘆）とは何か……395
2）ノーマルグリーフの過程……395
3）複雑化したグリーフ……396
4）グリーフワークとは……397
5）グリーフケア……398
6）グリーフケアの目標……398

2 在宅におけるグリーフケア：その意義と実際……399
1）死別前にできること：遺族のグリーフケアを見越した家族ケア……399
2）遺族のグリーフを支えるものを知る……399
3）死別後に有益な看護……400
4）在宅におけるグリーフケアの方法……400
5）グリーフケアのポイント……400
6）これから地域の看護師に寄せられる期待……401

3 看護師のグリーフケア……401
1）看護師が経験するグリーフとは……401
2）看護師へのグリーフケア……402

索　引……405

第Ⅰ章

在宅看護の考え方

1 在宅看護の対象と技術の特徴

学習目標
- 在宅看護学の位置づけを看護学全体のなかで理解する。
- 在宅看護の対象となる人々の特徴を説明できる。
- 在宅看護の提供方法の特徴を説明できる。
- 看護師に求められる在宅看護の技術と能力を説明できる。

1 看護学のなかでの在宅看護の位置づけ

1）「寝たきり老人」への訪問看護から地域包括ケアの流れ

（1）介護保険制定以前

近年の訪問看護の始まりは，自宅で臥床生活をしている高齢者，すなわち「寝たきり老人」への看護が求められるようになってからである。在宅看護・訪問看護の歴史を紐解くと，1920年代に，貧しい人々，特に母子に対する救済的な巡回看護，1930～40年代の公衆衛生看護としての訪問，1970年代の病院からの医療的ケアの提供，1990年代高齢化社会になってからの寝たきり老人への訪問看護，そして，2000年の介護保険という流れのなかで，多様な健康状態にある人々に対して，その時代その時代のニーズに応じたケアを提供している看護の姿をみることができる。

（2）介護保険制定以後

介護保険が制定されてから，さらに医療と保健福祉が連携融合した社会の仕組みが求められ，「地域包括ケアシステム」の考え方のなかで，看護は地域に根差した健康の維持増進，そして安らかな終末期のための重要な役割を果たすことになった。病院などで治療にあたる医療の視点と，自宅で療養する生活者を支援する視点を併せもつ機能として，「看護」が存在し，病院外の看護職は「訪問看護師」とよばれるようになった。

2）看護教育のなかでの在宅看護

（1）看護基礎教育

看護師育成の教育のなかで，在宅看護は新しい領域である。保健師助産師看護師養成所指定規則のカリキュラムに看護の一分野として登場したのは，1996年のことである。発達段階別の看護の専門領域に含まれず，あらゆる年代，また多様な健康状態に対応する看護として，「統合分野のなかの在宅看護論」に位置づけされた。

当初，大学における在宅看護の教育は，この分野を専門とする教育研究を積んだ教育者が少なく，また対象者世代の幅があること，地域で活動することから，独立して分野を立てず，老年看護，地域看護・公衆衛生看護に含められた教育がなされていることも多かった。多くの大学は，保健師養成教育課程も併せもっており，保健師による在宅看護の教育がなされていた。

（2）卒後教育・高度実践看護教育

昨今，大学院における高度実践看護師教育に在宅看護が現れ，専門看護師が在宅看護の専門家として活躍している。また，卒後教育として，認定看護師教育のなかに領域が特定され，実践現場で訪問看護の専門家が認識されるようになってきた。

在院期間が短くなり，病院で提供することを前提としたこれまでの看護の教育内容に，退院後も治療を継続することや医療のみならず療養を支援する看護が含まれるようになり，在宅看護の科目だけでなく，それぞれの領域の教育内容に在宅看護が背景にあることを意識するようになった。

3）医療と福祉の間にあるケアニーズ

在宅療養者に看護を提供し，それに対して医療保険から報酬を得られるようになったのは，1991年老人保健法等の一部改正・老人訪問看護制度創設によるものである。医師の指示により医療を提供することと併せて，高齢者の療養上の世話を看護師ができるものであった。2000年に高齢者と加齢の影響や進行性の疾患をもつ人に対して，介護保険が適用されるようになり，医療のなかだけでなく，介護という枠組みで訪問看護が実施されるようになった。また，医師との調整が中心であったそれまでの訪問看護から，ケアマネジャーや介護職，OT･PTなどの医療従事者とともに療養者のケアをつくり上げていくという時代に変わってきた。看護職は，他の職種と連携を取って一人ひとりのケアを調整していくことに自らの役割機能を調整し，ケアチームのなかに立ち位置をつくり出していった。

また，大学院や卒後教育などで専門的教育を受けた訪問看護師は，訪問看護ステーションからの看護提供だけでなく，外来看護，退院調整，高齢者施設などの多様な実践の場で在宅看護の専門家として位置づけられており，まさに，医療と保健福祉の連携融合に寄与していると考えられる。

地域包括ケアシステムは，団塊の世代が75歳となる時期に，医療施設への依存から，地域での生活を基盤として，医療と介護福祉が状況に応じて連携調整していくことを目指したものである。すなわち，高齢になっても在宅，病気であっても在宅ということを実現するための仕組みづくりである。そのなかで，地域の特性，個人の特性に合ったケアを考え出し，提供している看護師が，医療と福祉の間にあるニーズに直接かかわることができると考える。

2 在宅看護の対象となる人々

1）介護予防が必要な人

介護予防が必要な人には2つのタイプがある。

（1）加齢により病気や怪我を引き起こしやすい高齢者

1つは健康に問題がないが，加齢により病気や怪我を引き起こしやすい高齢者，すなわち，健康障害を予測しているが，問題視していない人である。健康を意識し，現在の機能を維持するために日常生活のなかで予防活動を見出し実施していくことが求められる。地域包括支援センターでの介護予防事業がこれにあたる。地域に住むこのような高齢者の世帯をリストアップし，安全・安心して暮らせる環境を確認し，体操教室や口腔ケア教室など，現在の機能を維持する機会を介護予防として提供する。

（2）疾患に罹患して回復途中にある人

もう1つは疾患に罹患して回復途中にある人である。当然元に戻ると思っているが，身体機能の低下や障害の大きさから，普通にしていては元には戻らず，放っておくと確実に介護が必要な状態になる。医療の現場では治療後のリハビリテーションと位置づけられるが，早期退院となっている現在，このリハビリテーションを在宅療養の場で積極的に行うことが必要となる。これには疾患や治療の影響を考えることが必要であり，看護にあたる者には，医学的面からの予測推論する能力が求められる。

2）医療を自宅で継続する人

在宅療養者のなかには，様々な医療を在宅で継続して受けている。そのために病院のように常に医療従事者がいるわけではない在宅の場では，医療を継続するための手立て，準備などが求められる。

（1）セルフマネジメント

経口与薬や注射などの薬物療法は多くの療養者が継続して受けている医療である。症状出現や病気の進行を抑えるため，確実に服薬する必要がある場合，自宅で自分自身で管理できるように教育指導したり，その力を導き出すかかわりが必要である。患者自身のもてる力を共に認め合い，どのようにしたら，自身のケアを自身でできるかを見出していけるか，看護のかかわりが大変重要である。

（2）ケアチームづくり

近年の医療技術の開発，進歩は目覚ましく，自宅で受ける医療処置は，病院と同レベルであり，機器は個々の病状に合わせられる精度で機能し，かつ安全に使用できるようになってきている。患者・家族が適切にこれらの医療を実施できるには，機器の整備だけではなく，患者の病状の観察やケア提供体制の調整などを含んだ継続的なかかわりが欠かせない。療養者が自身の受ける医療に関する情報を吟味し，療養者自身を中心に置いたケアチーム提供体制となるよう，傍らで伴走する看護職が支持，調整することが求められる。

3）自宅にいることに周囲の支援が必要な人

予防的なかかわり，医療のかかわりが必要でそのニーズに対応可能な場合であっても，支援の効果がみられるには，受ける側の環境が整わなければならない。環境には，人的環境，物的環境，そして経済的環境がある。その環境を整えるには，療養者の病状や障害に応じるだけでなく，家族を含めたかかわりと，社会全体で支えるかかわりがある。

（1）家族を含めたかかわり：家族看護の視点

退院支援が必要な患者の多くは，入院前は自立して日常生活を送っていたが，後遺症や障害により誰かの手を必要とするような状態で退院を余儀なくされる。退院調整看護師からは，まず，「自宅で誰と一緒ですか」と問われ，共に暮らす家族には，その後の療養場所の選択，生活の仕方，そして介助の方法などが矢継ぎ早に話されることがある。療養者中心に退院後を考える際，家族を介護者としてとらえてしまいがちである。しかし，家族も患者同様に，疾患や障害の影響を受けている。家族それぞれの社会活動，家族内の人間関係，そして家族自体の歴史ということにも目を向け，家族全体をとらえたうえで，家族に生じた大きな課題にどう取り組むかを共に考えていくことが必要である。

(2) 保険で支えられている療養者：制度の理解と活用

在宅看護にかかわる職種のなかで，訪問看護や居宅支援にあたる者は，療養費など患者の経済的な面に直接かかわることがある。医療も介護も社会保険制度のなかにあり，支援する者が提供するケア一つひとつに制度の裏づけがあり，その仕組みのなかで請求や支払いがある。医療保険，介護保険のみならず，生活保護，障害者総合支援法，新難病法，労災などの様々な仕組みや制度があり，提供する支援一つひとつが保険適用であるかを意識する必要がある。社会の仕組みで支えられているという見方を含めて，対象者の全体像をとらえることが在宅看護には求められる。

4) 安らかな人生の最期を迎えたい人

在宅での終末期医療，看取りを推し進めている国の医療施策には，アドバンス・ケア・プランニング（ACP）の考えの普及も加わり，「地域で自分らしい生活を最期まで持続していく」という地域包括ケアの理念に沿った時代へ動いていると考えられ，人々には自宅での療養や看取りに関する意識の変化がみられている。

図1-1，2は，「人生の最終段階における医療の普及・啓発の在り方に関する検討会」が2018年に実施した調査結果である。末期がんの療養場所を一般国民の47.4％が自宅を望んでいるが，そのうち7割が最期を自宅で迎えたいとしている。このグラフが示すように，最期を自宅でということには不安があり，在宅医療への信頼獲得はまだその途上にあると考えられる。

訪問看護に携わる者は，人生の終わりの時期にどこで療養するか，どこで看取るかに関する情報提供や判断の支援を行い，確実に安全・安楽を提供できる技術を提供することに

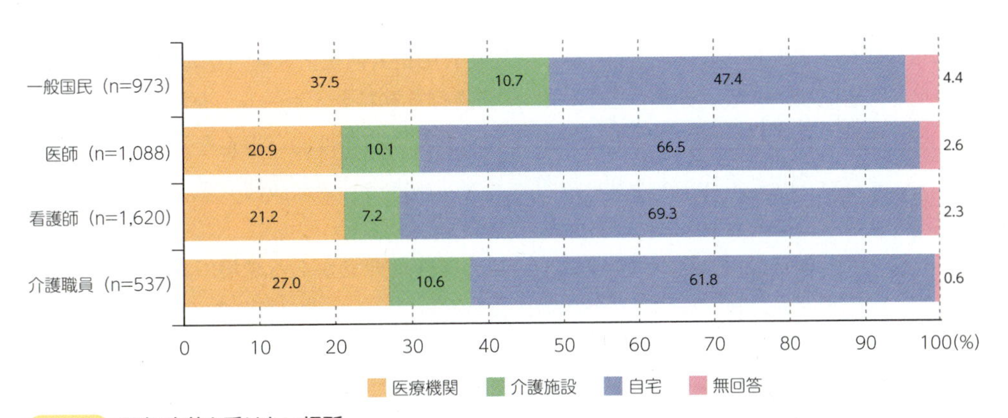

図1-1 医療・療養を受けたい場所

人生の最終段階における医療の普及・啓発の在り方に関する検討会：人生の最終段階における医療に関する意識調査報告書，2018，p.51．より転載

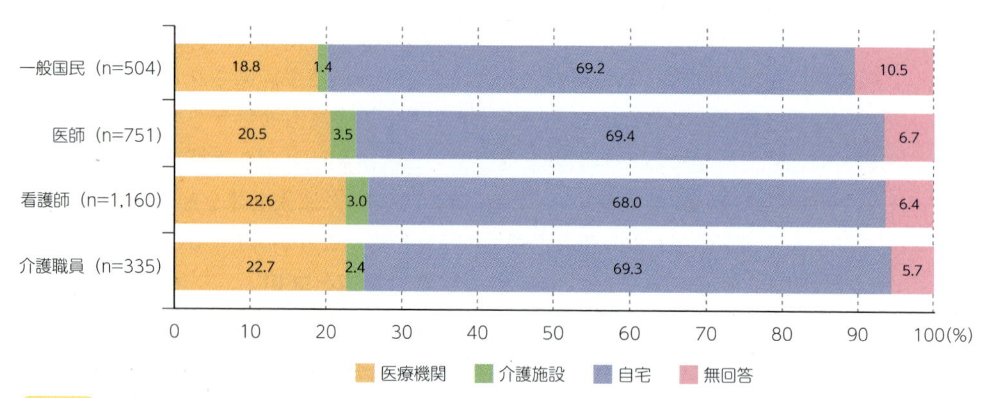

図1-2　最期を迎えたい場所

人生の最終段階における医療の普及・啓発の在り方に関する検討会：人生の最終段階における医療に関する意識調査報告書，2018，p.53．より転載

より，終末期にある療養者とその家族，また取り巻く周囲の人々に，「安らかな人生の最期」にかかわる在宅ケアの存在を示していくことが求められる。

3　看護の提供の方法・しくみ

1）自宅への看護提供

在宅看護は，その言葉のとおり，療養者の自宅へ赴き看護を提供する。自宅が戸建て，集合住宅など様々な環境にあり，療養者の居室も，専用の居室，家族のだんらんに近い場所，別棟それぞれ多様である。

看護を提供する際，居宅や居室がその人や家族の歴史や関係性によるものであるととらえるが，安全，かつ安楽な環境であることを確認することが必要である。療養者の状態を鑑み，環境整備の提案をしたり，また療養の場自体の変更を考えたりすることもある。初回訪問を担当する者は環境のアセスメントを十分行うことが求められる。

2）仮の棲家・生活の場への看護提供

訪問看護ステーションから看護を提供できるのは，サービス付き高齢者向け住宅，住宅型有料老人ホーム，ケアハウス，認知症対応型共同生活介護（グループホーム），特定施設入居者生活介護（介護付きホーム），介護付き有料老人ホーム，介護老人福祉施設（特養），短期入所生活介護（ショートステイ）である。訪問可能な指定を受けたり，委託契約が必要だったりと条件があるが，医療保険や介護保険により訪問看護を利用できるように整備されてきた。

多くは常に，家族以外の介護者による見守り介護がある環境であり，自宅での療養がイコール家族介護でない現在の高齢社会を示していると考えられる。

3）医療福祉とともに行う看護提供

定期巡回・随時対応型訪問介護看護：日中・夜間を通じて訪問介護と訪問看護が密接に連携してサービスを提供する。

看護小規模多機能型居宅介護：小規模多機能型居宅介護と訪問看護が一緒になったサービス。医療依存度の高い療養者を対象としており，通所では，看護師と介護士からケアを受け，通所以外の日に訪問看護も受けている。通所では常時看護師がケアに当たるが，訪問看護と兼務できるので，自宅と通所で同じ看護師からケアを受けることも可能である。

病院から地域への社会の動きのなかで，在宅の環境でいかに病院のもつ安全な医療提供の機能を果たすかということが課題となり，地域全体が病院となるような仕組みが考えられ，療養者の生活により密着したところで，夜間の安全確保や医療依存度の高い人の医療的ケアの確保がされるようになった。これには，看護だけでは果たせない生活の場でのケアということが重要で，介護職との協働が欠かせない。

4 在宅看護で求められる看護師の知識と技術

1）身体の状況を医学的にとらえる力：臨床推論

在宅看護の場合，短時間のかかわりが多く，病院のように常に医療者が患者の病状の変化を直接とらえられる状況とは異なる。その短い，点のかかわりのなかで，これまでの療養経過のみならず，病気の発症から現在までの経過を的確にとらえることが求められる。そして短いかかわりのなかで，今後を予測した予防的かかわりが必要である。過去を探り，今後を推し量るということ，すなわち臨床推論の能力が求められる。在宅看護にかかわる看護職が，自らの看護実践のなかで病気の発症から治療，そして慢性期に至るまでの一連の「病」の経過を体験しているとはいえない。しかし，基礎的な医学や疾病論などの学びを発展させ，遭遇する患者の状態にその知識を応用させていく力をつけていくことにより，多様な発達段階にある人，多様な病態にある人を的確にとらえることができる。

2）社会のなかにある療養者家族をとらえる力：保健医療福祉制度の理解

地域包括ケアにおいては，療養者を中心に多様な専門家，地域の人々の支援からなるケアの連携協働が，個別のケアネットワークを形成する。それぞれの支援は社会活動として，評価報酬につながるものである。無料ではない支援を届ける仕組みとしての様々な法制度があることを理解し，ケア提供体制をつくり上げることが求められる。診療報酬に関する規定，介護保険法，難病の患者に対する医療などに関する法律，障害者自立支援法，生活保護法，障害児支援施策，労働者災害補償保険等々の法制度や仕組みについては概要を理解するとともに，誰に，またどのような関係部署に相談できるかを知っておくことが必要である。これは，所属する組織の管理者のみが理解し実施するのではなく，対象になる人に接する者が関心をもって，情報を収集し，理解することが重要である。

3）高度医療に対応できる技術力：高度実践看護・特定行為看護

多くの認定看護師や専門看護師が在宅看護の領域で活躍している。認定看護師の専門領域には，脳卒中リハビリテーション看護，摂食・嚥下障害看護，認知症看護，慢性呼吸器疾患看護，慢性心不全看護など，在宅看護で求められる看護が含まれている。今後は，これらの専門的看護に特定行為の実施を含め，新たな認定看護師の制度となる。特定行為は，医師の配置が十分でない場においても，教育を受けた看護師が医療的ケアの必要な人々に実施できる行為のことである。看護師による特定行為は，医療依存度の高い在宅療養者と家族が，安全で効果的，継続的な医療の提供を求めたことから始まった。病院内での特定行為看護師の働きが示されてきているが，今後は在宅看護の場での特定行為の実施が期待される。

4）生活環境のなかで個別の看護を提供する創造力

在宅で療養を始める患者家族，また在宅看護の初学者においては，病院で提供される医療的ケアや看護をそのまま自宅で受けられることが，最善であると考えることがよくある。在宅看護で重視したいのは，その人の生活の仕方に合ったケア，その人の状態に合ったケアを考えることである。

入院時の状態をもとにしたアセスメントのみではなく，自宅や次の療養場所に移ってからのアセスメントを行うことで，居心地の良い療養環境をつくり，療養者の望みがみえてくる。どのように暮らしたいのか，そして，何を大切にしたいのか，それを療養者家族の望みとしてとらえ，共に方向性を見出していくことが在宅看護の根幹であると考える。

2 在宅看護の基本姿勢

学習目標
- 在宅看護を行う専門職としての姿勢・態度について理解する。
- 訪問看護に必要な物品と訪問時の適切な服装について理解する。
- 訪問看護における療養者と家族へのかかわり方について理解する。

1 在宅看護を行う専門職としての姿勢・態度

1）在宅で看護を提供するということ

家庭とは家族が生活を営む場であり，一番安心できるプライベートな空間である。その生活の場で提供される在宅看護では，療養者のみならず家族にも受け入れられる専門職としての姿勢・態度が基本となる。訪問看護とは生活の場において看護を提供することである。そのため，訪問看護師が援助者として受け入れられ，療養者と家族に信頼されなければ，看護を提供することができない。訪問看護を導入する経緯は，療養者と家族が希望して利用する場合ばかりとは限らない。医師や退院調整看護師，医療ソーシャルワーカーや介護支援専門員などからの勧めによって，訪問看護を導入する場合もある。訪問看護導入に対して否定的であったり，そもそも訪問看護の目的について理解していなかったりなど，療養者と家族が訪問看護に対してもつイメージは，肯定的なものばかりではない。初回訪問時の看護師の態度によっては訪問看護の契約が成立しないこともある。さらに，長年訪問看護を継続して利用している療養者・家族であったとしても，看護師の不適切な振る舞いにより，その看護師に対して訪問を拒否したり，訪問看護の契約を解消したりすることもある。たとえ優れた専門的な看護技術をもっていても，その看護師が人として療養者と家族に受け入れられなければ，看護は提供できないのである。つまり，初回訪問に限らず訪問看護師の姿勢・態度は信頼関係の構築とともに，看護を継続するうえで最も重要となる。

在宅は生活の場であり，生活の主体は療養者と家族である。在宅看護は安定した在宅生活の継続，生活者である療養者と家族を支えるために行われる。療養者と家族には，その人の暮らしてきた生活環境により個々の価値観，生活観がある。どこで療養生活を送るか，どのような暮らしをするか，どのようなサービスを受けるか，すべては療養者と家族がその価値観に基づき選択し，決定をする。そのため在宅看護を行う専門職には，療養者，家族それぞれの個人の尊厳を守り，意思決定を尊重する姿勢・態度が求められる。

2）訪問看護のマナー

訪問看護師の清潔感ある身だしなみ，ハキハキとした口調や笑顔は療養者と家族に安心感を与える。在宅看護の対象はあらゆるライフサイクル，あらゆる健康レベルの療養者と家族であり，訪問する家庭の家族構成も様々である。そこには，それぞれの家庭での固有の生活習慣，価値観がある。訪問看護師には，性別や年齢に関係なく，どのような世代にも受け入れられるような，マナーを身につけることが必要となる。看護師は自身の身だしなみや態度，言葉遣いが，療養者と家族からどのように見えているのかを客観的に考えながら行動することが求められる。マナーとは誠実さを表すパフォーマンスであり，相手のことを尊重し，大切に思うからこそ現れる行動である。在宅で行われる看護では，療養者と家族が話していなくても，直接目に触れることで知る情報もあり，病院・施設以上に看護師は療養者と家族の個人情報を知ることになる。そのため，訪問看護師は守秘義務を遵守することが必須となり，倫理原則に基づいて行動する必要がある。倫理原則とは，療養者と家族を尊重する自立の原則，福利を与える善行の原則，危害を与えない無害の原則，平等に公平に行う正義の原則，真実を告げる誠実の原則，秘密や約束を守る忠誠の原則である。すなわち，在宅において看護を提供する訪問看護のマナーとは，倫理原則に照らした態度と行動をとることである。

2 服装・持ち物

1）訪問時の身だしなみ・服装

爪を短く切り，身だしなみは清潔感のある髪型，化粧，服装にする（図2-1）。訪問看護を利用していると近隣の住人に知られたくない療養者もいる，また生活の場に医療を持ち込まない意味でも，白衣は着用しないことが多い。上着は明るい色のほうが，顔色が健康的に見え，印象が良い。援助がしやすいように伸縮性のある通気性の良い素材のものを選ぶ。援助がしやすいように，ズボンを着用し，裾を捲り上げても滑って落ちない素材を選ぶ。靴，靴下は清潔なものを履き，靴は脱ぎ履きがしやすく，歩きやすいもの。雨の日の移動時に濡れた靴下を履き替えられるように，替えの靴下を準備する。

図2-1 男女の訪問看護師の髪型・服装

2）訪問バッグの準備

療養者とは物理的に距離が離れており，訪問は基本的に看護師一人が行うため，必要な物品がその場になければ看護が提供できない。やむを得ず取りに戻る場合には，訪問時間の変更が必要であり，療養者・家族の生活スケジュールを乱すことになる。その日に訪問する療養者の状態や医療処置に合わせて，訪問バッグに物品を用意する（表2-1，図2-2）。衛生材料の使用期限切れ，機器類の作動も確認する。前日，あるいは訪問前に時間に余裕をもって準備を整える。

表2-1 訪問バッグの中身

1）毎回持参する物品	
物　品	用途と留意点
血圧計	場所を取らないアネロイド型ワンハンドタイプの軽いものがよい
体温計	電池切れになっていないことを確認する
聴診器	血圧測定，呼吸音，心音，腸蠕動音の聴取などフィジカルアセスメントに必須である
パルスオキシメーター	電池切れになっていないことを確認する
ペンライト	瞳孔，口腔内の観察に用いる。電池切れになっていないことを確認する
巻き尺，ノギス	創部，褥瘡の観察や，周囲径の測定による腹水，浮腫などを観察する
使い捨てのペーパータオル	手洗い時に使用するほか，援助の際に濡れたものや汚れたものを拭くため，ビニール袋に入れて1件につき数枚用意する
採血セット・採痰キット	検査が必要な場合にすぐに行えるようにセットごとにまとめて用意する。1セット常備する
ディスポーザブル手袋，エプロン，マスク	感染防御のために準備し，残数は常に確認する
手指消毒用速乾性アルコールジェル	ケアや処置の際に適宜使用する
メモ帳・筆記用具	観察内容や伝達事項を忘れないように記録する。家族への伝言にも使用する
爪切り・ニッパー・やすり	爪のケア，巻き爪の処置に用いる。鋭利なものはケースに入れて持ち運ぶ
針入れ容器	点滴や採血時に使用した注射針などの鋭利なものは感染性廃棄物として事業所に持ち帰り処理する
運転免許証・駐車許可証	自動車で訪問する場合に必須
名刺	初回訪問時や初対面の家族，多職種との挨拶
携帯電話・地図	連絡用。療養者宅までの経路の確認をする
2）必要時に持参する物品	
物　品	用途と留意点
デジタルカメラ	創部やストーマ，褥瘡など皮膚の状態を撮影し，情報を共有する
ノートパソコン・タブレット	電子カルテシステムを用いている場合の記録。媒体は充電切れになっていないことを確認する
清潔援助用の物品：防水シート・長靴・防水エプロン・足浴用ベースン・簡易洗髪器など	その日に予定されているケアに使用する
処置セット：点滴セット・尿道留置カテーテル交換セット・褥瘡処置用セットなど	その日に予定されている処置に使用する
介護保険など社会資源に関するパンフレット	説明時に提示する

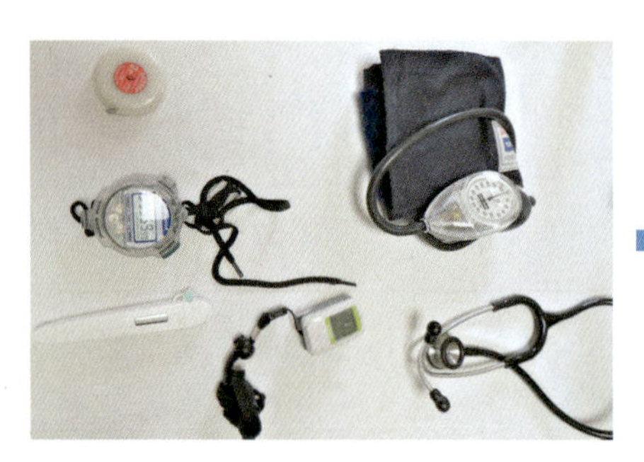

バイタルサイン測定器具
まとめてポーチに収納

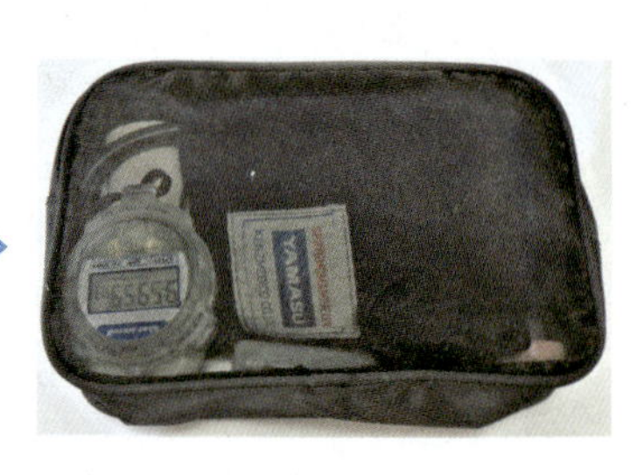

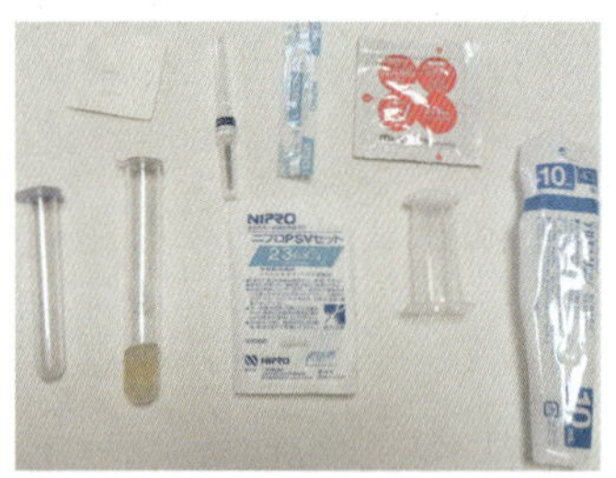

採血セット

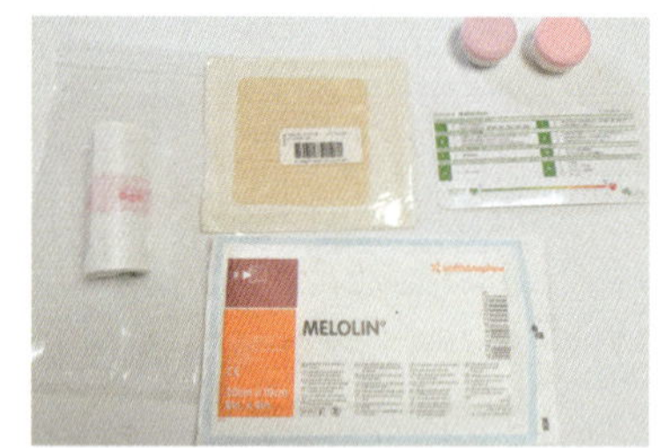

褥瘡処置セット

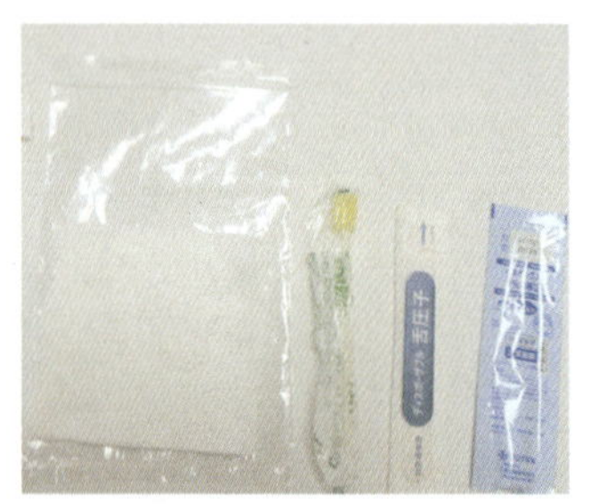

ケア・処置用品

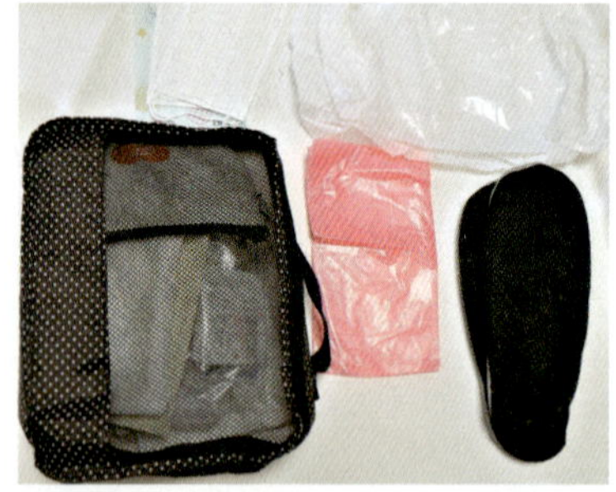

感染防護具など

用途別にポーチに収納し，訪問バッグに整理する

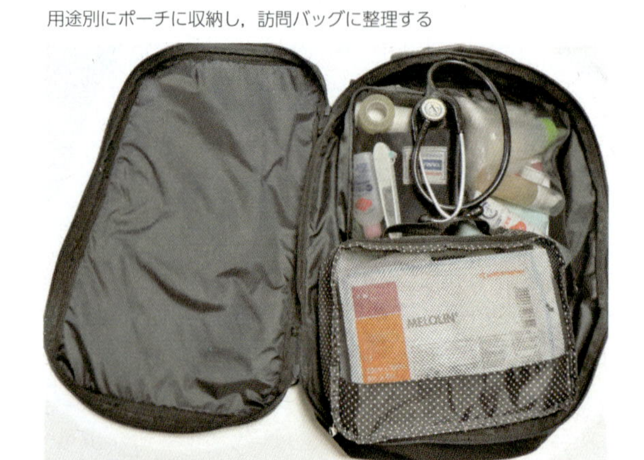

記録媒体

図2-2 訪問バッグの中身の例

撮影協力・写真提供：佐賀県看護協会訪問看護ステーション

3 療養者・家族とのかかわり方

1）訪問前の準備

訪問時間は療養者や家族の生活ペースに合わせて，療養者・家族と調整のうえ，看護を提供するよい時間帯に訪問時間を設定する（図2-3）。療養者やその家族は訪問時間に合わせて生活の予定を立てており，訪問看護師の都合により訪問時間を勝手に変更することはできない。訪問時間よりも早く到着すると家族の予定に合わず，慌てることになるため，訪問時間ちょうどに到着する。やむを得ず遅れるようなことがある場合，遅れそうと判断した時点で療養者宅へ連絡を入れ，訪問時間変更の了承を得る。社会資源の活用を促す場合でも各家庭の経済状況は様々であるため，あらかじめ費用について十分に説明し承諾を得る。

2）訪問時のマナー

コートや雨具は玄関の外に置く。訪問したら，まず玄関のチャイムを鳴らし療養者・家族がドアを開けるのを待つ。ドアを開けられない場合には断ってドアを開ける。靴を玄関で脱ぐときに，療養者や家族にお尻を向けない。玄関先に向けて靴の向きをそろえる。

居室ではまず，療養者に挨拶し，玄関先に家族がいれば家族に挨拶をする（図2-4）。

感染予防のために到着後は速やかに手洗いを行うが，洗面所を使う場合にも必ず療養者と家族に了解を得る。水の量は最小限とし石けんやタオルなどは持参する。使った後の洗

図2-3 アポイントの場面

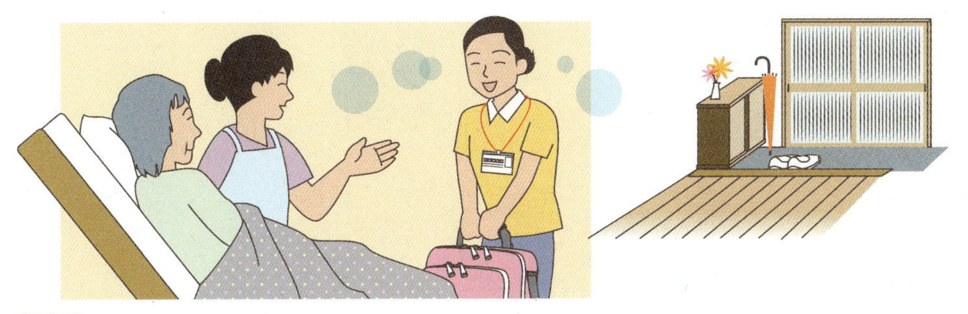

図2-4 玄関先から居室の場面

面所の水分は拭き取る。療養者と家族の生活空間であることに配慮しながら，訪問バッグなど持参した荷物を置く場合も場所を確認する。また，療養者，家族のものを触るときには必ず療養者や家族から了解を得る。

家庭内であってもプライバシーの保護に努めながら，援助を行う。窓に面している場合ブラインド，カーテンや障子を閉めるなど外から見えないようにし，また，ドアや襖を閉め，隣室にいる家族からも見えないようにする。援助中も掛け物をかけ身体の露出を最小限にする。

座って話をする場合は家族が普段使っている席は避け，下座に座る。和室の場合は移動時に畳の縁を踏まない。

健康状態の把握のために体調を確認するのは重要であるが，緊急時でなければ，訪問してすぐに疾患や障害の症状について聞くことは避ける。訪問から訪問までの間の生活状況などの話題から聞き，療養者が１人の人間であるということを尊重して，かかわることが重要である（図2-5）。

部分浴でお湯を使う場合，給湯器から使うのか薬缶で沸かすのかなど，あらかじめ療養者，家族に確認をする。追加の湯が必要な場合，療養者，家族に確認してから使用する。

排泄物の援助を行った場合は，新聞紙で包み排泄物や臭気が周りに漏れないようにビニール袋に入れて口をしっかりと閉め，廃棄する場所についても確認をする。

訪問先によっては訪問看護を客人として考え，湯茶の用意をする場合もある。しかし，長期の利用では負担になることを考慮し，職業倫理的な面からも，茶菓の接待は辞退する。

3）訪問後の記録

訪問終了後は，速やかに看護記録を記載する（図2-6）。健康状態が安定していても，急変などの状況変化は起こることを予測し，タイムリーにかかりつけ医や医療機関へ情報提供することが重要である。訪問看護師は勤務形態が様々であり，訪問看護ステーションには戻らずに，続けて複数の訪問看護を行う場合や，療養者宅から直接自宅に戻り業務を終了する場合もある。看護記録を移動中や自宅で行う場合は，個人情報が漏洩しないように，厳重に管理して記載する。また，看護に直接関係しないような家族に関するプライベートな情報を記録に残さないように，表現には注意する。

図2-5　居室でのケアやコミュニケーションの場面

図2-6 タブレットを用いた記録の場面

文 献

1）公益財団法人日本看護財団監修，草場美千子・他著：訪問看護基本テキスト各論編，日本看護協会出版会，2018，p.67.
2）臺有桂・他編集，石田千絵・他著：在宅療養を支える技術，メディカ出版，2018，p.14.
3）臺有桂・他編集，臺有桂・他著：地域療養を支えるケア，メディカ出版，2019，p.25, 37, 38, 164, 168, 169.
4）押川眞喜子監修，押川眞喜子・他著：写真でわかる訪問看護改訂第2版，インターメディカ，2011，p.6, 7, 16, 17
5）川島みどり著：生活行動援助の技術　ありふれた営みを援助する専門性，看護の科学社，2014，p.18.
6）茂野香おる・他著：系統看護学講座　専門分野Ⅰ　基礎看護技術Ⅰ基礎看護学②，医学書院，2019，p.3-6.
7）河原加代子・他著：系統看護学講座　統合分野　在宅看護論，医学書院，2019，p.5, 6, 22, 23.
8）石垣和子・上野まり・他編集，石垣和子・他著：在宅看護論　自分らしい生活の継続をめざして，南江堂，2014，p.47-50.

3 在宅看護における医行為

学習目標
- 医療処置が必要な在宅療養者の状態の特徴を理解する。
- 介護職が実施できる医療処置について説明できる。
- 特定行為について定義，および概要を説明できる。

1 在宅療養者に必要な医療処置

1）在宅療養指導管理料

高齢社会となった現在，地域包括ケアの考え方で，高齢者や障害のある人々，そして病気治療中にある人々を含めた地域住民に対して，多職種が連携して支援していく体制整備が推し進められている。また，入院治療の期間は短くなり，自宅での治療の継続が必要となってきている。そのため，急性期には医療施設で医師や看護師など医療者が実施していた医療処置を，自宅療養でも実施する必要がでてきた。これらの医療処置は，自宅においても医療者のかかわりが必須であり，継続して医療提供体制を整えていかなければならない。

医師による在宅での医療提供内容については，「在宅療養指導管理料」の項目にあげられている（表3-1）。また，訪問看護における「重症管理加算」は，医療器具を使用している療養者に対して，24時間連絡体制や対応可能な勤務体制，また医療機関との連携が取れる体制であることが要件となっている。すなわち，医療処置は診療報酬制度のなかで提供さ

表3-1 在宅療養指導管理料

1. 在宅自己注射指導管理料
2. 在宅自己腹膜灌流指導管理料
3. 在宅酸素療法指導管理料
4. 在宅中心静脈栄養法指導管理料
5. 在宅成分栄養経管栄養法指導管理料
6. 在宅自己導尿指導管理料
7. 在宅人工呼吸指導管理料
8. 在宅悪性腫瘍等患者指導管理料
9. 在宅寝たきり患者処置指導管理料
10. 在宅自己疼痛管理指導管理料
11. 在宅肺高血圧症患者指導管理料
12. 在宅気管切開患者指導管理料
13. 在宅難治性皮膚疾患処置指導管理料
14. 在宅植込型補助人工心臓（非拍動流型）指導管理料
15. 在宅経腸投薬指導管理料
16. 在宅腫瘍治療電場療法指導管理料
17. 在宅経肛門的自己洗腸指導管理料

れる医療行為であり，訪問看護師が果たす重要な役割の一つである。

2）在宅療養者への医療処置提供の実際

（1）神経難病

進行性の障害が生じる神経難病では，呼吸機能の低下がみられ，気道確保のための「気管切開」，換気を補うための「酸素療法」，そして「人工呼吸療法」が必要となる。また，嚥下機能低下により，「経管栄養法」が必要となる。単に医療器具を用いるのではなく，装着して身体機能を維持するためには，様々な看護技術を合わせて提供する。呼吸機能に関しては，気道浄化のための体位ドレナージや痰の吸引を実施し，栄養摂取に関しては，栄養アセスメントにより適正な栄養内容の見直しを行うなど，看護師の観察判断を伴った的確なケア技術が求められる。

（2）在宅終末期ケア

「在宅悪性腫瘍等患者指導管理料」が算定されるのは，鎮痛薬や抗がん薬の投与に係る注入ポンプを使用している場合である。緩和ケアの重要なケア内容であり，単に投薬の管理だけではなく，身体，心理，社会，そしてスピリチュアルの面から全人的に苦痛緩和を図ることが求められる。

（3）慢性閉塞性肺疾患（COPD）

「酸素療法」に係るケアが必要となる。経過が長く，日常生活行動への影響があるため，療養者の暮らし方を考慮した酸素吸入方法の工夫が必要である。また，残存機能維持のためのリハビリテーションを取り入れ，QOL向上の視点が求められる。

（4）脳血管疾患後遺症

脳梗塞などの脳血管疾患後遺症をもつ高齢者は，在宅療養者の多くを占めている。加齢の影響もあり，身体機能の維持回復が難しく，「寝たきり患者」として必要な処置が出てくる。排泄機能の低下のため膀胱留置カテーテルや浣腸などの処置，脆弱な皮膚のため褥瘡に対する創傷処置，また嚥下機能低下により経口摂取ではない経管栄養法などが必要となる。しかし，このような医療処置が必要にならないよう，身体機能と生活環境，生活習慣を考慮した一人ひとりに合った日常的なリハビリテーションや環境調整などの早期より予防的なかかわりが訪問看護には求められる。

2 法制度のなかでの医療処置：医行為

1）医行為の実施者

医師法において医業とは，「業」として医行為を行うことであるとし，「業とは反復継続する意思をもって，不特定の人に対して行う行為」とされている。すなわち，自分自身や家族が行うことは，不特定の人を対象としていないので，医業ではない。よって，インスリンの自己注射や家族が代わりに行うことや，人工呼吸器装着者の痰の吸引を家族が行うことは，違法とはならない。

保健師助産師看護師法で看護師は，「傷病者若しくはじょく婦に対する療養上の世話又は診療の補助を行うことを業とする者」とされ，医師の管理指導のもと，診療の補助を行うことができる。また，「主治の医師又は歯科医師の指示があつた場合を除くほか，診療機械を使用し，医薬品を授与し，医薬品について指示をし，その他医師又は歯科医師が行うのでなければ衛生上危害を生ずるおそれのある行為をしてはならない。ただし，臨時応急の手当をし，又は助産師がへその緒を切り，浣腸を施し，その他助産師の業務に当然に付随する行為をする場合は，この限りでない」とされ，医師しか行うことができない絶対的医行為について，看護師は臨時応急の場合のみとなっている。この医行為の実施者には，看護師，保健師，助産師，准看護師が挙げられているが，介護職は含まれていない。

2）介護職と医療処置

（1）痰の吸引

入院期間短縮や，療養病床の減少の影響や，住み慣れた地域での療養を継続する地域包括ケアの推進により，医療を継続しながらの自宅で暮らす人々が増えてくるが，それに対応できる医療提供体制の整備は不十分な現状がある。治療を継続しながら地域で暮らす人々のなかには，医療処置が必要で，家族介護者に依存している人もいる。

昼夜を問わず求められる痰の吸引が家族の介護負担となっていることなどの実態から，一定条件下での家族以外の者の痰の吸引が許容された。この実施には，対象となる療養者の医学的管理の体制を整え，家族以外の者，すなわち介護職などに対して，知識の習得と方法の指導を行い，緊急時の対処を確保することが必要である。介護職の育成機関では，痰の吸引に関する教育や実技指導が行われるようになったが，特定の療養者への医療処置が十分安全に実施できるよう，協働して療養環境およびケア提供体制を整えていくことが看護師には求められる。

（2）医行為の解釈と安全への配慮

介護職による痰の吸引実施の仕組み，体制が整えられると同時に，高齢者介護や障害者介護の現場で実施される際に判断に疑義が生じることが多い医行為を取り上げ，安全に実施可能な範囲を提示した。

①電子体温計により腋下で体温を計測すること，および耳式電子体温計により外耳道で体温を測定すること
②自動血圧測定器により血圧を測定すること
③新生児以外の者であって入院治療の必要がない者に対して，動脈血酸素飽和度を測定するため，パルスオキシメーターを装着すること
④軽微な切り傷，擦り傷，やけどなどについて，専門的な判断や技術を必要としない処置をすること（汚物で汚れたガーゼの交換を含む）
⑤容態が安定している，副作用等の危険なく経過観察不要である，内服薬で誤嚥の危険性がなく坐薬で肛門出血がない，という条件を満たした場合，服薬指導のうえ，皮膚への軟膏の塗布（褥瘡の処置を除く），皮膚への湿布の貼付，点眼薬の点眼，一包化された内用薬の内服（舌下錠の使用も含む），肛門からの坐薬挿入または鼻腔粘膜への薬剤噴霧を介助すること

また，以下の行為も，医師法の規制の対象とする必要がないと解釈された。

①爪そのものに異常がなく，爪の周囲の皮膚にも化膿や炎症がなく，かつ，糖尿病などの

疾患に伴う専門的な管理が必要でない場合に，その爪を爪切りで切ること及び爪ヤスリでやすりがけすること

②重度の歯周病などがない場合の日常的な口腔内の刷掃・清拭において，歯ブラシや綿棒または巻き綿子などを用いて，歯，口腔粘膜，舌に付着している汚れを取り除き，清潔にすること

③耳垢を除去すること（耳垢塞栓の除去を除く）

④ストマ装具のパウチにたまった排泄物を捨てること（肌に接着したパウチの取り替えを除く）

⑤自己導尿を補助するため，カテーテルの準備，体位の保持などを行うこと

⑥市販のディスポーザブルグリセリン浣腸器を用いて浣腸すること

3 特定行為

1）特定行為とは

団塊の世代が75歳以上になる2025年に向けた医療提供体制の改革のなかで，高度急性期から在宅医療まで，患者の状態に応じた適切な医療を地域において効果的かつ効率的に提供することが求められた。医療依存度の高い患者であっても適切な医療が受けられるよう，チーム医療が推進され，特定の医療行為の実施に関して，看護師が教育を受けて実施する体制が整備され，保健師助産師看護師法の一部改正を含む「地域における医療及び介護の総合的な確保を推進するための関係法律の整備等に関する法律」が成立した。

このなかで，特定行為について定義されている。

特定行為：診療の補助であって，看護師が手順書により行う場合には，実践的な理解，試行及び判断力並びに高度かつ専門的な知識及び技能が特に必要とされるものとして，表3-2に掲げる38行為であること。

特定行為の研修においては，専門領域で実施頻度が高い特定行為をパッケージ化し研修することが可能となった。在宅看護に関係する特定行為は「区分別科目：在宅・慢性期領域」（表3-3）に示されるように，下記の4項目である。

①気管カニューレの交換

②胃瘻カテーテル若しくは腸瘻カテーテル又は胃瘻ボタンの交換

③褥瘡又は慢性創傷の治療における血流のない壊死組織の除去

④脱水症状に対する輸液による補正

2）特定行為の実施

特定行為は，前述の特定行為研修を受けた者が実施することができる。しかし，特定行為の実施は，「特定行為以外の医行為と同様に，特定行為の実施にあたり，医師又は歯科医師が医行為を直接実施するか，どのような指示により看護師に診療の補助を行わせるかの判断は患者の病状や看護師の能力を勘案し，医師又は歯科医師が行う」とされており（図3-1），実施に当たっては「手順書」が必要となる[1]。

医師は研修を受講した看護師に対して，手順書により指示を出しておき，実際に手順書

表3-2 特定行為及び特定行為区分(38行為21区分)

特定行為区分	特定行為
呼吸器(気道確保に係るもの)関連	経口用気管チューブ又は経鼻用気管チューブの位置の調整
呼吸器(人工呼吸療法に係るもの)関連	侵襲的陽圧換気の設定の変更
	非侵襲的陽圧換気の設定の変更
	人工呼吸管理がなされている者に対する鎮静薬の投与量の調整
	人工呼吸器からの離脱
呼吸器(長期呼吸療法に係るもの)関連	気管カニューレの交換
循環器関連	一時的ペースメーカの操作及び管理
	一時的ペースメーカリードの抜去
	経皮的心肺補助装置の操作及び管理
	大動脈内バルーンパンピングからの離脱を行うときの補助頻度の調整
心囊ドレーン管理関連	心囊ドレーンの抜去
胸腔ドレーン管理関連	低圧胸腔内持続吸引器の吸引圧の設定及び設定の変更
	胸腔ドレーンの抜去
腹腔ドレーン管理関連	腹腔ドレーンの抜去(腹腔内に留置された穿刺針の抜針を含む。)
ろう孔管理関連	胃ろうカテーテル若しくは腸ろうカテーテル又は胃ろうボタンの交換
	膀胱ろうカテーテルの交換
栄養に係るカテーテル管理(中心静脈カテーテル管理)関連	中心静脈カテーテルの抜去
栄養に係るカテーテル管理(末梢留置型中心静脈注射用カテーテル管理)関連	末梢留置型中心静脈注射用カテーテルの挿入
創傷管理関連	褥(じょく)瘡(そう)又は慢性創傷の治療における血流のない壊死組織の除去
	創傷に対する陰圧閉鎖療法
創部ドレーン管理関連	創部ドレーンの抜去
動脈血液ガス分析関連	直接動脈穿刺法による採血
	橈骨動脈ラインの確保
透析管理関連	急性血液浄化療法における血液透析器又は血液透析濾過器の操作及び管理
栄養及び水分管理に係る薬剤投与関連	持続点滴中の高カロリー輸液の投与量の調整
	脱水症状に対する輸液による補正
感染に係る薬剤投与関連	感染徴候がある者に対する薬剤の臨時の投与
血糖コントロールに係る薬剤投与関連	インスリンの投与量の調整
術後疼痛管理関連	硬膜外カテーテルによる鎮痛剤の投与及び投与量の調整
循環動態に係る薬剤投与関連	持続点滴中のカテコラミンの投与量の調整
	持続点滴中のナトリウム、カリウム又はクロールの投与量の調整
	持続点滴中の降圧剤の投与量の調整
	持続点滴中の糖質輸液又は電解質輸液の投与量の調整
	持続点滴中の利尿剤の投与量の調整
精神及び神経症状に係る薬剤投与関連	抗けいれん剤の臨時の投与
	抗精神病薬の臨時の投与
	抗不安薬の臨時の投与
皮膚損傷に係る薬剤投与関連	抗癌剤その他の薬剤が血管外に漏出したときのステロイド薬の局所注射及び投与量の調整

厚生労働省令第33号(平成27年3月13日)

表3-3 区分別科目:在宅・慢性期領域

特定行為区分	特定行為	改正後時間数
3 呼吸器(長期呼吸療法に係るもの)関連	気管カニューレの交換	8+5症例
8 ろう孔管理関連	胃ろうカテーテル若しくは腸ろうカテーテル又は胃ろうボタンの交換	16+5症例
11 創傷管理関連	褥瘡又は慢性創傷の治療における血流のない壊死組織の抜去	26+5症例
15 栄養及び水分管理に係る薬剤投与関連	脱水症状に対する輸液による補正	10+5症例
合計時間(共通科目+区分別科目)		310時間 +各5症例

※経験すべき症例数は,行為の頻度に応じて5例又は10例程度

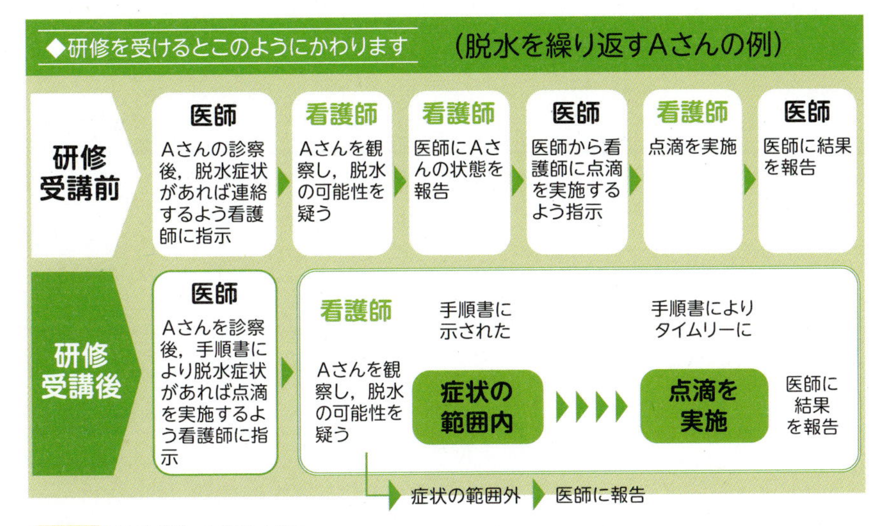

図3-1 特定行為の実施の流れ

厚生労働省:リーフレット「特定行為に関する看護師の研修制度が始まります」
https://www.mhlw.go.jp/stf/seisakunitsuite/bunya/0000089838.htmlより転載

を適用する場面では,患者を具体的に特定したうえで,看護師に対して手順書により特定行為を行うよう指示する必要がある。

文 献

1)東京都医師会編:かかりつけ医機能ハンドブック2009.
2)平成30年度診療報酬点数第2章特掲診療料第2部在宅医療第2節在宅療養指導管理料
3)保健師助産師看護師法第37条(平成27年厚生労働省令第33号)

第Ⅱ章

在宅看護技術の基盤

対象をとらえる技術①

1 ヘルスアセスメント

学習目標
- 在宅看護におけるヘルスアセスメントの必要性とその方法を理解する。
- 在宅看護において，療養者・家族介護者を観察することの意義と特徴を理解し，観察の技術を習得する。
- 在宅看護におけるヘルスアセスメント技術を習得する。

1 ヘルスアセスメントとは

フィジカルアセスメントは，身体の機能と構造から身体状態をアセスメントするもので，視診，触診，打診，聴診といったフィジカルイグザミネーション（身体診査）を活用して行う。ヘルスアセスメントとは，これに加えて精神・心理状態，その人を取り巻く環境までを含めて健康状態をみていくアセスメントである。

在宅看護におけるヘルスアセスメントでは，医療施設に入院中の患者とは異なる視点での観察が必要となる。以下，観察の技術について述べ，ヘルスアセスメントの実際を紹介する。

2 在宅看護における観察

1）観察の意義と特徴

在宅では，医師や医療関係者が不在のなかで療養生活が営まれるため，最も身近な医療関係者である看護師には主体的な観察力が求められる。看護師の観察に基づいて行われる判断が，異常の早期発見や早期対処，予防的介入となるため，異常を見過ごさないことが第一に求められる。

在宅看護では，訪問時のかかわりとなるため，継続して観察する必要がある場合は，家族介護者ならびに在宅看護にかかわる他の関係職種へ，観察のポイントや継続観察の必要性を伝えておくことが重要である。また，緊急事態に備え，事前に関係者・関係機関への連絡体制を整えておき，医師とは訪問看護指示書および事前協定書に従って対応を決めておく。

在宅看護では，看護師に観察の全責任が任されている。このことを自覚して，専門的な知識とアセスメント能力および看護技術を備えていきたい。

在宅看護に必要とされる観察の特徴を以下にあげる。

・療養者だけでなく家族介護者，そのほかの家族員も観察の対象である。

・生活環境は，療養者の健康状態や生活機能に重要な影響を与えるため，療養している部屋や家屋だけでなく，自宅周辺および地域環境などすべてが観察の対象である。
・在宅看護では，療養者と家族を取り巻く関係職種間との協働がカギとなる。1回の訪問時間は30～90分，多くの場合，週に2～3回の訪問で生活のごく限られた時間の観察になる。看護チーム間だけでなく，療養者を介護する家族，医師，ケアマネジャー，ホームヘルパー，理学療法士，作業療法士などの関係職種と協働し，得られた情報を集約して専門的判断を行う。
・家族介護者ならびに在宅看護にかかわる他の関係職種へ，観察のポイントや継続観察の必要性を伝えておく。

2）観察の技術

（1）五感の活用

看護師の五感を十分に活用して観察する。五感による観察とは，見る，傾聴する，かぐ，手で触れる，味わうことを指し，感覚器を介して観察することである。

（2）系統的な観察

療養者の全体像を身体的・心理社会的な視点でとらえ，系統的観察法に従い，得られた情報を整理しながら順を追って観察する。系統的観察法については，既存の看護理論の枠組みが利用できる。その際，可能なかぎり，療養者・家族とその生活環境（人的・物的・経済的）全体がとらえられるものが望ましい。

（3）測定用具の活用

バイタルサインや身体計測を行うため，血圧計や体温計，握力計，角度計などの測定用具を用いる。在宅で日常的に用いられる定規やメジャーなどで代用してもよい。

（4）スケール（尺度）の活用

意識レベル，疼痛，認知症，褥瘡などを評価するために，客観的に数量化できる様々なスケールを活用する。数量化することで関係職種間でのデータの共有が容易になる。

（5）観察力を高めるための留意点

・訪問時，療養者と家族介護者がおかれた環境を関連づけて観察する。
・観察した現象は，主観を交えずありのままをとらえるよう心がける。
・観察した現象の背後に潜む意味を見出すために，得られた情報と情報の関係を探る習慣をつける。
・観察した現象が，療養者や家族介護者にとってどのような意味をもつのか考える。
・訪問時，いつもと異なる現象に気づいたら直感を大事にする。
・気がかりな現象に気づいたとき，どのような感じを抱いたか，何を考えたか，主観を含めてメモをとる。
・気がかりな現象は，療養者と家族，スタッフ間や関係職種からの情報を集めて，客観的に評価する。
・評価に誤りはないか，思い違いはないか，先入観でとらえていないか，常に自問自答する。

3）観察のポイント

（1）療養者の観察

①身体面の観察

<生活リズム>

・生活のリズムが整っていて快適に過ごしているか。
・睡眠が十分にとれているか，朝の目覚めはよいか，寝つきはよいか，熟眠感はあるか。
・食欲はあるか（摂取量，嗜好，咀嚼力，嚥下力）。
・排泄の状態はよいか（尿が出にくい，血尿・血便・下痢・便秘の有無）。

<動作（姿勢保持，歩行，移動など）>

・身体の動きはいつもと変わらないか。
・動ける範囲はどのくらいか。
・動作の際に，筋肉や関節に痛みはないか。
・安定した姿勢が保てるか。
・歩けるか，どのくらい歩けるか，歩くとき関節の拘縮などがなくよく動くか。
・足が上がりにくくないか，歩幅が小さくすり足で歩いていないか。
・段差につまずくことなく，越えることができるか。
・歩行時のバランスはどうか。
・背中を曲げ，うつむき加減に歩いていないか。
・歩くことで息切れや息苦しさなどの心肺機能に変化はないか。
・杖歩行はできるか。
・階段を後ろ向きで下りることができるか。
・座ったまま，横いざりができるか。
・ベッドに臥床しがちではないか。
・ベッド上で寝返りができるか。
・ベッド柵を持ち，起き上がることができるか。
・ベッド上に座ることができるか，どのくらいの時間座れるか。
・ベッドの昇降はできるか。
・ベッドからポータブルトイレへの移動はできるか。

<合併症の徴候（慢性的な持病がある場合）>

・いつもと同じ体調か。
・表情や顔つきに変化はないか。
・動作や寝返りの状態に変化はないか。
・会話や言葉の流暢さに変化はないか。

<体調がいつもと異なるときの観察ポイント>

・療養者に不調の具合や程度を確かめる。
・体温，脈拍，呼吸，血圧，必要に応じて酸素飽和度（SpO_2）を測定する。
・食事，排泄，運動，睡眠などの状態を確認し，異常の原因を探る。
・水分の摂取不足，口渇がないか。
・意識がはっきりしているか，会話内容はつじつまが合うか。

・歩き方はふらついていないか。
・どこかの部位にむくみ（浮腫）がないか。
・身体の清潔が保たれているか，かゆみなど不快感はないか。

②心理面の観察

・感情の変化が著しくはないか（急に怒り出す，興奮しやすい，涙もろいなど）。
・周囲に対して敏感に反応しているか，関心をもっているか，無視しているか。
・抑うつ状態ではないか（沈黙している，むっつりしている，気分が沈んでいるなど）。
・疲れた表情をしていないか，喜怒哀楽がはっきりしているか。
・日頃と異なった態度をとっていないか。
・不快な気持ちを訴えるか。
・探し物をするなど落ち着きがない状態か。
・おびえた様子はないか，不安を訴えていないか。
・疑い深い言動はないか。

③生活面の観察

＜自立の基礎条件＞

・経済力はあるか。
・家事労働（掃除，洗濯，炊事，買い物）に必要な体力はあるか，金銭管理はできるか。
・衣服の整理整頓と修繕，衣替えなどの管理はできるか。
・火や水の始末，室温管理などの安全管理はできるか。
・薬剤を管理できるか。
・身近な人との付き合い，支援，援助はあるか。
・住居内の移動や屋外への外出の際，危険な所はないか。

＜日常生活の自立度＞

・食事は自力で行えるか。
・栄養摂取のために必要な機能に問題はないか（咀嚼・嚥下機能，口唇の開閉，舌の動きなど）。
・排泄（排尿，排便）は自力で行えるか。
・衣服の着脱は自力で行えるか。
・洗面は自力で行えるか。
・清潔動作（入浴，洗髪，歯磨き，整容など）は自力で行えるか。
・身だしなみを整え，清潔感があるか。

＜日常生活の充実度＞

・新聞を読んだりテレビを鑑賞したりできるか。
・表情が豊かで喜怒哀楽を自由に表現できるか。
・様々なことに関心がもてるか。
・周囲の人々に愛情やいたわりの気持ちを表せるか。

＜社会生活の充実度＞

・家庭のなかで役割をもっているか。
・自分自身の人生や生き方に誇りをもっているか。

・趣味の仲間との団らん，交流の場をもっているか。
・家族，親戚，友人などの人間関係に問題はないか。

<介護用具・機器の適正さ>

・使用している介護用品は，自立のための助力になっているか。
・身体の状況と使用している介護用品・福祉機器は適切か。
・介護用品・福祉機器は，修理や補強の必要性はないか。

（2）家族介護者の観察

①身体面の観察

・体調はどうか。
・痛みや苦痛はないか。
・持病はないか。
・介護による身体への影響はどうか。
・疲労は蓄積していないか。
・睡眠は確保できているか。
・健康状態は介護に耐えうるか。

②心理面の観察

・自分の行っている介護に満足しているか。
・心理的に介護が負担になっていないか。
・気分転換が図れているか。
・療養者との人間関係は良好であるか。

③生活面の観察

・１日にどのくらいの時間，どのような介護を行っているか。
・介護以外にどのような生活上の役割があるか。

④その他

・家族のなかのキーパーソンは誰か。
・主介護者以外に療養者を援助できる家族は誰か，また可能な援助内容は何か。
・隣人や親戚は，どのような援助ができるか。
・医療関係者，介護専門職者に援助を求めているか。
・看護師の行うケアに積極的に参加し，協力が得られているか。
・介護記録は書いているか。

（3）生活環境の観察

①日常生活動作（ADL）からみた生活環境

<玄　　関>

・自力で出入りは可能か。
・段差はないか。
・階段は使用できるか。

<居間・寝室>

・ベッドが置ける空間はあるか。
・床，じゅうたん，段差，手すりは安全か。

・室温，湿度，照明，換気は適切か。
・害虫，悪臭の発生はないか。

<便　　所>

・便器は洋式か和式か。
・自力で使用できるトイレか。
・手すりの位置，照明，便座の高さ，暖房は適切か。
・ウォシュレットはあるか。
・車椅子や介護者が入るスペースはあるか。

<浴　　室>

・広さ，高さに問題はないか。
・手すり，滑り止めマットは必要か。
・介護者が介護しやすいか。
・改造の必要性はあるか。

<台　　所>

・ガスは危険なく使用できるか。
・冷蔵庫，電子レンジ，調理台，調理器具，食器類は使用しやすいか。

<家　　具>

・安全かつ耐震を考慮して配置しているか。

<電　　話>

・緊急連絡時に使用可能な場所に置いてあるか。
・携帯電話の使用は可能か。

<緊急通報ベル>

・常時使用可能か。

②事故防止対策

<照　　明>

・明るさは十分か。
・夜間の照明は十分か。

<段　　差>

・転倒の誘因となるふかふかしたじゅうたんを敷いていないか。
・移動範囲に段差はないか。
・浴室と脱衣室の間に段差はないか。

<滑り止め>

・滑り止めの処置がされているか。
・浴室，階段，廊下に手すりを付けているか。
・浴室や床にマットが敷いてあるか。
・階段に滑り止め用テープが貼ってあるか。

<空　　間>

・室内が整理され空間が広くとられているか。
・狭いところに布団を敷いていないか。

・物が倒れたり，落下する危険はないか。
・電気コード，ガスホースなどつまずきやすい物はないか。

＜室　温＞

・室外との温度差が±５℃以内に保たれているか。
・温度差など，血液循環動態を変動させる要因はないか。

＜湿　度＞

・室内が乾燥しすぎていないか。
・適度の湿度が保たれているか。

③プライバシーの確保

・排泄時の援助で，プライバシーが考慮されているか。
・入浴介助で，プライバシーが考慮されているか。
・療養者と家族のプライバシーは守られているか。
・隣人や親戚など複数の人がかかわる場合のプライバシーは保たれているか。

④感染予防対策

・寝具は屋外で乾燥させているか（紫外線消毒），ベッドは清潔であるか。
・衣類の洗濯が頻回に行われ，しみや汚れは漂白剤を用いて清潔に保たれているか。
・感染症（結核，インフルエンザ，肝炎，皮膚疾患，MRSA，新型コロナウイルスなど）の対策は行われているか。

⑤生活の質（QOL）と安楽・安眠

・療養者の満足度を高める援助が行える環境であるか。
・療養者が自分らしさを保ち，居心地よい生活ができる環境であるか。
・寝室は安眠できるように音，照明に配慮しているか。
・寝具は圧迫感を感じず，呼吸を抑制しない軽いものか。
・夜間の失禁時に，手早く交換できるよう工夫しているか。
・入眠時，保温のための湯たんぽや電気あんかなどを準備しているか。

（4）地域環境の観察

①ADL からみた環境

・道路までの距離と段差，交通状況。
・公園までの距離と段差。
・食品や日常生活用品を購入する店までの距離と段差。

②人的環境

・近隣との交流。
・近隣のサポート体制。

③その他

・病院（開業医，総合病院，救急病院など）の所在と特徴。
・居宅支援サービス機関の所在と特徴。
・役所など関係機関の所在。
・消防署と警察署の所在。

3 在宅におけるヘルスアセスメント

1）ヘルスアセスメントの目的

在宅では看護師が単独で訪問することが多く，医師が不在のなかで診療の補助業務と療養上の世話を行わなければならない。ケアなどを実施する際には，事前に療養者の状態を把握し，実施による影響をアセスメントし，実施が可能かどうかの判断をしなければならない。

ケアなどの実施中は，療養者が示しているわずかな徴候を見逃すことなく，異常があれば適切な治療へとつなげ，生命の危険や病状の悪化を回避する。実施後は，医師や多職種への正確な情報提供も行わなければならない。つまり，在宅看護の実施には，身体的状態と心理・社会面を観察したうえでの高度な臨床判断力が必要である。

（1）異常の早期発見・早期対応

二次感染や合併症，新たな疾患の徴候などを早期発見・早期対応し，受診の必要性の有無を判定する。

（2）モニタリング

現在の病状と病状の経過を把握し，ケアや治療の効果を判定する。

（3）ケアプランの立案・評価

療養者の心身の健康状態がその人の生活に及ぼす影響と，生活環境が健康に及ぼす影響を判断し，ケアプランを立案する。また，現在実施しているケアプランが適切かどうか，ヘルスアセスメントの結果と照らし合わせて評価・修正する。

（4）QOL の維持・向上を目指した援助の選択

QOL の維持・向上を目指したその人らしい日常生活への援助の必要性と方法の妥当性を，ヘルスアセスメントの結果と照らし合わせて評価・修正する。

2）ヘルスアセスメントの実際

（1）ヘルスアセスメントのポイントとその方法

①五感の活用

在宅では，持参している聴診器や体温計以外に診察器具がないため，看護師自身の視覚，聴覚，嗅覚，触覚の活用が重要になる。

②問題の予測

療養者の疾患や障害の程度，生活習慣などから予測される問題を想定し，重症度や緊急性の高い問題からアセスメントする。

③いつもと異なる徴候を見逃さない

初回訪問時，あるいはできるだけ早い段階で，フィジカルイグザミネーションを丁寧に行い，頭から爪先へと系統的に視診，触診，打診，聴診を進めていく。その後の定期的アセスメントでは，療養者の普段の状態を把握し，いつもと異なる徴候を早期発見する。

④コミュニケーションをとおした問診

訪問看護の時間は限られているので，コミュニケーションを図りながら問診を行い，清潔ケアやリハビリテーションを行いながらフィジカルイグザミネーションを行うなど，同時進行となる。必要時には説明のうえ，気になる部分の診査を丁寧に行う。

⑤フィジカルイグザミネーションの進め方

通常，フィジカルイグザミネーションは，「視診→触診→打診→聴診」の順で進めるが，腹部のみ「視診→聴診→打診→触診」の順で行う（腹部は触ったり叩いたりすることで状態が変化し，聴診の結果に影響を与える）。また，健側から患側の順に進める。あるいは，気になる現象が認められる部位から始める。

⑥日常生活行動の観察

話し方，身体の向きの変え方，座り方，歩き方，食事の仕方などの日常生活行動のあらゆる場面を丁寧に観察し，微妙な変化を見逃さない。

⑦生活環境の観察

訪問看護では生活環境を直接見ることができるので，その観察から得られた情報をヘルスアセスメントに活用する。

（2）ヘルスアセスメントの時期と進め方

①訪問開始時期

初回訪問時は，全身のフィジカルアセスメントを行う。時間や状況によって十分に行えないときは，疾患や症状，生活機能障害を中心に，最低限必要なフィジカルイグザミネーションを行い，そのほかは訪問３回目程度を目安に優先度を決めて診査していく。療養者の負担や訪問時間の制約がある場合，今回は上半身，次回は下半身など分割して行う方法をとる。同時に心理社会面を観察し，これらの結果をもとにヘルスアセスメントを行う。顕在化している問題と予測される問題を明らかにし，記録する。

②毎回の訪問時

毎回の訪問時は，療養者および家族の訴え，疾患や症状，生活機能障害に関する最低限必要なフィジカルアセスメントを行う。前回の訪問時の状況やその後の情報，当日の訴えや観察に関連したフィジカルイグザミネーションを実施し，同時に心理社会面を観察し，それらをもとにヘルスアセスメントを行う。

③定期的ヘルスアセスメント

疾患や病態により期間は異なるが，定期的（１～６か月に１回程度）に，一般状態のアセスメントを行う。定期的に系統的なフィジカルイグザミネーションを行い，フィジカルアセスメントと心理社会面のアセスメントを実施することで，異常の早期発見や問題の予測と予防的介入が可能となる。定期的ヘルスアセスメントのポイントは後述する。

（3）在宅におけるフィジカルアセスメントの特徴

①フィジカルアセスメントの構成

在宅におけるフィジカルアセスメントの構成とプロセスを図1-1に示す。フィジカルアセスメントの構成要素には，①療養者と家族から得られた主観的・客観的情報，②看護師が行うフィジカルイグザミネーションから得られた客観的情報があるが，在宅看護の場合は，③医師，ケアマネジャー，ホームヘルパー，理学療法士，作業療法士などの療養者にかかわる多職種から得られた客観的情報もある。

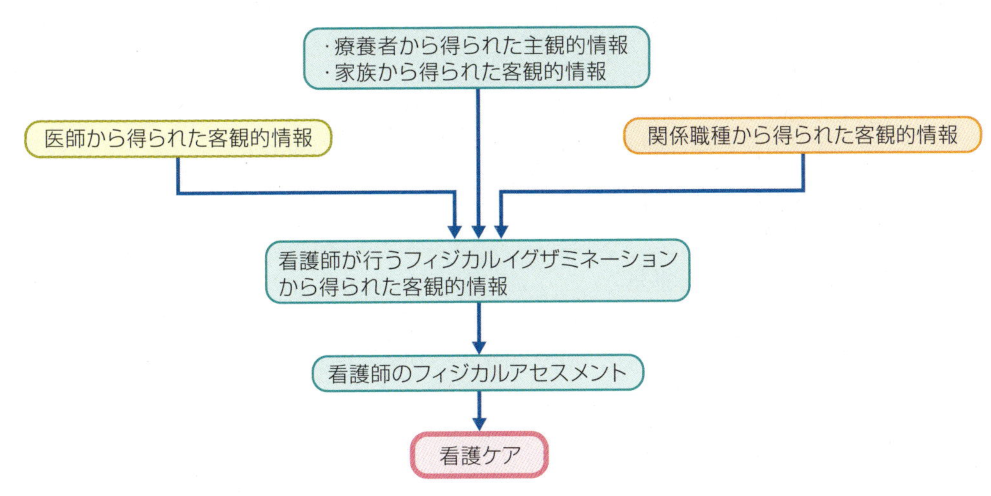

図1-1 在宅におけるフィジカルアセスメントの構成とプロセス

②フィジカルアセスメントの基本的な進め方

フィジカルアセスメントの基本的な進め方は以下のとおりである。

・問診（ヘルスインタビュー）を行ってから身体の観察を始める。問診では，療養者の訴えとそれに関連する状況，既往などを看護師の主観を排除して聴取する。

・問診の結果をもとに，目的に合わせてフィジカルイグザミネーションを行う。

・全身から各部分（各部位，各臓器）の順に行うのが原則だが，緊急時は，その当該部位から開始する。フィジカルイグザミネーションの4つの技法（視診，触診，打診，聴診）を使って，上から下へ，左から右へ，前から後ろへ，健側から患側へとみていく。観察の漏れを防ぐために，系統的に一定の順序で進めていく。

・問診で得られた主観的データとフィジカルイグザミネーションで得られた客観的データをもとにアセスメントする。

（4）在宅におけるフィジカルイグザミネーションの進め方

①事前の準備

＜療養者への配慮＞

フィジカルイグザミネーションの開始前に，その目的と行う内容，所要時間について説明し，療養者と家族に了解を得る。実施時は十分な照明を確保する。必要な部分の身体の露出は行うが，プライバシーの保護と保温に配慮する。終了後は速やかに服装を整える。

＜必要物品の準備＞

電子体温計，アネロイド型血圧計，聴診器，メジャー，ペンライト，角度計，手指消毒用アルコール，ウエットティッシュ，ディスポーザブル手袋，パルスオキシメーター（必要時），デジタルカメラ（携帯電話のカメラ機能で代用可），継続観察記録用紙など。

②全身のフィジカルイグザミネーションの進め方

医師の指示書などの事前の情報をもとに問診を行い，フィジカルイグザミネーションを頭から爪先まで，順序よく実施する。当日または次回に，清潔ケアやリハビリテーションなど，全身や部分の観察が可能な援助が予定されている場合は，その機会を利用して行い，それ以外の部位について実施する。

③問　　診

療養者と家族に問診を行う。療養者や家族の訴えをもとに，発症部位，症状の性質，持続時間，随伴症状，生活への影響を確認する。また，現病歴，既往症，家族歴，生活歴について確認する。

④観察項目

<全身の外観と感覚器系>

・意識状態，精神状態，発育状態，体位・姿勢，活動性など，観点を明確にして確認する。

・視覚・聴覚・嗅覚・触覚・味覚の異常の有無と程度，左右差の有無，日常生活における障害の程度。

<バイタルサイン>

・血圧：左右（触診，聴診）。

・脈拍：橈骨動脈・上腕動脈・大腿動脈・膝窩動脈・足背動脈・後脛骨動脈の性状と左右差。

・体温：日内変動。

・呼吸：数，深さ，リズムなど。

<全身のフィジカルイグザミネーション>

全身のフィジカルイグザミネーションは一般的な項目・内容と同様であるため，詳細は省略する。

4 定期的ヘルスアセスメントのポイント

1）目　　的

（1）現在の病状，病状の経過の把握と異常の早期発見

療養者および家族の訴えや，前回から今回までの訪問期間中の状況についての情報提供をもとに，現在の病状とその経過の把握，異常の早期発見と早期対応，特に受診の必要性の有無を判定する。

（2）当日のケアプランの実施計画の検討と修正

当日予定しているケアプランが適切かどうか，変更の必要性についてヘルスアセスメントの結果と照らし合わせて評価・修正する。

（3）QOL の維持・向上を目指した援助の選択

当日予定しているケア方法の妥当性を QOL の維持・向上を目指したその人らしい日常生活の視点から再検討する。

2）アセスメントのポイントと方法

（1）全身状態

訪問時，療養者と最初に対面したときに，全体的な印象がいつもと比べてどうか，たとえば顔色や表情，動作，姿勢，歩行状態などについて観察する。また，挨拶しながら，療養者や家族の訴えを聴きつつ，話し方や内容のつじつまが合っているかなども確認し，異常がないかアセスメントする。

（2）バイタルサイン

①血　　圧

高血圧や血圧の変動のある療養者は訪問ごとに測定する。測定部位を決めて毎回同じ部位で測定する。

いつもの値と比較し変動が大きい場合は左右測定し，その原因について測定前の行動や服薬状況，食生活，睡眠状況，気になる出来事などの情報をもとにアセスメントする。

最高血圧が180mmHg を超える場合や80mmHg 以下になる場合で通常の血圧と大きく異なる場合は，医師との訪問看護指示書および事前協定書に従って対応する（あるいは迅速に報告して対応する）。

②脈　　拍

通常は，橈骨動脈で１分間測定する。高齢者や障害者は環境の変化や精神状態に影響されやすいので，心疾患の有無にかかわらず，１分間測定する。脈拍のリズムに乱れがある場合は，特に測定時間を長めにとって観察する。数値だけでなく，強さ，緊張度，リズム，不整脈の状況を観察し，いつもと異なる数値や性状などの異常がある場合は，心音の聴取と息切れや胸痛などの随伴症状についても確認する。

③体　　温

腋窩で測定する。通常は体温計で測定するが，療養者の状況により，口式・耳式の体温計を使用する。やせている場合や意識障害がある場合は，看護師による介助が必要である。また，麻痺がある場合は健側で測定する。日内変動があるので，決まった時間に測定することが望ましい。体温は個人差があるので，標準値ではなく，療養者の日頃の値をもとに判断する。

高齢者や障害者の場合，体温が周囲の環境温度に影響を受けやすい。障害者の場合はうつ熱による一時的な体温の上昇が考えられ，室温や着衣，掛け物などの環境温度を調整することで，体熱放散が促され，平熱に戻ることが多い。

④呼　　吸

数，深さ，リズムなどを測定する。呼吸は呼吸器疾患の場合だけでなく，循環器疾患や脳血管障害，また，全身状態の悪化によって変化するので，訪問ごとに観察する。また，呼吸に伴う随伴症状，チアノーゼの有無，咳・痰の有無や性状，意識状態の観察により，確定診断につながることも多く，これらの観察が重要である。

呼吸状態は，体動や労作により変化するので，日常生活行動による変化を観察する。特に呼吸器疾患の場合，その変化が著しく影響するので，訪問ごとに，安静時と労作時（たとえば歩行前後や入浴前後など）にパルスオキシメーターで経皮的動脈血酸素飽和度を測定する。

⑤意識状態

意識状態（意識レベルや意思疎通の有無）の確認は，脳神経機能や全身状態を把握し，緊急対応を判断するうえで重要である。軽度の意識障害は見落としやすいので，いつもと比べてぼんやりしていないか，順序立てて会話しているか注意して観察する。

呼びかけに反応しなかったり，反応が鈍い場合は重度の意識障害の可能性があり，生命にかかわる場合が多く緊急性を要する。意識レベルの評価尺度で判断する。刺激による覚醒状態から判断するジャパンコーマスケール（Japan Coma Scale：JCS）や，開眼状態・言語反応・運動反応から判断するグラスゴーコーマスケール（Glasgow Coma Scale：GCS）を用いて意識状態をアセスメントする。JCS は桁数と数字だけで重症度が判断でき，GCS は３つの観察項目の変化を点数化できるので経時的観察に適している。

意識状態の原因を明らかにするうえで，意識状態を消失した状況について，いつ，どのように発症したのか，頭痛，嘔吐，発熱，めまい，けいれんなどの有無について家族や周囲の人から詳しく聴取する。

（３）原疾患に関するアセスメント

原疾患に関するアセスメントは，看護師や関係職種から得た事前情報，当日の療養者の訴えおよび家族からの情報，前回から今回までの訪問期間中の状況についての問診，療養環境の観察をもとに行う。

療養者の状態をもとに，呼吸器系，循環器系，消化器系，感覚器系，運動器系，脳神経系，外皮系のなかから，系統的フィジカルイグザミネーションをていねいに実施し，原疾患に関するアセスメントを行う。

（４）生活機能障害に関するアセスメント

食事，排泄，清潔，活動，睡眠などで日常生活機能が障害されていないか，その人の望む生活状態にあるか否かについて行う。たとえば，高齢者や障害者の場合，疾患に関係なく便秘は日常的に起こりやすい症状であり，苦痛が大きいだけでなく，腸閉塞や逆流性食道炎など二次的疾患を発症したり，食欲不振や気分的な落ち込みの原因にもなるので，迅速な対応が重要である。また，睡眠が十分にとれていない場合，ふらつきによる転倒の原因や昼夜逆転による生活リズムの乱れとなり，精神状態が不安定になることもある。これらは介護者の負担を増やす可能性があるので，早期にアプローチしていく。

生活機能障害に関するアセスメントは，訪問時の療養者・家族からの訴えや問診，看護師間や関係職種からの事前情報，療養環境の観察をもとに，焦点化した系統的フィジカルイグザミネーションを実施したうえで行う。

（５）皮膚に関するアセスメント

皮膚の状態は，免疫機能の低下や臓器の機能障害など，局所だけでなく全身状態を反映している場合が多い。入浴介助や全身清拭，陰部洗浄などの清潔ケアが予定されているときに視診および触診を中心に全身の皮膚状態のフィジカルイグザミネーションを実施する。清潔ケアが計画にない場合は，顔面・頸部や上・下肢の露出部分の皮膚状態の視診・触診を行う。

視診による変化が認められたら，部位と大きさ，分布と配置，色や形状について観察し，触診により皮膚の湿潤の程度，腫脹や浮腫，分泌物の有無と性状，結節や腫瘤の硬度や可動性を確認する。

疾病や病状，年齢，体動の有無や療養環境により予測される皮膚状態の変化，たとえば脊髄損傷や脳血管障害により臥床時間が長い場合などでは，褥瘡が発生しやすく，高齢者の場合は皮膚炎や白癬を起こしやすいので，これらを念頭において観察する。

褥瘡が予測される場合は，ブレーデンスケール，OHスケール，K式スケールなどの評価尺度を活用し，経時変化を把握し，予防的な介入へとつなげる。褥瘡の発生後は，経過を評価することに重みをおいたDESIGN-R®を活用する。

(6) 精神状態に関するアセスメント

精神状態に関するアセスメントは，療養者や家族介護者の気分障害（主にうつ状態）や認知症が疑われるときに行われるが，療養者や家族の精神状態を把握するためにも重要である。

療養者と家族介護者の気分・情緒，注意力，見当識，思考過程・思考内容，理解力について，会話や日常生活行動の変調，生活環境の整備状況の変化などから，訪問ごとにアセスメントする。必要時，改訂長谷川式簡易知能評価スケールなどの評価尺度をさりげなく会話のなかに活用して確認する。これらの結果をもとに，メンタルケアを行い，気分障害や認知症の予防的介入を図る。気分障害や認知症が疑われる場合は，主治医や家族に相談し，専門医への受診を勧める。

3）ヘルスアセスメント結果の活用

定期的ヘルスアセスメントの結果は，訪問看護記録に記載し，継続看護の視点から経過観察に活用する。継続的に観察が必要な場合は，家族および療養者と関係職種に情報提供し，問題を共有し，多職種間連携を図る。

文 献

1）日野原重明編：フィジカルアセスメント―ナースに必要な診断の知識と技術，第4版，医学書院，2006.
2）山内豊明：フィジカルアセスメントガイドブック―目と手と耳でここまでわかる，第2版，医学書院，2011.
3）横山美樹：はじめてのフィジカルアセスメント―看護を学ぶすべてのひとが身につけたいフィジカルイグザミネーションの知識と技術，メヂカルフレンド社，2009.
4）永嶋由理子編：特集／看護実践に活かすフィジカル・アセスメント，臨牀看護，34（4），2008.
5）山内豊明：特集／ご家族も一緒に！在宅フィジカルアセスメント，訪問看護と介護，18（4），2013.

対象をとらえる技術②

2 家族アセスメントと家族支援

学習目標
- 現代の家族の機能と家族支援の必要性を理解する。
- 在宅看護に活用する家族看護の理論とモデルを説明できる。
- 家族アセスメントの意義と内容を理解し，在宅看護に活用できる。
- 家族支援をするために必要な技術を習得する。

1 家族の定義

価値観が多様化する現代において，家族の形態は，2，3世帯家族などの血縁を中心とした家族形態から，シングルマザーや離婚によるひとり親と子ども世帯，子どものいない夫婦のみの世帯，単身赴任や婚外子との同居家族，同性同士の婚姻など様々である。このような家族の多様性を考慮し，以下，フリードマン（Friedman M）の「家族とは，絆を共有し，情緒的親密さによって互いに結びついた，しかも家族であると自覚している，2人以上の成員である」[1]という家族の定義を前提として記述する。

2 社会の変化と家族看護のニーズ

1）少子高齢化と家族の小規模化

2020年の出生率（合計特殊出生率）は1.34%で5年連続減少，高齢化率28.7%で前年度比0.3%上昇し，過去最多となっている。また，総人口が29万人減少のなかで，65歳以上が30万人増加している[2]。少子高齢化が進み，単独世帯が最も多く29.7%，夫婦のみの世帯も21.9%と増加している。2020年の平均世帯人数は2.49人であり，家族は小規模化し，家族の療育・介護機能は脆弱化している。

2025年には団塊の世代が後期高齢者となり，老老介護や認認介護（認知症の被介護者を認知症の介護者が介護していること），シングル介護，ヤングケアラー，独居の高齢者を別居の家族が介護する状況が増加することが予想される。介護においても，これまでとは異なる家族の問題が発生することが予測される。

2）女性就労の変化

労働人口の減少，景気の不安定，そして価値観が多様化するなか，女性の意識変化と社会進出が進み，女性雇用者数は2,968万人で，雇用者総数に占める女性の割合は51.4%（2020年）である[3]。当然，家族介護力も影響を受けている。

3）地域包括ケアシステムの推進

高齢化に伴う要介護者の急増に対する医療経済の改善策や2025～2060年に迎える多死社会の対策として，できるだけ住み慣れた地域での生活や看取りができるように，国の施策として地域包括ケアシステムが推進されるようになった。それに伴い入院期間の短縮化と，難病や終末期などの医療依存度の高い療養者が在宅療養となり，家族介護者の負担は増加している。

3 在宅看護における家族アセスメントの必要性

療養者と家族は互いに影響し合う存在である。療養者の病状の変化や生活障害の程度が介護者の介護負担に影響し，介護者の介護意欲や介護能力が療養者の心身の状態に影響する。家族のなかに健康障害をもつ者が発生すれば，身体的・心理社会的・経済的にほかの家族員に影響を与える。その結果，家族員の役割やパワーバランス，家族間の関係性に変化をもたらす。

1）家族の機能と家族アセスメントの必要性

家族の機能には表2-1の５つがある。これらのどの部分が機能障害を起こしているかアセスメントし，どこにどのような支援が必要かを判断する。

家族アセスメントとは，家族を１つの集団としてとらえ，系統的に情報収集し，家族の機能で障害を起こしている問題を明らかにし，家族への援助が必要な部分を明らかにすることをいう。家族の構造や機能，家族員の役割や勢力関係，家族の関係性，家族の対処能力，家族システムについて情報収集し，これらをもとにアセスメントを行う。

このように，家族に焦点を当てた家族ケアを提供することをとおして，不適切な環境やライフスタイルの改善，療育や介護がもたらすトラブルの予防，早期解決を可能にできる。

2）家族アセスメントの視点

家族には社会資源としての家族，システムとしての家族といったとらえ方がある。また，家族と療養者は互いに影響し合う存在であるため，療養者のみをアセスメントしても在宅看護での問題は容易に解決しない。こうした視点をもって家族アセスメントをする。

（1）社会資源としての家族

家族は療養者の一次的支援者であり，社会資源の一つといえる。

表2-1 家族の機能

生殖機能	子どもを産み，育てる機能
経済機能	収入を得て経済資源を提供し，家族を経済的に保障する機能
教育・文化的機能	生活知識や文化を伝える機能
精神・情緒的機能	愛情や精神的な癒しを与え，情緒的に支え合う機能
ヘルスケア機能	健康的なライフスタイル（衣，食，住，ケア）を維持し，向上させる健康習慣の育成や，家族の健康問題を支援する機能

表2-2 家族のニード

家族員の役に立ちたいというニード
現状についての情報に対するニード
対応策についての情報に対するニード
希望に対するニード
肯定的フィードバックのニード
身体的ケアに対するニード
気づかわれるニード
感情を表出したいというニード
自分らしく生活したいというニード

(2) システムとしての家族

家族を1つのシステムとしてとらえ，アセスメントする。

健康な家族システムはオープンシステムであり，下位システムとの境界が明確であり，凝集性や適応性があり，明確なコミュニケーションフィードバックをもっている。下位システムには，親子システム，夫婦システム，きょうだいシステムがあり，これらのシステムは互いに影響する。

3) 家族アセスメント時の留意点

・家族に援助の意思を明確に伝える。
・情報収集のみにとらわれない。
・家族の関係性に焦点を当てる。
・先入観や自分の価値観にとらわれない。
・家族のニードがどこにあるのかを明らかにする（表2-2）。

4) 家族アセスメントの実際：家族看護過程

(1) 在宅看護におけるアセスメントのポイントと留意点

・療養者の健康障害や生活機能障害（ストレス源）が家族に与える影響をアセスメントする。
・家族の介護力と介護に伴う課題への対処力をアセスメントする。
・療養者の健康障害や生活機能障害の現状と今後予測される状態を把握する。
・家族の対処能力（構造，機能，発達段階）と対応状況，適応状況をアセスメントし，問題の明確化を図る。
・家族のニードと援助のポイントを明らかにする。
・家族の機能は常に変化していることを認識する。

(2) 在宅看護における介入のポイント

・療養者と家族における関係性と，過去から現在に至るまでの歴史を重視する。
・今，介入が必要な事項か，経過観察でよいのかを慎重に検討する。
・現在生じている問題状況に対する仮説を設定し，どの部分に介入すれば効果的か，検討したうえで介入する。
・信頼関係の基盤のもとに，タイミングを計りつつ介入する。
・家族の個人資源（時間，理解力，技術力，経済力，意欲など），家族資源（家族が有する人間関係，情報収集力，協力体制，経済力など）に着目し，介入資源として活用する。
・医療者の考え方が影響することを認識しておく。

（3）評価のポイント

①家族内部に生じた課題の達成

・療養者の心身の健康に影響を与える課題。
・家族の介護力と介護に伴う課題。

②セルフケア能力の回復・向上

・家族の適応状況の変化。
・家族の対応状況の変化。
・家族の問題解決能力の変化。

（4）悪循環への気づきと認識の変化

悪循環とは，密接な関係にある2つのことが互いに悪い影響を与え合い，とどまることなくそれを繰り返し，悪化する状態となっているものをいう。家族関係悪化の原因および誘因となっている悪循環に気づいているか，認識が変化しているかアセスメントする。

4 家族アセスメントに有効な理論

1）家族システム理論

ベルタランフィ（Bertalanffy L）の提唱した一般システム理論を家族システムに活用したもので，家族を「家族員が相互に影響し合って形成されるシステム」ととらえ，個人の精神病理や問題行動を，個人を取り巻く家族システムの問題の現れであるとする考え方である。つまり，周囲のシステムを変化させることによって，個人の問題も解決する。

（1）家族システムの特性

家族システムは以下の5つの特性があり，これらを理解することで，家族の歴史や家族ダイナミクスも含めて体系的なアセスメントが可能となる。

①全 体 性

家族員の変化は必ず家族全体の変化となって現れる。家族システムは部分としての家族員によって構成され，機能するのは家族全体である。

②非累積性

全体の機能は家族員の機能の総和以上のものになる。家族員間の相互作用には相乗効果があり，全体としての機能は個々の家族員の機能の総和以上のものとなる。

③恒 常 性

家族システムは，内外の変化に恒常性を維持するために対応して，常に一定状態を取り戻そうとする動きを自らつくり出す。

④循環的因果関係

家族員の行動は，家族内に次々と反応を呼び起こす。家族員の関係は原因-結果という直線的なものではなく循環的なもので，1人の家族員の行動が，次々にほかの家族員に影響を及ぼし，結果的に最初の原因をつくった家族員にも影響が及ぶこととなる。

⑤組 織 性

家族には階層性と役割期待がある。家族員同士は，互いの間に境界をもつ独立した存在であると同時に，親子システム，夫婦システム，きょうだいシステムなどの下位システムを形成している。それらのシステム内部には階層性と役割期待があり，互いに暗黙のうちにそれを認め合い，組織として成り立っている。

（2）家族システム理論の活用

対象となる家族を，親子システム，夫婦システム，きょうだいシステムでとらえ，家族関係をシステムの視点から分析し，その関係性をもとに健康問題を解決していく。在宅看護で対象となる家族の関係性をシステム理論で分析することで，どの下位システムに機能障害を起こしているのかが明らかになり，一見複雑にみえる家族の問題に解決の糸口や介入の方法が明確になる。

2）家族発達理論

個人が誕生し，成長・発達して消滅していくように，家族も同様に誕生し，成長・発達し消滅していく過程をとるととらえる考え方である。個人と同様に家族にも家族周期における発達課題がある。この発達課題が克服できないと危機に陥ることがある。特に，家族周期の移行時は家族の構造や機能の変化を伴うために，危機が生じやすい。

（1）家族周期における発達課題

社会学者である望月，木村らは，ステージを7段階（婚前期，新婚期，養育期，教育期，排出期，老年期，孤老期）に分け，基本的発達課題とともに，目標達成手段，役割の配分・遂行，対社会との関係に分類して提示しているため，家族の発達課題と解決の方向性がわかりやすい。

また，カーター（Carter B）とマクゴルドリック（McGoldrick M）は，家族の平均的な発達段階（表2-3）を，家族システムの変化に基づいて6段階（結婚前期，結婚，出産，思春期の子どものいる家族，子どもが独立する，老後を迎えた家族）に分け，段階を移行するにあたっての情緒的経過と，成長するために達成すべき家族の変化を示しているため，システムとしての介入の方向性がとらえやすい。

（2）家族発達理論の活用

在宅看護で対象となる家族が現在どのステージに位置し，どのような発達課題をもっているか把握できる。また，これまでの発達課題への対応や達成状況を把握することで，家族への理解が深まり，アセスメントに役立てることができ，家族の強みを活用した具体的な支援の方向性が明らかになる。

3）家族危機理論

家族危機理論は，米国で行われた兵士の留守家族が直面する生活上の困難と復員による家族再統合の実態調査をもとにしており，家族の危機とストレス対処過程の研究から得られた理論である。

（1）ジェットコースターモデル修正版

ジェットコースターモデルは，1949（昭和24）年にヒル（Hill R）によって開発されたモ

表2-3 家族の平均的な発達段階と課題（カーター&マクゴルドリック）

家族のライフサイクル	段階を移行するにあたっての情緒的経過	成長するために達成すべき家族の変化
[ステージ1] 結婚前期： 大人として独立する	情緒的・経済的責任を受容する	1. 定位家族（源家族，実家）との情緒的な絆を保ちながらも，自己のアイデンティティを確立する 2. 親密な人間関係を築く 3. 職業的・経済的独立により自己を確立する
[ステージ2] 結婚：結婚初期	新しいシステムがうまく軌道に乗るよう専心する	1. 夫婦としてのアイデンティティを確立する 2. 拡大家族と夫婦の関係を調整し直す 3. いつ親になるかの意思決定を行う
[ステージ3] 出産： 小さい子どものいる家庭	新しい家族員をシステムに受け入れる	1. 新たに子どもが家族システムに参入することにより家族システムを調整し直す 2. 子育ての役割が新たに加わり，家事，仕事の役割を調整し直す 3. 夫婦による子育てと祖父母による子育ての役割を調整する
[ステージ4] 思春期の子どものいる家庭	子どもの独立と両親の世話に対応できるように家族の境界を柔軟にする	1. 思春期の子どもが物理的に親に依存しながらも，心理的に独立を求めることによる親子関係の変化に対応する 2. 結婚生活と職業生活を再度見直すことに焦点を当てる 3. 年老いた世代を夫婦が世話する
[ステージ5] 子どもが独立する	子どもが家族システムに出たり入ったりすることを受け入れる	1. 2人だけの夫婦システムとして調整し直す 2. 成長した子どもと親が大人としての関係を築く 3. 成長した子どもとその配偶者と配偶者の家族との関係を調整する 4. 祖父母の病気，障害や死に対応する
[ステージ6] 老後を迎えた家族	世代・役割交代を受け入れる	1. 身体的な衰えに直面しながら，自身あるいは夫婦の機能と興味を維持する：家族・社会での新たな役割を探求する 2. 家庭や社会のシステムのなかで，高齢者の知識と経験を生かす場を見つける 3. 配偶者，兄弟や友人の喪失に対処しながら，自身の死の準備をする

森山美知子編著：ファミリーナーシング プラクティス－家族看護の理論と実践，医学書院，2001，p.87．より転載

デルで，その後に石原によって修正された。家族危機の発生から回復するまでの過程を，解体角度，回復角度，再組織化の水準の到達状況によって示している。

図2-1に示すように，横軸に時間的経過を，縦軸に家族の組織化の水準を表し，家族が危機に瀕して衝撃を受け解体していく過程と，回復していく過程を経て家族として再組織化していく過程を，ジェットコースターにたとえて示している。解体角度と回復角度は，危機の大きさによって変化する。また，再組織化の水準の到達状況は，同じ危機であっても，家族が危機をどのように乗り越え，問題解決してきたかによって異なり，以前より高いレベルの再組織化を獲得する場合と以前より低いレベルの再組織化を獲得する場合がある。

（2）ABC-Xモデル

ABC-Xモデルは，危機的状況の発生過程を構造化したモデルである。A要因（ストレス

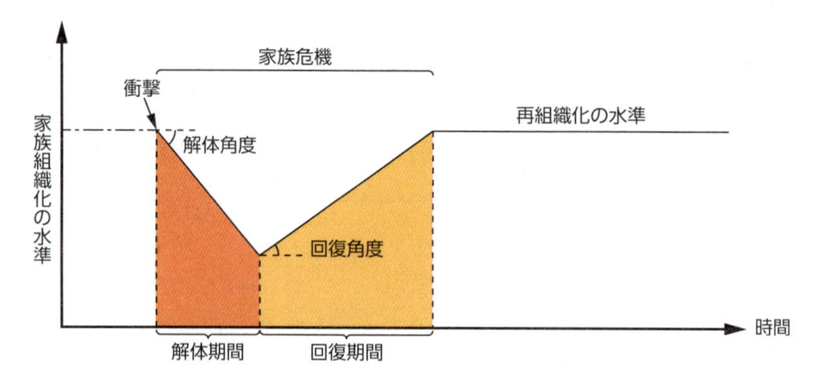

図2-1　ジェットコースターモデル修正版
石原邦雄：家族と生活ストレス，放送大学教育振興会，2000，p.85．より一部引用改変

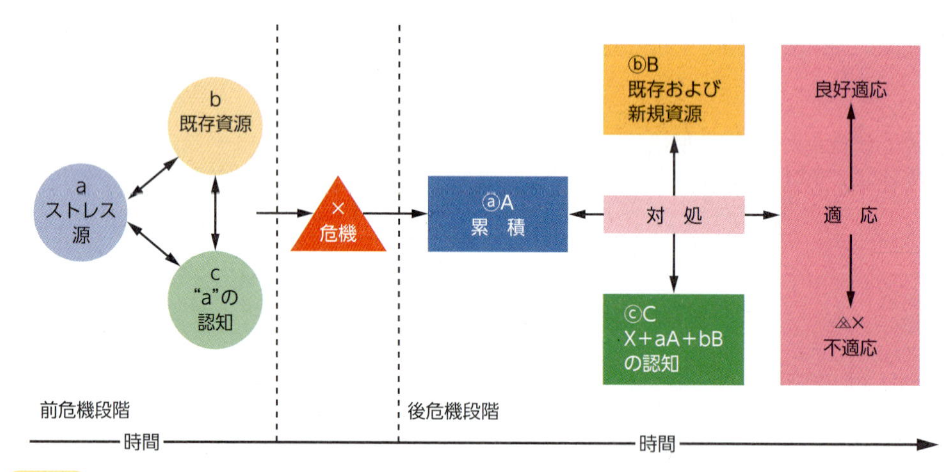

図2-2　家族適応の二重ABC-Xモデル
石原邦雄：家族と生活ストレス，放送大学教育振興会，2000，p.100．より転載

になる出来事）はB要因（家族危機対応資源）と相互作用し，C要因（家族が出来事に対してもつ認知）と相互作用して，X（家族危機）が生じるという危機発生過程を構造化し，以下の式で家族危機を表している。

A－(B＋C)＝X　（＋であれば危機状態，－であれば危機状態ではない）

（3）二重ABC-Xモデル

マッカバン（McCubbin HI）が開発した二重ABC-Xモデル（図2-2）は，危機を境に前危機段階と後危機段階に分かれている。前危機段階はABC-Xモデルを踏襲，後危機段階は前危機段階で解決せず，ストレスが累積した場合を想定したもので，後危機段階の最終変数を家族適応とし，良好適応と不適応の２つの方向で示している。

良好適応とは，危機を体験し乗り越えたことで以前の家族より成長を遂げる場合で，不適応とは，危機により家族の力が弱まり，低い水準の回復にとどまった場合である。

マッカバンは，家族の累積したストレスへの対処能力こそが，良好適応と不適応を分ける鍵であると主張している。

（4）家族危機理論の活用

対象とする家族に家族危機理論を活用することで，家族のストレスになる出来事，家族危機対応資源，家族が出来事に対してもつ認知，その結果としての危機状態，最終段階としての適応を整理することができる。

在宅看護では，療養者の介護問題やそれに関連した家族間の関係性に伴う様々なストレスから危機状態が生じることが多い。ストレスとなっている出来事は何か，それに対する認知や対応資源の問題を分析し，適切な介入の方向性と具体的な支援をしていくことで，問題の早期解決を図る。さらに，危機の経験が家族の絆をより強くし，家族を良好適応へと向かわせる。

5 家族アセスメントモデル

家族アセスメントモデルの種類と特徴を以下に示す。各モデルの詳細については成書を参照し，活用してほしい。

1）カルガリー家族アセスメント・介入モデル

カルガリー家族アセスメント・介入モデル（Calgary Family Assessment Model/Intervention Model：CFAM/CFIM）は，看護師が臨床応用するために開発された家族療法モデルで,「看護」「システム理論」「家族療法」の３つの主要概念が統合されたものである。カルガリー家族アセスメントモデル（CFAM，図2-3）は，システム理論を基礎に，家族に起こっている問題現象に対して，家族全体を系統的にアセスメントする枠組みを用いて家族をアセスメントするものである。CFAMは，構造，発達，機能の３つのカテゴリーから構成され，どこが障害されているか，そのなかのどの下位カテゴリーが問題なのかをアセスメントする。そのアセスメントに基づき，系統的な介入方法であるカルガリー家族介入モデル（CFIM）を用いて，看護介入を行う。CFIMは変化を促進する領域を認知領域，感情領域，行動領域の３つの領域に分けて考える。看護師はどの領域に介入すると家族の変化を最も効果的に促せるかを決定し，その領域に重点をおいて介入する。

CFAM/CFIMは，いずれも家族へのインタビューをとおして行われる。CFAM/CFIMは，カナダのライト（Wright LM）とワトソン（Watson WL）らによって開発されたが，この理論を臨床現場で活用しやすくしたものとして15分間インタビュー（表2-4）があり，時間的な制約がある在宅看護での活用が期待される。15分間インタビューは，マナー（挨拶），ジェノグラム（家系図），治療的会話（対象・家族に目的をもって意図的に質問を行い，そのプロセスのなかで家族の考えに影響を及ぼし変化を起こす会話のこと），基本的質問，ほめることの５段階のプロセスがある。

2）家族エンパワーメントモデル

家族エンパワーメントとは，家族が本来有している力，あるいは潜在的な力を活性化することを意味する。家族は家族自身によって様々な状況や問題を乗り越え，解決する力をもつ主体的な存在である。しかし，家族員の病気や障害によって家族全体が影響を受け，

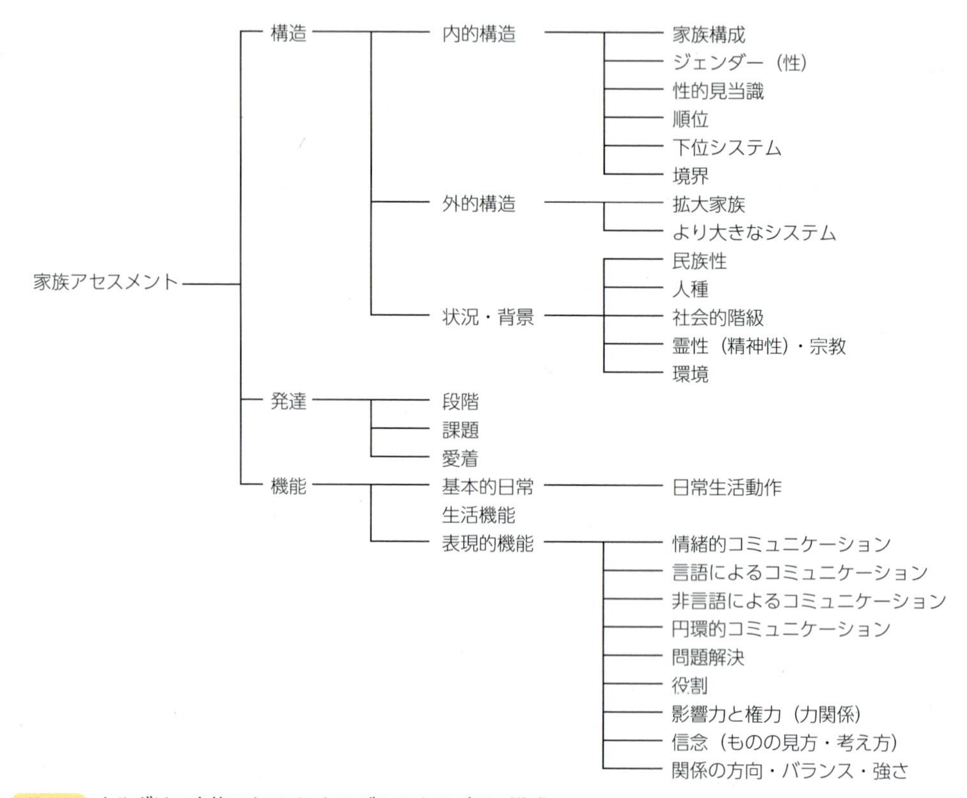

図2-3 カルガリー家族アセスメントモデルのカテゴリー構成
森山美知子編著：ファミリーナーシング プラクティス－家族看護の理論と実践，医学書院，2001，p.65．より転載

家族の力だけでは解決できない場合，家族エンパワーメントを高めるために看護職がかかわり，予防的・支持的・治療的援助を行う。

家族エンパワーメントモデル（図2-4）は野嶋によって提唱されたモデルで，家族像を重視したモデルである。「家族の病気体験を理解」することから始まり，「援助関係を形成」し，家族理論や看護理論を活用し「家族アセスメント」を行い，「家族像」を形成する。この「家族像」をもとに家族への看護介入の方向性を考え，家族エンパワーメントを支援する看護介入を選択し支援する。在宅看護では「家族の病気体験を理解」することが特に重要であり，家族が療養者の病気や障害によってどのような体験をし，影響を受け，それをどのように受け止めているかにより家族エンパワーメントが異なる。表2-5に家族エンパワーメントモデルの基本的な考え方を示す。

3）家族生活力量モデル

家族生活力量モデル（図2-5）は，島内を代表とした家族ケア研究会によって開発されたモデルで，家族を対象に生活の視点からアプローチし，家族のセルフヘルスケア力の向上を目指している。

家族生活力量とは家族が自ら健康生活を営む力であり，家族の様々な健康レベルにおいて家族が自らのために保健行動をとる「家族のセルフヘルスケア力」4項目と，健康に影響を及ぼす日常生活要素である「家族の日常生活維持力」5項目で構成されている（表

表2-4 15分間インタビュー

項　目	質問の意図
1. 今回の在宅療養で，困ったり，悩んだりするようなことがあったとき，どなたに相談されていますか？　これから聞かせていただくことをご存じなのはどなたですか？　知られたくない方はいらっしゃいますか？	・この質問により，仲良くしている人，頼れる人，敵対関係にある人などがわかる
2. 訪問看護師にしてほしいことは何ですか？　希望されることがあったらおっしゃってください	・期待がはっきりする ・援助の手がかりを得る ・協力関係を増大する
3. これまで「これは聞いてよかった，やってもらってよかった」と思われる助言や自分なりにやってよかったと思われることがありましたか？　ありましたら教えてください	・役立ったことを確認する ・起こりうる問題を避ける
4. 今回のご病気や在宅での療養生活で，いろいろと大変なことがあったと思われますが，ご家族の方が特に大変だったことは何ですか？　それに対しては，誰がどのように解決されましたか？	・家族の今の悩みは何か，今後起こりうる悩みは何か ・家族はそれぞれどんな役割を担うのか ・家族にとって一番の課題は何か ・家族のビリーフはどのようなものなのか
5. 今回の在宅療養で，家族のなかで一番大変なのはどなたでしょうか？	・援助や介入を一番必要としている家族員が確認できる
6. これが解決できたら随分楽になる，すぐにでもお聞きになりたいことはどのようなことでしょうか？	・患者や家族にとって一番差し迫った問題は何か ・患者や家族の心を一番煩わせていることは何かを知ることができる
7. 私が訪問させていただいたことで，何かお役に立てたことがありますか？　改めたほうがよいところが何かありませんか？	・看護師が家族を理解し協力して問題解決に取り組もうとする意欲を示す

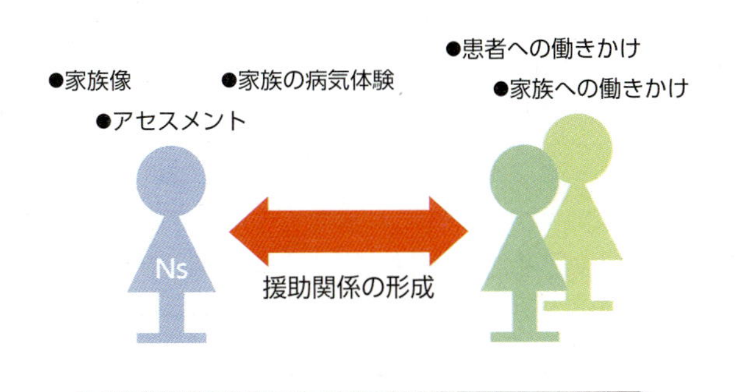

図2-4 家族エンパワーメントモデル
野嶋佐由美・渡辺裕子編：特集／家族アセスメントに基づいた家族像の形成，家族看護，2（2），2004．より転載

表2-5 家族エンパワーメントモデルの基本的な考え方

1. 家族は自分で決定し，家族の福利のために行動する能力を有している
   看護者は，家族の自己決定する力を尊重する姿勢が必要である
2. 家族エンパワーメントが生じる条件は，家族との相互尊敬，ともに参加する関係／協働関係，信頼である
3. 保健医療専門職者は，家族をコントロールしようとする欲求を放棄し，協力関係を形成し，家族のニードを優先する必要がある
4. 看護者は，家族が健康的な家族生活を維持，促進することができるように支援していく必要がある

中野綾美：家族エンパワーメントモデルと事例への応用－家族アセスメントと家族像の形成，家族看護，2（2）：85，2004．より転載

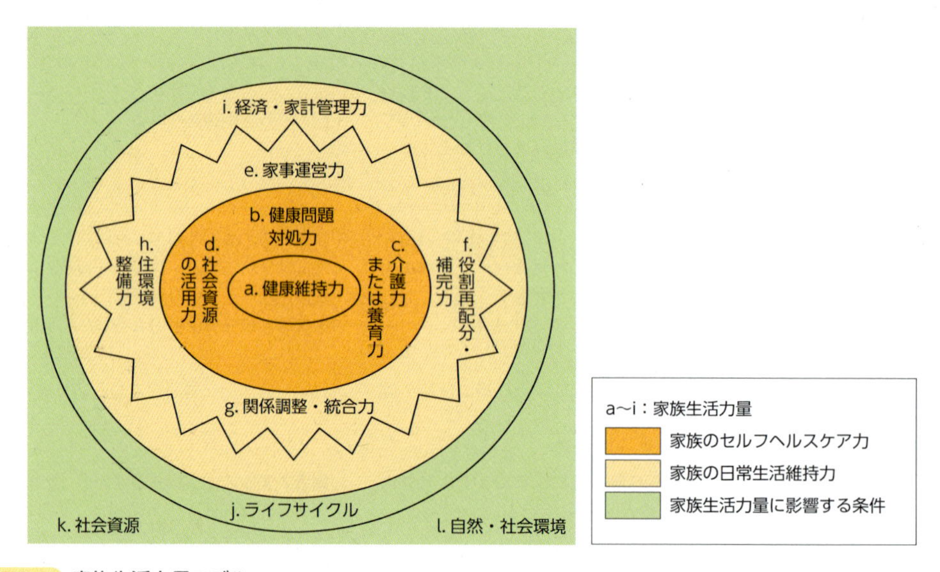

図2-5 家族生活力量モデル

家族ケア研究会：家族生活力量モデル－アセスメントスケールの活用法，医学書院，2002，p.79-80．より転載

2-6）。これらは家族生活力量アセスメントスケール（表2-7）として細項目化され，60個の質問文に「はい」「いいえ」で答え，領域ごとの点数をパーセントに換算してレーダーチャートに表すことによって簡便に家族生活力量をとらえることができるよう工夫されている。また，介入前後の変化や時期による変化が視覚的に比較できる。力量とは知識，技術，態度，行動，情動の統合されたもので，家族生活力量は時間の経過とともにダイナミックに変化するものと考えられている。

4）家族アセスメントに活用できるツール

（1）ジェノグラム（家系図）

ジェノグラム（図2-6，2-7）は家族の内部構造を図示したもので，3世代を含めた家族の構造を示すことが望ましく，家族の内部構造のアセスメントに用いる。

（2）エコマップ

エコマップ（図2-8，2-9）は家族の外的構造を図示したもので，外のシステムとの関係のあり方と程度を視覚的に表現している。家族の外的構造のアセスメントに用いる。線によって関係の強さ（直線は強い結びつき，点線は弱い関係，直線は肯定的な関係，直線に

表2-6 家族の健康課題に対する生活力量アセスメント指標

大項目		中項目（項目または条件と定義）		小項目
家族の生活力量	家族のセルフヘルスケア力	a. 健康維持力	健康生活を営むうえで必要な家族の基本的保健行動力	情報収集力，観察力，判断力，選択力，実行力，継続力
		b. 健康問題対処力	何らかの健康問題が生じた場合，それを理解し対処しようとする家族の保健行動力	理解力，情報収集・判断力，健康問題の受け止め方，コンプライアンス，家族内の問題共有力，家族内の結束力
		c. 介護力または養育力	他者による身辺の世話を必要とする家族員が発生した場合，それを判断し補完する家族の保健行動力	意欲，知識，技術，自由時間の獲得力，ケア対象者への愛着，ストレス対処力，介護や養育の方針
		d. 社会資源の活用力	健康課題の解決・改善および日常生活を営むために有用な社会資源を理解し活用しようとする家族の保健行動力	社会資源利用の態度，社会資源への接近力，社会資源に関する知識の獲得力，人的ネットワークの拡大力
	家族の日常生活維持力	e. 家事運営力	日常生活を営むうえで必要な炊事や掃除などの家事を運営する力	炊事，買い物，掃除の遂行力
		f. 役割再配分・補完力	役割変化の必要が生じた場合，それを理解し各機能を保持しようとする家族の柔軟な役割交代や相互に補完する力	役割分担力，役割再配分力，役割継続力
		g. 関係調整・統合力	家族員の自立と自由を保持しながら，家族の凝集性を高め柔軟に家族関係の調整を行いまとまろうとする力	コミュニケーション，親密性，凝集性，家族成員の自立，自由
		h. 住環境整備力	安全・便利・快適な家屋やその周辺の環境を整備する力	安全性，衛生性，快適性，利便性
		i. 経済・家計管理力	生活の基盤となる収入を得て，計画的に消費しようとする家族の経済運営力	収入源，出納バランス，消費パターン
家族の生活力量に影響する条件		j. ライフサイクル	家族の成立から解体までの段階的生活周期	ライフステージ，発達課題，家族の生活史
		k. 社会資源	家族のニーズを充足するために利用しているまたは利用可能な制度・集団や個人が所有する知識や技能・施設設備・資金・物品	活用している社会資源，活用可能な社会資源
		l. 自然・社会環境	家族を取り巻く自然・社会環境のうち健康問題と関係しやすい環境要素	家屋の特徴，立地条件，気候，交通手段，地域社会の人間関係・慣習・価値観，人口構造的特徴

1．各成員の生活力量と条件は家族の生活力量に関与し，それらを統合して家族の生活力量を構成している
2．家族の生活力量は，各成員の生活力量の単なる総和ではなく相互のダイナミックスを含んだ総合的な力である
福島道子・島内節・亀井智子・他：「家族の健康課題に対する生活力量アセスメント指標」の開発，日本看護科学会誌，17（4）：29-36，1997．より転載

表2-7 家族生活力量アセスメントスケール

記入日　　年　月　日　　　　　　記入者名

記入の仕方　次の設問は「その家族のなかにこんな家族員はいますか?」と問うています。家族内に誰か一人でも該当する人がいる場合には，番号に○をつけてください。あまり考え込まずにどんどん進むことが要領です。不用な所は，無理につけずに次の設問に移ってください。

質問a．健康維持力 [10項目]
- a1. テレビや雑誌などから，保健や健康に関する情報を集めている
- a2. テレビや雑誌などから得た保健や健康の情報が役立つかどうか考えている
- a3. 家族員の健康状態に，いつも気を遣っている
- a5. 家族員の健康状態を把握するための観察ができる
- a6. 家族員の健康状態はおおむね正しく判断できる
- a8. 家族員の健康状態に合わせて，何らかの保健行動を取り入れている
- a10. 生活リズムが不規則になりがちである
- a12. 1日3回の食事を摂らないことが，1週間に3日以上ある
- a13. たばこを吸う
- a17. ストレスがたまっていると感じている

質問b．健康問題対処力 [8項目]
- b19. 健康問題をもっている家族員の病状や症状を，おおむね正しく判断できる
- b22. 健康問題をもっている家族員の病状をコントロールするために必要なことがわかっている
- b23. 家族員の病状や健康状態を，自分なりに受け止めている
- b24. 健康問題をもっている家族員は，必要に応じて受診(または適切に内服)している
- b26. 健康問題をもっている家族員の病状をコントロールするために，何らかの保健行動を工夫している
- b28. 何らかの健康問題が発生したときに，それに応じた生活上の工夫を実践する
- b29. 健康問題をもっている家族員以外に，それを知っている家族員がいる
- b31. 健康問題をもっている家族員以外に，その人の健康問題解決のために動いてくれる人がいる

質問c．介護力または養育力 [12項目]（介護者らとは，介護者・保護者・養育者）
- c33. 介護者らは，心身ともに健康である
- c35. 介護者らは，介護などが必要と感じている
- c36. 介護者らは，積極的に取り組む意欲・姿勢がある
- c38. 介護者らは，介護などに必要な知識がある
- c39. 介護者らは，介護などの具体的な手順をだいたい知っている
- c42. 介護者らは，適切に介護などをする体力がある
- c45. 介護などの時間配分は，うまくいっている
- c47. 介護者らは，ケア対象者に愛情をもっている
- c49. 介護者らは，ケア対象者の気持ちを尊重しようとしている
- c52. 介護などを手伝ってくれる家族員がいる
- c53. 介護者らが忙しいとき，家族員はその代替えをしている
- c54. 家族内の介護などの方針は，はっきりしている

質問d．社会資源の活用力 [5項目]
- d58. 今，家族が利用できそうな社会資源を知っている
- d59. 社会サービスや健康・育児情報などは利用したくない（または期待できない）と考えている
- d60. 家庭内のことに，他人が入り込むのは好まないと考えている
- d63. 家族以外の機関に，社会サービス・育児情報に関する相談や問い合わせができる
- d67. 家族以外の人との交流は好まない

質問e．家事運営力 [5項目]
- e69. 家族に適した調理（刻み，減塩，哺乳，離乳食など）がなされている
- e72. 洗濯や着る物の用意には，支障がない
- e73. 室内の掃除には，支障がない
- e75. 家事担当者が忙しく，家事に手が回らないことがある
- e76. 家事担当者が疲れている

質問f．役割再配分・補完力 [5項目]
- f79. 介護者らは，今の状態で介護などを継続したいと考えている
- f80. 家族内の役割分担について，必要に応じて話し合っている
- f81. 介護や育児などによって，他の家族員の役割遂行に支障が生じている
- f82. 買い物など，家事運営を分担している
- f83. 自分だけが大変な思いをしていると感じている人がいる

質問g．関係調整・統合力 [5項目]
- g85. 率直な会話やコミュニケーションができている
- g88. 家族員の誰かが困っていたら，お互いに助け合おうとする
- g89. 家族員の欲求と家族全体の課題は，だいたい折り合いがついている
- g92. 家族の意見はまとまりやすい
- g93. 家族員の自立性や自由を尊重できる

質問h．住環境整備力 [5項目]
- h94. 家族員の誰か，環境調整の必要性を判断できる人がいる
- h95. 必要な環境調整方法をだいたい選択できる人がいる
- h96. 自宅や居室は定期的に整理・整頓されている
- h99. 不潔・温熱条件など住環境に起因する健康上の問題が生じていない
- h100. 家族員の住み心地がよいように，住まいの工夫をしている

質問i．経済・家計管理力 [5項目]
- i101. ほぼ決まった収入源がある
- i102. 収入と支出のバランスは均衡している
- i103. 金銭は，ある程度計画的に使うことができている
- i104. 健康問題（病気）をきっかけに，収入と支出の不均衡が起こっていない
- i105. 療養や育児にかかる費用を必要な支出とみなすことができる

採点の仕方

(1) 記入が終わったら，ラインマーカーなどで以下の逆転項目（全11項目）に目印をつける
　a10，a12，a13，a17，d59，d60，d67，e75，e76，f81，f83

(2) 次に指標ごとの到達率を算出する
　①逆転項目だけを採点する：
　　○がつかなかった場合1点，
　　それ以外は0点
　②逆転項目以外を採点する：
　　○がついた場合1点，
　　それ以外は0点
　③指標ごとの得点を合計する
　④早見表に従って到達率を出し，レーダーチャートに記入する

指標別到達率の早見表

指標＼得点	1	2	3	4	5	6	7	8	9	10	11	12
a	10	20	30	40	50	60	70	80	90	100		
b	12.5	25	37.5	50	62.5	75	87.5	100				
c	8.3	16.7	25	33.3	41.7	50	58.3	66.6	75	83.3	91.7	100
d	20	40	60	80	100							
e	20	40	60	80	100							
f	20	40	60	80	100							
g	20	40	60	80	100							
h	20	40	60	80	100							
i	20	40	60	80	100							

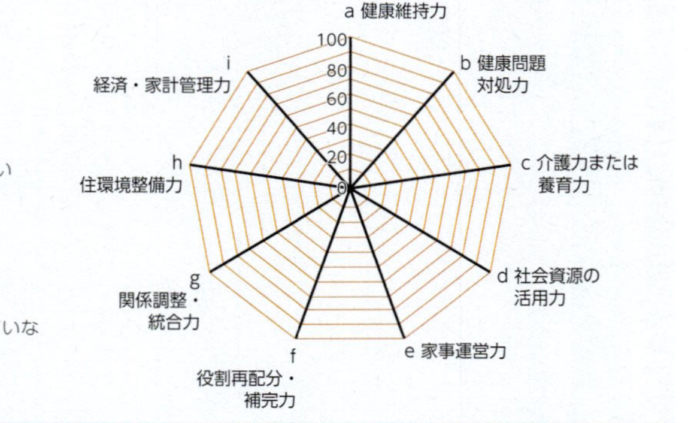

家族ケア研究会：家族生活力量モデル—アセスメントスケールの活用法，医学書院，2002，p.79-80．より転載

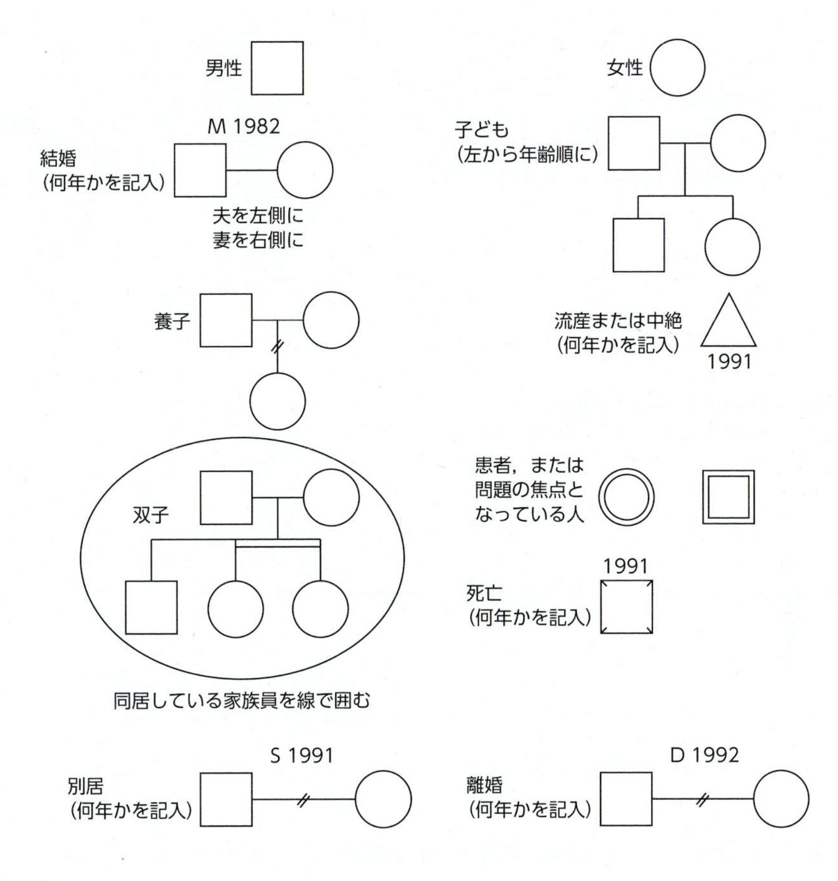

図2-6 家系図に使用する記号とその表示の仕方

森山美知子：家族看護モデル―アセスメントと援助の手引き，医学書院，1995．より引用

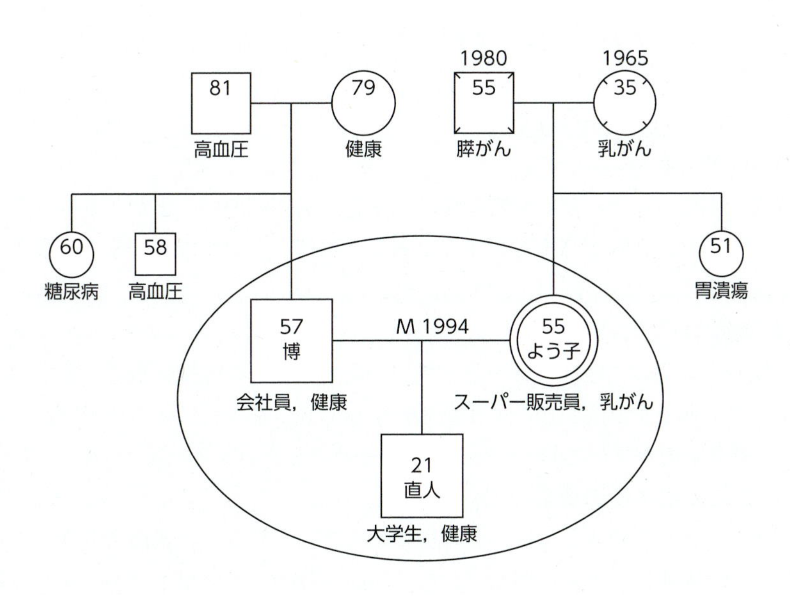

図2-7 家系図の例（田中家）

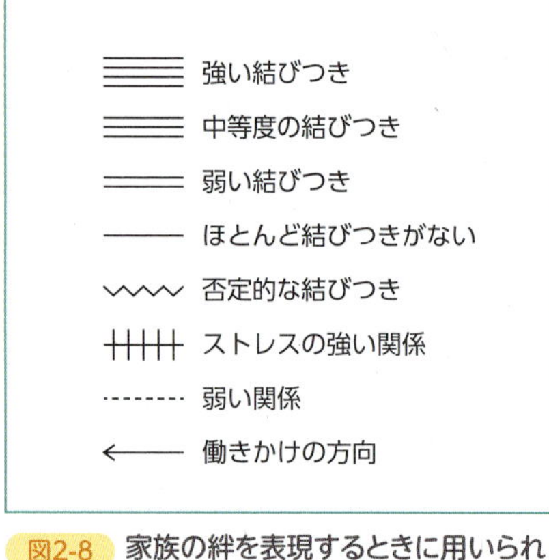

図2-8　家族の絆を表現するときに用いられる記号(Wright & Leahey, 2000)

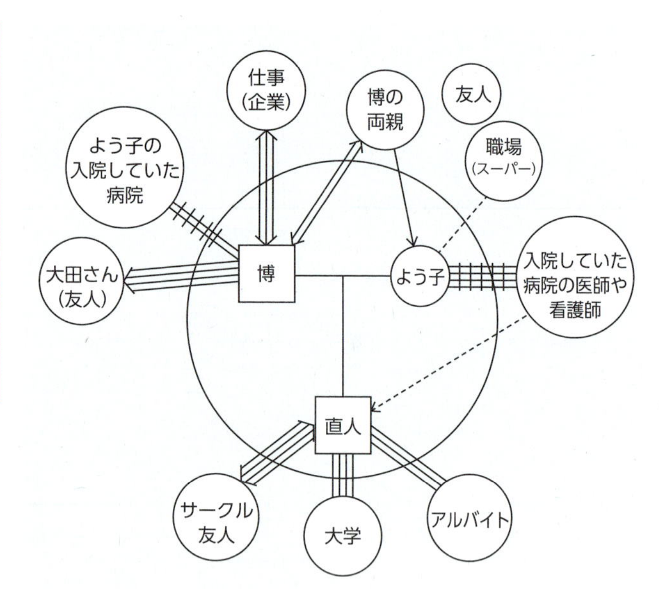

図2-9　エコマップの例(田中家)

横棒が入った線はストレスの強い関係，線の本数が多く太いほど関係が強く線の本数が少ないほど関係が弱い）を変えることにより，関係性が一目瞭然となる。メンバーの働きかけの方向と，情報や資源の流れがわかるように示す。

6 在宅看護における家族支援の特徴

1）家族支援の目的

家族が本来もっているセルフケア能力が最大限に発揮でき，または向上するように生活環境を整え，各家族員が協力して家族内部に生じた課題を達成できるように支援する。

2）家族への基本的な姿勢

（1）中 立 性

中立の立場でなければ，家族全体の状況がみえてこない。また，家族員の誰かに加担すると，家族内の葛藤が高まる可能性がある。療養者だけでなく，家族員個々とよりよい関係を成立させるためにも，中立の立場を貫く。

（2）家族の意思の尊重

家族が主体的に健康問題に対応していくためには，看護師は裏方に徹し見守り支えることが必要である。家族がどのような選択をしても，家族にはその選択理由があることを理解し，それがセルフケア能力の向上につながるよう支援する。

（3）家族の主体性の尊重

家族の主体性を尊重し，援助者の価値観を押しつけない。援助者の考えを押しつけることによって家族員の主体性が損なわれ，訪問看護師やケアマネジャーなどの関係職種に依存的になることや，それらの専門職の期待にこたえられないことに対するストレスを生じることになる。

家族支援の実際

1）療養者・家族員への援助

（1）療養者の健康障害と生活機能障害への家族の理解

家族が，療養者の健康障害やそれに伴う生活機能障害の現状と予測される問題，必要となる介護知識・技術，役割について理解できるよう働きかける。家族にも可能なケアの方法について説明し，実施の際にはサポートする。

（2）療養者・家族の情緒的安定と意欲の向上

療養者および家族は，在宅療養における様々な不安やストレスのなかで生活し，情緒的に不安定であることが予想される。家族のセルフケア機能を高め，療養者の意欲向上，介護能力の維持・向上を図るためには情緒的安定が不可欠である。看護師は療養者および家族の不安やストレスを受け止め，家族の介護をねぎらい，家族の絆を賞賛し，いつでも相談・協力できる相手であることを伝えることで情緒的安定を図り，意欲を高めるよう働きかける。

2）家族の関係性に対する援助

（1）家族間のコミュニケーションの促進

日本には「察する」という文化があり，特に家族間では自分の思いや意見，感情を明確に伝えない傾向があるが，それが原因で家族間にストレスや誤解が生じることも多い。療養者は介護で迷惑をかけているという思いから望みや希望を表現できない，また，介護者やそのほかの家族員も自分の思いや考えを表現していない場合がある。互いにコミュニケーションが促進され，相互理解が深まるように，看護師は互いの思いや意見の表出を勧め，場を設定し仲介役として働きかける。

（2）家族の情緒的交流の促進

家族の情緒的交流は，療養者や家族の健康問題の対応能力に大きな影響を及ぼす。看護師は，家族のセルフケア機能が十分発揮され高まるように，互いに認め合う言葉を代弁するなどし，家族の絆の強さを表現する。また，ケアを一緒に行うなど家族が互いに触れ合う機会を設け，情緒的交流を促していく。

（3）役割分担の調整への援助

家族のなかに健康障害をもつ家族員が発生すると，それに応じて家族全体の役割の再編成が必要となる。家族間で一人の家族員に介護の役割が偏ることがないように，どのような役割が必要になるのか，生活時間との関係はどうなるのかなどの情報提供をするとともに，家族間でバランスのとれた役割分担ができるよう助言する。

3）家族と社会との関係性に対する援助

（1）個人の生活と社会との関係性を深める

家族介護者は，仕事や生活を犠牲にして，社会との関係が疎遠になりがちである。それが介護者の不安やストレスとなり，情緒面に影響することも多い。介護者やそのほかの家族の今後の社会生活の見直しへの助言や，社会的な交流を勧め，それを実現するためのレスパイトケアとして看護小規模多機能型居宅介護事業所，デイサービスやショートステイなどの社会資源の導入などの働きかけを行う。

（2）環境整備

療養者の健康問題とそれに伴う生活機能障害，家族の介護条件，居住環境などのアセスメントをもとに，住宅改修などのハード面と人的交流などのソフト面から生活の場を整える。また，近隣からの支援が得られるように関係を調整するよう，地域環境に働きかける。

（3）マネジメント機能

療養者や家族のセルフケアとQOLを高める視点から，社会資源を有効に活用して健康問題や介護負担に対応する。昨今，療養者・家族のニーズは多様化し，社会資源も専門化・細分化し複雑になっている。看護師は療養者と家族の身近な存在として必要な支援をアセスメントし，保健師やケアマネジャーなど関係職種と連携のうえ，マネジメントを行う。

文献

1）Friedman MM：Family Nursing：Theory and Practice, Appleton & Lange, 1992, p.8-9.
2）厚生労働省：令和2年（2020）人口動態統計（確定数）の概況.
<https://www.mhlw.go.jp/toukei/saikin/hw/jinkou/kakutei20/index.html>（アクセス日：2021/11/1）
3）総務省統計局：労働力調査（基本集計）2020年（令和2年）平均結果の要約.
<https://www.stat.go.jp/data/roudou/sokuhou/nen/ft/pdf/index1.pdf>(アクセス日：2021/11/1)
4）野嶋佐由美・渡辺裕子編：特集／家族アセスメントに基づいた家族像の形成，家族看護，2（2），2004.
5）野嶋佐由美・渡辺裕子編：特集／家族とのパートナーシップ，家族看護，4（1），2006.
6）森山美知子編著：ファミリーナーシング プラクティス－家族看護の理論と実践，医学書院，2001.
7）森山美知子：家族看護モデル－アセスメントと援助の手引き，医学書院，1995.
8）鈴木和子・渡辺裕子：家族看護学－理論と実践，第4版，日本看護協会出版会，2012.
9）渡辺裕子監：家族看護学を基盤とした在宅看護論－実践編，第2版，日本看護協会出版会，2007.
10）小林奈美：訪問看護師が在宅看護に取り組む家族と効果的に関わるための問いかけ表現の検討，家族看護学研究，8（1）：17-22，2002.
11）Wright LM，Watson WL，Bell JM著，杉下知子監訳：ビリーフ－家族看護実践の新たなパラダイム，日本看護協会出版会，2002.
12）Friedman MM著，野嶋佐由美訳：家族看護学－理論とアセスメント，へるす出版，1993.
13）上別府圭子：家族看護学〈系統看護学講座 別巻〉，医学書院，2018.

対象にアプローチする技術①

3 コミュニケーション

学習目標

- 在宅看護におけるコミュニケーションの特徴を理解する。
- 療養者・家族とのコミュニケーションを円滑にするための技術を習得する。
- 言語的コミュニケーションが困難な場合のコミュニケーション技術を理解する。
- 訪問場面に応じたコミュニケーション技術を習得する。

1 在宅看護におけるコミュニケーションの特徴

1）地域の環境が及ぼす影響

コミュニケーションは看護を行ううえで基盤となる。在宅療養者が生活する家庭や社会環境，自然環境などの地域の環境がコミュニケーションに影響を与えることを理解して，コミュニケーションを図っていく。

（1）家　庭

療養者と家族の生活史や価値観，家族間の関係がコミュニケーションに影響を及ぼしている。

（2）社　会

慣習，産業経済，交通・通信，教育，文化，保健・医療・福祉サービスなどが地域で生活する療養者のコミュニケーションに影響している。

（3）自　然

気候や地理的条件がコミュニケーションに影響を及ぼしている。たとえば，厳しい寒さに耐えている地域の住民は，忍耐強く寡黙な傾向がある。

2）療養者・家族の相互関係による影響

療養者は，家族と共に暮らしていることが多く，療養者の生活は家族の生活から影響を受け，家族の生活も療養者の健康状態により影響を受けている。看護師は，療養者と家族を一つの単位ととらえて看護援助を行い，コミュニケーションを図ることが重要である。

療養者は家族に介護負担をかけているという意識をもちやすく，家族に対して本音を言えずにいることもある。また，家族も療養者への気づかいにより，話したいことを話せず遠慮している場合がある。看護師は療養者と家族の関係性を把握し，家族間のコミュニケーションが円滑に行われるよう仲介者の役割を担っている。

3）療養者・家族・看護師の相互関係による影響

在宅看護における療養者・家族と看護師との相互関係は，言語的・非言語的なコミュニケーションが土台となって展開される。医療現場とは異なり，療養者・家族と看護師とのコミュニケーションは，療養者–看護師，家族介護者・家族–看護師からなり，その相互関係が療養者，家族，看護師三者のコミュニケーション関係へと発展する。看護師は，三者のコミュニケーションが療養者と家族のその後の生活や関係性に影響することを意識して，コミュニケーションを図ることが重要である。

2 療養者・家族とのコミュニケーションの原則

1）療養者・家族の意思の尊重と意思決定への支援

療養者や家族は，それぞれの生き方，生活の仕方，価値観をもっている。これらのことを理解したうえで，看護師は療養者や家族の意思を尊重したコミュニケーションを心がける。療養者と家族が異なる意見をもっている可能性があることを考慮し，別々に話を聞く場を設けることが必要である。

在宅看護の場では，あらゆることの意思決定が療養者と家族に委ねられているため，意思決定への支援が必要な場合には，療養者や家族が自分の意思や感情を十分に表出できるようなコミュニケーション技術が必要とされる。コミュニケーションの基本技術として，①聴く，②話す，③理解するがあげられるが，これらの基本技術を活用し，療養者・家族への支援を行う。

（1）聴　く

聴くとは「傾聴すること」ともいわれる。傾聴とは，漫然と相手の話を聞くことではなく，話し手の心の声に能動的に耳を澄ますことであり，相手の話の内容に関心をもち，感情を感じとることが重要である。聞き手が熱意をもって聴くことで，話し手は受け入れられたという満足感をもち，そこから信頼が生まれる。

話を聴くときにもう一つ大事なことは，言語的コミュニケーションと非言語的コミュニケーションが一致していない場合に，そのシグナルを見落とさないことである。その不一致を意味あることとしてとらえ分析し，確認することが必要である．そこに療養者や家族の本音が隠されていることがある。

傾聴の技法には表3-1などがある。

表3-1 傾聴の技法

うなずきと相づち	話に反応を示すことで，話し手は「聴いてもらえている」と感じる
反　映	会話の一部をオウム返しのように繰り返す 事柄の反映：「いつ，どこで，誰が，何を，どうした」という客観的な事実を受け止めて返すことで，話し手がその事柄を再認識する 感情の反映：「あなたは，〜と感じているのですね」と返すことで，話し手は理解されていると感じる
明確化	話の焦点を要約して返す
共　感	話し手が表出した感情を無視・否定せず，ありのままを受け取る

(2) 話　す

相手の身体的・精神的・社会的条件と背景を考慮し，ゆっくり，はっきり発音するなど理解できるように話すことが重要である。専門用語を使わず，療養者や家族が理解しやすい言葉，日常使用している言葉を選び話す。説明が必要な場合は図解して説明することも効果的な場合がある。

(3) 理解する

客観的理解と共感的理解がある。共感的理解とは，聞き手自身の見方や偏見，価値観を持ち込まず，ありのままを受け入れることである。

2) 療養者と家族の生活史への配慮

療養者と家族には，それぞれ長い年月のなかで築いてきた現在の関係があることから，その生活史を踏まえ，療養者と家族の関係性を考慮したうえでのコミュニケーションが求められる。

3) 家族のコミュニケーションスタイルを踏まえたコミュニケーション

それぞれの家族には，個々に異なるコミュニケーションスタイルがある。家族間で誰を中心にコミュニケーションがとられるか，それがどのように伝達されるかを把握する。

療養者を中心にコミュニケーションがとられるのか，主介護者を中心としてコミュニケーションが図られ他の家族員に伝達されるのか，伝言ゲームのように次々伝達されるのかなど，それぞれの家族のコミュニケーションスタイルを把握し，それを踏まえたうえで個々の家族員とのコミュニケーションを図る。

4) プライバシーの保護と守秘義務

在宅看護では，家庭を訪問しコミュニケーションを図るため，療養者や家族の情報を得る機会が多い。プライバシーの保護と守秘義務を守るという倫理的配慮が重要である。

3 人間関係を発展させるコミュニケーション技術

在宅看護において，看護師は療養者および家族と対人関係を構築しながら援助を行っている。療養者および家族との信頼関係を築くには，まず，相手を理解し，その人らしさを支えていく個別ケアが重要である。看護師が自分の思い込みや偏った考えをもったままコミュニケーションを図っても，相手を理解することにつながらない。療養者や家族を，たとえば「脳卒中で麻痺のある療養者」など類型化してとらえることで，療養者や家族との関係構築は難しくなる。それを打破するには，療養者や家族を特定の独自な人としてみていくことである。「人間対人間の関係」として患者−看護師関係の発展段階を概念化しているトラベルビー（Travelbee J）[1] の看護師と患者の関係を紹介する。

トラベルビーは，看護師は「看護師−患者」関係ではなく，「人間−人間」の関係を確立するように努力すべきであると主張した。人間対人間の関係は援助的であり，病人のニードは満たされる。人間対人間の関係は，以下の４つの位相を経て確立される。この位相とは，場面・局面を意味する。

1）初期の出会いの位相

初期の出会いの位相では，出会った人が互いに相手を観察し，推論を発展させ，価値判断をしている。人は相手の看護師を「看護師」と認識し，看護師はその人を「患者」と認識する。この位相では独自性の認識は乏しく，類型的なあり方をしている。こうした類型化は，各人が相手を特定の独自な人間としてとらえたときに打破される。

在宅看護の展開では，療養者と初めて遭遇する退院時カンファレンスや初回訪問時に，「療養者」「訪問看護師」として出会い，お互いを認識する。

2）同一性出現の位相

看護師と看護を受ける人がつながりを確立し，互いにそれぞれを一人の独自な人間として見始める段階である。

在宅看護の展開では，療養者と訪問看護師が援助をとおして関係性を確立し，それぞれの個性や価値観を知り，お互いを一人の人間として認識していく。

3）共感の位相

一時的に相手の心理状態に入り込んで，その内的体験を悟ることができる。すなわち，表面的な行動を超えて，正確に相手を感じとることができる段階である。

在宅看護の展開では，療養者との訪問時のかかわりのなかで，療養者の疾病や障害に伴う苦痛を受け止め，生活上の望みや将来への思いに対して感じ取ることができる。

4）同感の位相

同感の位相は，共感のプロセスから生じるが，共感を超えた段階に至る。根本に，相手の苦悩を和らげたいという衝動や願望があるのが特徴である。

在宅看護の展開では，障害や疾病をもちながら，一人の人間としての生活の望みや希望をもつ療養者に共感し，その実現に向けて役立ちたいという衝動や願望をもつ。

5）ラポート（ラポール）

看護師と看護を受ける人が，両者にとって相互に大切で意味深い体験を共有しているという，相互信頼の関係を意味する。看護師がラポートを確立できるのは，療養者を援助するのに必要な知識と技能を有しているからであり，療養者の独自性を知覚し，それに反応し，その真価を認めることができるからである。

看護師が療養者との関係を発展させるプロセスを述べてきた。在宅看護において療養者との関係の構築には日常のコミュニケーションが媒介となることから，看護師には療養者に関心をもって傾聴する，共感的なコミュニケーション能力が必要とされる。

4 言語的コミュニケーションが困難な場合のコミュニケーション技術

障害により，言語的コミュニケーションが困難な療養者のコミュニケーションの確立や能力の向上には，まず何が原因でコミュニケーション障害が生じているのかについてアセスメントを行うことが重要である。どこの障害がコミュニケーションのどの段階のどの部分に影響を与え，困難にしているのかを明らかにしていく。そのうえで，歯科医師，眼科医師，言語聴覚士，補聴器やコミュニケーション機器を扱う業者など，多職種が互いに協働することが大切である。

1）視覚障害のある療養者

行為の前に何を始めるのかを十分に言葉で伝えると同時に，非言語的コミュニケーションである身体に触れるなどの手段を用いてコミュニケーションを図る。

2）聴覚障害のある療養者

療養者の正面に立ち，はっきりした口の動きで伝える，手話や筆談による方法を用いるなどしてコミュニケーションを図る。

3）言語障害や筋萎縮性側索硬化症などにより会話が困難な療養者

せかさず相手の意思表示を待ち，療養者の用いている文字盤（図3-1）やコミュニケーション手段を活用する。

（1）構音障害のある療養者

言語は理解できても明瞭に表現することが困難である。言い間違いを指摘されて自尊心が低下し，自ら話さなくなることがあるため，看護師は，療養者が発言の機会をもてるよう配慮し，十分な時間をかけて聴き取る。また，ゆっくり，はっきり話しかけることも大切である。話し言葉だけでなく，アイコンタクトや身振り，手振り，表情などの非言語的コミュニケーションを工夫する。

（2）失語症のある療養者

相手を尊重する言葉や態度で接し，短くわかりやすい言葉で話しかける。また，表情や

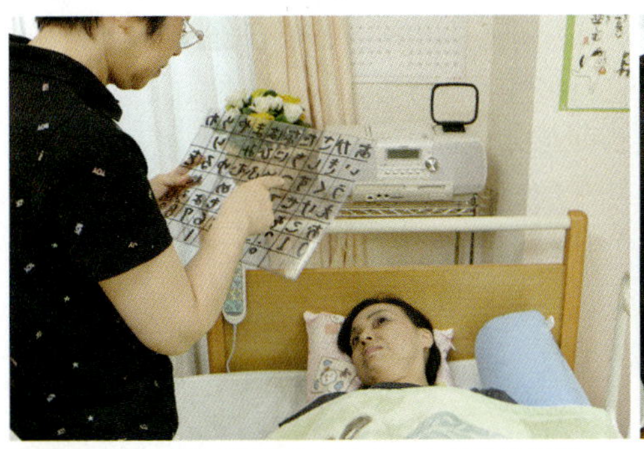

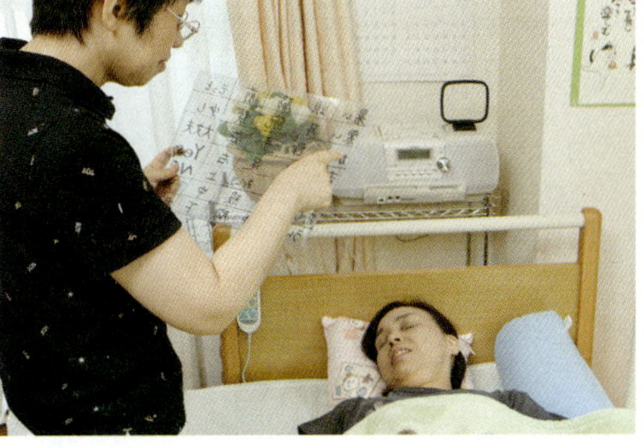

図3-1　文字盤の活用（まばたきによる意思表示）

身振りなどの非言語的コミュニケーションの表現をよく観察し，療養者の意思をくみ取る。

療養上の説明を行った場合には，言葉の理解力の障害の程度を把握するために，行動をよく観察し，理解の程度を把握する。必要時，説明の方法を工夫する。

（3）気管切開のある療養者

気管切開を受けると，発声というコミュニケーション能力を失うことが多い。看護師は，カードや文字盤，パソコンなどを活用し，可能ならば筆談などを用いて，できるだけコミュニケーションが図れるよう援助する。質問は，うなずくなどの手段や，「はい」「いいえ」で答えられるクローズドクエスチョンを用いる。

（4）意識障害・認知障害などで意思疎通が困難な療養者

家族とのコミュニケーションが中心となりがちであるが，療養者の示すサインを読み取り，療養者の意思を確認できるようにする。このような療養者を介護している家族は，心身ともにストレスフルな状況にあることが多い。看護師は共感的態度で接し，療養者の状況を客観的にとらえ，克服していくための方法とその過程を家族と共に考え支援していく。

5 訪問看護におけるコミュニケーション

1）初回訪問前の準備

初回訪問時のコミュニケーションを円滑に進めるために，訪問前に療養者や家族，療養生活に関する情報を収集する。また，訪問日については，療養者・家族の希望する日を電話などで確認し，予約する。

・療養者の氏名，性別，年齢，職業，保険，住所，家族構成，主な介護者を確認する。
・療養者の病状や治療方針・治療内容を主治医に確認する。
・療養者の経済状況，健康状態，日常生活行動の自立度，コミュニケーション障害の有無と障害がある場合は障害の状況を看護師に確認する。
・訪問看護導入の目的，その経過，在宅療養への期待や受け止め方について，介護支援専門員（ケアマネジャー）や看護師，主治医から情報を得る。
・居住する地域の社会資源，住居やその周辺の環境についての情報を得る。

2）初回訪問時のコミュニケーション

初回訪問は，療養者・家族と相互に理解し合い，訪問看護の方向性を決める貴重な機会となる。訪問看護師と療養者・家族が対人関係を構築し，理解し合えるように，相手を尊重した丁寧で礼儀正しいコミュニケーションを心がける。

①最初に，療養者・家族が話したいことを聴き，その思いを受け止める。
②療養者の健康状態をアセスメントし，苦痛に感じている症状やどのようなことを看護師に期待しているか，表現できるようにコミュニケーションを図る。
③介護を行っている家族にねぎらいの言葉をかける。
④家族が困難に感じていることや看護師に期待していることを表現できるようにコミュニケーションをとる。
⑤看護師として今後何ができ，どのような援助をしていきたいかを伝える。

⑥コミュニケーションを促進していくために，療養者・家族を尊重した態度で，関心を寄せ，傾聴・共感する姿勢で接し，必要時，情報提供する。

⑦話し方は，やわらかな表情で，発音・語尾を明確にし，敬語などの適切な言葉づかいを心がける。その地方の方言などを活用し地域の話題を取り入れるなどによりコミュニケーションを円滑にする。

⑧次回の訪問の約束をする。

看護技術の実際

A 初回訪問時

	方法と観察の視点	根　拠
1	**訪問前の準備をする** 1）療養者の氏名，性別，年齢，職業，保険，住所，家族構成，主な介護者を確認する 2）主治医から療養者の病状，治療方針，治療内容を確認する 3）看護師から療養者の経済状況，健康状態，日常生活行動の自立度，コミュニケーション障害の有無と障害がある場合は障害の状況など情報を得る 4）介護支援専門員（ケアマネジャー），看護師，主治医から訪問看護導入の目的，その経過，在宅療養への期待や受け止め方について情報を得る 5）居住する地域の社会資源，住居やその周辺の環境についての情報を得る（➡❶）	❶地域の保健・医療・福祉機関，関係職種，各種制度および民間ボランティアなどの社会資源の状況，生活環境を把握しておくことで，必要時それらを活用して情報収集や問題解決を図ることができる
2	**療養者・家族の希望する日を電話などで聞き，訪問日を予約する（➡❷）** 1）電話の相手を確認する 2）看護師の所属，職種，氏名を伝える 3）電話をして都合のよい時間か確認する 4）療養者の病状や家族の健康状態を確認する 5）介護の継続に対してねぎらい，支持する 6）訪問日時を伝え，訪問日時を確認し合う 7）療養者・家族からの依頼で訪問する場合は，迅速に訪問する	❷療養者・家族は，初めての看護師の訪問に不安や緊張感を抱いたりする。事前に連絡をとることで，相手は受け入れの準備をすることができる。電話では丁寧で明確な表現を心がける
3	**身だしなみを整える（➡❸）**	❸身だしなみは非言語的コミュニケーションの一つである。看護師として第一印象をよくすることで，その後の対人関係を良好にすることができる
4	**療養者・家族との援助関係の確立を図る** 1）明るく笑顔で挨拶し，来訪を告げる 2）療養者・家族が在宅しているか確認する 3）自己紹介し，訪問目的を伝える	

	方法と観察の視点	根　拠
	4）療養者・家族から学びながら共に考え，援助したいことを伝える 5）予定の所要時間を伝える 6）来客の有無を確認し配慮する 7）看護上，知り得たことの守秘義務について説明する。また，関係職種間での情報の共有が必要な場合には，了解を得ることを伝える	
5	**療養者のコミュニケーションに影響を及ぼす要因をアセスメントする**（➡❹） ・視覚障害・聴覚障害・言語障害・意識障害・認知障害の有無 ・意欲，集中力，感覚機能，知覚機能，口腔内の機能，言語機能 ・障害が療養者の認識・思考・感情に与える影響 <コミュニケーションをとる際の留意点> ・療養者・家族と同じ目の高さにする（➡❺） ・療養者・家族の両方が見える位置に座る（➡❻） ・療養者に自己紹介をする ・在宅療養を継続していることに対して，敬意とねぎらいを示す	❹コミュニケーション方法の工夫に役立てる ❺看護師から威圧感を与えない目線とする ❻療養者・家族の関係性を判断したり，見える位置に座ることで不安を与えないようにする
6	**療養者・家族が療養上の課題に主体的に取り組むことができるよう援助する** 1）療養者・家族の健康状態や日常生活について知り，課題解決を共に考え支援していくことを伝える 2）療養者・家族の言語的・非言語的コミュニケーションからそれぞれの考えや思いを把握する 3）療養者・家族間のコミュニケーションを観察し，家族間の課題があるか把握し，必要時，個別に考えや思いを傾聴する 4）必要時，社会資源などの情報を提供しながら，意思決定できるように援助する 5）療養者・家族が療養上の課題を自ら解決していけるように，相手を尊重し，傾聴，共感しながら考えや思いを整理していけるように支援する	
7	**次回の訪問予定日の決定と訪問目的を明確にする** 1）継続して援助したい意向と訪問目的を示し，次回訪問予定を療養者・家族と検討する 2）次回訪問までに新たな問題が生じた場合はすぐに連絡するよう伝える	

文　献

1）Travelbee J著，長谷川浩・藤枝知子訳：人間対人間の看護，医学書院，1974.

対象にアプローチする技術②

在宅看護過程

学習目標

- 在宅療養者と家族介護者の在宅での状況を把握し，家族全体のQOLに視点を置いた看護過程が展開できる。
- 在宅における生活を継続するために，予防的視点をもった看護過程が展開できる。
- 療養者・家族のセルフケア能力を導き出し，自立を支援する看護過程が展開できる。
- 多専門職者と連携しながら，療養者の望む目標を設定できる。
- ケアチームにおける看護職の役割を明確にし，多専門職と連携して，目標達成のために看護過程が展開できる。

在宅看護学は，在宅という「暮らしの場にいる」ことを支える看護学の領域である。「暮らしの場にいる」とは，「暮らしの場に帰る」ことを含んでいる。以下，「暮らしの場にいる」ことと「暮らしの場に帰る」ことを支援するために用いる看護過程の展開について述べる。

1 在宅看護における看護過程の意義

看護過程は，効果的，効率的に看護を展開するために用いられる問題解決型の思考過程である。基本的には，情報収集，アセスメント，目標設定，問題・課題の抽出，計画，実施，評価のサイクルを繰り返し，目標（こうなってほしいこと）達成に向かう。

また，在宅看護では，在宅療養を阻む問題となる状況（こうなってほしくないこと）を予測し，予防するための支援が非常に重要である。

この目標を志向した問題解決型の思考過程を身につけることにより，療養者の望む暮らしを実現するための効果的・効率的な看護実践が可能となる。また，その過程を簡潔に表現することにより，療養者を支えるチームが互いの役割を理解し，それぞれを資源とした効果的，効率的な活動をつくり出すことができるようになる。

在宅看護における看護過程は，療養者が住み慣れた地域で暮らし続けることを支え，対象となる療養者や家族の望む暮らしを支えるために展開する。そして同時に，目標へ向かうための問題解決型の思考過程を繰り返した結果として，看護職である自分自身を育て，療養者を支えるチームを育て，疾病や障害をもちながらも暮らし続けることのできる地域をつくっていくことにつながる（図4-1）[1]。

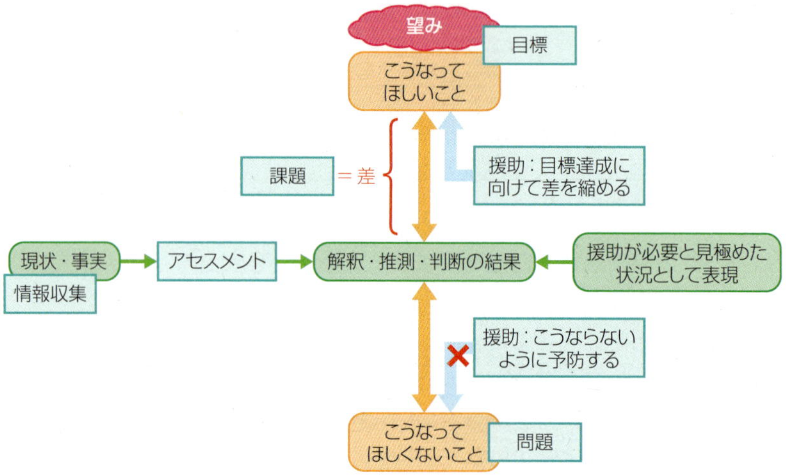

望み
目標
こうなって
ほしいこと
課題 ＝差
援助：目標達成に
向けて差を縮める
現状・事実
情報収集
アセスメント
解釈・推測・判断の結果
援助が必要と見極めた
状況として表現
援助：こうならない
ように予防する
こうなって
ほしくないこと
問題

図4-1 看護過程の基本構造

本田彰子：在宅看護過程の考え方，正野逸子・本田彰子編，関連図で理解する在宅看護過程，第2版，メヂカルフレンド社，2018，p.20. より転載

2 在宅看護過程の展開

「暮らしの場にいる」「暮らしの場に帰る」ことを支えるためには，まずその暮らしの場を理解することが必要である。そして，暮らしの場を「療養するために適する場」として地域の資源を活用しながら整えていく。つまり，療養者や家族にとっての暮らしの意味を大切にし，そこで暮らすことが療養者や家族のQOLを保障し，生きる意味をもった生活となるように整えていく。在宅看護過程は，下記のプロセスを経て修正を加えながら進んでいくものである。

①療養者の暮らしを理解し（情報収集，アセスメント），療養者が望む生活を見きわめる（目標設定）。
②真のニーズを抽出する（問題・課題の抽出）。
③目標へ向かって看護を展開する地図を描く（計画）。
④計画に沿って進行する（実施）。
⑤目標に向かって正しく進行しているかをモニタリング（評価）する。
⑥計画を修正する。

1）情報収集

情報収集の枠組みやアセスメントツールは様々に開発されている。在宅看護の場において有用なツールには，国際生活機能分類（International Classification of Functioning, Disability and Health：ICF），インターライ（interRAI）方式，日本訪問看護財団版「日本版成人･高齢者用 アセスメントとケアプラン」などがある。

在宅看護では生活モデルを基盤にしたツールを用いることが自然である。その一つであるICFは，約1,500項目を「健康状態」「心身機能・構造」「活動」「参加」「環境因子」「個人

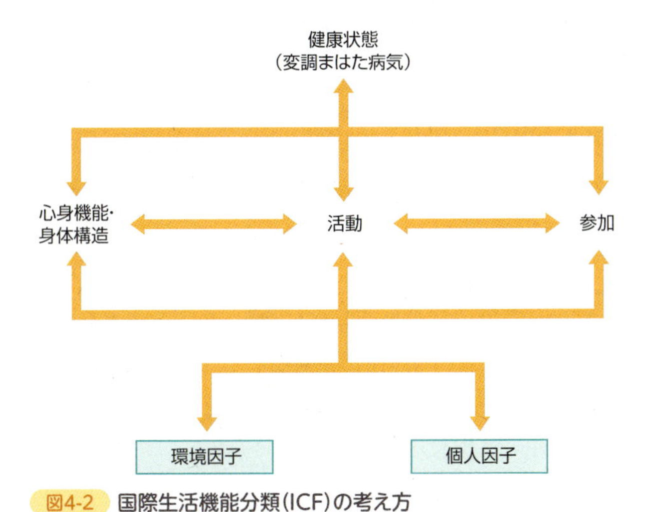

図4-2 国際生活機能分類(ICF)の考え方

因子」に分類し，それぞれが相互に作用しているとしている（図4-2）。この分類の枠組みと考え方を看護過程の展開に応用することで自立を支援し，QOLの向上を目指したより効果的，効率的な介入が期待できる。

また，ツールを用いてデータを集めることは，必要なデータを漏れを少なく収集するのに効果的である。しかし，その集めたデータを何のためにどのように活用するかはそれを用いる人による。つまり，集めたデータを意味のあるものとして用いる人が認めたとき，データは情報となるのである。そして，データを意味あるものとしてとらえ，解釈できるためには知識が必要となる。多職種の知識や経験を活用することで多くの情報を得ることが可能となる。

以下に，在宅看護において必要となる主な情報の例を挙げる。

(1) 暮らしている人（療養者・家族）を理解するための項目

①基本情報（対象の生き方と暮らしを理解するための情報）

・氏名，年齢（生年月日），性別。
・現住所（地域の特徴）。
・家族構成と状況。
・生活歴（価値観や喜び，考え方の特徴を知る手がかりとなる）。
・生活習慣。
・生活のリズム（1日，1週間，1か月）。
・本人の暮らしを支える人（介護者　副介護者）など。

【アセスメントの方向】

療養者と家族は人生，日々の暮らし，生きることについてどのような価値観，考え方をしているか。それはどのような過程で培われたのかをとらえ，望む生活を見きわめる。

②療養者の健康関連情報（健康の状態と暮らしへの影響を知り，今後の成り行きを予測するための情報）

・健康レベル。
・診断名。
・現病歴，既往歴，入院歴，家族歴（家族の健康情報）。
・治療状況，必要な医療処置（主治医に確認する）。
・生活上の留意点。
・ADL（日常生活動作），IADL（手段的日常生活動作），要介護度，障害高齢者の日常生活自立度（寝たきり度），認知症高齢者の日常生活自立度など。
・疾患と療養生活に対する認識など。

【アセスメントの方向】

療養者と家族の健康状態は一般の状況と比較して逸脱はないか。いつもの状況と比較して変化はないか。疾患の特徴，経過，予後はどのようなものか。

目標達成を阻むもの，促進するものを見きわめる。

（2）暮らしの場を理解し，社会資源を見出すための項目

①住居の状況

・家屋の状況，立地状況。
・居室の位置，広さ。
・トイレの位置と使用の状況。
・廊下の広さ，段差の有無。
・浴室の状況。

②家族の状況

・就学・就業の状況。
・家族内の関係。
・介護・在宅療養への意向。
・家事や介護・養育の技術と分担状況。
・家計と管理状況。

③地域の状況（社会資源）

・訪ねてくる人，相談できる人，見守っている人など。
・利用できるサービスの有無と利用状況。
・必要物品の調達方法。

【アセスメントの方向】

療養者と家族を受け入れ。支える地域の力。衣，食，住がどのように整えられているかなど。目標達成を阻むもの，促進するものを見きわめる。

2）アセスメント

アセスメントとは，上記で集めた情報を吟味し,「暮らしの場にいる」「暮らしの場に帰る」ためにそれらの情報がもつ意味を解釈・評価していくことである。

（1）情報の解釈

個々の情報が，療養者と家族がその地域で暮らしていくためにどのような意味をもつのかを考える。そして，整理した情報から，療養者と家族が望む暮らしを見きわめる。

次に，情報と情報の関連を考え，関係性のなかにある意味を見出す。その際には，望む暮らしへ向けての促進因子（強み）と阻害因子（弱み）の２つに分けて考えるとよい。

・**促進因子**：療養生活において，より良い状況へ向かうことにつながる事柄のことであり，療養者の能力や有用な人物的環境がこれにあたる。具体的には「歩行器使用でトイレ歩行可能」「長女が介護に協力的」など。

・**阻害因子**：療養生活において，良い状況へ向かうことを妨げる事柄であり，病気の進行や，人的環境の欠落がこれにあたる。具体的には「介護者である妻が転倒して骨折」「麻痺側の関節拘縮」など。

（2）「暮らしの場に帰る」ためのアセスメント

全国の訪問看護ステーションを介して行った介護者への調査[2)]では，気持ちの揺らぎや不安は，療養者の死亡の直前直後よりも，在宅療養開始前後に多いことが報告されている。よって，療養者と家族が暮らしの場に帰る意思決定をするために，援助者として，在宅療養の場を理解したうえで以下のことをアセスメントする。

・療養者と家族の在宅療養の意向とその理由。
・在宅療養に対する知識と理解（どんなイメージをもっているか）。
・在宅療養に対する不安と期待。

3）目標設定

在宅において療養者と家族が疾病や障害を抱えながら，その人らしく暮らしていくことを支えるという視点で目標設定をする。

まず，療養者の療養に対する思いや望みを長期目標として設定する。長期目標は，療養者と家族や看護職だけでなく，在宅療養生活を支える多職種と共有できる目標とする。

「こうなってほしいこと」（望み）とともに「こうなってほしくない」という予防の視点をもって目標を設定する。また，誰が見ても理解でき，援助が予測でき，達成されたかが評価できる表現とする。

4）問題・課題の抽出

まず，長期目標（療養者と家族が望む暮らし）と現実との差（課題）を確認する。次に，長期目標を達成するための課題・問題を抽出する。

5）計　画

（1）短期目標と達成期間の設定

長期目標達成のために，課題ごとに期間を定めて短期目標を設定する。また，到達目標として，誰が見ても理解でき，援助が予測でき，達成されたかが評価できる具体的な姿として表現とする（○○までに▽▽になる）。

（2）課題解決に向かっていることを確認する指標の設定

課題解決に向かっていることを確認するための指標を決め，評価期間を設定する。

（3）援助計画の作成

援助計画の作成にあたっては以下の視点を考慮する。

・促進因子（強み）の強化と阻害因子（弱み）の補完。
・観察計画（observation plan：OP），ケア計画（treatment plan：TP），教育計画（education plan：EP）の３つに分けて考える。
・援助内容は，５W１H（When：いつ，Where：どこで，Who：誰が，What：何を，Why：なぜ，How：どのように）を基本に，具体的にわかりやすく，療養者や家族を含めたチームで共有できる表現とする。また，在宅療養ではもう１つのH（How match：価格）についても計画遂行にあたって重要な要素として考慮する。

6）援助の実施

援助にあたっては，以下の在宅療養の特徴に留意する。

（1）療養者と家族が主体である

在宅における援助の実施では，療養者と家族が主体である暮らしの場であることを常に意識する。そして在宅療養が継続できるために，療養者と家族の負担が過大にならず，それぞれの暮らしが保てるように配慮する。よって，療養者と家族が納得したうえで計画を遂行していくことが必要である。

（2）訪問看護以外の時間は，本人と家族や多職種が担っている

訪問看護においては一定の間隔で訪問し，看護を提供することとなる。よって，看護師が訪問する以外の時間は，本人と家族や多職種が担っている。看護師の考えや判断，それに伴う実施内容について関係者に的確に伝えることが必要である。

（3）情報共有のツールを持ち，活用する

在宅療養において，様々な人が提供しているケアやそのときに得た情報をつなぎ合わせてアセスメントすることは看護師に求められる大きな役割である。よって，その情報を的確に入手し，確認できるようにする。情報共有の方法として連絡ノートやICTの活用が進んでいる。

7）評　価

実施された看護援助は実施方法（構造：structure），実施状況（過程：process），到達度（結果：outcome）の視点で評価する。そして，計画の継続，修正，終了を判断し，チームで検討する。また，点でかかわる訪問看護では，日々の様々な記録をつなぎ，その間の状況を推測・確認することにより全体の変化とその要因を判断し，より的確な計画の修正と遂行を繰り返す必要がある。

なお，看護記録は看護過程の展開を証明するものであり，記載が適正になされているかを監査することも従事者の教育と看護展開の質向上にとって重要である。

8）看護過程における関連図の作成と活用

関連図には，病態を理解するためのもの（病態関連図），療養者の全体像を理解するためのものなどがある。在宅看護においては療養者の望みを明確にし，その実現に向けた看護展開に活用したい。

これまで述べてきたように在宅看護における看護過程は，療養者の「療養者の療養に対する思いや望み」を明確にし，療養者の生活・心身の状況，家族の生活・心身の状況，暮らしの場の状況，地域の状況などを考え合わせて展開する。

療養者の状況は様々であり，同じような状態であってもそれらの組み合わせや関係のなかで状況は大きく変わってくる。一つひとつの状態や出来事がどのような意味をもち，療養者の望みと関係し，どのような可能性を秘めているかを見出し，看護を展開するための関連図の作成について紹介する（＊詳細については，文献１）を参照）。

また、ここで紹介する関連図を作成することで，療養生活を支える人々が療養者とともに「療養者の療養に対する思いや望み」を志向する連携が可能となるのではないだろうか（図4-3）。

【関連図作成のプロセス（図4-4）】

（1）重要な言葉を取り出す

・療養者や家族，記録類から得られた情報を身体的側面，心理的側面，環境・生活の側面，家族・介護状況の側面に整理する（不足する情報の有無を検討）。

・４つの側面ごとに「望み」と関連する重要な言葉を取り出し，促進因子と阻害因子を判別しながら情報分析を行う（一次アセスメント）。

・上記の過程のなかで重要な言葉を取り出す。

（2）重要な言葉のラベル化

・上記で取り出した言葉を１事項ごとに１枚のラベルを作成する。

（3）関連因子の配置

・療養者の「療養に対する思いや望み」を中央に置く。

・上記の４側面の枠組みにとらわれず意味内容の近さ，因果関係を考慮して，関係するラ

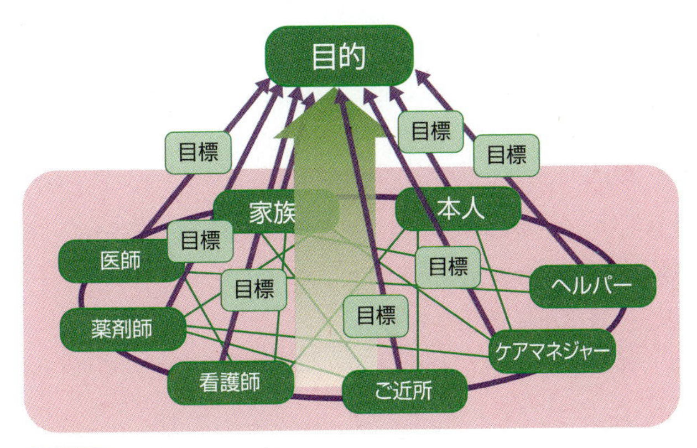

図4-3　連携のイメージ

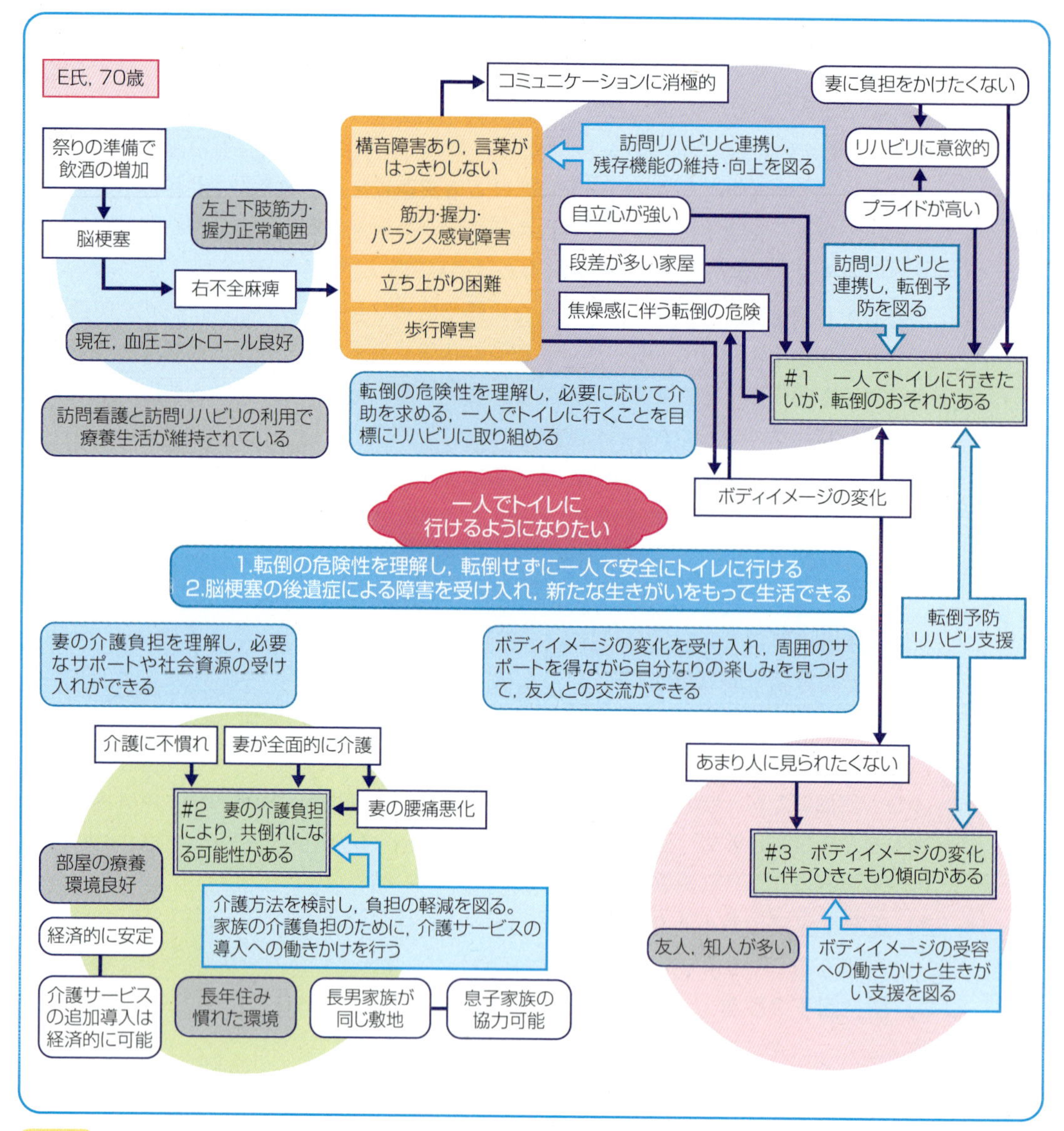

図4-4 関連図の例

正野逸子：脳卒中後遺症療養者の在宅看護過程，正野逸子・本田彰子編，関連図で理解する在宅看護過程，第2版，メヂカルフレンド社，2018，p.145．より転載

ベルを寄せて塊をつくる。

（4）関連因子のグルーピング

・アセスメントの結果を統合して（二次アセスメント）療養上の課題を明記し，配置する。

（5）関連性の表示と療養上の課題の表示

・関連性を矢印などで明記し，関連を構造化する。

・療養上の課題を書き込み，優先度を考慮して＃（ナンバー）を付して明示する（＃1，＃2，＃3…）。

（6）看護援助の提示

・阻害因子や促進因子の内容を考慮し，療養上の課題を解決するための方法を見出し，簡潔に記載する。

（7）短期目標・長期目標の設定

・それぞれの療養上の課題を解決することで達成される目標を「短期目標」とし，療養上の課題の近くに配置する。

・「療養者の療養に対する思いや望み」を誰がみても理解でき，援助が予測でき，かつ達成されたかが評価できる表現とし，長期目標として置き換える。

文　献

1）本田彰子：在宅看護過程の考え方，正野逸子・本田彰子編，関連図で理解する在宅看護過程，第2版，メヂカルフレンド社，2018，p.20.
2）本郷澄子・他：在宅高齢者のターミナルケアにおいて介護者が求めている支援—遺族を対象とした調査，ターミナルケア，13(5)：404-411，2003.
3）正野逸子：脳卒中後遺症療養者の在宅看護過程，正野逸子・本田彰子編，関連図で理解する在宅看護過程，第2版，メヂカルフレンド社，2018，p.145.

技術を提供する在宅ケア体制①

5 地域包括ケアシステムにおける在宅看護

学習目標

- わが国の地域包括ケアシステムの概要を理解する。
- 在宅看護にかかわる場や家族背景の変化を理解する。
- 地域包括ケアシステムにおける看護職の役割の拡大について理解する。

1 わが国の地域包括ケアシステムと在宅ケア体制の概要

1）わが国が目指す地域包括ケアシステムの概要

わが国の認知症高齢者や世帯主が65歳以上の単独世帯や夫婦のみの世帯は，さらに増加していくと見込まれている。また，75歳以上人口は都市部での急速な増加が問題視され，団塊の世代が75歳以上となる2025年にはそれぞれの地域の実情にあった地域包括ケアシステム（医療・介護・住まい・介護予防・生活支援が確保される体制）の構築を目指す政策を打ち出した（図5-1）。2012年４月の介護保険法改正で「地域包括ケアに係る規定」が創設[注]され，24時間対応の定期巡回・随時対応サービス，小規模多機能サービスの導入などがなされるなど，地域包括ケアシステムが推進されている。

また，社会保障制度改革国民会議では「地域づくりとしての医療・介護・福祉・子育て」のあり方を提示し，過疎化が進む地域では人口が急速に減少し，基礎的な生活関連サービスの確保が困難になる自治体の増加を危惧し，在宅など住み慣れた地域のなかで患者などの生活を支える地域包括ケアシステムの構築が不可欠であるとしている。

さらに，QOLの維持・向上を目標として，住み慣れた地域で人生の最後まで，自分らしい暮らしを続けることができる仕組みづくりを目指し，医療サービスや介護サービスだけでなく，住まいや移動，食事，見守りなど生活全般にわたる支援を併せ「21世紀型のコミュニティの再生」が必要としている。

生活支援サービスや住まいに関する支援も必要不可欠な地域包括ケアシステムのなかで，

注）介護保険法における「地域包括ケアに係る理念規定」の創設

介護保険法　第５条第３項（平成23年６月改正，同24年４月施行）

国及び地方公共団体は，被保険者が，可能な限り，住み慣れた地域でその有する能力に応じ自立した日常生活を営むことができるよう，保険給付に係る保健医療サービス及び福祉サービスに関する施策，要介護状態等となることの予防又は要介護状態等の軽減若しくは悪化の防止のための施策並びに地域における自立した日常生活の支援のための施策を，医療及び居住に関する施策との有機的な連携を図りつつ包括的に推進するよう努めなければならない。

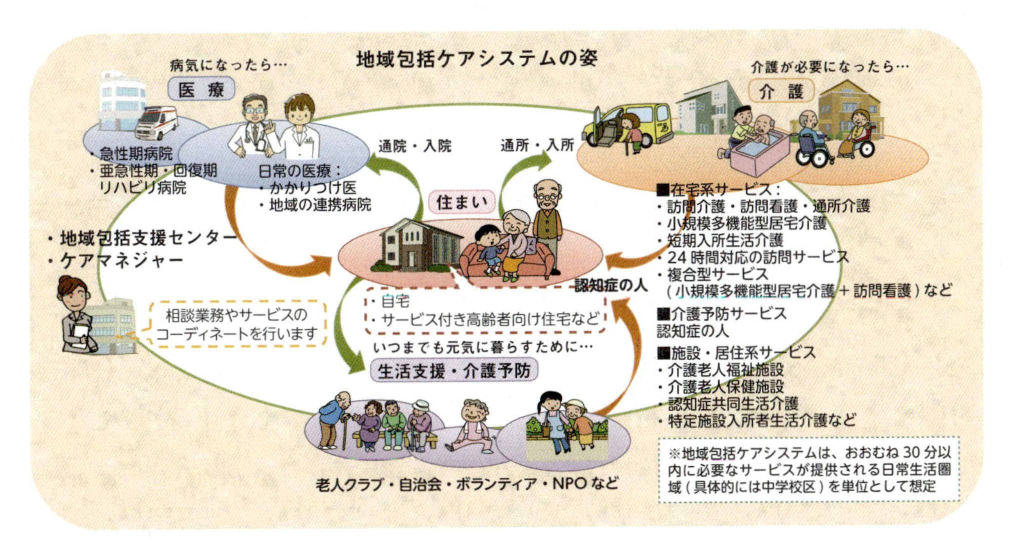

図5-1 地域包括ケアシステム

厚生労働省：社会保障審議会介護保険部会（第46回），平成25年8月28日報告，2013．より転載

在宅ケア体制も変化している。在宅療養者のニーズは多様であり，自宅・高齢者住宅・グループホーム・介護施設などどこに暮らしていても，訪問診療，訪問口腔ケア，訪問看護，訪問リハビリテーション，訪問薬剤指導などの在宅医療が，本人の意向と生活実態に合わせて切れ目なく継続的に提供されることが必要である。そのためには医療・介護のネットワーク化などの在宅ケア体制の構築が求められる。

在宅医療と介護の連携は，退院支援，日常の療養支援，急変時の対応，看取りなど様々な局面で求められる。特に今後増加する退院による在宅復帰の際に円滑に適切な在宅サービスにつなげることや，再入院をできる限り防ぎ在宅生活を継続するため，在宅医療・介護の連携強化が求められている。さらに，重度な高齢者に対しては自宅での看取りも視野に入れつつ，連携することが必要である。

2）地域包括ケアシステムにおける在宅看護の考え方

医療ニーズの高い在宅療養者の場合，療養支援にかかわる関連職種は多数で，それぞれの専門職の果たす内容も多様である。たとえば神経疾患〔筋萎縮性側索硬化症（amyotrophic lateral sclerosis；ALS）などの難病〕患者の場合，在宅療養生活を維持しようとすると，以下のような医療依存状況が考えられる。気管カニューレ挿入によりカニューレ管理と吸引・吸入，留置カテーテル挿入による尿路管理，嚥下困難に伴う経腸栄養，呼吸筋麻痺に伴う呼吸困難・人工呼吸器装着の看護などがあげられる。こうした事例の場合，以下のように多くの専門職の支援が必要となる。

①生命維持のために人工呼吸器や留置カテーテルを装着したり，嚥下困難の状態であることから，呼吸系・尿路系に感染を起こさないようにするために訪問看護師による気管吸引および痰喀出ケアを必要とする。また，家族への吸入・吸引などの技術指導も必要となる。さらに感染症を起こした場合は，適切な時期にかかりつけ医と連絡をとり，指示を受けて，服薬・点滴注射などを実施する。そのうえで，日常生活を維持していくため

の基本的なケアを看護職と介護職の協働で実施する。
②会話が困難なことから，意思の疎通を欠きやすい。そのためコミュニケーション補助具を用いたリハビリテーションを言語聴覚士の支援を受けて行う。
③嚥下困難な状態を少しでも改善する目的で，栄養サポートチーム（nutrition support team；NST）のサポートを受け，嚥下リハビリテーションを取り入れながら摂食訓練を行う。
④精神生活および経済問題を解決するために，社会福祉士の支援は欠かせない。

以上のように，多くの専門職の支援を受けて初めて在宅生活が可能になる。

在宅生活のメリットは，療養者・家族のペースで生活できることである。また，家族と共に生活することで，精神的不安を軽減することができる。しかし，デメリットも考えられる。たとえば，夜間の家族の介護負担は大きい。そのため，家族は睡眠不足になり翌日の仕事にも影響を与える。さらに，病状の変化への対応に不安があり長時間の外出が困難になる。

これらのことから在宅生活を可能にする条件は，①療養者本人と家族（いる場合）が希望していること，②家庭内の介護力（必ずしも家族とは限らない）があること，③医療スタッフのサポートが受けやすいこと，などである。

また，家族介護者がひとときの休息と安らぎを得るために，在宅療養者を病院や施設へ１週間または数日，一時的に預けるレスパイトケアの充実を図るほか，訪問看護ステーションのスタッフの充実と経営の安定，医療・福祉機器を一人ひとりの状況に合ったものに改良するなどの対応も必要である。そのためには，行政サービスの充実とともに在宅療養支援のネットワークづくりが重要である。

3）高齢社会における家族の変容

「在宅」の概念の拡大とともに，その「在宅」といわれる場所に生活する人も変化している。「在宅」に居るのは誰かという問題である。かつて，療養者は看護や支援をする家族とともに暮らしていることがほとんどだった。また，要介護高齢者は介護する家族がいることが当然のように考えられていた。しかし，超高齢化と少子化が同時に進行し，日本人はどの年代においても未婚化が進み，家族規模は縮小している。現在ではわが国の世帯の１/３が単身世帯となっている。

療養が必要な人も要介護高齢者も，一人暮らしが多くなっていることに着目すべきである。また，一人暮らしでなくても，家族構成員が２人であったり，同居せず通いで介護や支援をしていることも多くなっている。家族も多様化しているのである。

キーパーソンとなる家族介護者も高齢であったり，認知症状があることも珍しくない。老老介護や認認介護といわれる状態である。また，中高年の世代も未婚率が上昇しており単身者も多い。家に残った未婚の子の立場で親を介護している場合は，仕事継続とのバランスの取り方が厳しい状況になっていくなど，現在の「在宅療養」「在宅看護」が大きく変化している。

病院に入院している高齢者や高齢者ケア施設入所者から，「家（いえ・うち）に帰りたい」という言葉を聞くことは多い。この場合，「家」は自分が以前暮らしていた場所であり，持家である自宅・賃貸のアパート・あるいは同居していた子どもらの家であったりする。共通するのは,「自分の意思で暮らしていた場所」「自分のなじみの関係性が構築されていた場所」「自分の意思で行動できていたテリトリー」というような感覚や概念であろう。そうであるならば，推進されている地域包括ケアシステムのなかで，グループホームや高齢者ケア施設・有料老人ホームなども「自宅だけではない在宅」と考える必要がある。今後はますます高齢者の住まい方は多様化し，「在宅」の概念が従来の「自宅」と同様ではないことを念頭に置いて在宅ケア体制と在宅看護を理解することが重要であろう。

4）多様化する在宅看護の場

従来，訪問看護は，在宅療養者に対して行われていた。しかし在宅概念の変化に加え，医療依存度の高い高齢者や神経筋疾患患者が増加し，介護を必要とする人々も増えてきている現実を踏まえると，要介護のランクが高い人に対して，在宅のみでなく地域で療養を支える福祉施設にも目を向ける必要がある．以下のような場所と対象に訪問看護が提供されるように変化している。

（1）療養通所介護

療養通所介護は介護保険制度の居宅サービス「通所介護」に含まれるものである。難病患者や末期がん患者に対する，医療機関・訪問看護ステーションと連携した通所サービスとして創設された。このサービスによって，在宅療養者・家族に日中だけでも看護職からのサービスが提供されることで，レスパイトケアにつながっている。サービス内容は，疼痛のコントロール・介助を要する入浴サービス・点滴による栄養管理などで，医療依存度の高い人へのサービスが高く評価されている。

（2）グループホーム入所者の健康管理

認知症対応型共同生活介護（グループホーム）において，看護職の常勤は義務づけられていない。そのため，入所者の要介護の重度化や終末期の看取りが必要なとき，看護師の支援を必要とする。この場合，訪問看護ステーションは医療連携加算という形で，入所者の健康管理などの実施および24時間連絡体制による連携・支援の役割を果たすことができる。

（3）介護老人福祉施設

介護老人福祉施設入所者の条件は要介護３以上の高齢者となっており，生活の場であるとともに終の棲家として看取りまでを視野に入れている場合が多い。入所期間の長期化により心身の機能も低下し，多くは要介護度４・５に移行し医療的なケアも必要となってきている。また，積極的に看取りケアを実施する施設も増加している。介護老人福祉施設の看護師配置基準は少なく，介護職と協働し高齢者ケアを実施する必要があり，訪問看護を活用することは入所高齢者のQOL向上に寄与できる。

2 地域包括ケアシステムにおける看護職の役割

1）訪問看護の場と役割の拡大

在宅療養者に対する訪問看護は，医療依存度の高い人への対応が主であったが，2005（平成17）年の介護保険法改正で予防重視にシステムが転換され，その役割を担う地域包括支援センターが市区町村に設置された。介護保険法の改正が行われた背景には，増え続けるサービス利用をどのように抑えるかという問題が大きく横たわっていた。このままサービス利用が増え続けると制度が破綻するという懸念から，認定ランクの軽い人たちの介護予防サービスへの転換と，施設サービスの居住費・食費を自己負担にする給付抑制を中心に法改正が行われた。

介護予防の具体的な内容は，運動機能の向上・栄養改善・口腔機能の向上などである。要支援1・要支援2の軽いランクの人に看護職がかかわる場合，在宅看護過程において予防的視点でケアプランを立てていく。

地域包括支援センターの設置の目的は，高齢者が住み慣れた地域で生活を維持できるように包括的・継続的なサービス体制を整えることである。主な役割は，地域の高齢者の総合相談，権利擁護や地域の支援体制づくり，介護予防の必要な援助などを行い，高齢者の保健医療の向上および福祉の増進を包括的に支援することであり，地域包括ケア実現に向けた中核的な機関として市町村が設置している。職員体制は保健師（看護職）・主任ケアマネジャー・社会福祉士の３つの専門職またはこれに準ずる者とされている。

これまで地域で療養者や家族の支援にあたっていた看護職が，福祉の専門職（介護職，社会福祉士ら）と共に介護予防を担っている。ここで看護職に求められることは，要支援・要介護になるおそれのある者と，要支援者に対して重度化を防止できるケアを提供することである。ケアプラン作成やモニタリングにかかわる看護職は，この予防の視点を積極的に取り入れた計画を立てる。

2）看護小規模多機能型居宅介護

24時間365日，安全・安心な在宅療養を続けるためには，多様なサービスが必要である。「訪問」のサービスのみが充実しても，一日の限られた時間を「点」で支えているだけと指摘できる。看護・介護の専門職の目の行き届くところで「通所」や「宿泊」ができ，療養上の不安や疑問を，看護職に気軽に相談できる場が望まれていた。

2012年度から介護保険の「複合型サービス」として「訪問看護を基盤とした小規模多機能型居宅介護」が創設されたが，日本看護協会の提案により名称を「看護小規模型居宅介護（通称：かんたき）」と変更され，１つの事業所から訪問看護・訪問介護・通所・宿泊サービスを，利用者の状態に応じて柔軟に，一体的に提供することが可能になった。これにより，医療・介護ニーズの高い在宅療養者への支援が期待される。

3）在宅終末期ケアの充実

2006（平成18）年度診療報酬の改定において，在宅医療の充実を目指して在宅療養支援診療所が創設された。在宅療養者に対して24時間窓口を開き，必要に応じて往診・訪問看護などを提供できる体制である。それに対する診療報酬の評価も得ている。訪問看護ステーションも地域の診療所と連携することで，終末期を在宅で過ごす療養者と家族が，安心して安らかな死への準備状況を整えられるような支援を実施できる。このような看護職の多様な役割は，社会から高い評価を受けている。

技術を提供する在宅ケア体制②

6 在宅ケア体制とケアマネジメント

学習目標
- 在宅ケア体制とケアマネジメントの考え方を理解する。
- ケアマネジメントの定義・目的・プロセス・理念を理解する。
- 在宅ケア体制にかかわる多くの専門職との連携・協働の意義を理解する。
- 多職種連携の具体的方法や変化について理解する。
- 在宅ケアにおける意思決定支援について理解する。

1 在宅ケア体制におけるケアマネジメントの考え方

1）入退院支援が重視される今日的課題

今日，入院患者とその家族が退院にあたって様々な問題を抱えながら思案している状況は，緊急に解決しなくてはならない社会的な課題である。その社会的背景には①在院日数の短縮化，②男女共同参画社会を迎え在宅介護力のマンパワー不足，③高齢者夫婦世帯の増加，④一人暮らしの若者・高齢者の増加，などがあげられる。

医療区分の細分化に伴い，急性期病院では平均在院日数の短縮化にさらに拍車がかかり，患者や家族の生活の質（quality of life；QOL）を保証し不安を緩和できる医療サービスの提供に日夜努力が払われている。その医療サービスの一環として，入退院支援・退院調整は，病院に置かれた地域連携室，またはその役割を担う部署と病棟管理者の連携により責務を果たしている。

以上のことから，病院の地域連携室またはその役割を担う部署から訪問看護ステーションへ連絡があった場合，病院の関係者と協働して入退院支援・退院調整にかかわっていく必要がある。病院の関係者は，患者が入院したときから，在宅生活に向けて常に入退院支援・退院調整を行い，地域連携パスの活用も視野において医師をはじめ多くの専門職との連絡・連携を保っている。このような状況下での看護師の役割はさらに拡大しつつある。

2）生活障害と健康障害の統合としてのケアマネジメント

在宅看護は，利用者の生活の場である家庭において看護ケアを提供している。利用者はあらゆる年齢層にわたり，健康や障害のレベル・生活のスタイルも様々で，実に多岐にわたっている。このような人々のもつ多様なニーズに対する支援を行うには，在宅生活を基盤にしたうえで，生活障害と健康障害を統合した包括的な視点に立ったケアマネジメントが必要となる。

3）介護予防の視点

在宅ケアマネジメントには，介護予防の視点が特に重要である。利用者のニーズに沿って少しでも長く希望の場所で生活ができるように，日常生活動作（activities of daily living；ADL）の低下を予防しセルフケア能力を保持する視点でアセスメントし，介護予防に関するプランを利用者や家族と共に共有していく。

4）トータルケアとしてのケアプラン

利用者が在宅で生活を継続していくには，身体的なケアだけではなく費用の面や，社会資源の活用，インフォーマルケアが必要である。ケアマネジメントにおいてそれらが有効に機能するように，トータルケアとしてのケアプランになっているか絶えず調整していくことが望まれる。また，療養が可能な住宅の条件や生活する自治体独自のフォーマルサービスなどが活用できるように，包括的な取り組みが必要である。

5）チームケア

利用者のニーズが多様化・複雑化するなかで，保健・医療・福祉の専門家であっても一職種では利用者のトータルなケアマネジメントを実践することは困難である。ケアマネジメントにチームケアの視点が必要な理由である。

利用者のニーズや能力に沿って，保健・医療・福祉などのフォーマルケア（法律・制度で規定された公式的ケア）の担い手と，家族・親戚・近隣・ボランティアなどのインフォーマルケアの担い手の能力が一体となって，利用者を取り巻くチームとして機能ができるように調整し，チームケアとして統合的に提供する。

6）介護保険におけるケアマネジメント

介護保険制度におけるケアマネジメントは居宅介護支援と表現され，要介護認定の後，原則として6か月(要介護認定者は12～24か月，最長で36か月)後に見直されるまでの期間，利用者が介護保険サービスを利用することを支援する過程である。認定通知を受けた利用者が，居宅介護支援事業者（ケアプラン作成事業者）のケアマネジャーに介護サービス計画作成を依頼する（もしくは利用者自身で書く）ところから始まることが多い。依頼を受けたケアマネジャーは，訪問するなどして利用者に面接し，課題分析（アセスメント）を行い，介護サービス計画（ケアプラン）の原案を作成する。サービス担当者との連絡・調整を経て，また必要に応じサービス担当者会議（ケアカンファレンス）を開催し，介護サービス計画を修正し，利用者の同意を得る。サービス導入後も，利用者・サービス事業者・介護保険以外の社会資源と連絡調整し，サービスの提供状況の適正さや利用者ニーズの変化による修正の必要性を判断するなど，サービスの継続的な管理(モニタリング)・評価を行っている。

7）介護保険制度上のケアマネジャー

介護保険制度では介護支援専門員と称されており，通称ケアマネジャーとよばれることが多い。介護保険法では「要介護者等からの相談に応じ，及び要介護者等がその心身の状況等に応じ適切な居宅サービス，地域密着型サービス，施設サービス，介護予防サービス又は地域密着型介護予防サービスを利用できるよう市町村，居宅サービス事業を行う者，地域密着型サービス事業を行う者，介護保険施設，介護予防サービス事業を行う者，地域密着型介護予防サービス事業を行う者等との連絡調整等を行う者であって，要介護者等が自立した日常生活を営むのに必要な援助に関する専門的知識及び技術を有するものとして第六十九条の七第一項の介護支援専門員証の交付を受けたもの」と規定されている。

ケアマネジャーは，医師・保健師・看護師・社会福祉士・介護福祉士などの実務経験5年以上の者に実務研修受講試験の受験資格があり，試験に合格の後，介護支援専門員実務研修を修了し，当該都道府県知事に登録申請し，さらに介護支援専門員証の交付を受けて資格を得ることになる。介護支援専門員がいなくてはならない事業所などは，指定居宅介護支援事業者（介護保険法第79条），指定介護老人福祉施設（同第88条），介護老人保健施設（同第97条），指定介護療養型医療施設（同第110条）である。基本姿勢として，人権尊重・利用者本位の徹底，公平性・中立性の保持，個人情報の保護が求められる。

介護支援専門員が実施するケアマネジメントについては，「介護支援専門員（ケアマネジャー）の資質向上と今後のあり方に関する検討会」（平成25年1月）で課題と対応が検討された。主な内容は，地域包括ケアシステムを構築していくなかで自立支援に資するケアマネジメントの推進を目指し，多職種協働や医療との連携を推進していくため，①介護支援専門員自身の資質向上，②自立支援に資するケアマネジメントに向けた環境整備，という2点の方向性がまとめられた。

2 ケアマネジメントの定義・目的・プロセス・理念

1）ケアマネジメントの定義

ケアマネジメントという用語は2000（平成12）年の介護保険制度導入とともに定着したものであるが，それ以前には，以下に述べるように福祉の現場では「ケースマネジメント」，保健師活動では「ケアコーディネーション」などの用語が同義語として使用されてきた。

①**ケースマネジメント**：米国で使用され発達した用語であり，福祉の立場から白澤は「対象者の社会生活上での複数のニーズを充足させるための適切な社会資源と結びつける手続きの総体である」[1]とし，ケアマネジメントと同義語と解釈している。

②**ケアコーディネーション**：1997（平成9）年の地域保健法の「基本指針」において，目指すべき方向・課題の一つとして掲げられた保健師の機能である。これは母子・成人・高齢者の健康問題や生活問題をもつ人々に対して，ニーズに即したサービスや支援を結びつけるような調整のみならず，社会資源の改善・開発システムの形成までの広い範囲を含んでいる。

③**ケアマネジメントの定義**：日本看護協会訪問看護検討委員会では，このような経緯と用語に含まれる概念を検討し，ケアマネジメントの定義を「利用者のニーズに応じて各々に適した資源を調整し，必要とされる他職種・多機関と連携しながら全体を統合させ，問題解決を目指すこと，さらに，個別のニーズに応じて，不足する社会資源をアセスメントし，地域ケアシステムを形成・発展させること」としている。これはケースマネジメント，ケアコーディネーションなどの概念を包括した定義であるといえる。

2）ケアマネジメントの目的

高齢者・障害者・療養者を含むすべての利用者（要介護者，要支援者）と家族が，自己決定のもとに自分自身が願うような生活が送れるように支援することである。また，そこで目指す生活は，単に介護や支援を受けてADLの自立を目指すということではなく，疾病や障害をもっていても生活への支障を最小限にし，QOLの向上を目指すものである。また，わが国の保健・医療・福祉対策が病院・施設収容型で進められてきた事情から，ケアシステムが急速な人口の高齢化に追いついていないため，利用者・家族を中心とした個別のケアマネジメントにとどまらず，地域ケア・在宅ケアシステムづくりも並行していくことが求められているのである。

3）ケアマネジメントのプロセス

ケアマネジメントのプロセスは，ケアサービスの必要者すなわち利用者になる対象者の発見・把握から始まり，ナーシングプロセス（看護過程）とほぼ同様のプロセスを経る（図6-1）。ケアマネジメントの対象者と看護師は，入院・入所施設からの退院・退所という形で出会う場合が多いが，在宅で生活している本人や家族からの相談という形で出会う場合もある。いずれも問題点やニーズを査定し，利用者の個別性を重視した目標設定とケアプランを作成する。利用者と家族の承諾を得たうえでケアプランが確実に実施されていくようケアチームとの連絡調整やモニタリングをする。ケアプラン実施後の評価により目標が達成された場合，ケアマネジメントは終結となる。また，新たな問題が発生していたり，要介護度が軽度になったりしたときなどは再アセスメントする必要があり，ケアマネジメントの最初のプロセスに戻ってケアプランを修正していく。このようにケアマネジメントのプロセスは，利用者の身体・精神・社会的状況の変化に応じて常に循環している。

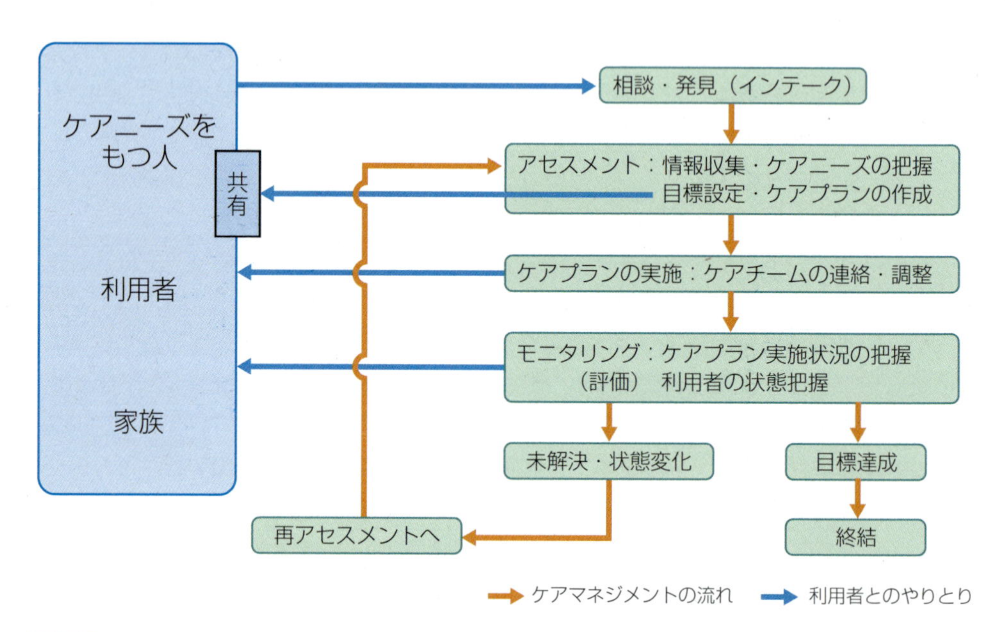

図6-1 ケアマネジメントのプロセス
岡崎美智子・正野逸子編：根拠がわかる在宅看護技術，第2版，メヂカルフレンド社，2008，p.124．より転載

3 在宅ケアマネジメントの機能と考え方

日本看護協会は，ケアマネジメントの機能を以下の9つに分類している。各々の機能が発揮されるためにも，在宅ケアマネジメントの考え方を確認しておく必要がある。その考え方の原則は，看護そのものの考え方と同様である。ケアの対象者である利用者の個別性と利用者のケアニーズに対する意向を尊重し，そのケアニーズを包括的な視点で把握し，利用者の自立支援を目指していくことが求められている。

1）ケアマネジメントの機能

①サービスの連結（リンキング；linking）

利用者が必要とするすべてのサービスと利用者とをケア提供システムによって結びつけている。

②利用者の権利擁護（アドボカシー；advocacy）

利用者が公正にサービスを受け取れるよう，その権利を擁護する。

③サービス内容の監視（モニタリング；monitoring）

利用者の満足度とその変化を継続的に評価する。

④ネットワークづくり（ネットワーキング；networking）

利用者支援のネットワークを発展させる。

⑤地域ケアの組織化（オーガニゼーション；organization）

利用者ニーズに即した社会資源を適切に選択し，あるいは開発して組織化する。

⑥適用修正（モディフィケーション；modification）

利用者の個別性を考慮したサービスを最適な方法で提供する。

⑦分析評価（アナリゼーション；analyzation）

適切なケアプランとサービスを提供するためのアセスメントを評価する。

⑧情報収集・提供（インフォメーション；information）

利用者が必要なサービスを選択できるよう，情報を収集し，提供する。

⑨相談・助言（カウンセリング；counseling）

利用者の相談にのり，心理的な支えとなる。

2）認知症のある療養者への支援

認知症のある療養者へのケアの基本は，介護者や周囲の人に認知症を正しく理解してもらうことである。利用者に認知症がある場合は，自尊心を傷つけず，相手のペースを守り，失敗を責めずにストレスを与えないことが重要である。

「住み慣れた町で安心して暮らしたい」というのは，高齢者に限らず誰もがもつ願いであり，認知症のある人やその家族も同じである。そのニーズに対して必要になるのは，地域・近隣の人たちの協力によるネットワークである。利用者の生活範囲の商店街の人・郵便配達の人・コンビニエンスストアの人・民生委員・警察官などの見守りや声かけが，認知症の人や家族の安心を支える。特に，徘徊による事故・金融被害・家庭内における高齢者虐待も増えており，高齢者の尊厳や財産を守るうえでも，ネットワーク機能を広げていくことが必要である。

3）在宅介護における終末期ケアの限界の見極め

終末期ケアの段階において，どこまで在宅介護が可能かは利用者の意思や家族の介護力などの条件により一様ではない。長期入院の末に人生の最期は自宅で過ごしたいという利用者・家族の希望で終末期ケアを自宅で行う場合や，長い期間にわたる在宅介護の後，そのまま自然に自宅で終末期ケアに移行する場合など，利用者と家族の希望が一致している場合は主に訪問看護サービスを計画し，利用者と家族双方の在宅での終末期の生活が，最後までQOLを保てるようにしていくことが重要である。

家族に自宅で看取りたいという意向があっても，利用者の身体的状況が重篤になり苦痛のためQOLの保持が困難になった場合，介護者の疲労度が強い場合などは，主治医と連携し医療機関への受診・入院を勧めることもケアマネジメントである。

4 在宅ケア体制における多職種連携の意義と方法

1）在宅ケア体制における多職種連携の意義

医療機関で治療を受けている患者は退院が決定すると，喜びよりも「明日から食事はどうしよう」「お風呂はうまく入れるかな」といった不安が大きくなる。そういったとき訪問看護の利用と，しかも24時間対応できるシステムがあることを利用者の立場で具体的に説明できれば安心につながる。

入院と同時に在宅生活に向けてのアセスメントを行い，入退院支援を計画する。そのためには，急性期から在宅療養への移行の意思を確かめておく必要がある。

病院に「地域連携室」が設置されている場合は，入院の早期からその部門へ連絡し，必要な情報を提供しながら相談・連携を密に図る。

病院機能の細分化は患者・家族にとって戸惑いを多く与えている。そのために退院調整看護師，社会福祉士（医療ソーシャルワーカー，medical social worker；MSW）などの専門職による支援は患者・家族の満足度を高めることにつながる。

入退院支援プロセスにおける多職種との連携の意義は大きい。看護師のみで入退院支援はできない。医師，理学療法士，作業療法士，栄養士，薬剤師，言語聴覚士，視能訓練士，社会福祉士などの参加のもとに患者の目指す目標を設定し，セルフケアを促進する働きかけが重要である。

2）看護職チームの連携

アセスメントに基づき訪問看護の必要性を確認する。必要であれば訪問看護へ連絡する。訪問看護師は，訪問時の療養者の状況を病院看護師へ連絡する。このように相互に連携しながら同じ目的を達成できるようにフィードバックし，相互に専門的知識・技術を高めることができる。

3）医療依存度の高い療養者に関する医師との連携

かかりつけ医や主治医との連絡は「報告書と指示書」により行われる。記録に残すことは法的根拠となり，看護過誤のトラブルを最小にとどめることができる。また，看護師が提供したケアの効果を報告することは看護評価につながる。

在宅ケアは看護職だけでは機能しない。かかりつけ医または主治医から訪問看護ステーションへ，訪問看護指示書が提出されて初めて訪問看護が開始となる。介護保険が適用される場合は，ケアマネジャーの参加も必要となる。病院や施設と異なる点は，24時間，365日，看護師が在宅で看護の責任をもつことができないことにある。今日，複数の専門職と連携・協働しながら，サービスが提供できる有機的な連絡・調整が可能となるシステム化が期待されている。

4）在宅ケア体制の構成要素

在宅ケア体制の構成要素（図6-2）は，ケアを受ける人，ケアを提供する人やサービス機関，サービスの調整役割を果たす人，相互に交換される情報，システムに直接的・間接的に影響を及ぼす地域住民である。病院から退院する場合，退院カンファレンスが行われる。この場合，介護保険によるケアマネジャーのカンファレンスのみでは，療養者と家族が真に安心して在宅生活に移行できない。看護師の視点で急性期医療に伴う「在宅看護計画」を立案し，ケアカンファレンスにもち込むことが，有機的なシステム運用につながる。

大腸がんの手術を受けた後期高齢者の男性の例をあげると，男性は病院で退院後の食事指導を受けた。しかし，患者の妻は食事づくりに積極的でなく，インスタント食品や出来合いの惣菜を買い求める食生活を入院前からしており，パンフレットによる指導を受けたからといって変更することもなかった。病院で指導にあたった看護師が，在宅訪問するこ

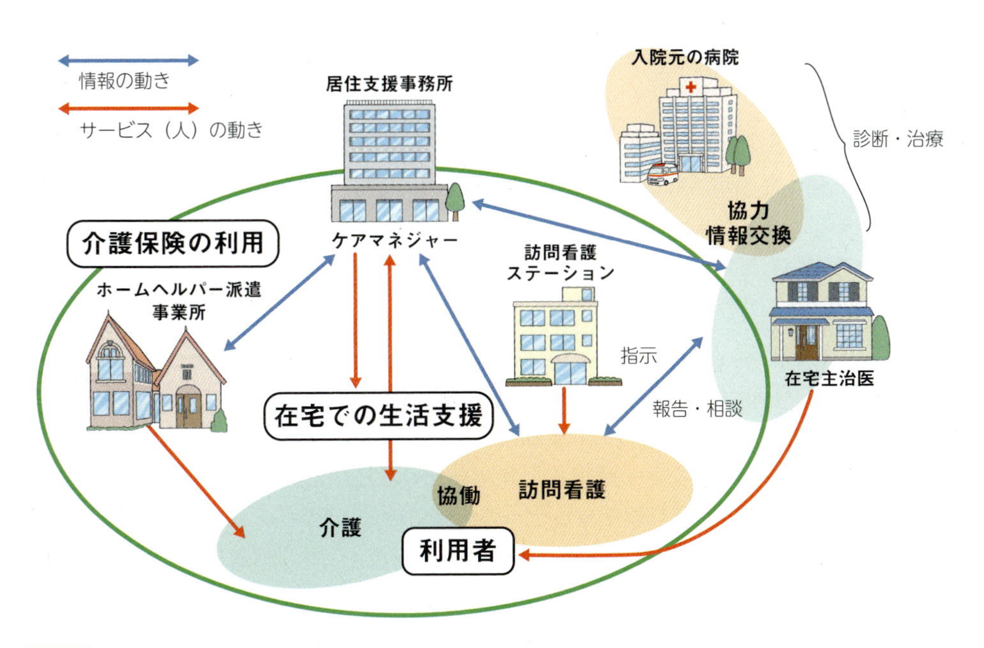

図6-2 在宅ケアシステムの構成要素と関係づくり

岡崎美智子・正野逸子編：根拠がわかる在宅看護技術，第２版，メヂカルフレンド社，2008，p.90．より転載

となく時間が経過し，退院から３か月が経過した頃，男性は貧血と脱水が原因で再入院となった。

この事例の改善点としては，①退院指導時，在宅での生活のありようを把握しておくこと，②退院患者の地域ネットワークの活用について専門家と連絡をとりフォローアップすること，である。病棟看護管理者は，退院時にその地域の訪問看護ステーションなど，活用できる社会資源の情報を有している病院の地域連携室と連絡をとりながら退院支援を進めていく必要がある。

5 情報共有の方法

1）ケアカンファレンスなどでの連絡・調整

一人の療養者に関係する多職種が，カンファレンスすることはとても重要である。退院支援にあたっては看護職のみでなく，主治医・ケアマネジャー，PT，OTなどを含めたカンファレンスを行い，入院患者の現在の状態について各専門職が把握している情報を共有し，退院計画を確認しカンファレンスで気づいた不足事項を補うことで，在宅生活上の問題を多角的に予測し解決方策が検討でき，患者と家族は在宅療養の心構えが十分にできる。在宅生活に移行した後も訪問看護師を中心に，療養者が在宅生活に何を望み，どのような希望をもち家族はどのような介護をしたいと考えているかを，在宅療養支援を行う多職種でカンファレンスすることが望ましい。もちろん，訪問看護ステーション内で訪問看護師間での情報共有も切れ目ない看護を提供するにあたり重要である。

同じ訪問看護ステーションに勤務する看護師や，系列の福祉系事業所の介護職などと連携する方法は多様化している。在宅療養者宅に置かれる連絡ノート活用の有用性も知られており，アナログな方法ながら多職種間でよく利用されている。また，従来の同じテーブルについて顔の見えるカンファレンスは安心感につながる。

2）SNSタイムラインツールの活用やICT利用による変化

医療・介護現場にICT利用や介護ロボット（AI）参入が目覚ましい。少子高齢化は在宅療養者が増加する一方で，若い世代の減少により看護・介護の担い手不足を引き起こしている。限られたマンパワーでいかに効率よく，在宅療養者に必要な医療・看護・介護を提供するのかということは今後の大きな課題である。

そのなかで，直接的ケアではないサービス提供者側の情報共有・連絡調整・看護ケア記録の効率化にSNSタイムラインツールやICT利用は有効である。多くの訪問看護の現場で利用されつつある。直接的ケアを補完するものとして遠隔地からの見守りサービスや，スカイプやテレビ映像などを活用した確認なども新しい発想で変革が進んでいる。今後のマンパワー不足や僻地・島嶼医療などへの活用に注目したい。

SNSや訪問看護ステーション業務のためのアプリ，ICTの活用により，訪問看護管理業務の効率化に寄与し，紙資料に頼らない管理方法は災害対策にも成果があがるなどの研究報告や実践報告がされており，今後は大いに注目される分野である。

在宅ケアにおける意思決定支援

1）意思決定支援に関する動向

わが国では2018年３月「人生の最終段階における医療・ケアの決定プロセスに関するガイドライン」，同６月「認知症の人の日常生活・社会生活における意思決定支援ガイドライン」（厚生労働省）が相次いで示された。同時にアドバンス・ケア・プランニング（ACP）の考え方の普及も目指し，「人生の最終段階における医療・ケアの決定プロセスに関するガイドライン」に対する 愛称「人生会議」（2018年11月）が国民公募から決定された。あらかじめ早い時期から，患者・家族（代理決定者）・医療従事者の話し合いを通じて，患者の価値観を明らかにし，これからの治療・ケアの目標の選択を明確にする対話のプロセスとしてとらえ，在宅看護や地域包括ケアのなかでも取り組むことが求められている。

2）個別性の尊重

在宅看護の対象者は年齢・疾病・障害が様々であるだけでなく，人生観・価値観も多様である。支援が必要となった経緯・生活の条件・住宅や療養環境も含めて，一人としてまったく同じという利用者はいない。たとえ，同じ年代で同じ疾病による同様の障害をもつ利用者であっても，生活様式などの違いにより支援方法にはその個別性が顕著に現れてくる。在宅看護におけるケアマネジメントを実施の際には，類似する利用者があったとしても同じ利用者はいないということを念頭に置き，利用者の個別性を尊重したケアマネジメントになっているかどうかを常に確認する必要がある。

3）利用者の意向の尊重

利用者の個別性を尊重するということに重なる部分はあるが，利用者の意向の尊重も大切である。利用者個々の人生経験や価値観によって，ケアニーズの優先度が違ってくることをよく認識する必要がある。身体的なケアニーズが似ていても，経済状態や生活条件により選択肢が違ってくるのは当然である。専門職としての看護師の判断と，利用者の自己選択の結果が異なる場合でも，利用者の意向を尊重することがケアマネジメントの原則であり，利用者の自己決定が可能になるような支援が求められる。

4）介護家族の意思決定支援

サービスの利用者や療養者に意思表明の能力が低減するなど，認知症により意思疎通が困難な場合は，介護している家族などに利用者本人の推定意思を確認する場合がある。その場合は「認知症の人の日常生活･社会生活における意思決定支援ガイドライン」に沿って，日頃からの利用者の言動や希望を推定して厳正に確認することが必要である。

文　献

1）宇都宮宏子・山田雅子編：看護つながる在宅療養移行支援，日本看護協会出版会，2015.
2）苛原実・太田秀樹監：私たちの町で最期まで，日本在宅ケアアライアンス，2018.
3）白澤政和：ケアマネジメントハンドブック，医学書院，1998,
4）日本老年医学会編：健康長寿診療ハンドブック，メジカルビュー社，2019.

技術を提供する在宅ケア体制③

7 在宅看護のリスクマネジメント

学習目標

- 在宅看護の実践のなかで必要となるリスクマネジメントの視点を学ぶ。
- 在宅看護実践のなかで遭遇するリスクについてイメージでき，例を挙げて説明することができる。
- 利用者が訪問看護時間内に，事故に遭遇した場合の補償の必要性と看護師自らの身を守ることの重要性を学ぶ。

訪問看護師の1日の動きをイメージしてみよう。自宅から訪問看護事業所に出勤し，その日の訪問先を確認し，朝のミーティングなどを終えた後，上司や同僚，関係機関などと必要な連絡調整をする。次に必要物品を訪問バッグ内に準備し，様々な交通手段を利用して，最初の訪問先から最後の訪問先まで，順番に訪問し看護サービスを提供する。訪問の合間や訪問終了後に事務所に帰り，看護カルテに記録して帰宅するまでが，概ね1日の仕事となる。ここではこのような一連の訪問看護活動に潜む様々なリスクと対策について考える。

1 屋外で起こり得る事故と対策

1）交通事故

医療機関に勤務する看護師であれば，一度出勤した後外出する機会はそれほど多くないが，訪問看護師は事務所を拠点に一日に何度も外出するのが特徴である。地域によって，車を運転したり自転車を漕いだり，バイクに乗ったり，公共交通機関を使ったり，徒歩で向かったりと，移動手段も様々である。この点においては，利用者や家族に出会う前のリスクとして交通事故などに遭遇する可能性が高いといえる。そのため，訪問看護事業所は必ず交通事故による損害賠償保険に加入し，被害者・加害者双方に対して保障できる体制を整備しておかなければならない。また，利用する車両，バイク，自転車の保守点検を定期的に実施しておくことも必要である。一方ソフト面では，看護師の運転技術，自転車やバイクを含めた交通規則を守ること，事故に遭遇した場合の対処方法についても，所内でマニュアルを整備し取り決めておく。ガソリンの充填だけでなく，タイヤの状況やブレーキの利き具合，エンジンオイルや部品の点検・交換など，頻度を決め定期的に行うことが，事故発生の予防につながる。また，慌てると事故を起こしやすいので，常に時間には余裕をもって移動することも，訪問看護活動では大切なことである。

2）駐車違反

駐車する場所が少ない都会では，訪問中に訪問車を路上駐車し，違法駐車による罰金を要求される場合もある。車で訪問する際には，必ず利用者宅近くに車を止められる場所をあらかじめ確認し，路上駐車することのないように配慮する。どうしても路上駐車せざるを得ない場合には，管轄している警察署に申請し駐車許可証を入手して，訪問中はフロントガラスに提示しておくという方法もある。

2 屋内（訪問先）で起こり得る事故と対策

1）利用者の転倒・転落・誤嚥・受傷

訪問看護の対象者には身体機能の低下した高齢者が多いことから，訪問先での移乗・移動時の転倒・転落事故予防への配慮は欠かせない。体位保持が不安定な利用者の場合には，一動作ごとに体位の安定を確認しておく。看護師が目を離したり手を離したりするごく短時間に，利用者は転倒・転落しがちである。原則一人でケアする訪問看護では安全確保の限界があることを認識し，危険性を感じたならば無理せずに看護師や看護補助者との複数訪問，時には家族や援助者に声をかけて補助してもらうなどのリスクマネジメントが必要である。また高齢者には誤嚥や褥瘡発生などの事故も起こりやすいので，危険性をアセスメントしハイリスクと判断した場合には，予防的なサービスを適切に提供することが不可欠となる。医療機関と異なり，看護師が24時間観察することはできないので，本人はもとより介護している家族や介護職者にハイリスクであることを伝え，誤嚥や褥瘡の発生を予防するためにはどうしたらよいか，具体的にわかりやすく丁寧に説明する。また退院直後など，家族や介護職者が在宅療養に対して不安が大きい時期には，特別訪問看護指示書の交付が認められている。特別訪問看護指示書が交付された場合には，14日間看護師が週4日以上訪問することが可能である。この制度を利用して，家族や介護職者が確実に安全なケアを提供できるようになるまで，実地指導を集中的に行うこともできる。看護師には，安全なケアを提供しリスクを回避する責任がある。

訪問中に思わぬ事故によって火傷や負傷を負わせてしまう場合もある。あるいは，利用者や家族の身体ではなく家庭内の調度品や家具，あるいは住居を傷つけたり壊してしまったりという事故も起きる可能性がある。このような事故は，どんなに注意していても起きてしまうことがある。訪問看護事業所として，対人・対物損害賠償責任保険にも加入しておくことも，リスクマネジメントとして必要である。

2）熱 中 症

超高齢社会となったわが国において，高齢者人口は今後急速に増加する。さらに高齢者の家族形態は，独居や高齢者夫婦二人暮らしの世帯が増加している[1)]。このような介護力が脆弱化している生活環境のなか，高齢者特有の事故として近年みられる夏場の事故として「熱中症」がある。利用者本人が口渇や発熱を感じることなく，風通しの悪い高温の室内に閉じこもっていたり，気温や室温にそぐわない服装をしていたりするために体温が上昇し脱水状態になった結果，急激に体調が悪化し動けなくなってしまい，救急搬送されるなどの例がある。体温調節機能が低下し自力で環境調整もできない高齢者にとって，初夏から盛夏にかけて気温が急上昇し高温が続く季節には，訪問時間以外の時間帯についても注意を向ける必要がある。特に認知機能が低下している独居高齢者の場合には，必要な水分量の摂取を促したり，適切な衣服や室温の調整が図られたりする見守り体制の整備について，看護師は配慮しなければならない。

3 在宅にみられる主な感染症とその対策

1）スタンダードプリコーションの遵守

抵抗力が低下している在宅療養者が対象となる訪問看護活動において感染予防対策として最も重要なことは，医療機関と同様，スタンダードプリコーション（標準予防策）を遵守することである。ケアの前後には必ず正しい方法で手洗いを実施し，感染源となるものに触れないよう，必要に応じてあらかじめ手袋，エプロン，マスクを装着して感染の伝播を遮断する方策をとることである。また医療職者のマナーとして，自分自身が感染の媒介者とならないように，事前に予防接種を受けておくことは，医療機関の職員同様に必須事項である。

在宅に特徴的な事柄は，利用者本人をケアするのが看護職だけでなく，介護職や家族，親族でもあるということである。彼らは必ずしも感染症の知識をもち合わせているわけではない。そのため，利用者が罹患している感染症に対する正しい知識がないままに，不必要に近づいたり触ることを怖がり偏見をもったり，逆に危険性を感じないままに不用意に感染源に触れ，蔓延してしまう危険性がある。したがって，医学的知識をもつ訪問看護師は，正しい感染症への理解を促すために，利用者本人や家族，介護職者に対して，感染のリスクが生じた早期から正しい知識をわかりやすい方法（実際に感染予防の行為を目の前で実施して手本を見せる，図や絵で表したものを提示する，複雑な内容ではなく，最低限必要となるポイントに絞って伝える，異常の早期発見時の連絡先を提示するなど）を用いて，理解しやすいよう工夫して伝える。特に，感染源となる血液や糞便，吐物などの処理方法は重要である。飛沫感染，接触感染など，感染経路によって必要な廃棄物処理方法を各家庭に合わせて共に考え，感染を蔓延させない確実な方法を選択する。

訪問看護ステーションには「感染マニュアル」を整備し，看護職全員が確実な感染予防策をとることができるよう準備をしておく。感染症が発生した際には，まずマニュアルに沿った対応策を各家庭に合わせてアレンジしつつ，徹底して実施することが大切である。

在宅療養者である利用者には高齢者が多く，免疫力・抵抗力が低下しているために，健常者に比べると感染する危険性は高い。在宅で多くみられる感染症としては，尿路感染，インフルエンザなどの季節性の感染症，虚弱者や乳児に感染しやすいMRSA，集団発生しやすい疥癬，高齢者の命取りにもなりうる肺炎，高齢者に再発がみられる結核などである。それぞれの感染症に対する詳細な説明は他書に譲り，ここではその予防と対処法の概要について簡単に述べる。

2）尿路感染症

膀胱留置カテーテルを装着したり，おむつを使用したりする寝たきりの高齢者に多くみられる。排泄行動の自立が困難である利用者の場合には，普段から尿路感染のリスクマネジメントが必要である。尿の量，性状，発熱などの感染兆候の有無を観察する。カテーテルの定期的な交換や良好な流出状態の維持，日々の陰部洗浄の励行，十分な水分摂取など，日常生活上の留意点について，利用者や家族にわかりやすく詳細に伝え，異常の早期発見に努めなければならない。

3）インフルエンザなどのウイルス感染症

毎年秋から冬場にかけて流行している季節性のインフルエンザがある。高齢者は予防接種を安価で受けることができる。乳幼児や高齢者のいる家族などに対して，医療機関や保健センターなどから，毎年接種を促している。訪問看護師もこの時期には毎年，自分自身が感染源にならないために予防接種を受ける。

訪問看護事業所としては，感染者とその家族に対して，また看護師やその家族などが罹患してしまった場合の出勤停止期間などの対応方法についてあらかじめ決めておくとよい。予防接種の推奨だけでなく，手洗い，うがい，マスク装着，咳エチケット，栄養を摂る，人混みを避けるなど，流行時期の前に予防のポイントを正確に丁寧に，利用者と周囲の人々に伝えて予防に努める。

2020年当初から，新型コロナウイルスが全世界を震撼させ，ソーシャルディスタンスの保持，三蜜（密閉，密集，密接）を避けるなど，新たな予防策が全世界で提示された。誰もが感染源になり得る事実を認識し，自分の手指から目・鼻・口の粘膜へ，濃厚接触による人から人へなど，見えないウイルスの感染ルートを意図的に可視化させて理解し，感染予防対策行動を日常生活行動として徹底することが，地球上の人間すべてに必要な知識とされた。また今後は，このような感染予防を前提とした「新たな生活様式」の構築と定着が全世界で求められようとしている。

4）MRSA（メチシリン耐性黄色ブドウ球菌）

MRSAは，日常的にヒトに存在している菌であり，免疫力が低下している高齢者や乳幼児の場合，接触感染によって罹患する。血液，糞便，尿，痰などに触れないように注意する。気管切開していたり膀胱留置カテーテルを挿入していたり，おむつ交換を頻回に行っている場合には，ガウンやマスク，手袋を必ず使用し感染を防ぐ。看護師が罹患しなくても菌を媒介してしまう場合があるので，訪問の順番が最後になるように工夫する。この菌が陽性の場合，無症状であってもデイサービスや入浴サービス，ショートステイの利用ができなくなり，利用者や家族の生活リズムに変化を強いられることにもつながるので，感染予防は重要である。

5）疥　　癬

疥癬は，ヒゼンダニが皮膚に付着して起こる皮膚疾患であり，接触により感染する。リネン類などを通して接触すると大勢に伝播する可能性もあり，施設などでは特に注意している。ヒゼンダニは熱や乾燥に弱いため，普段から布団を干したり乾燥機をかけたり，感染者へのケアの際には，ダニが付着しないビニール製の使い捨てのガウン，マスク，手袋により感染を予防する。

6）肺　　炎

嚥下機能が低下している高齢者には，誤嚥性肺炎のリスクが高い。予防としては，食事の際の正しい姿勢の保持や，嚥下機能訓練の実施，口腔内の清潔を図ることが有効である。高齢者に多い肺炎に関しては成人用肺炎球菌予防接種が市町村の定期接種に指定されており，予防接種が推奨される。対象は65歳以上の高齢者で５年間は有効とされており，インフルエンザのように毎年接種しなくてもよい。訪問看護師は，活動地域内で実施している時期や医療機関や保健センターと情報を共有し，必要な情報を適切に利用者や家族に提供できるような準備もしておきたい。

7）結　　核

結核は，治療法がなく多くの死者を生んだ時代を経て，今日BCG接種により予防が可能となり，患者に遭遇することもまれになった。また，感染しても細胞性免疫により発症しない場合も多い。しかし免疫力が低下している高齢者の場合には，かつて感染し封じ込められていた結核菌が増殖して発症に至ることがある。長引く発熱や呼吸器症状，倦怠感，既往歴などの情報から，保菌者の再燃の可能性も観察ポイントとして忘れてはならない。喀痰検査によって結核と診断された場合には，感染性の有無を問わず，感染症法により医療機関から保健所を通じて都道府県に届け出る義務がある。

災害発生時の安全管理

地震，水害などの自然災害を想定し，訪問看護事業所では平時から対策を検討する必要がある。特に災害発生時の訪問看護活動の継続についての判断の基準，緊急連絡体制の整備，災害時に活用できるような情報管理システムの整備，利用者の安否確認方法，災害直後の活動体制を明記したBCP（業務継続計画）の作成と職員への周知などはぜひ必要である。災害発生時であっても，可能な限り訪問看護事業が継続できるように，事業所内の職員の安全確保体制と利用者のトリアージ，行政の防災担当部署を中心とした地域の他職種・他機関との連携体制を普段から整備しておくことが，災害時の連携体制強化にもつながる。有事への備えとして，どんな事態であっても訪問看護事業が継続できるように，利用者のデータの保管方法や緊急時の連絡方法などの具体的な計画を立案しておく。また事業所としての災害対策だけでなく，訪問看護の活動地域である自治体の災害対策や防災対策の内容や，緊急避難場所の確認も重要である。特に訪問看護の利用者が避難する場は，健常者と同じ避難所ではなく，障がい者や傷病者を対象とする福祉避難所になる場合もあり，それが地域のどこに指定されているのかということも確認しておかなければならない。

訪問看護事業所として，自治体が実施する避難訓練に積極的に参加したり，地域で独自に行っている防災への取り組み内容について情報収集したりすることも重要である。さらに地域の保健師や防災の担当者と，日頃から情報交換したり学習会や連絡会で交流したり，合同の避難訓練を実施したりする取り組みも行えるとよい。たとえば消防署と合同でAED講習会を企画して，地域の防災を担う公的機関とつながるきっかけづくりにするなども一つの方法である。

5 訪問看護師が被害者となる事故

これまで利用者が被害者となる事故について記述したが，訪問看護師が被害者になる事故も起こり得る。訪問看護ステーションの管理者が把握する暴力行為（身体的暴力・言葉の暴力・セクシャルハラスメント（以下セクハラとする））を調査した結果では，身体的暴力が29.8%，言葉の暴力が36.8%，セクハラが31.2%であり，全国の病院を対象とした調査結果の52%と比較し，暴力の発生が多いとはいえない[2)]と報告されている。また言葉の暴力やセクハラは，受け止め方に個人差があり，管理者や周囲の人々のとらえ方もそれぞれである。しかし訪問看護現場は，密室でのサービス提供となることも多く，発生前の予防策が重要となる。女性看護師の夜間の一人訪問を避けたり，看護職や訪問看護補助者との複数訪問を行ったり，あるいは担当を男性訪問看護師にする，訪問時には家族や関係者などの同席を求めるなどのリスクが回避できる環境を整えることも必要である。

また前述の報告では，普段からサービス担当者会議などにおいて，地域内の関係職種間の情報共有や防止対策に関する話し合いが行われることが，リスクの早期発見や予防につながるという指摘もなされており[2)]，地域の関連職種との連携を密にし，地域ぐるみでお互いの安全を守る体制づくりを検討することが必要と考える。

その他に，利用者宅で飼っているペットによる被害の可能性もある。犬に噛まれる，猫に引っかかれるなどの事故である。場合によっては危険のないように，訪問看護の時間帯だけでも動物を遠ざけるなどの約束事を決め，契約時にお互いが了解しておくとよいだろう。

文献

1）厚生労働省：65歳以上の者の状況，2019年国民生活基礎調査の概況，2018.
<https://www.mhlw.go.jp/toukei/saikin/hw/k-tyosa/k-tyosa19/dl/14.pdf>（アクセス：2021/10/28）
2）武ユカリ：サービス利用者による訪問看護師への暴力と訪問看護ステーションの地域連携との関連，日本看護科学学会誌，38：346-355，2018.
3）岡田忍：感染症をもつ療養者への在宅看護，石垣和子，上野まり編，在宅看護論，第2版，南江堂，2020，p.178-185.
4）岡田忍：感染予防，石垣和子，上野まり編，在宅看護論，南江堂，2020，p.337-346.
5）上野まり：訪問看護におけるリスクマネジメント，河野あゆみ，永田智子編，在宅看護論，放送大学教育振興会，2020，p.222-234.

第Ⅲ章

在宅療養に伴う日常生活援助技術

1 食　事

学習目標
- 在宅療養者の食事における看護技術の特徴を理解する。
- 在宅療養者への食事援助および家族介護者への教育指導を行うことができる。
- 嚥下機能と嚥下訓練の重要性を理解し，他職種と連携を図りながら在宅療養者の食生活への働きかけができる。

1 在宅療養者の食事における看護技術の特徴

1）在宅療養者の食事の特徴

（1）療養者の生命・健康の維持・回復

食事は，療養者の健康の維持・回復のための要素として重要であり，家族介護者が1日3回食事介助をすることが，療養者の在宅生活の継続の大きな鍵となっている。また，療養者だけでなく，家族の健康状態も考慮し，双方の食生活を視野に入れた支援を行う。

（2）日常生活動作（ADL）自立の助け

「食べる」ためには，食物を認識し食べたいという意識が働き，口を動かすなど顔の筋肉や頭を使う。そして，はしやスプーンを使用するために指先や上肢を動かすなど，あらゆる機能や筋肉を使う。そのため，食事動作はADL自立の助けとなる。

（3）生活リズムをつくる

在宅療養の場（家庭）は，療養者にとって安心して過ごすことのできる場所である。1日3回決まった時間に食事をすることによって，生活にリズムをつくり出すことができる。

（4）活力，楽しみにつながる

療養者の嗜好を取り入れることで，食欲の有無・状態に合わせることができる。また，療養者の嗜好品を料理に取り入れて献立に活かす。さらに，思い出や愛着のある食器を使って食事をすることができ，旬の食材で季節感を味わったり，誕生日などの行事ではメッセージカードを添えたりすることで，目で食事を楽しむことにもつながる。

（5）家族・友人などとの団らん

食生活は，人を結びつけ親睦を深める媒介的役割をもつ。療養者も家族と共に食事をすることで，家族の一員であることや家族内の役割を再確認できる。また，高齢者の場合，孤食を防ぐためにも家族や友人，近隣の人たちと共に食事をする機会を設けることで，家族間のコミュニケーションがとれ，絆も深まる。

（6）食習慣や経済面から食事内容に偏りが生じる

食事内容は，その家庭の生活史のなかでつくられた食文化や食習慣が影響しているため，食事内容に偏りが生じる場合もある。特に高齢者世帯の場合は，高齢者が生きてきた時代背景や経済状況，独居などの世帯構成，性別などにより食生活への偏りが生じやすい。低栄養状態になった場合，主治医に報告し栄養補助食品などの活用も検討する。食生活をとおして，療養者やその家庭を知る手がかりにもなる。

（7）他の家族のことも考えた食事の工夫

在宅療養において，食事内容は療養者の食べやすいものになりがちである。しかし，働き盛りや成長期の者もいる家庭の場合は，その他の家族のことも考慮して食事を作る必要がある。

2）在宅療養での食事のアセスメント

療養者の食事援助では，療養者と家族が自分たちの今まで培ってきた食生活を維持しながら，療養者に合った方法を工夫して質のよい食生活が送れるように支援する。食生活は，居住地域の食文化の影響やその人がどのような生活を送ってきたかという社会背景の影響を受けている。そのため，その家庭および個人の生活史も把握する。在宅看護では，療養者と家族が主体であり，療養者だけに傾かないように，療養者と家族の健康状態をアセスメントする。また，療養者の不安や心配などがないか精神面からもアセスメントし，健康の維持・回復，生活意欲が高まるようにする。さらに，家族の食に対する認識や調理の技術，介護力を把握し各家族に合った方法で支援する。

（1）栄養状態のアセスメント

療養者の健康を維持するためには，日頃から全身状態を把握しておくことが大切である。疾患や，治療薬と治療食に関しても確認しておく。栄養状態の把握については，食事摂取状態，栄養状態，血液検査，簡易栄養状態評価表（MNA）などを用いて把握する。

・栄養状態：発熱，脈拍，呼吸数，呼吸音，皮膚の弾力性・湿潤性，皮下脂肪，爪の色，浮腫の有無など，全身の状態を観察する。
・検査値：体重，BMI，皮下脂肪量，ヘモグロビン値，血清総タンパク，アルブミン値，エネルギーの必要量などからも，栄養状態を把握する。
・治療食の必要性：医師からの説明内容，治療食への理解度，治療食の内容，調理方法，摂取状況，摂取量などを確認する。

（2）食行動のアセスメント（表1-1，1-2）

食材の調達から食後の片づけまで一連の過程を把握し，動作分析をする。在宅で食物を「食べる」という行為は，病院のように調理されたものが配膳されるわけではない。したがって，その食物をどのように入手・調理し，食べて片づけるのかまでの一連の過程をアセスメントする。

・食べる行為：運動機能，どの食行動に困難を生じているのか，どんなときに介助が必要なのかを確認する。動作に困難を生じている場合，介護が必要かまたはサービスが必要かをアセスメントする。
・摂取状況：咀嚼力，嚥下障害・開口障害の有無，口腔・歯の状態，舌・頬の運動状態，視力などを確認する。

表1-1「食べる」行為のアセスメント

何を食べるのか決定する

食材の調達方法は？
- 自分でできる
- 自分でできない ➡介護者による介助が必要かサービスを導入するか

↓

調理はできるのか？
- 自分でできる
- 自分でできない ➡介護者による介助が必要かサービスを導入するか

↓

配膳・片づけができるのか？
- 自分でできる
- 自分でできない ➡介護者による介助が必要かサービスを導入するか

表1-2「食べる」行為の運動レベルでのアセスメント（例：お茶を飲む）

動作内容	運動レベル
コップへ手を伸ばす ↓	肩関節・肘関節などの可動状態
コップをつかむ ↓	肩関節・手・指の関節などの可動状態，握力
コップを口に持ってくる ↓	肩関節・肘関節などの可動状態
コップからお茶を飲む ↓	肩関節・肘関節・手首の関節・頸部の屈曲などの可動状態と嚥下状態
コップを元の位置へ戻す ↓	肩関節・肘関節・手指の関節などの可動状態
手を元の位置に置く	肩関節・肘関節などの可動状態

（3）食生活・食事環境のアセスメント

・食生活のアセスメント：今までと現在の食事状況，嗜好，偏食，間食，食欲の有無，食事回数，食事内容，食事摂取量，１回の食事時間，味覚異常の有無，飲水の量，価値観など。

・食事環境のアセスメント：食事場所，食事の姿勢，食事の雰囲気，介助のしやすい環境か，排泄の有無，睡眠状態など。

（4）介護力のアセスメント

・食事介助の状況：介護者の健康状況，介護力，介護の仕方，介護時間など。

・経口摂取に関する介護者の考え方：介護者の経口摂取への思い，療養者が安全に食べるための知識の有無と技術の理解度，治療食や制限食に関する知識の有無と理解度。

・社会資源の活用状況：介護者の状況によっては，１日３回の食事介助が負担となる場合もあるため，介護者の状況に合わせてホームヘルパーや配食サービス，お惣菜や宅配サービス，フードサービスなどの活用状況を確認する。また，療養者の栄養状態や疾患などによっては，低たんぱく質食品や病者用食品などの特別用途食品や，ビタミンやミネラルが一定量含まれている栄養機能食品，特定保健用食品などの利用も検討する。
　さらに，療養者の栄養状態や介護者の調理状況によっては，栄養士などの専門職と連携する。

2 在宅療養者への食事支援と介護者への教育指導

1）療養者への食事支援

（1）食行動の把握

　献立作り（栄養管理），買い物，調理，配膳，片づけといった食事に必要な一連の過程をイメージし，療養者が自分で行うことができる部分と介護が必要な部分を見きわめる。

(2) 食事ができる環境づくり

①環境づくり

療養者と家族が一緒に食事ができるように工夫する。療養者をできるだけ家族が食事する場所へ移動させ，家族と一緒に食べられるように援助する。食事をする場所と居室までの距離を考え，手すりをつけたり，車椅子で移動したりする。場合によっては，家族がいつも集まるリビングなどを療養者の居室とし，家族がリビングで食事がとれるようにする。

療養者は，家族と同じ場所で同じ献立の食事をとることで，疎外感なく食事ができる。また，食事を介して家族とコミュニケーションをとることができ，食べる楽しみや社会的交流を促すことにつながる。

また，療養者が独居高齢者の場合や家族と一緒に暮らしていても孤食となる場合，家族や友人，自治体のコミュニティでの会食などの機会を設け，孤食を防ぐ対策をとる。友人などとの会食は療養者にとって社会性の維持や社会的交流を促すことにつながる。

②排泄援助

食事が落ち着いてとれるように，食事前に排泄を済ませておく。療養者の居室にはポータブルトイレなどが置いてある場合が多いので，排泄物は食事前に片づけ，食事環境を整える。

排泄援助のアセスメント項目は第Ⅲ章2を参照。

(3) 療養者の自力摂取のための支援

①調理法（献立）・食器の工夫

調理を行う家族に，療養者の食事もできるだけ家族と同じ献立にすること，療養者の咀嚼力や嚥下状態，身体状況に応じ，おにぎりやサンドイッチにするなど調理や盛り付けを工夫することを伝える。また，自助具や食べやすい食器など（図1-1）を活用し，できるだけ療養者が自力で食べられるように工夫する。

療養者に咀嚼力や嚥下力の低下，口腔内の異常などがある場合，軟らかく飲み込みやすいように小さく刻むなどが必要となる（表1-3）。液体のものは，むせる原因になるので，スープはポタージュ状にし，水などはとろみ剤でとろみをつける。

図1-1 食事介助用具

表1-3　食形態の種類

食形態	食材の状態	
きざみ食	食材を細かくきざむ(みじん切り)，つぶす，おろす	野菜・魚のみじん切りなど
ソフト食	普通食より柔らかい，舌でつぶせる硬さ	おかゆなど
ミキサー食	軟らかく煮たものをミキサーにかけてドロドロにする	ポタージュなど
嚥下食	軟らかく煮たものをミキサーにかけてペースト状またはゼリー状にする	重湯ゼリー
流動食	液状のもの	重湯

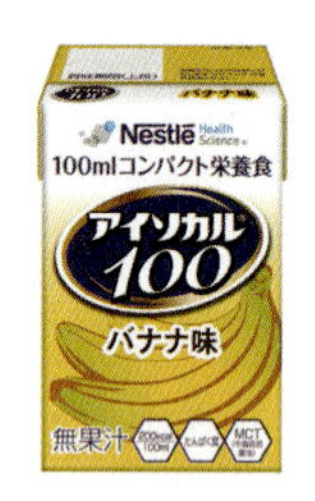

アイソカル100　　アイソカルゼリーハイカロリー　　明治メイバランスMiniカップ
写真提供：ネスレ日本株式会社　　写真提供：株式会社明治

図1-2　栄養補助食品

十分な食事量がとれない場合は，医師と相談し，体重や血液検査の結果などを参考に栄養補助食品（図1-2）を活用する。

療養者が高齢者の場合，複数の疾患をもっている場合が多く，内服薬と食品を考慮する必要がある。たとえば，血栓症治療薬のワルファリンはビタミンKによって効果が減退するので，ビタミンKを多く含む納豆などは制限しなければならない。またカルシウム拮抗薬のアダラートは，グレープフルーツに含まれるフラノボイドによって薬の吸収効率が高くなる。このように治療薬の作用を考え，献立の工夫や食物の制限をする必要がある。

②食事姿勢の援助

誤嚥防止のために，体位の工夫をする。

ベッド上で食事をする場合は，ベッドを30～60度に挙上し，頸部屈曲位にする。座位が不安定な場合は，両側にクッションやビーズ枕などを置く。片麻痺がある場合は，麻痺側にクッションなどを置き，麻痺側に身体が傾かないようにする。

座位がとれる療養者の場合は，椅子や車椅子に移動し食事がとれるようにする。椅子の場合，できるだけ肘かけがあるものを選び，足が床につくことを確認し転倒を予防する。

③食事動作の訓練

食事動作の自立に向けて，姿勢を維持する訓練など，理学療法士・作業療法士による訪問リハビリテーションなどを利用し，日々の生活のなかで行う。

- ベッド上で座位で食事がとれるように，長座位や端座位の訓練を行う。
- ベッドから車椅子または椅子に移動して食事がとれるように，立ち上がり，車椅子への移乗訓練を行う。
- スプーンや箸を使用して自力で食事できるように，手指の訓練などを行う。

(4) 口腔ケア

口腔ケアを行うことで爽快感が得られ，おいしく食事をとることができる。さらに，高齢者の場合，食事の前後に口腔ケアを行うことで誤嚥性肺炎の予防や口から食べるためのリハビリテーションにつながる。療養者と介護者に日頃の口腔ケアが健康に大きな影響を与えることを認識してもらい，必要に応じて，歯科衛生士などが行う講習会に参加し手技の習得や訪問指導を受けることも有効である。

また，口腔ケアは誤嚥性肺炎や虫歯・歯周病の予防になり，嚥下訓練や歯肉・頬部のマッサージを行うことで口腔機能のリハビリテーションなどの効果がある。言語聴覚士や理学療法士，歯科医師，歯科衛生士などと連携しながら行うことで，コミュニケーションが円滑にできるようになり，療養者のQOL向上につながる。

2) 介護者への教育指導

介護者は，療養者の状態に合わせた調理の工夫や食事介助を1日3回行わなければならない。場合によっては，食事介助に要する時間が長くなり介護者の食事が1日2食になったり，単調な食事内容になったりする。介護者に対しても必要な栄養バランスについての助言をする。また，社会資源などの情報提供を行い介護負担を軽減できるように工夫する。

(1) 献立・調理の工夫への支援

介護者は，毎日，療養者と家族の献立を考え調理をしている。介護者によっては，毎日数回行われる食事の準備が大きな負担になっている場合もある。特に，高齢者世帯の場合，買い物へ行くことを面倒に思うことや，介護者の健康上の問題から単調な献立になりやすいことが考えられる。そこで，介護者に療養者に必要な食事の特徴を理解してもらい，適切な食事の準備ができるように支援する。

療養者と家族の献立を同じものにし，療養者の状態に合わせてきざみ食やとろみ剤などで工夫するように助言する。同じ献立にすることで介護者の負担軽減になると同時に，療養者も家族と共に同じ味を楽しむことができるので，家族との一体感が味わえ，喜びにつながる。

必要に応じて，栄養士の協力を得て，献立の一部に市販の介護食などを取り入れるのも介護負担を軽減するうえでは一つの方法となる。

(2) 食事介助方法の指導

療養者の食行動を観察し，どの動作ができ，どの動作ができていないのかを把握し，療養者ができていない動作に対する介護技術を指導する。

できるだけ療養者が自分で食事ができるように，自助具や食器の工夫，調理法の工夫も指導する。

(3) 社会資源の活用

介護者の食に関する知識や食事を作った経験の有無を確認し，介護者の負担感を把握し，各種サービスについて情報提供をする。栄養士による訪問指導やホームヘルパー，配食サービス，フードサービス，地域のボランティアなど，適切なサービスにつながるように他職種・他機関と連携しながら，介護者の負担が軽減できるように支援する。

嚥下障害がある場合の食事介助のポイント

嚥下障害の器質的原因として，脳血管疾患，神経・筋疾患，口腔・咽頭疾患がある。その他に，心理的な影響や加齢によるものがある。

1）脳血管疾患

脳梗塞や脳内出血などの脳血管障害で麻痺があると嚥下障害が起こる。麻痺側の口腔に食物がたまりやすくなり，食物が残ってしまう。また，麻痺側に流涎がみられる，開口しにくい，うまく舌が動かせない，飲み込みにくいといった状態になる。

＜食事援助のポイント＞

・療養者が覚醒しているか確認し，食事ができる環境を整える。
・食事摂取時の姿勢は，30～60度仰臥位とし，頸部前屈位にして誤嚥を予防する。
・療養者の残存機能を活かし，自助具を活用し自己摂取を促す。
・食事摂取時は，嚥下したかどうかを確認する。
・1日1回は口腔マッサージや嚥下訓練など口腔リハビリテーションを繰り返し行う。口腔リハビリテーションを繰り返すことで，嚥下機能の回復も期待できる。
・嚥下訓練は，理学療法士や言語聴覚士などの専門職と連携を図りながら食事の前に行うのが有効である。

（1）嚥下訓練

思い切り頬を膨らませたりすぼめたりすることで頬の筋肉を強化し，口を閉じてしっかりかむことや食べこぼしを予防する。

＜嚥下訓練の方法＞

①深呼吸する。
②嚥下に関する筋肉は首に集中しているので，首を左右に曲げる・回すという首の体操をし，首をリラックスさせる。
③口の周囲の筋肉の動きをよくするために，「あ」と発声するように口を大きく開けたり閉じたりする。次に「い」と発声するように口を大きく横に引いたり閉じたりする。

（2）舌の運動，嚥下マッサージ

食べることや話すことには欠かせない舌の運動を行う。口を大きく開け，舌を前に思い切り出す。次に左右や上下に動かす。自分でできない場合は，口腔ケアの際など可能な範囲で介護者が舌を持ち他動的に動かす。口の周囲や頬，頸部のマッサージ，耳下腺，舌下腺，顎下腺マッサージも有効である。

（3）「パ」「タ」「カ」「ラ」運動

「パ」と発声することで，食べ物の取り込みをよくする運動になる。「パ」を発声するときに唇の動きを意識する。

「タ」と発声することで，食べ物の送り込みをよくする運動になる。「タ」を発声するときに舌の先の動きを意識する。

「カ」と発声することで，食べ物の飲み込みをよくする運動になる。「カ」を発声すると

きに舌の動きとのどの奥が大きく開くことを意識する。

「ラ」と発声することで，食べ物をかたまりやすくする機能を高め，送り込み動作につながる動きをよくする運動になる。「ラ」を発声するときに舌の先を意識する。

これらの運動は，療養者と共に好きな歌の歌詞を「パ」「タ」「カ」「ラ」に変えて歌うことで，楽しみながらできる。

(4) アイスマッサージ

ガーゼ2枚に氷を包み，療養者の頬を円を描くようにマッサージする。氷を包んだガーゼを頬や首に一定時間（数秒間）おき，感覚刺激を与える。また，氷水を綿棒につけ，口蓋弓や頬の内側などをマッサージする。

2) 神経・筋疾患

パーキンソン病の筋肉のこわばりや動作の緩慢，手指の振戦が食事動作に影響を与える。重症筋無力症では，咀嚼や嚥下に必要な筋肉が失われてしまう。

認知症では，脳の神経細胞が障害を受けて死滅し減少したり，神経細胞のなかに小さな塊が蓄積するため，物忘れや認知機能・実行機能が低下し，食事行動に影響を与える。

＜食事介助のポイント＞

・残存機能を把握し，口腔マッサージや嚥下訓練など口腔リハビリテーションを繰り返し行う。特に毎食前に準備運動として行うと効果的である。リハビリテーションを繰り返すことで，嚥下機能の回復も期待できる。

・実行機能障害がある場合は，食行動の一連の動作を組み立てることが難しくなるが，次に何をするかを伝えることで，自分でできることもある。

・認知機能に障害がある場合，覚醒と睡眠のリズムが崩れやすいため，生活リズムを整え，活動と休息のバランスへの配慮をすることが必要である。

・失認によって食事を拒否する場合は，「おいしい○○ですよ」と食べ物を伝え，一緒に食べたり，香りをたたせたり，小さなおにぎりやサンドウィッチなど手に持ってもらうなどの工夫をし，嗅覚や触覚などの感覚を活用して食べ物の認識を促す。

・認知症の場合，周囲の環境の影響を受けやすく，ちょっとした刺激で食事以外に気を取られやすいので，療養者が「食べたい」と思え，安心して落ち着いて食事が摂れる環境を整える。療養者にとっては，介護者も環境の一部となるため，介護者の言動も療養者に影響を与えてしまうことを自覚しながら援助する。

・食事拒否が続いた場合，食事を強く勧めたり，食べない理由を問いただすと食事時間が不快になる可能性がある。少量でも栄養補給ができるものを摂ってもらったり，食べられそうなものを把握しておく。

3) 口腔・咽頭疾患

扁桃炎や咽頭炎，口腔・舌がんなど口腔・咽頭疾患によって飲み込めなくなったり，誤嚥がみられたりする。

＜食事介助のポイント＞

・嚥下しにくい食物はゼラチンや片栗粉，くず粉，とろみ剤などでとろみをつける。

・ミキサー食やきざみ食など療養者の嚥下状態に合わせ，誤嚥の危険がないように工夫をする。

4）心理的な影響

うまく食物が食べられないが検査をしても異常が見つからない場合は，ストレス性の胃潰瘍や神経性胃炎，うつ病などの心理的な原因が影響していると考えられる。

＜食事介助のポイント＞

・毎日同じ時間に食事がとれるようにし食事のリズムを整える。
・必要に応じて，一時的に経管栄養などを使用する。
・臨床心理士などと連携し，心の問題が解決されるよう支援する。

5）加齢の影響

年齢を重ねるといろいろな身体機能が低下する。たとえば，嚥下反射が低下し，むせることが多くなる。また，成人の唾液量は1～1.5L/日であるが，高齢者では唾液の分泌量が減少し，約500mL/日となる。唾液量の減少よって，舌の運動機能の低下や口腔粘膜に変化が生じ，口臭の原因や味覚の低下，咽頭へ食物を送り込むのが遅くなるなどが起きる。また，歯根にう歯ができやすくなることや歯肉の萎縮により，義歯が合わなくなること，咀嚼力の低下，頬の筋力低下なども生じる。

＜食事介助のポイント＞

・栄養バランスのとれた食事を工夫する。
・口腔や嚥下機能の状態に合わせて軟らかい食物や誤嚥の危険がないものを工夫する。
・食事ごとに歯磨きを行う。
・誤嚥しやすい状態の場合やブラシを用いて安全に歯磨きができない場合は，口腔掃除用スポンジなどを利用する。
・耳下腺マッサージなどで唾液量の分泌を促し，嚥下訓練などを繰り返し，口腔機能の維持・向上に努める。
・歯の欠損がある場合は，義歯を装着する。義歯を長期間装着していなかった場合，歯肉の萎縮が生じ義歯と合わなくなることもあるので，義歯の装着具合を観察し，必要に応じて歯科受診や訪問歯科診療を受けるように勧める。

看護技術の実際

A 片麻痺のある療養者の食事の援助

●目　　的：療養者が自分の力で食事ができるように援助する

●必要物品：手洗い用品一式（またはウエットティッシュ，おしぼり），食事用具（スプーン，はし，自助具など献立に合わせて準備する），療養者用エプロン（またはタオル，ナプキン），座位保持のための介護用品（枕，毛布，クッションなど），食卓すべり止めマット，含嗽用ガーグルベースン，歯ブラシ，コップ（吸いのみ）

	方法と観察の視点	療養者・家族支援と根拠
1	**身体状態を観察する** ・覚醒状態，顔色，食欲，疾患に伴う痛みの有無，発熱，脈拍，呼吸数，呼吸音などを確認する	●家族に身体状態の観察項目を説明する ・食事前に療養者が食事ができる状況であるか判断する（➡❶） ❶身体的苦痛がある場合や食欲がない場合は，食事摂取までに至らないので，事前に観察が必要である
2	**環境を整える** 1）室内を片づける 2）換気をする 3）室温を調整する 4）照明を調節する	●療養者が気持ちよく食事ができる状況になるよう環境を整える（➡❷） ❷ポータブルトイレや尿器など排泄に関するものが置いてある場合，排泄物のにおいなどが食欲不振の原因になるため ●車椅子移動ができる場合は，車椅子で食卓へ移動し，家族と共に食事ができるように環境を整える
3	**排泄の有無を確認する**（➡❸）	●おむつをしている場合，排泄の有無を確認してぬれていれば取り替える ❸排泄を食事前に済ませることで，落ち着いて食事ができる
4	**手を洗う**（➡❹） 1）介護者は手洗いをしてエプロンを身に着ける 2）療養者の手洗いを行う（手を拭く）	●ベッド上での洗面器を用いての手洗い方法を指導する ●ベッド上での手洗いが困難な場合は，おしぼりやウエットティッシュで手を拭くことの必要性を説明し拭き方を指導する ❹療養者・介護者共に食事の前に手洗いをし，感染防止に努める
5	**療養者の状態に合わせて体位を整える** 1）ベッドを30～60度に挙上する 2）頭部前屈位にする（➡❺） 3）麻痺側の背部や腕の下やひざ裏に枕などを挿入し，安定した姿勢をとる（➡❻） 4）ベッドが挙上できない場合，顔とからだを横に向ける 5）背中にクッションなどを挿入し，姿勢を安定させる ・麻痺側が上になっているか確認する	❺誤嚥予防のため，できるだけ頭部を挙上する。仰臥位のままでは頭部が伸展しているので，咽頭の挙上が制限され誤嚥しやすいため ❻ベッドを挙上し座位にした場合，麻痺側に傾くため ●ベッド挙上が困難な場合，背中にクッションや掛け布団を丸めて置き，麻痺側を上にして体と顔を横にし，誤嚥を予防する（➡❼） ❼麻痺側を下にすると口腔内に食物残渣ができ，誤嚥につながりやすい
6	**療養者に食事用エプロンをする** ・エプロンのひもで首が締まりすぎていないか	●療養者によっては，エプロンの使用で自尊感情を低下させる場合もあるので，使用目的を説明し理解を得る ●エプロンは配膳の下に敷き，エプロンに落ちたものが寝衣や寝具に流れないよう工夫する（➡❽） ❽ビニール製のエプロンを使用すると，汁やお茶がこぼれても寝具や寝衣にしみこまなくてよい。また，食べこぼしがあっても簡単に水洗いできる
7	**療養者の見える場所に食膳を置き，献立の説明をする**（➡❾）	●視野狭窄がある場合は，見えるところに食膳を置くよう指導する ❾食膳を見ることで食欲がわく。また，きざみ食など食材がわからない料理に際しても具体的に献立を伝えることで何を食べているかイメージしやすくなり，食べる意欲につながる
8	**自力摂取を勧め，必要時援助する** 1）自助具など食事に必要な道具が取れるように配置し，自分の力でできるだけ食事をとってもらう（➡❿） ・嚥下状態を観察する	❿療養者の残存機能を見きわめ，食事に必要な道具を用意することで，自力で食事摂取が可能になる ●療養者の自力摂取を勧める援助法を指導する

	方法と観察の視点	療養者・家族支援と根拠
	・食事量と摂取状況，食事にかかった時間を確認する ・自助具の使用は合っているか 2）食べている途中で眠ってしまった場合は食事を中止する 図1-3 食事介助	・誤嚥の危険がある場合，療養者が食べているときは，必要以上に話しかけない ・療養者が自力摂取しているときは，できるだけ見守る ・療養者が自力摂取していて食事時間が長くなり，疲れて食事が進まない場合もあるので，療養者の状況を見ながら声をかけ部分介助をする（図1-3） ●食事の注意点・ポイントを指導する ・酸味の強いものや水分は誤嚥の危険性が高いので，1回量に注意する ・汁物や水分は誤嚥しやすいので，飲みやすいように吸いのみやコップ，ストローを利用する ・水分などは誤嚥しないように調理を工夫する ・片麻痺がある場合は，麻痺のない口角から介助する ・飲み込みが悪い場合は，「ごっくん」と声をかける ●介護者は，必要時，椅子を用意し，療養者と同じ目線で介助する。時には一緒に食事をとるよう伝える（➡⑪） ⑪同じ献立の食事を一緒にとることで，療養者の孤独感を軽減し楽しく食事できる
9	**食後の歯磨きをする** 1）できるだけ療養者自身で歯磨きを行う ・歯のぐらつき・欠損，歯肉を観察する ・食物残渣の有無を確認する ・歯の磨き方を観察する 2）義歯がある場合は義歯を取り除き義歯と口腔内を清潔にする ・義歯のかみ合わせは適切か	●食後，口腔内に残っている食物残渣を除去することでう歯を予防することを説明する ●療養者自身がでできる場合は自分で行ってもらうよう促す。車椅子で洗面台まで移動可能であれば移動して行う ●義歯の取り扱いについて説明する
10	**後片づけをする** 1）療養者には，食後，半座位で30分程度過ごしてもらう（➡⑫） ・食事に対しての満足感を確認する ・悪心・嘔吐，腹痛の有無を確認する ・表情を観察する 2）下膳をする 3）エプロンを片づける	⑫食後すぐに臥床すると，胃の内容物が逆流を起こし嘔吐する可能性があるので，食後は半座位で過ごす

B 視力障害のある療養者の食事の援助

●目　　的：視力障害のある療養者が自分で食事摂取できるように支援する
●必要物品：「A 片麻痺のある療養者の食事の援助」に準じる

	方法と観察の視点	療養者・家族支援と根拠
1	**身体状態を観察する** ・顔色，食欲，視力，視覚の範囲などを観察する	●家族に身体状態の観察項目を説明する ・食事前に療養者が食事ができる状況であるか判断できるようにする
2	**環境を整える** 1）室内を片づける 2）換気をする 3）室温を調整する 4）照明を調節する	●「A片麻痺のある療養者の食事の援助」に準じる

	方法と観察の視点	療養者・家族支援と根拠
3	**排泄の有無を確認する（➡❶）**	❶排泄を食事前に済ませることで，落ち着いて食事ができる
4	**食卓へ誘導する**	●介護者は，自分の右腕に療養者がつかまるようにし，療養者よりも一歩前を歩くようにして療養者を食卓まで誘導する
5	**手洗いまたはおしぼりなどで手を清潔にする（➡❷）**	●食前の手洗いの必要性と手洗い方法について指導する ❷療養者・介護者共に食事の前に手洗いをすることで，感染防止に努める
6	**椅子の位置，座面，テーブルの位置を手で触れてもらい座る位置を確認する（➡❸）** ・椅子は足が床に着く高さか ・テーブルは座ったときに肘が乗せられる高さか ・椅子に座ったときの姿勢は安定しているか	●療養者の手をとり，椅子やテーブルを確認するように促す ❸視覚障害のある療養者は指先が「目」の代わりをしているので，できるだけ物に触れて理解してもらう
7	**療養者に食事用エプロンをする** ・エプロンのひもで首が締まりすぎていないか	●「Ⓐ片麻痺のある療養者の食事援助」に準じる
8	**時計回りに食器を配置する（クロックポジションを活用する，図1-4）** ・いつもと同じ場所に食器を配膳しているか 図1-4 クロックポジション	●配膳の注意点・ポイントを指導する ・配膳は毎日同じ位置に同じ食器を置く ・食器はいつも同じものを使用する ・献立などを説明するときに，わかりやすくはっきりとした声や口調で伝える
9	**献立・調理方法を説明する（➡❹）**	❹視覚障害のある療養者は，声で判断するので，介護者の声に表情を感じ，介護者が嫌な思いをしながら話しかけるとその感情を察知する。明るい声で言葉づかいにも配慮するよう伝える
10	**療養者の状況に合わせて，必要時援助する** ・食行動を見ながら援助しているか ・食器や食べ物が熱すぎないか ・食事摂取量，食事摂取状況，摂取時間を確認する	●介護者はゆったりした気持ちで療養者の食事状況を見守り，療養者のできない部分を援助するよう指導する ●嗅覚を刺激して楽しくおいしく食事がとれるよう工夫する ●介護者が療養者のそばを離れるときは声をかけるよう伝える

文献

1）河原加代子・他：在宅看護論<系統看護学講座>，第4版，医学書院，2013.
2）岡崎美智子・正野逸子編：根拠がわかる在宅看護技術，第2版，メヂカルフレンド社，2008.
3）川越博美・山崎摩耶・佐藤美穂子総編集，天津栄子責任編集：最新訪問看護研修テキスト ステップ2　3認知症の看護，日本看護協会出版会，2008.
4）杉本正子・真舩拓子編：在宅看護論―実践をことばに，第3版，ヌーヴェルヒロカワ，2003.
5）水戸美津子編：在宅看護<新看護観察のキーポイントシリーズ>，中央法規出版，2014.

2 排　泄

学習目標
- 在宅療養者の状態と家族介護者の介護力に応じた排泄援助を習得する。
- 排泄用具について理解し，療養者の状態に合わせて選択・使用することができる。
- 療養生活における排泄に関する問題をアセスメントし，予防のための清潔援助を習得する。

1 在宅療養者の排泄における看護技術の特徴

排泄は1日に数回あるため，介護者にとっては介護負担の原因の一つになる。また，おむつを使用する療養者のなかには，プライドが傷つき自尊感情が低下し，うつ状態になる人もいる。さらに，長期におむつを使用することで認知症の症状が出現することや悪化することもある。療養者は介護者を気づかい，水分を控える，食事量を減らすなどして健康障害を招きかねない行動をとることがある。このような状況に陥らないためにも，看護師は療養者の排泄に関する羞恥心を軽減するよう十分配慮し，在宅で快適に過ごすことができるように支援する。

1）自然排泄の維持と自力排泄への援助

毎日3食バランスよく食事をとり，特に食物繊維の多い食品の摂取を勧め，早朝や朝食後など同じ時間にトイレに行く習慣をつける。また，療養者は介護者への遠慮から水分を控え排泄回数を減らそうとするので，十分な水分を摂取するように促す。排泄がみられない場合は，腹部マッサージなどで自然排泄を援助する。

2）排泄要求への迅速な対応

療養者にとって排泄援助は，家族にも遠慮や気兼ねがするものである。療養者から排泄の要求があった場合は迅速に対応し，療養者の自尊心を傷つけないように配慮する。

3）便器・尿器の工夫

療養者の身体的状況に応じて，トイレへ誘導し排泄を援助する。あるいは，居室にポータブルトイレを設置する。ベッド上での排泄では，小型・軽量な集尿器や便器を利用する。

4）残存機能の活用と環境整備

排泄行動は，「尿意・便意を感じる→トイレへ移動→衣服を脱ぐ→姿勢を保持する→排泄する→後始末→衣服を着る→居室への移動」の流れで行われる。療養者のこれらの排泄行動のどの部分ができ，どの部分に援助が必要かをアセスメントし，できない部分は手すりを設置するなどの環境整備を提案する。

・療養者がトイレ移動ができる場合：居室をトイレに近いところにする，廊下に手すりを設置するなど療養者の自立を尊重する支援を考える。
・トイレ移動が困難な場合：居室にカーテンやスクリーンを利用してトイレ空間をつくり，ポータブルトイレを設置し，プライバシーを確保する。音やにおいへも配慮し，安心して排泄ができるように環境を整える。

5）排泄に関するアセスメント項目

・既往歴，現病歴：脳血管疾患・泌尿器疾患・糖尿病・腎疾患などの有無。
・排泄状態：量，性状，回数，排尿・排便異常の有無。
・排泄行動の自立度：ADL状況，尿意・便意など。
・排泄を妨げる要因：水分摂取量，食事摂取量，生活環境，家族関係など。
・排泄に対する認識：意識障害の有無，価値観など。
・介護力：介護者の健康状態・排泄に対する考え，住環境など。
・社会資源：利用している（できる）社会資源，かかわっている職種など。

6）介護者の負担軽減への援助

排泄援助は，療養者にとって気兼ねなく，介護者にとって抵抗感なくできることが理想である。両者の気持ちや関係性を把握し，排泄援助に関する指導や排泄用品の紹介など情報を提供し，排泄に関しての介護負担が軽減できるように支援する。

7）褥瘡・感染症予防のための清潔援助

尿失禁などでやむを得ずおむつ使用や膀胱留置カテーテルを挿入している療養者の場合，尿路感染を起こしやすい。特に，女性は尿道が短いため膀胱炎なども起こしやすいので，できるだけおむつ内が汚れている時間を短くし，そのつど陰部洗浄を行う。

2 排泄用具の活用

1）尿　　器

（1）尿器の種類と長所・短所

尿器には，女性用と男性用がある（図2-1）。女性用の場合は，尿を受ける部分が広くなっている。

・手持ち式集尿器（しびん）：ベッド上での使用に限らず，車椅子利用時や立位でも使用できる。扱いやすく掃除が簡単である。一方，逆流防止機能が付いたものもあるが，容器の中に数回分をためておくことができないので，排尿後すぐに片づけが必要となる。療

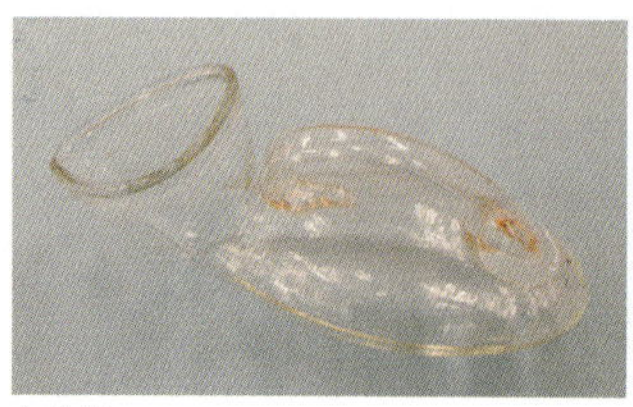

女性用

男性用

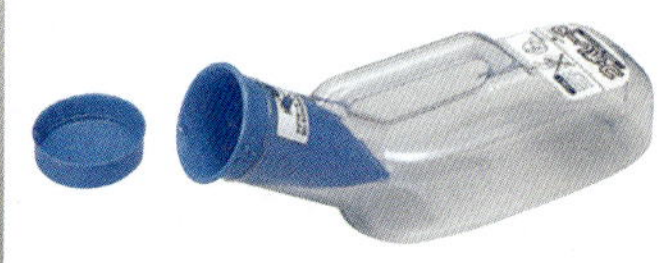

コ・ボレーヌ 男性用尿器 1000cc
洗浄ブラシ付
写真提供：ピップ株式会社
逆流防止機能付き男性用尿器

図2-1　尿器

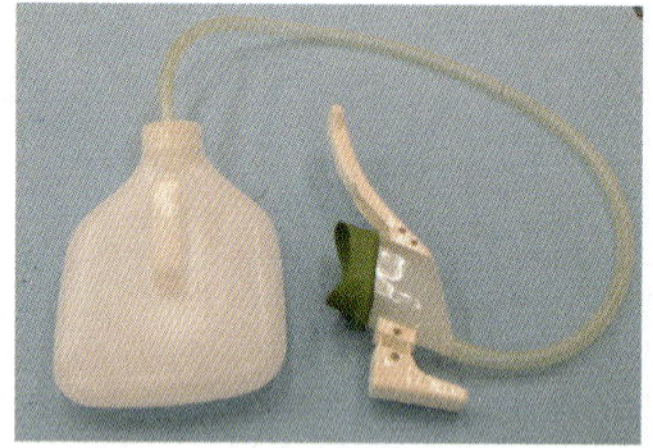

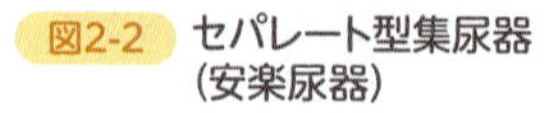

図2-2　セパレート型集尿器（安楽尿器）

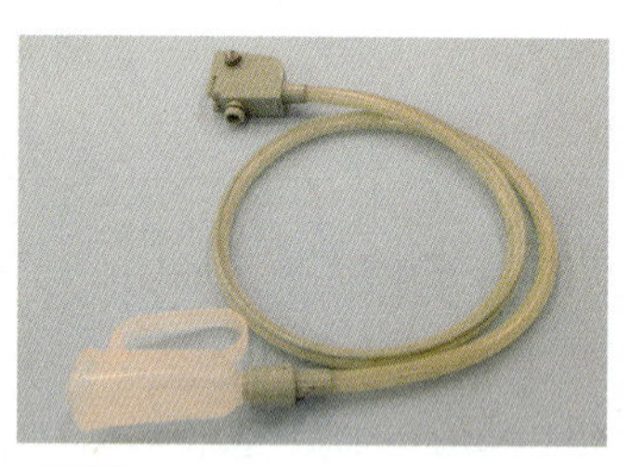

図2-3　自動吸引式集尿器

養者自身が使用する場合，うまく当てるために練習が必要である。

・セパレート型集尿器（安楽尿器）（図2-2）：尿を受ける部分と蓄尿部分が別になっていて，ホースでつながっている。蓄尿部をベッドの下に置き，高低差を利用して尿をためる。数回分の尿をためることができる。尿を受ける部分をうまく当てるためには練習が必要である。また，ホースが汚れやすく掃除がしにくい。
・自動吸引式集尿器（図2-3）：尿を受ける部分と蓄尿部分が別になっている。排尿をセンサーが感知して電動ポンプで自動的に尿を吸引する。値段が比較的高い。モーター音が気になる。

（2）尿器の使用手順

トイレまたはポータブルトイレへ移動できない場合に尿器を使用する。療養者が自分で尿器を使用して排尿できる場合は，セパレート型集尿器（図2-2）を使用すると介護者の負担が軽減する。

尿器（図2-1）の使用手順を以下に示す。

①腹圧がかかりやすいように，療養者の頭部を挙上する。
②療養者の掛け物を，下から扇子折りにして療養者の腹部の上に乗せる。
③下着を下げ，療養者の股間を開く。
④女性の場合，尿器の広口の先端を会陰部に密着させる。男性の場合，陰茎を尿器に入れる。排尿が終わるまで把持する。
⑤女性の場合，尿が飛び散らないようにトイレットペーパーを２～３枚重ねて縦に折り，恥骨上から陰部にたらす。
⑥トイレットペーパーや呼び鈴などを手の届くところに置く。療養者が自力で排尿ができる場合は呼ばれるまでそばから離れる。
⑦排泄後，陰部清拭または陰部洗浄を行う。

⑧療養者の手を洗うかおしぼりで拭く。
⑨必要時，部屋の換気を行い，排泄物を観察してから速やかに片づける。
※セパレート型集尿器を使用する場合，尿器はベッドの下に置き，蓄尿部分と採尿部分に布などを掛けて，人目を気にしなくてすむように配慮する。

2）便　器

（1）便器の種類と長所・短所

・差し込み式便器（図2-4）：小型で軽く差し込みやすい形状をしている。小型のため，跳ね返りなどで殿部が汚れやすい。差し込むと腰部が反るような違和感がある。
・ゴム製便器：殿部の下に敷き込み，その後空気で膨らませて使用する。身体へのあたりが柔らかい。掃除がしにくい。
・洋式便器（ベッドパン）（図2-5）：広い面積で採取できる。消毒がしやすい。陰部洗浄時の汚水受けにも使用できる。腰上げができない人には使用が困難。

（2）便器の使用手順

トイレまたはポータブルトイレへ移動できない場合に便器を使用する。
便器の使用手順を以下に示す。
①療養者の掛け物をはずす。
②療養者に膝を曲げてもらい，寝衣を腰の上まで上げ，下着を下げる。
③肛門部が便器の中央になるように当てる。また，殿部が安定するように便器を入れる。腰が挙上できる場合は，膝を立てて，介護者の片手で療養者の殿部を支え，もう一方の片手で便器を挿入する。腰が挙上できない場合は，側臥位にして殿部に便器を当てて元に戻す。
④女性の場合は，トイレットペーパーを２～３枚重ねて縦に折り，恥骨上から陰部にたらし，尿の飛散を防ぐ。男性の場合は，尿器を用意し，尿器に陰茎を入れる。
⑤腹圧がかかりやすいように，療養者の頭部を挙上する。
⑥呼び鈴などを手の届くところに置き，呼ばれるまでそばから離れる。
⑦排泄が終わったら，片手で便器を押さえ，もう一方の片手でトイレットペーパーを用いて尿道から肛門にかけて拭く。必要時，療養者を側臥位にし，トイレットペーパーで肛門およびその周辺を拭く。
⑧必要時，肛門およびその周辺を温湯と石けんで清拭する。
⑨療養者の寝衣や布団を整える。
⑩部屋の換気を行い，排泄物を観察してから速やかに片づける。

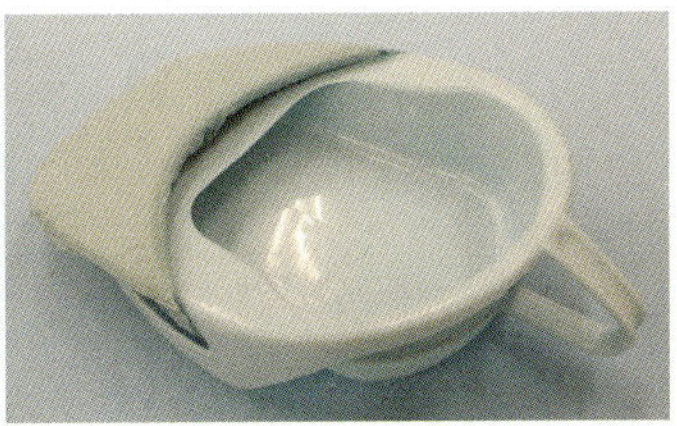
便器カバー使用

図2-4　差し込み式便器

図2-5　洋式便器(ベッドパン)

3）ポータブルトイレ

トイレ移動ができない療養者の場合，ポータブルトイレを使用することで，洋式トイレと同様の自然な姿勢で排泄ができる。また，起立しやすく移動動作を行いやすい。介護者もベッド上での排泄に比べ介護しやすい。

ポータブルトイレは以下の様々な種類があるので，療養者の状態に合わせて選ぶ。

・家具調ポータブルトイレ：肘かけや背もたれがあり，室内において家具のように見える。安定性はよいが，若干重い。
・樹脂性ポータブルトイレ：肘かけや背もたれがあり，軽いので持ち運びができる。座位時に冷たさを感じる。ポータブルトイレごと滑る可能性がある。
・金属製コモードポータブルトイレ：左右両方のアームが稼動でき，座面の高さも調節できる。掃除がしやすい。安定している。
・スチール製ポータブルトイレ：ベッドサイドからの横移乗ができる。アームが短いので横に転倒しやすく，重い。

4）おむつ

（1）おむつの種類と特徴

療養者が自分でトイレに行くことが困難で，失禁しがちな場合，安易におむつを使用することは好ましくない。トイレに行くことが困難になった場合は，尿器・便器やポータブルトイレなどを居室で使用することでQOLの維持につながる。また，失禁がある場合は，トイレまでの距離や衣服の着脱などが原因になっていることがある。排泄環境や衣服を工夫することで解決する場合もあるので，失禁の原因を把握する。

おむつ適用の原則を，以下に示す。

・本人のQOLと生活範囲を広げるために使用する。
・おむつ以外に有効な手段がない。
・排泄コントロールがつくまでの一時期の使用である。

おむつを使用する場合は，療養者の体型や身体的状況，活動状況，尿量などを観察し，療養者に適したおむつを選択することが望ましい。おむつには平型とパンツ型，テープ付きなどがあり，また布製と紙製がある。

・テープ付きおむつ：開くと平面になり，おしり全体をくるみテープでとめる。横になって過ごすことが多い療養者に適している。布製と紙製があり，布製は排泄物の量によっては漏れやすいが，洗濯し何度も使用できるのでコストは低い。紙製は布製に比べ漏れにくいが，かぶれやすく，洗濯できないのでコストがかかる。成人の場合，紙製のほうが種類が多い。
・パンツ型おむつ：パンツの形になっており，そのまま履くことができる。歩行などのリハビリテーションを行う療養者に適している。

（2）おむつの交換手順

おむつの交換手順については，看護技術の実際C に詳述 （p.116参照）。

（3）おむつの使用の留意点

・療養者に適したおむつを選択する。

・おむつは汚れたらすぐに交換する。夜間は，介護者の睡眠の確保も考慮し，時間を決めて交換する。
・おむつ交換時は，できるだけ陰部洗浄または清拭をして陰部の清潔を保つ。
・尿量を観察し，尿量が少ない場合は，おむつと尿取りパッドを併用し，尿取りパッドのみ交換する。

看護技術の実際

A 片麻痺のある療養者（トイレ移動し排泄できる療養者）の排泄援助

●目　　的：療養者が自分の力で排泄できるように援助する
●必要物品：車椅子

	方法と観察の視点	療養者・家族支援と根拠
1	**身体状態を観察する**（➡❶） ・覚醒状態，顔色，食欲，疾患に伴う痛みの有無 ・尿意・便意の有無	❶身体的苦痛がある場合，排泄を我慢し，トイレまで間に合わないこともあるので，事前の観察が必要である ●家族に身体状態の観察項目を説明する
2	**環境を整える**（➡❷） 1）室内を片づける 2）換気をする 3）室温を調整する 4）照明を調節する	❷室内からトイレまでの環境を整えることで，療養者の残存機能を活かし，自分の力で排泄できるようになる ●療養者・介護者に，環境整備について以下の点を相談・調整する ・居室からトイレまでの移動行程とトイレ内に手すりを設置する ・居室からトイレまでの移動行程の段差を解消する ・トイレが和式の場合，補助便座などの使用，あるいはトイレの改修をして洋式トイレに変更する ・トイレのドアの取っ手を大きくて握りやすいものに替える
3	**トイレへ移動する（車椅子使用）**（図2-6） 1）車椅子に移乗する ・車椅子を点検する ・車椅子の操作方法は適切か 2）車椅子に乗ったままトイレに入り，療養者が健側で手すりを持つことができる位置に車椅子を置く 3）車椅子のフットレストをはずす 4）療養者を立ち上がらせるときは，上半身を前屈させ，頭部を下げて，身体の重心が健側になるようにする。介護者は療養者を支え立ち上がる 5）介護者は，療養者の腰を支え，健側の足を軸に身体の向きを変える ・療養者が健側に体重をかけているか確認する 6）ズボンを下げてゆっくりと便座に腰を下ろす ・便座に座る位置が適切で安定しているか ・麻痺側の足の位置は適切か	●車椅子からトイレへの移動について，以下の点を説明する ・車椅子は療養者の体格や身体状況に合ったものを選ぶ ・安全な車椅子操作の方法 ・車椅子を止める位置，操作方法 ・療養者の手すりの持ち方と介護者の療養者を支える手の位置（療養者のズボンを持つと立ち上がらせやすい），立ち上がらせ方など ●療養者と介護者のバランスが崩れると転倒しやすいので，十分注意するよう伝える

方法と観察の視点	療養者・家族支援と根拠

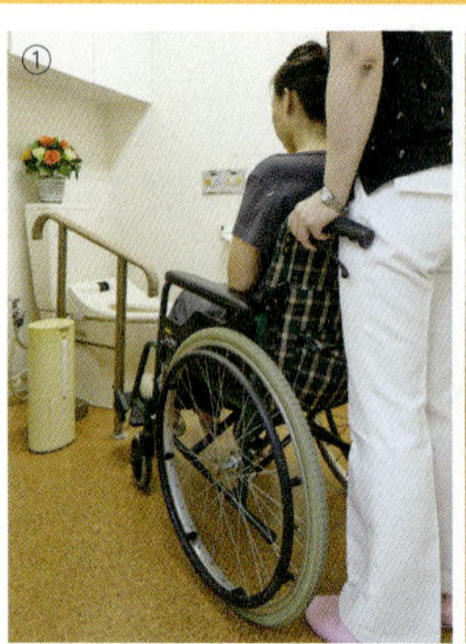

車椅子のままトイレに入り，療養者が健側で手すりを持てる位置に車椅子を置く

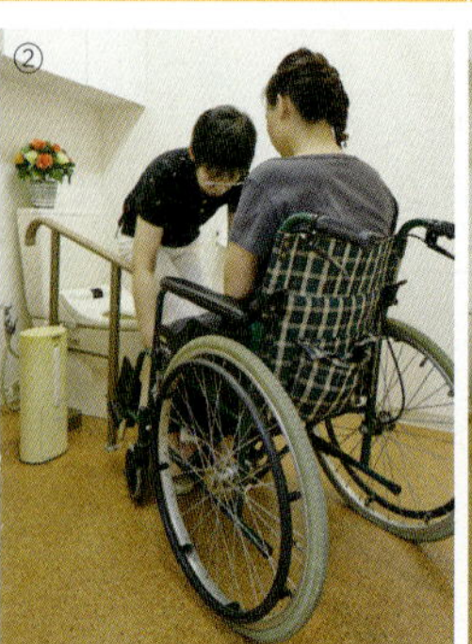

フットレストをはずす

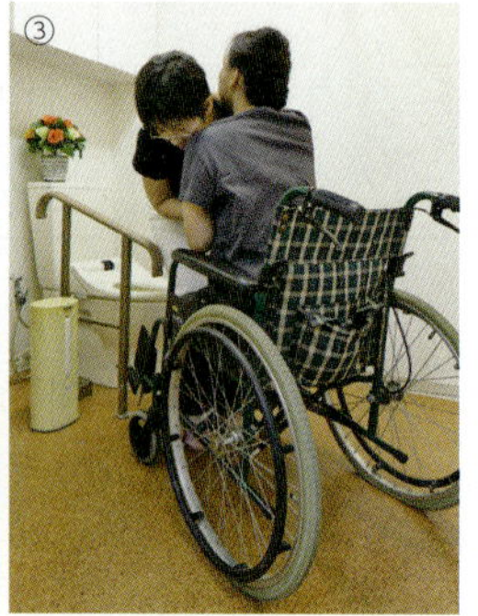

上半身を前屈させ頭部を下げて，身体の重心が健側になるようにする

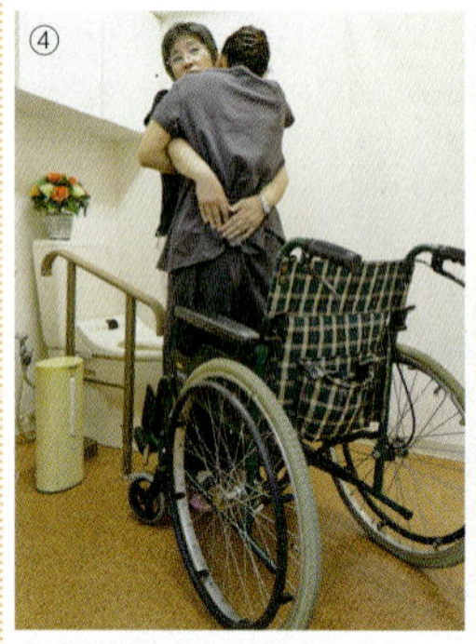

介護者は療養者の腰を支える

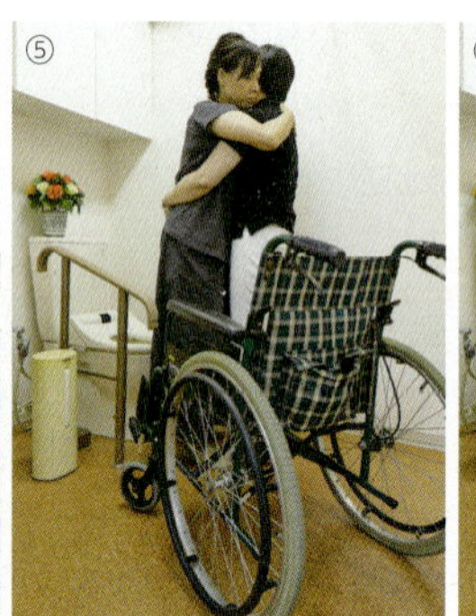

健側の足を軸に身体の向きを変える

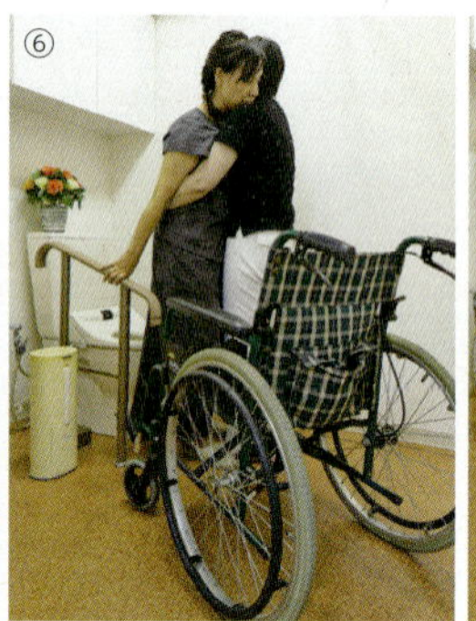

健側で手すりを持たせ，重心を健側におき，立位をとらす。着衣をおろす

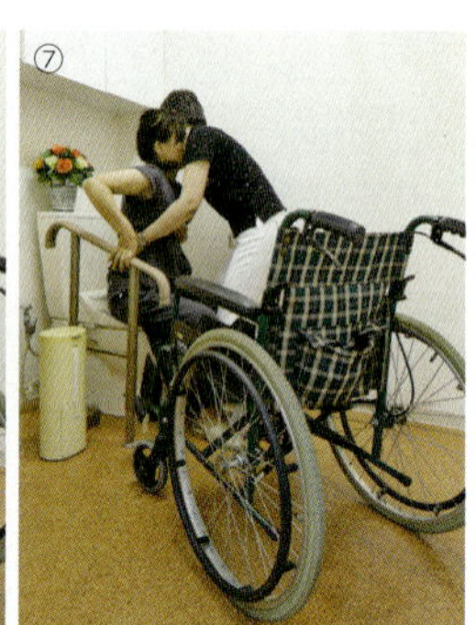

便座に腰をかける

図2-6　トイレへの移動（車椅子から便座に座るまでの介助）

4　排泄後の後始末をし，便座から立ち上がる（図2-7）

1）排泄が終わったら，自分で拭けるところまで拭いてもらう
2）健側で手すりを持ち，殿部を便座前方に移動させる
3）介護者は，療養者の足の間に軸足を挿入し，療養者の腰を支え，立ち上がらせる。療養者は健側の腕を介護者の首に回し，立ち上がる

・介護者が療養者を支える手の位置は適切か

4）後始末ができていない場合は，立ち上がった療養者に両手でしっかり手すりにつかまってもらい，立位が安定したら殿部を拭く
5）介護者は，療養者のズボンを上げる

●皮膚と粘膜の清潔を保持するために，排泄後，シャワートイレを利用し清潔に保つように指導する

	方法と観察の視点	療養者・家族支援と根拠

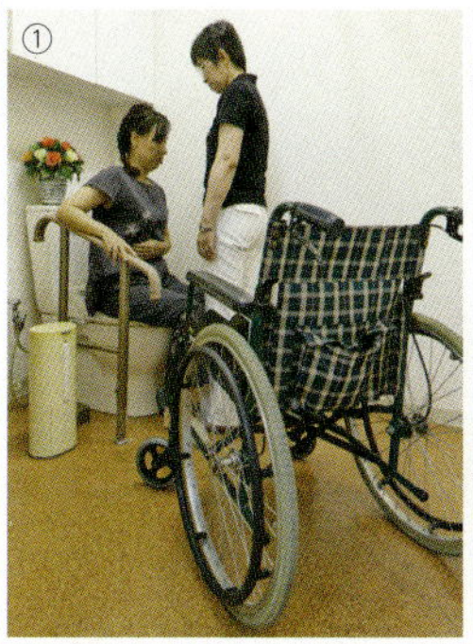
健側で手すりを持ち，殿部を便座前方に移動させる

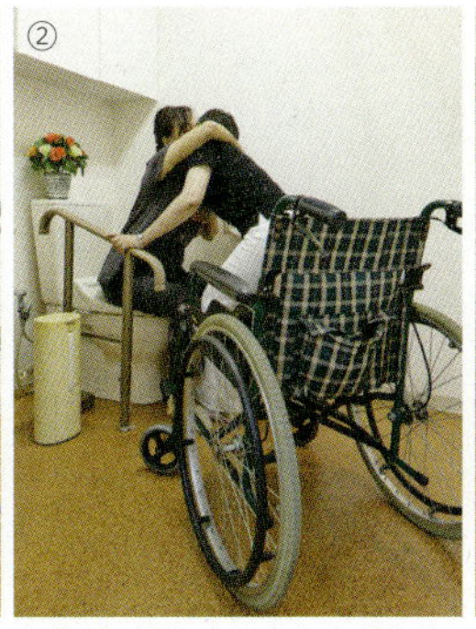
療養者の腰を支え立ち上がらせる

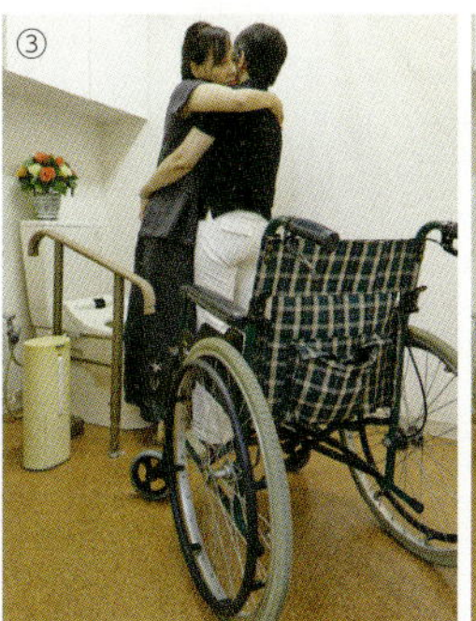
療養者は健側の腕を介護者の首に回し立ち上がる

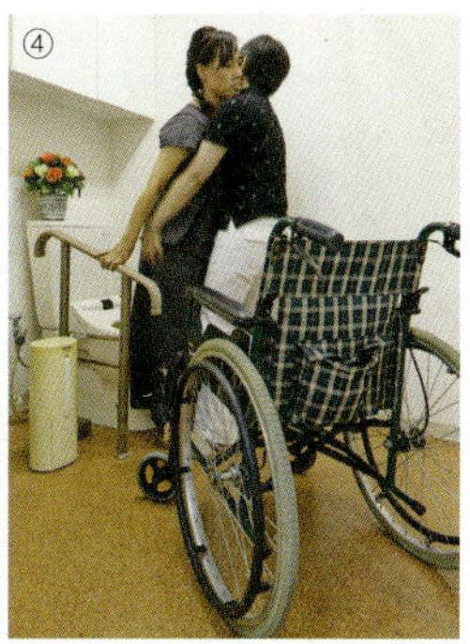
療養者のズボンを上げる

図2-7 便座からの起立の介助

	方法と観察の視点	療養者・家族支援と根拠
5	**トイレから車椅子へ移乗する**（図2-8） 1）介護者は療養者の腰を支え，健側の足を軸に身体の向きを変える ・介護者の手の位置は適切か ・療養者は健側に体重をかけ軸足にしているか 2）介護者は療養者の腰を支えたまま，車椅子に腰を下ろす 3）車椅子のフットレストに療養者の足を乗せ移動する	●療養者の立ち上がり方と手すりを持つ位置を指導する

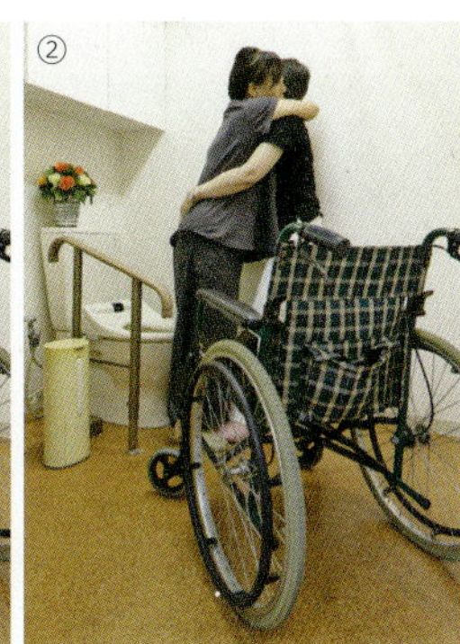

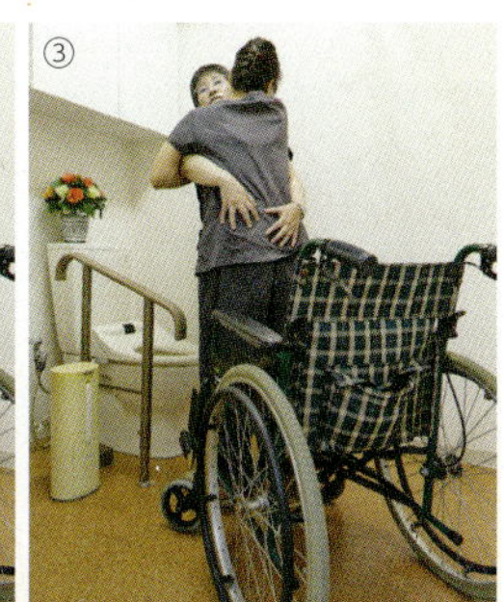

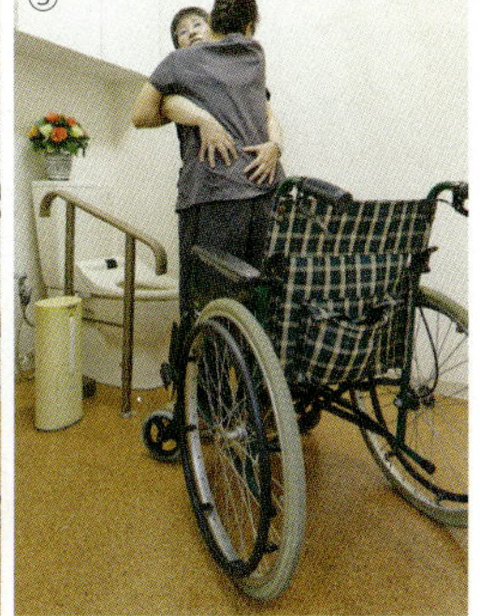

健側の足を軸に身体の向きを変える

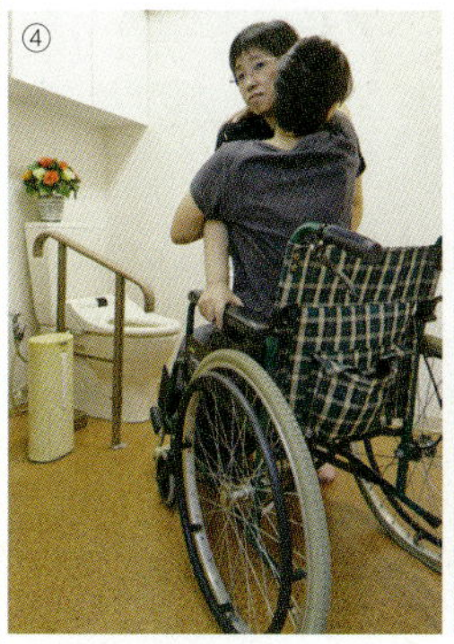
介護者は療養者の腰を支えたまま，車椅子に腰を下ろす

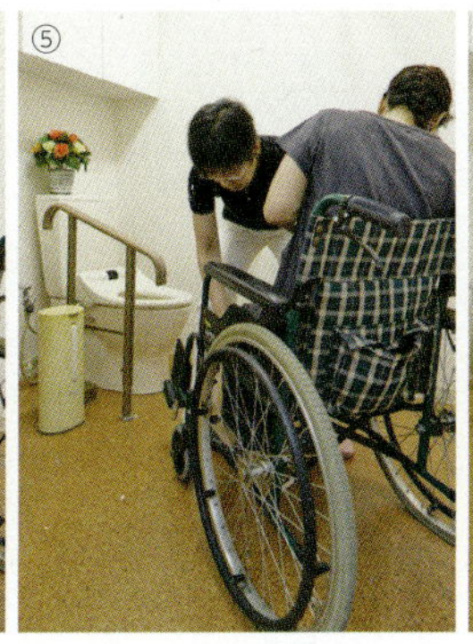
フットレストに足を乗せる

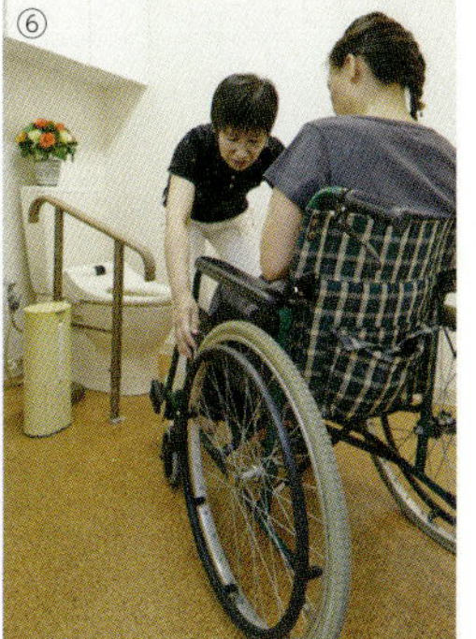

図2-8 車椅子への移乗介助

	方法と観察の視点	療養者・家族支援と根拠
6	**手を洗う** 1）車椅子に乗ったまま手洗いをする 2）車椅子で手洗いができない場合は，居室に帰り洗面器を使用して手を洗う。または，おしぼりやウエットティッシュで拭く	
7	**排泄物を観察する** ・排泄の有無，量・性状を観察する	●排泄の有無や性状を観察する必要性を説明する（➡❸） ❸排泄物の性状を観察することで療養者の健康状態を把握できる ●療養者がいる場で観察すると療養者の自尊心を傷つけるので配慮する
8	**排泄介助に関する情報を提供する** 1）リハビリテーションを勧め，セルフケアの確立を図る 2）寝衣類を工夫する	●理学療法士による訪問リハビリテーションや通所リハビリテーションなどの活用を促す（➡❹） ❹療養者の残存機能を維持し，自分で排泄できるためにはリハビリテーションが重要である ●寝衣類の工夫を紹介する（➡❺） ・おむつはパンツ型が着脱しやすい ・排尿・排便しやすい寝衣（上下が分かれている，ズボンタイプ）を選択する ・通気性があり，頻回の洗濯に耐えられる素材のものを選択する ❺トイレ移動・排泄の際，できるだけ自分で下着や寝衣の着脱ができると，介助もしやすい

B 片麻痺のある療養者（ベッドからポータブルトイレへ移動し排泄できる療養者）の排泄援助

●目　　的：療養者が自分で排泄できるように援助する

●必要物品：トイレットペーパー，おしぼり，消臭剤

	方法と観察の視点	療養者・家族支援と根拠
1	**身体状態を観察する** ・覚醒状態，顔色，食欲，疾患に伴う痛みの有無を確認する ・尿意・便意の有無を確認する	「A片麻痺のある療養者（トイレ移動し排泄できる療養者）の排泄援助」に準じる
2	**環境を整える** 1）室内を片づける 2）換気をする 3）室温を調整する 4）照明を調節する	●療養者・介護者に，環境整備について以下の点を相談・調整する ・ポータブルトイレは安定感がある物にする ・下肢側に置く ・トイレットペーパーを準備する ・排泄後の手洗い用品（またはおしぼり）を準備する ・居室に配置する場合は，カーテンなどで仕切りをつくる（➡❶） ❶ポータブルトイレで排泄する場合，プライバシーを保つことができる空間をつくることで安心して排泄に臨むことができる

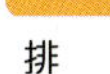

	方法と観察の視点	療養者・家族支援と根拠
3	**ベッドからポータブルトイレへ移動する**（図2-9） 1）健側で麻痺側の足をすくい，ベッドサイドに足をたらす 2）健側の肘関節を軸に起き上がり，端座位をとる ・端座位がとれるか確認する 3）介護者は療養者に室内シューズを履かせる ・滑りにくくないか確認する 4）介護者は，療養者の足の間に軸足を挿入し，療養者の腰を支え立ち上がらせる。療養者は健側の手を介護者の首に回し，立ち上がる ・介護者の療養者を支える手の位置は適切か（療養者のズボンを持つと立ち上がらせやすい） ・療養者は健側に体重をかけているかを確認する 5）介護者は療養者の腰を支え，健側の足を軸に身体の向きを変える。療養者はベッド柵を持ち，立位の姿勢をとる ・ベッド柵の持ち方は適切かを確認する 6）ズボンを下げてゆっくりと便座に腰を下ろす ・便座に座る位置が適切で安定しているかを確認する ・麻痺側の足の位置は適切かを確認する	●ポータブルトイレは療養者の体格や身体状況，環境に合った物を選ぶよう指導する ●ポータブルトイレへの移動時，療養者と介護者のバランスが崩れると転倒しやすい状況になるので，十分注意するよう伝える

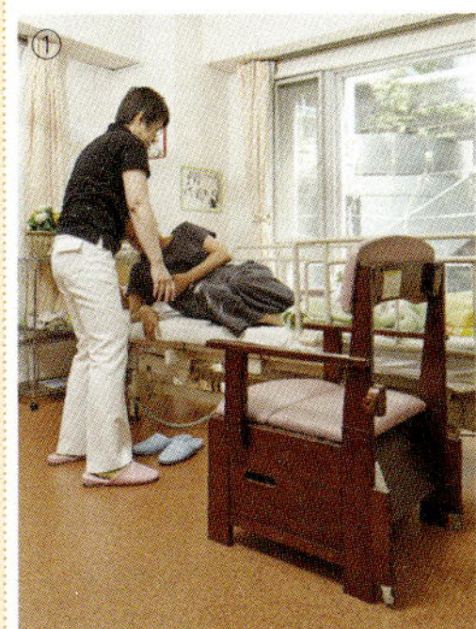
①健側の肘関節を軸に起き上がり端座位をとる

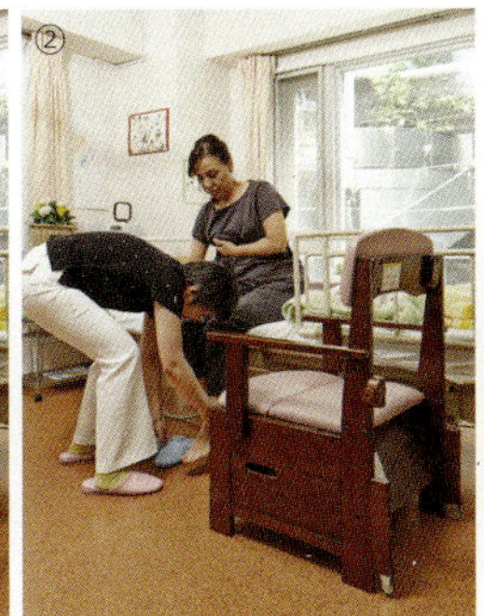
②室内シューズを履かせる

③介護者は療養者の腰を支え立ち上がらせる。療養者は健側を介護者の首に回し立ち上がる

④介護者は療養者の腰を支える

⑤健側の足を軸に身体の向きを変える（このときズボンをつかむ）

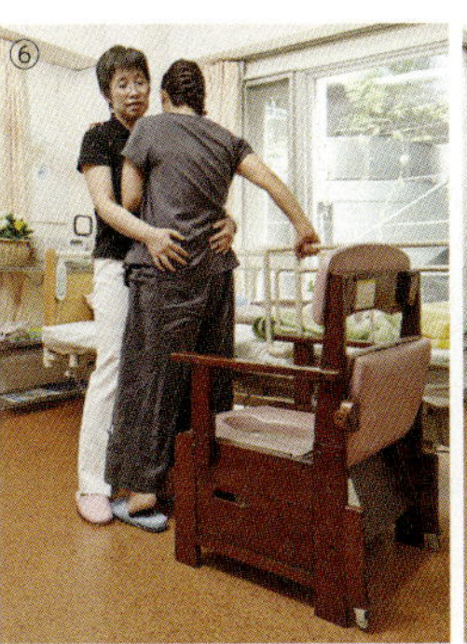
⑥療養者はベッド柵を持ち，立位の姿勢をとる

⑦便座に腰を下ろす

⑧便座に座る位置を確認する

図2-9 ベッドからポータブルトイレへの移動

	方法と観察の視点	療養者・家族支援と根拠
4	**排泄後の後始末をする** 1）排泄が終わったら，自分で拭けるところまで拭いてもらう 2）療養者は健側でベッド柵を持ち，介護者は療養者の腰を支え立ち上がらせる ・介護者が療養者を支える手の位置は適切か 3）介護者は，療養者のズボンを上げる	●皮膚と粘膜の清潔を保持するために，排泄後，陰部洗浄を行い清潔に保つ
5	**トイレからベッドへ移動する** 1）介護者は療養者の腰を支え，健側の足を軸に身体の向きを変える ・療養者は健側に体重をかけ軸足にしているか 2）介護者は療養者の腰を支えたまま，ベッドサイドに腰を下ろす	
6	**手を洗う** ・洗面器を使用して手を洗う。または，おしぼりやウエットティッシュで手を拭く	
7	**排泄物を観察する** ・排泄の有無，量・性状を観察する	●「Ⓐ片麻痺のある療養者（トイレ移動し排泄できる療養者）の排泄援助」に準じる
8	**排泄物を片づける** ・必要時，部屋の換気を行う	●療養者の自尊心を傷つけないように速やかに片づける

C おむつを使用している療養者（脊髄損傷などで，尿意・便意がない，あるいははっきりしない療養者）の排泄援助

●目　　的：おむつによる皮膚トラブルが起きないように排泄援助ができる

●必要物品：おむつ，トイレットペーパー，防水シート，陰部洗浄用具（陰部洗浄用ボトルまたはペットボトル，石けん，微温湯）

	方法と観察の視点	療養者・家族支援と根拠
1	**身体状態を観察する**（➡❶） ・発熱，呼吸，脈拍，血圧，疾患に伴う症状，顔色，殿部周辺の皮膚の状態，腹部の状態，便意・尿意の有無などを確認する	❶おむつ使用に伴い，尿路感染や褥瘡などの合併症を起こす可能性があるため，家族に身体状態の観察項目を説明する
2	**便意や尿意を確認し，おむつ以外の排泄用具で排泄できるよう調整する** 1）おむつ内に排泄される時間・間隔を把握する（➡❷） ・便意や尿意の有無を確認する 2）おむつは1日6～7回程度，毎日同じ時間に定期的に交換し，交換時に排泄がなかった場合，排泄を促す（➡❸）	●便意や尿意の有無を確認し，明らかな尿意でなくてもできるだけ伝えるように促す ❷おむつ内が濡れている状態がないようにし，皮膚トラブルを防ぐ ❸同じ時間に排泄を促すことによって排泄リズムが確立し，おむつ以外の用具で排泄できるようになる ●排尿障害がある場合，以下の援助を試みる ・水の音を聞かせる，陰部に温・冷水をかけるなど感覚刺激や温度刺激を与える ・膀胱の収縮が弱い場合は，恥骨上部を下部に向かって強めに圧迫する ●排便障害がある場合，以下の援助を試みる ・食物繊維の多い食事を工夫する ・1日に必要な水分量を飲水できているか確認し，定期的に飲水を促す ・腹部マッサージや温罨法を行う

	方法と観察の視点	療養者・家族支援と根拠
3	**おむつを交換する** 1）新しい紙おむつ，おしり拭き，ディスポーザブル手袋を用意する 2）汚れた面を巻き込むようにおむつをはずし，前側を拭く 3）身体を横向きにし，身体の下側のおむつの脇部分を丸め込む 4）殿部を拭き，おむつをはずす 5）新しいおむつを背中の中心に合わせて敷き，仰向けに戻す 6）左右対称になるようにとめる。股ぐりのギャザーは外側にする	●おむつ着用による精神的苦痛や自尊感情の低下（➡❹）に配慮し，療養者の排泄障害の理解度を把握したうえで，現在の状況と今後について説明する ❹精神的苦痛は排泄障害を悪化させる要因なので，療養者の思いを傾聴するなど精神的苦痛の軽減に努める ●陰部・殿部の清拭または洗浄を行い，清潔保持を指導する（➡❺） ❺おむつ使用時，特に殿部周辺の皮膚は褥瘡になりやすいことや尿路感染を起こしやすいことを説明し，こまめに陰部・殿部の皮膚を清潔に保つよう指導する ●テープ止めタイプのおむつの場合，ギャザーの機能を生かし，しっかりギャザーを広げ，下のテープを先に水平または上向きに止め，身体とおむつの間に隙間をつくらない。そして，上のテープを腰に合わせて下向きに止め，おむつ全体がずれないように注意するなどを指導する
4	**おむつからの離脱に向けた訓練などの情報を提供する**	●療養者に膀胱訓練や骨盤底筋訓練を指導し，排泄行動が向上するように促す ・根気よく続ける必要があるので，介護者も共に行う ・少しでも進歩がみられた場合，療養者に伝え，しっかりほめる ・理学療法士などの専門職と連携して行う

D 認知症療養者の排泄援助

●目　　的：認知症療養者の自尊感情を傷つけないように排泄援助ができる

●必要物品：おむつ，トイレットペーパー，防水シート，陰部洗浄用具（陰部洗浄用ボトルまたはペットボトル，石けん，微温湯）

	方法と観察の視点	療養者・家族支援と根拠
1	**身体状態を観察する** ・発熱，呼吸，脈拍，血圧，疾患に伴う症状，顔色，殿部周辺の皮膚の状態，腹部の状態，便意や尿意の有無などを観察する	●家族に身体状態の観察項目を説明する ●療養者は発言とは異なった行動を起こすことがあるので，排泄前後の行動を観察するように家族に説明する
2	**排泄に関しての一連の動作についてアセスメントする** ・尿意・便意の有無，下着の着脱の有無，後始末の有無など本人のできる部分とできない部分を見きわめる	●排泄に関する動作を理解し，療養者のサインを把握する ●衣服や下着を脱ぐ行為を忘れてしまい，そのまま排泄をしてしまうことがあるので，行動を共にしながら援助する ●下着などを脱ぐことに時間がかかって尿が漏れてしまうことがあるので，下着の上げ下ろしなどできない部分の援助を行う ●療養者によっては，尿取りパッドやパンツ型のおむつなどを使用する。尿取りパッドを使用する際，尿取りパットが最も吸収する箇所にあてるようにする ●起床時や食事前など，決まった時間にトイレ誘導するように声かけをする

	方法と観察の視点	療養者・家族支援と根拠
3	**環境の調整をする** ・トイレの場所や使用の仕方などの認識の有無を把握する ・トイレ以外の場所をトイレと思い込み排泄する ・トイレの場所がわからず探し回る ・トイレの使い方がわからず失禁してしまう ・漏らしたことを認識することができない ・汚れた下着を押し入れやタンスなどに隠そうとする。または，隠したことも忘れる	●療養者の排泄のタイミングを把握し，トイレ誘導を行う ●療養者にトイレの場所がわかるようにドアに目印（リボンなど）を付けるなど，工夫する ●声かけをしながらトイレの使い方を一緒に行う ●療養者が自分で交換ができる場合は，本人のわかる場所に尿取りパッドや新しいし下着を置き，着替えができるように工夫する ●トイレに座り，手が届く位置に汚れたものを入れることができる物を置くなど羞恥心に配慮する ●汚れた下着を押し入れやタンスなどに隠そうとするのは，羞恥心による場合が多いので，療養者を傷つけないように配慮する
4	**尊厳に配慮した声かけを行う** ・快感情が維持できるようにかかわる	●療養者の思いを傾聴するなど精神的苦痛の軽減に努め，自尊感情に配慮する ●認知機能の低下により，尿取りパッドなどの交換の必要性や方法を納得できずに嫌がる場合がある。本人の嫌がることはしないことを基本としつつも，感染面や衛生面から交換は必要のため，トイレ誘導時や着替えの流れのなかで交換できるように工夫する ●トイレ誘導を強制したり，失敗を責めたりしないようする ●突然，尿取りパッドの交換やおむつ交換などをするのではなく，療養者に事前に説明と同意を得たうえで行う。また，療養者が自分でできる場合は，自分で交換してもらいできる部分を尊重する ●汚れた下着の交換は，療養者を傷つけないように，きっかけをつくり交換する ●短く，わかりやすい言葉，笑顔でやさしく接することで，療養者の不安や警戒心を取り除くことができることを家族に指導する

文　献

1）河原加代子・他：在宅看護論<系統看護学講座>，第4版，医学書院，2013.
2）川越博美・山崎摩耶・佐藤美穂子編：最新訪問看護研修テキスト ステップ1，日本看護協会出版会，2005.
3）杉本正子・真舩拓子編：在宅看護論―実践をことばに，第3版，ヌーヴェルヒロカワ，2003.
4）水戸美津子編：在宅看護<新看護観察のキーポイントシリーズ>，中央法規出版，2014.
5）西村かおる編：コンチネスケアに強くなる排泄ケアブック，学研メディカル秀潤社，2009.

3 清　潔

学習目標

- 療養者の健康状態およびセルフケア能力と家族介護能力をアセスメントし，清潔方法の選択について提案できる。
- 療養者の健康状態およびセルフケア能力と家族介護力に合わせた清潔用具や衣服の選択・工夫を提案できる。
- 療養者の生活意欲および，家族介護力を高める清潔援助ができる。
- 療養者の健康状態およびセルフケア能力と家族介護能力に合わせた清潔行動に関する教育支援ができる。

清潔行動は，頭髪や全身の皮膚に付着した皮脂や垢，塵埃などの汚れを取り除くために行う。幼児期からの成長発達過程において，基本的な生活習慣として清潔行動は獲得され，それぞれのライフスタイルや好みに応じて，時間や方法を選択し実行されている。疾病や障害などにより自立して行えない場合は，清潔行為の一部あるいはすべてについて，家族介護者や専門職の援助が行われる。

1 在宅における清潔援助の意義

1）在宅療養者の身体的側面

清潔援助を行うことにより，皮膚粘膜の生理機能が正常に保たれる。免疫力を高め，療養者だけでなく，家族介護者にとっても感染予防になる。血液循環が促進され，新陳代謝，内臓器官の働きが促進するため，寝たきりや麻痺の療養者の褥瘡予防，生理機能の維持，改善に効果がある。関節を動かし，リハビリの機会となることで廃用症候群を予防するため，残存機能の維持・向上が図られ，日常生活行動の自立を促す。療養者と家族にとって，生活リズムや生活のメリハリが生まれ，活動意欲が高まる。

衣服は外界からの刺激から皮膚を保護し，皮膚に付着した汚れを吸着することで，皮膚を清潔に保つ。適切な衣服の調整は，外的刺激から皮膚を保護し，転倒時の身体損傷を予防する。また，体温を調節することで感冒，熱中症の発生も予防する。麻痺があり，運動機能の障害がある場合でも，残存機能に合わせた衣服の工夫を行えば，更衣や排泄行動の自立も可能になる。

2）在宅療養者の心理社会的側面

清潔はその人の生活習慣，価値観によって実施の状況に大きく差がある生活行動である。

その日の気分が面倒で入浴しない人もいれば，一日数回入浴するという人もいるだろう。援助を行う家族介護者の価値観にも左右され，介護疲れが重なると「多少汚れていても，誰も訪ねてこないし，出かけないからいいか」という思いを抱くこともある。認知症や障害のある療養者で本人が拒否する場合など，一日中パジャマのまま，数日間，入浴も更衣もしない状況も起こる。しかし，清潔行動は心理社会面でも大きな意義をもつ生活行動である。清潔援助をとおして，療養者と家族はコミュニケーションが図れる。爽快感が得られることで気分転換となり，覚醒効果から生活意欲が高まる。冠婚葬祭に合わせ礼服を着用することや，TPOに応じた衣服を着用することで，外出への参加意欲が増し，親族や友人などとの交流に意欲的になる。また，自分好みの服装をすることで気分が高揚し，生活にハリを与え，通所サービスへの参加や地域社会とのつながりがもてるようになる。身体の清潔を保つこと，清潔な服装と整容とは，家族との情緒的なかかわりや社会参加に欠かせない行為である。

3）家族介護者や専門職にとっての意義

家族にとっては清潔に関する介護方法を学ぶ機会となる。療養者の清潔が保持されていることは，介護の実感が得られ，介護能力の承認にもなる。療養者への愛情を示す援助であり，観察やコミュニケーションの機会となる。専門職の援助では，全身状態の観察の機会となり，療養者自身の心理状態，残存機能の維持・向上や病状悪化の予防，および家族介護力についてのアセスメントを行う場面となる。

2 在宅療養者の清潔における看護技術の特徴

1）療養者の生活習慣を尊重し，自立を支援する

1日の生活のなかでの清潔行動とは，朝洗面し，食前には手を洗い，食後に歯をみがくことに始まり，その日の外出用件に合わせて衣服を選び，着替え，整容する。帰宅後は寛げる衣服に着替え，入浴・洗髪して一日の疲れを癒し，就寝するという生活リズムのなかに組み込まれた行動である。外出が困難な状態にあっても，夜間と日中の衣服を着替えることで，生活リズムを整えることにつながる。このように，朝起床してから夜就寝するまで人々は自分自身で，選択しながら意思をもって清潔行動を行っている。

在宅で行われる清潔援助方法には，入浴・シャワー浴，陰部洗浄，清拭，洗髪，部分浴（手浴，足浴），口腔ケア，更衣，整容（洗面，ひげそり，爪切り）などがある。清潔行動は，石けんやシャンプーの種類や洗身用のタオルの素材，洗う部位の順番，洗い方の強さなど療養者それぞれによって好みや習慣がある。誰でも基本的な生活習慣として清潔行動を獲得した後は，すべての清潔行動を自立して行いたいと考えるだろう。しかし，健康状態や運動機能に障害があり，自立して行えない部分がある療養者はやむを得ず，清潔行動を他者の手に委ねている。

専門職や家族介護者に清潔援助を受けるということは，羞恥心を伴い，療養者にとっては苦痛である場合もあるということを理解し，援助を提供しなければならない。そのため，少しでも残存機能を活用し，自立して行えるように清潔方法や道具の活用を行う。さらに，自力での動作がまったく困難な場合においても，どのような方法で，どこから洗うか，どんな衣服に着替えるかなど療養者自身が選択し，意思決定できるように声をかけながら行うことも重要である。療養者は疾患の進行や加齢変化により，徐々に生活行動における選択の機会が少なくなる。そのなかで日々の清潔援助時に本人の希望を確認することが，療養者自身の選択・意思決定の貴重な機会を得ることになる。また，浴室，脱衣所は療養者のみならず，家族も共有する場所であり，プライバシーの配慮も必要となる。

2）清潔援助を拒否する療養者に対する援助方法

認知症療養者は，清潔行為の手順を忘れたり，清潔行為の必要性を理解していなかったりすることから，身体に触られることへの恐怖心があり，清潔援助を激しく拒否することもある。また，うつ病の療養者は，清潔行動への意欲が低下し，何日間も入浴や歯みがき，更衣を行えない状態になる。療養者が清潔援助を拒否する理由について，その心理を理解したうえで，無理強いせずに援助する必要がある。認知症の療養者には，外出前に身支度を整える意味や，良眠のための入浴の必要性を説明し，行為について次の手順を示しながら，自らできる範囲は自立して行えるように促す。意欲が低下している場合は，まずは1日で行う清潔を洗顔や足浴など部分的な行為から始め，その結果，爽快感が得られることで，次の部分の清潔行動への意欲を高める。

3）在宅における清潔援助の方法

療養者の健康状態，セルフケア能力，家族の介護能力によって，清潔方法を選択し，物品の工夫と用具の活用による援助中の体位保持を行う。毎日全身の清潔援助を行うことは，療養者と家族介護者の身体的負担が大きくなるため，日によって部位を分けて行うことで負担を軽減できる。介護用品にはペットボトルや45Lビニール袋など在宅にある物品を活用できるため，看護師は経済的にも負担とならない方法を提案し，一緒に作成する。

療養者の住環境は様々である。たとえば浴槽が据え置き型か，埋め込み型かによって浴槽をまたぐ姿勢も変わり，また，浴室が狭く介助者が入れない場合はドアを開けたまま援助を行うこともある。住環境に合わせた，安全で安楽な清潔援助の方法を工夫する必要がある。自宅の浴槽では入浴が困難な場合でも，訪問入浴サービスを行えば，居室で臥床したままでの入浴が可能である。これにより，終末期であっても循環動態の変動を最小限に抑えて，入浴の効果を得ることができ，QOLが維持できる。

訪問入浴サービスでは看護師と介護職が協働で援助を行うため，療養者や家族に関する情報共有や，援助中の役割分担，連携が重要となる。身体介護の訪問介護サービスの利用や，通所サービスの利用により清潔援助を受けている療養者では，訪問看護と他施設の看護職，介護職が協働することが多い。看護師は療養者の健康状態の変化をアセスメント・予測し，他施設の看護師や介護職へ留意点を伝えるなど，清潔援助時のリスク予防に努めなければならない。また，家族介護で行っていても，家族の加齢などにより介護負担が大きくなってきた場合は，通所サービスを導入し，入浴介助によって清潔を保つ方法もある。療養者と家族の希望を取り入れ，社会資源の活用を提案し，ケアマネジャーと調整する必要がある。

4）在宅における清潔援助方法のポイント

（1）入　浴

入浴は日中の疲労を回復し，良い睡眠の確保になり，日本人にとって欠かせない生活習慣である。しかし，血圧変動や酸素消費量の増大は循環・呼吸機能に問題がある療養者にとっては，病状悪化のリスクが高い。また，在宅での援助では浴室，脱衣所の広さ・構造や設備も千差万別である。高齢者や運動機能の障害がある場合は転倒のリスクもある。循環・呼吸・運動機能の状態と入浴動作の自立の程度，浴室環境を考慮して，入浴が可能か，シャワー浴を行うか判断する必要がある。詳細は「Ⓐ自力で座位保持ができる療養者の入浴・シャワー浴」を参照。

（2）陰部洗浄

陰部の清潔援助に対しては羞恥心に配慮し，可能な限り療養者が自身で行えるように方法を工夫する。そのため，できる限り残存機能を活かして，入浴やシャワー浴，ポータブルトイレやトイレでの洗浄を行う。陰部洗浄は１日１回尿路感染防止のために実施し，おむつ排泄の場合は排便時にも行う。しかし，長期臥床の療養者の場合，股関節・膝関節の拘縮が強く，家族介護者にとっては難しく，負担の大きい援助である。そのため，体位保持枕の活用をするなど，介護者一人でも可能な方法を提案する。介助によりトイレまで歩行可能であれば，シャワーボトルや温水洗浄付き便座の機能を活用して陰部洗浄を行う方法もある。詳細は「Ⓑ自力で座位保持ができる療養者のトイレ（ポータブルトイレ）で行う陰部洗浄」を参照。

（3）清　拭

入浴が困難である療養者の場合は，清潔の援助を行う。皮膚が脆弱な療養者の場合は清拭する圧に注意し，優しく押さえ拭きを行う。蒸しタオルによる熱布清拭は温熱効果を高め，入浴の気分を感じることができる。長期臥床で拘縮のある療養者の全身清拭を家族介護者が一人で行うことは療養者・家族双方に負担が大きい。背部の清拭や更衣は訪問看護時に行い，家族は発汗時に顔や腋窩を拭くなど，部分的な介護ができるように教育支援を行う。全身清拭時には，家族の疲労度状況などを考慮しながら，協力が得られれば，看護師と一緒に行うことで介護の知識が習得できる。清拭援助による爽快感と清潔が保持されることは，療養者にとっても家族にとっても満足感が得られる。詳細は「Ⓒ自力での体動が困難な療養者のベッド上で行う全身清拭と更衣（家族介護者と２人で行う方法）」を参照。

（4）洗　髪

入浴が困難な長期臥床の療養者の場合，簡易洗髪容器を用いて，ベッド上での洗髪が可能である。湯をかけながら行う洗髪はエネルギー代謝が増加するため，蒸しタオルを利用する方法もある。ドライシャンプーと蒸しタオルを併用すると，さらに洗浄効果や爽快感が増す。市販のドライシャンプーは種類も豊富になり，療養者の好みに合わせて選択ができる。準備や片づけ，実施の負担が少なく，簡便に洗髪が行えるため，毎日でも洗髪を行うことができる。また，家庭にある物品でケリーパッドを作成することもできるため，療養者の希望があれば，その日のケアとして予定していない洗髪でも実施することが可能である。詳細は「Ⓓ自力で体動が困難な療養者のベッド上で行う洗髪」を参照。

(5) 部分浴(手浴・足浴)

洗面器やビニール袋を用いれば,ベッドや椅子に座った状態でも家族介護者一人で行うことができ,満足感も高く,取り入れやすい援助方法である。また,手浴・足浴後は爪が切りやすくなり,介護負担も軽減でき,皮膚の損傷も予防できる。詳細は「E自力で体動が困難な療養者のベッド上で行う手浴・足浴」を参照。

(6) 口腔ケア・義歯の手入れ

高齢者や脱水傾向にある療養者,経口摂取が困難な療養者は,唾液の分泌が減少し,口腔内が不潔になりやすい。口腔内の汚れは,食欲低下や誤嚥性肺炎の原因となる。口腔内の乾燥を防ぎ,清潔を保つためにも1日1回以上の口腔ケア実施が望ましい。口腔内を湿らせるため,療養者が誤嚥を起こさないように使用物品の工夫,たとえば吸引器に接続できる歯ブラシやウォーターピック(水流により口腔内を洗浄する機械)を吸引しながら用いるなどを提案する。また,体位の保持の工夫と留意点についても指導し,家族介護者が安全に実施できるようにする。

義歯の手入れを怠ると感染やう歯を引き起こし,口臭の原因になるだけでなく,味覚にも影響を与える。療養者は義歯であると知られたくない,はずすところを見られたくない気持ちがあるため手入れが困難になっていても,家族は気づくのが遅れる。また,義歯を長期間外していたり,栄養状態の変化があったりすると歯牙や歯肉の状態が変わり,義歯が合わなくなる。療養者が総義歯なのか部分義歯か,手入れと装着が正しく行えているかを日常的に確認し,セルフケアできない部分は援助する必要がある。詳細は「F自力で体動が困難な療養者のベッド上での口腔ケア」を参照。

(7) 更衣・整容

起床し,自分の好みの服装に着替えて身支度を整えることは,睡眠という休息からその日一日を意欲的に活動するための生活習慣である。身だしなみに気を配り,自分好みに整えるのは,自己表現であり,他者との交流,社会生活において重要な行為である。そのため,療養者の残存機能を最大限に生かして,可能なかぎりに自立して行えるように援助する。運動機能の障害により行為の実行が困難であっても,衣服の種類や整容の方法について,療養者自身が選択・決定できるようにする必要がある。

看護技術の実際

A 自力で座位保持ができる療養者の入浴・シャワー浴

●目　的:入浴には温熱刺激と静水圧により血行が促進され疲労が回復する効果がある。さらに,浮力により筋力の負担が軽減し,関節運動が容易になることで,リラックス効果やリハビリテーションの機会になる

●必要物品:タオル,バスタオル,浴用タオル,石けん,洗面器,シャンプー,コンディショナー,シャワーチェア(シャワーキャリー),バスボード,滑り止めマット(図3-1),水温計,着替え,皮膚保湿クリーム,飲料水,手袋,ビニールエプロン,長靴

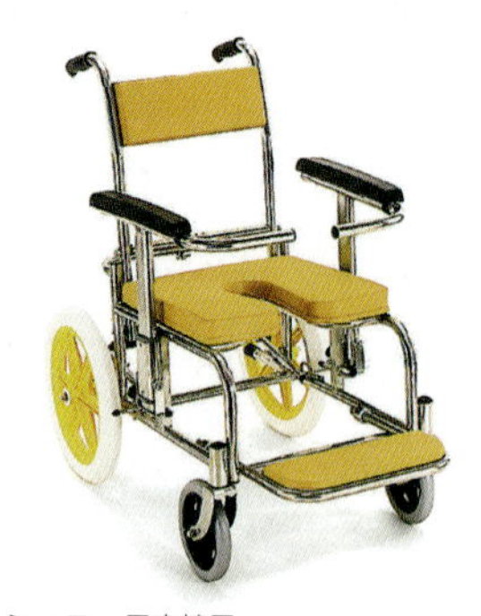

シャワー用車椅子
写真提供：株式会社カワムラサイクル

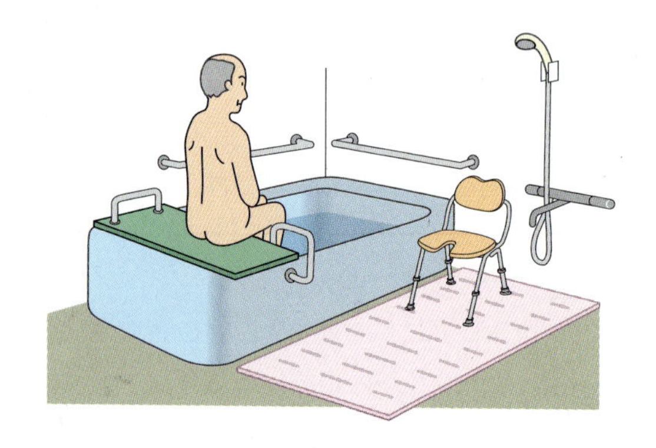

図3-1　シャワーチェア(シャワーキャリー)，バスボード，滑り止めマット

	方法と観察の視点	療養者・家族支援と根拠
1	**療養者の健康状態を確認する** ・バイタルサイン（血圧，脈拍，呼吸，体温，意識状態），睡眠状況，食事時間，尿意・便意，排泄の有無	●入浴・シャワー浴による血圧と呼吸への影響を予測し，入浴可能か判断する ●入浴・シャワー浴を拒否する場合は理由を確認し，傾聴しながら促す ●食後や運動直後の入浴は気分不良が起こるため避ける。また，リスクがある場合は，静水圧の影響のないシャワー浴を選択する ❶入浴により脳血流量が増加するが，入浴後に静水圧がなくなることで，一気に脳血流が減少し，めまいなどを起こす
2	**浴室・脱衣室・居室の環境を整える** ・脱衣所は10分前に27℃程度に温めておく[1]（➡❷）	●血圧の変動，体温低下を予防する ❷脱衣所の気温が低い，外との温度差が大きい場合は，呼吸器・循環器系の変化，血圧上昇を招く
3	**必要物品を準備し，脱衣する** 1）着替えは，下着から着る順番に重ねておく 2）脱衣所には椅子を置き，座位で脱衣する（➡❸） 3）自力でできる部分は見守り，介助が必要な部分のみ介助する ・皮膚の状態(発赤，びらん，外傷の有無)，自立の程度	●援助をスムーズに行い，体温の低下や，体力の消耗を抑える ●羞恥心があるため，療養者自身で行えるように，行為の順番を声かける ❸転倒の防止 ●皮膚の状態を観察し，異常があれば入浴を避ける
4	**体を洗う** 1）シャワーチェアはお湯をかけて温める（➡❹） 2）足元からシャワー，かけ湯を行い（➡❺），下半身，上半身の順で温める 3）湯につかる。 ・一般的な温度は40～42℃である（➡❻） 4）全身の洗身後に湯につかる場合は，洗身中には，足浴しながら保温する 5）顔，髪，上半身，下肢を洗う 6）手の泡をよく落とし，手すりを握って（➡❼）立位をとる 7）立位で大腿後面，陰部，殿部を洗う（図3-2） 8）お湯で全身をよく洗い流す ・循環，呼吸，意識状態，顔色の変化 ・全身の皮膚の状態（発赤，びらん，湿疹，外傷） ・立位バランス，ふらつき，疲労度，表情	❹皮膚が直接触れる場所は湯で温めて，座ったときの冷感を与えない ❺かけ湯を省略した場合，急激な温度変化により交感神経優位となる ●身体を洗う順番や湯につかる時間は療養者の好みや習慣に合わせるが，循環や呼吸状態を観察しながら声をかける ❻37～39℃は，入浴直後の血圧変動が少なく副交感神経を刺激するため鎮静効果がある。43℃以上の高温は，交感神経を刺激するため精神を高ぶらせ，血圧を上昇させる[2] ❼転倒を予防する ●縦手すりは上下運動，横手すりは座位の保持，移動，L手すりはその両面をサポートする機能があり，浴槽内からの立ち上がりに使用する ●立位で洗う殿部や大腿後面は最後にすると，立ち上がる回数を減らせる ●療養者が手すりを把持する位置，手すりとシャワーチェアの距離が適切であると，立ち上がり動作が容易になり姿勢が安定する

	方法と観察の視点	療養者・家族支援と根拠
	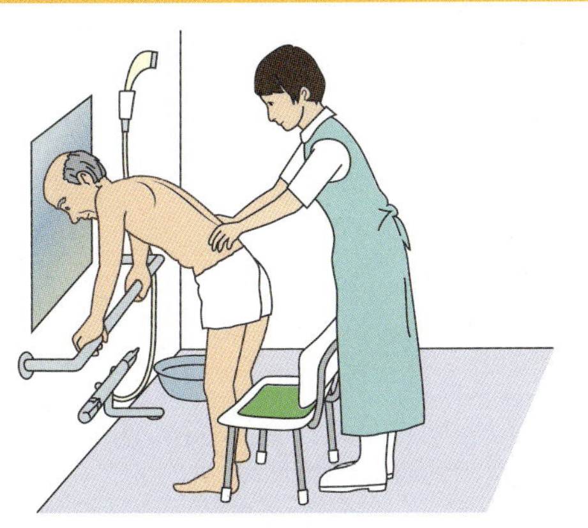 図3-2 立位で殿部を洗う方法	
5	**浴槽に入る** 1）立位で足を挙げて浴槽をまたげない場合は，バスボードに腰かけて片足ずつ浴槽に入る 2）湯あたりを避けるため，湯に浸かる時間は10分以内とする（➡❽） ・顔色，皮膚色の変化，発汗量，呼吸状態，意識状態 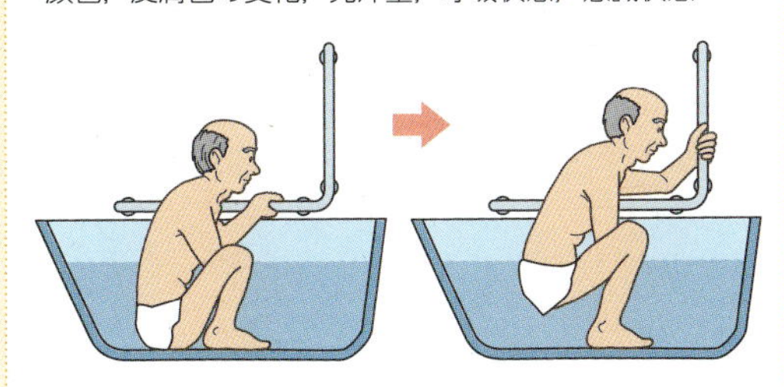 図3-3 浴槽からの立ち上がり方	●立位が可能か，手すりを持って片足立ちが可能か（図3-3），坐位保持が可能か，浴室までの歩行が可能かなど移動動作の自立の程度によって，浴槽の手すりの設置，バスボード，シャワーチェア，シャワーキャリーなどの用具を活用する ●皮膚が直接触れる用具は購入になる。また，住宅改修の場合は家族も浴室を使用するため，使用方法やメリットを十分に情報提供し，種類の選択・決定は療養者と家族の意思決定を尊重する ❽体温の上昇や発汗量考慮し，10分以内の入浴(湯につかっている時間)が安全と考えられる
6	**清潔な衣服に着替える** 1）脱衣所に向かう前に身体の水分をよく拭き取る（➡❾） 2）拭き取りが難しい殿部や大腿後面の水分は，椅子や車椅子にタオルを敷いておくと，座っている間に吸収できる 3）椅子に座って着衣する（➡❿） ・循環，呼吸，意識状態，顔色 ・疲労度，表情	❾気化熱奪取による体温の低下，冷感を防ぐ ●入浴後は温熱効果により，血管が拡張し，立位による急激な血圧低下，ヒートショックを引き起こしやすいので，注意する ❿更衣は座って行うことで血圧低下による気分不良，意識喪失を予防し，転倒を起こさないようにする
7	**保湿をする** ・クリームは何か所かに点在させて手のひら全体でできるだけ広範囲に伸ばして，肌がしっとりするように塗る（➡⓫）	⓫石けんにより皮脂分を取りすぎると皮膚が乾燥し，高齢者の場合には皮膚瘙痒の原因にもなる
8	**水分補給をする** ・水やお茶，電解質を含む飲料の飲水を促す（➡⓬）	⓬温熱作用による発汗と不感蒸泄の増加で体内の水分を喪失するため，水分を補給し，脱水を予防する

❶長弘千恵：健常高齢者の入浴時における浴室温が循環動態に及ぼす影響，日本公衆衛生誌，53（3）：178-186，2006.
❷大野秀夫・他：中高年者を対象とした冬季入浴後の熱的快適性に関する研究，人間と生活環境，7（1）：40-47，1999.

B 自力で座位保持ができる療養者のトイレ(ポータブルトイレ)で行う陰部洗浄

●目　　的：陰部は排泄物，分泌物で汚染されやすく，高齢になると自浄作用も低下する。入浴やシャワー浴が毎日行えない場合でも，陰部洗浄は尿路感染症の予防のために1日1回は行う必要がある

●必要物品：手袋，ガーゼ（不用になった衣類など布をハンカチ大に切った端切れ），石けん，シャワーボトル，タオル，バスタオル，トイレペーパー

	方法と観察の視点	療養者・家族支援と根拠
1	**トイレ・居室の環境を整える** ・室温，換気の状態	●廊下やトイレと居室内の温度の差は，血圧変動を招く，また陰部洗浄時には下着まで脱ぐ必要があるため，保温により，血圧変動を予防する
2	**必要物品を準備し，トイレに移動する** ・お湯と石けん，おむつや下着の着替えを療養者の歩行の動線に入らない，位置に置く	●スムーズな援助により，羞恥心に配慮することができる ●陰部は粘膜であるため，低めの38～40℃のぬるま湯で洗浄する方法が適している
3	**トイレに座る** 1）手すりを把持し，衣服と下着をおろし，便座の奥に深く座る（図3-4） 2）ズボン，下着は片側を脱ぎ，保温のためにバスタオルで覆う ・立位バランス，ふらつき，顔色 ・尿意，便意の有無 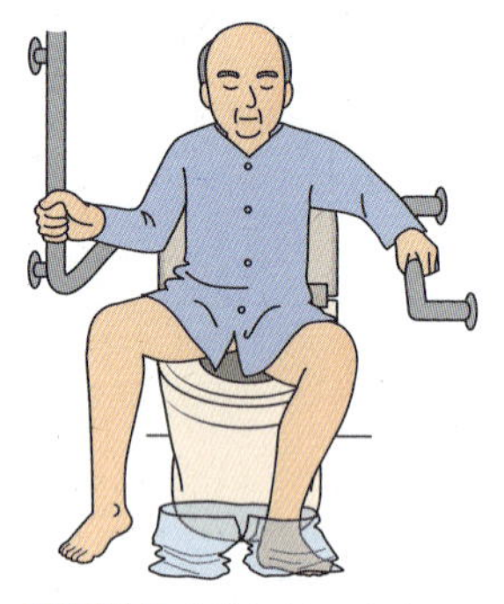 図3-4　座位保持の方法	●立位，座位姿勢を確保し，転倒を予防する 片手で手すりを持ち，バランスが保てれば療養者自身で衣服，下着を脱ぐことにより羞恥心が軽減できる ●トイレに座ることで，腹圧がかかり尿意・便意を起こすことがあるため，先に排泄を済ませられるように声をかける
4	**陰部を洗浄する**（図3-5） 1）手袋を装着する 2）ビニール袋に泡立てた石けんをガーゼ(いらなくなった衣類など布をハンカチ大に切った端切れ)につけて置いておく 3）足を開き，陰部をお湯ですすぐ 4）女性の場合は陰唇を開き，尿道口から肛門側へ洗浄する，男性の場合は尿道口・亀頭から洗浄する，肛門周囲を洗浄する 5）石けん分が残らないようによくすすぎ，ガーゼで押さえ拭きして水分をよく拭く（➡❶） 6）新しい下着，おむつに履き替え，立位になって肛門周囲殿部の水分を拭き取る ・陰部の皮膚，粘膜の状態（発赤，びらん，湿疹，出血，帯下） ・殿部の皮膚の状態（発赤，びらん，褥瘡）	●陰部洗浄の必要性を説明し，自力でできる部分は療養者自身で行うように声をかける ●認知症者の場合は手順を一つひとつ説明する ●高齢者の場合，皮膚・粘膜を損傷しやすいため，こすらず泡で優しく洗浄し，水分の拭き取りも押さえ拭きで行う ❶尿や便が皮膚に付着したままだと皮膚がアルカリ性に変化し細菌が繁殖しやすくなるため，バリア機能を維持するためにも速やかに洗浄する必要がある

	方法と観察の視点	療養者・家族支援と根拠
		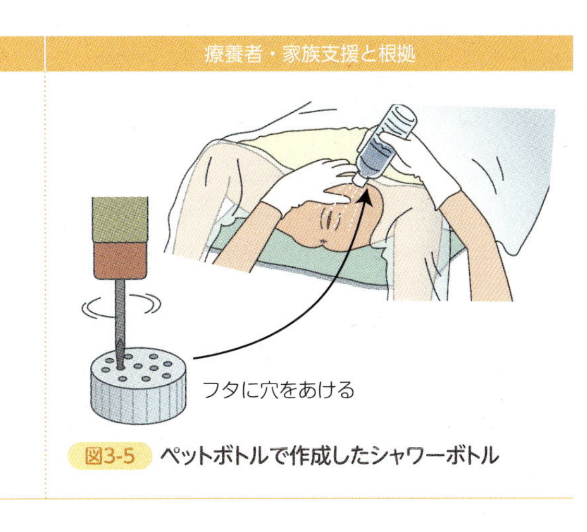図3-5 ペットボトルで作成したシャワーボトル

C 自力での体動が困難な療養者のベッド上で行う全身清拭と更衣（家族介護者と2人で行う方法）

●目　的：入浴，シャワー浴が行えない場合は清拭を行う。皮膚の汚れを取り除くとともに，清拭の摩擦刺激によって血行促進効果，関節を動かすことによる機会になり，褥瘡予防・関節拘縮予防の効果がある

●必要物品：タオル，バスタオル，ガーゼ，洗面器（バケツ），石けん，蒸しタオル，着替え，体交枕，手袋，体位を安定させる介護用品（図3-6）

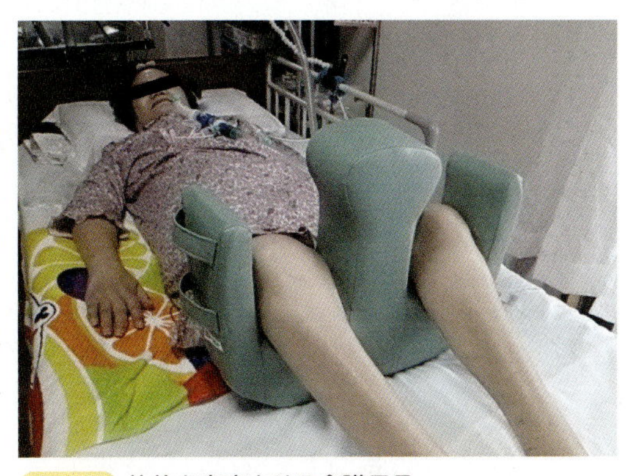
図3-6 体位を安定させる介護用品

	方法と観察の視点	療養者・家族支援と根拠
1	**療養者の健康状態を確認する** ・バイタルサイン（血圧，脈拍，呼吸，体温，意識状態），睡眠状況，食事時間，排泄の有無	●清拭による血圧と呼吸への影響を予測し，清拭可能か判断する ●清拭は循環動態が変動し，エネルギーが消耗するため，状態が整っていなければ，清拭を避ける
2	**居室の環境を整える** 1）清拭時の室温は24± 2℃に保つ 2）空調の風が療養者に当たらないように，風向を調整する 3）窓側のカーテンや障子，隣室へのドア，襖を占める	●個々の家庭では室温が異なること，居室に湯を運ぶ間に気温が下がることがあるので，室温を調整し，気化熱奪取を予防し，療養者の体温低下を予防する ●プライバシーを保護し，室温を一定に保つ
3	**必要物品を準備する** 1）着替えはどれにするか療養者と家族に確認する 2）着衣する順番に重ねてベッドの足元に置く，冬場は布団の中に入れて温めておく 3）洗面器に50～52℃のお湯を準備する（➡❶） 4）水でぬらしたタオルをビニール袋に入れ，1分程度電子レンジで蒸しタオルをつくる	●スムーズに行い体力の消耗を抑える ●療養者の好みの衣服を自分で選択できることは，認知症の療養者にとってはこれから清拭を行うことを意識でき，また，全介助が必要な場合での自尊心の尊重になる ❶手で触れる最高温度がだいたい50～52℃であり，清拭時の理想表面温度は42℃で肌に当てたときに暖かいと感じる温度である

	方法と観察の視点	療養者・家族支援と根拠
4	**掛け物を調整する** 1）掛け布団を取り除き，タオルケットやバスタオルをかける 2）掛け物と身体の間に隙間が生じないようにする（➡❷）	●保温とプライバシーの保護に努める ❷タオルケットやバスタオルの隙間に，冷たい空気が入ると患者が寒気を感じる
5	**汚れた寝衣を脱がせ，上半身を拭き，清潔な寝衣を着る** 1）療養者に声をかけ，ボタンをはずしたり，腕を曲げたり，自分でできるところは協力を依頼する 2）麻痺や拘縮など運動障害がある側，強い側に看護師が立ち，反対側に家族が立つ） 3）胸部側の衣服を広げて，胸部，腹部を熱布で押さえ拭きし，乾いたタオルで乾拭きする 4）襟首を緩め，健側の袖を脱ぎ，健側の腕を拭く 5）患側の袖を脱ぎ，腕を拭く 6）拭く部位以外にはタオルケットを掛けて保温する 7）新しい衣服の袖を患側から肩口まで通す 8）健側に側臥位になり，家族が身体を支える 9）汚れた寝衣を取り除き，背部を看護師が拭く 10）清潔な寝衣を背部に伸ばし，身体の下に入れ込む 11）仰臥位になり，清潔な寝衣の健側の袖を通す 12）前身ごろを合わせて，ボタンあるいはファスナーを閉める部分は療養者に協力を得る ・関節可動域，筋力こわばりや拘縮の程度，痛みの有無 ・全身皮膚の状態（乾燥，落屑，浮腫，発赤，びらん，湿疹，褥瘡の有無）	●ボタンやファスナーをはずすなどの動作は手指の巧緻性の機能訓練になる ●声をかけ，マッサージしながらこわばりや拘縮による痛みの程度を確認すると，緊張が緩和し，痛みが軽減する ●療養者の痛みのない程度に関節を動かすことで，拘縮を予防し，循環が促進され，機能訓練になる ●患側は可動域の制限や筋力低下があり，痛みを与えないように注意し関節を支持する ●清拭時は全身の皮膚を観察する機会となり，長期臥床の療養者の場合は骨突出部である肩甲骨や椎骨部に褥瘡が発生しやすい ●下顎部や，もともと皮下脂肪が多い乳房，二の腕，下腹部，殿部は脂肪の減少によって皮膚がたるみやすくなる。高齢者の弾力性・保湿性が失われた皮膚は全体が薄くなり，脆弱なため，擦らず，やさしく押さえ拭きにする（➡❸） ❸皮膚は加齢により新陳代謝が衰えると，皮脂の分泌低下により水分が減少し，また弾力性分のコラーゲンやエラスチンが減少して，弾力性・保湿性が失われ，外部からの刺激によりダメージを受けやすい ●寝衣を脱がせる順番，拭く部位を考えながら行うと，側臥位を取る回数が少なくなり，療養者と家族の負担が軽減できる ●電子レンジで温めた熱布タオルを当てる際は，内側が高温になっている場合があるため，タオルの温度の確認は援助者の上腕内側で行い，熱傷に注意する ●湿拭きのあとは必ず乾拭きすることで，気化熱奪取による皮膚表面温度の低下を防ぐ
6	**汚れた寝衣を脱がせ，下半身を拭き，清潔な寝衣を着る** 1）汚れたズボンを脱ぐ 2）療養者の協力を得て腰上げが可能であれば，看護師と家族で息を合わせて，腰を上げている間にズボン・下着を大腿まで降ろす 3）ズボン・下着を脱がせて，膝を立てて，下肢を拭く 4）陰部洗浄をする 5）清拭・洗浄部位以外はタオルケットで保温する 6）清潔な下着・ズボンを大腿まで通す 7）健側に側臥位になり，家族が支える 8）看護師が殿部と大腿後面を熱布清拭し（➡❹），下着・ズボンを引き上げる 9）寝衣の背中側のしわをしっかり伸ばす 10）仰臥位になり，全体を整える ・関節可動域，筋力こわばりや拘縮の程度，痛みの有無 ・全身皮膚の状態（乾燥，落屑，浮腫，発赤，びらん，湿疹，褥瘡の有無）	●膝を立てて，足底をベッドにつけると筋力が低下していても腰を上げやすい ●腰上げの協力を得ることは療養者自身の残存機能を活かすことになり，摩擦による皮膚の損傷も防ぐことができる ●おむつを使用している場合は，側臥位になっている状態で背中側から当てて，仰臥位になり，前を合わせてテープで止める ●介護用品を用いると側臥位を支える負担が軽減され，体位が安定するために背部，殿部の観察のケアがゆっくり丁寧に行える ●仙骨部，殿部は褥瘡好発部位であるため，家族も一緒によく観察する ❹熱布により皮膚表面温度が上昇し，摩擦刺激によって皮膚血流量の増加が期待でき，療養者に暖かさや快適感をもたらす
7	**水分補給をする** ・水やお茶，電解質を含む飲料の飲水を促す（➡❺）	❺温熱作用による発汗と不感蒸泄の増加で体内の水分を喪失するため，水分を補給し，脱水を予防する

D 自力で体動が困難な療養者のベッド上で行う洗髪

- **目　　的**：頭皮，毛髪の汚れを取り除き，臭気を予防する。頭皮のマッサージにより血行促進効果があり，爽快感が得られる。臥床時の褥瘡好発部位である後頭部の観察を行う機会になる
- **必要物品**：タオル，バスタオル，防水シーツ，洗面器（バケツ），シャワーボトル（図3-7），シャンプー，コンディショナー，ケープ，簡易洗髪容器（図3-8），ケリーパッド（図3-9），ブラシ，ドライヤー，ガーゼ，耳栓

ハンディーシャワー：バケツ，専用の容器にためた湯をポンプや，掃除機の吸引圧を利用した装置でくみ上げて，シャワーホースから排出できる

図3-7 ハンディシャワー

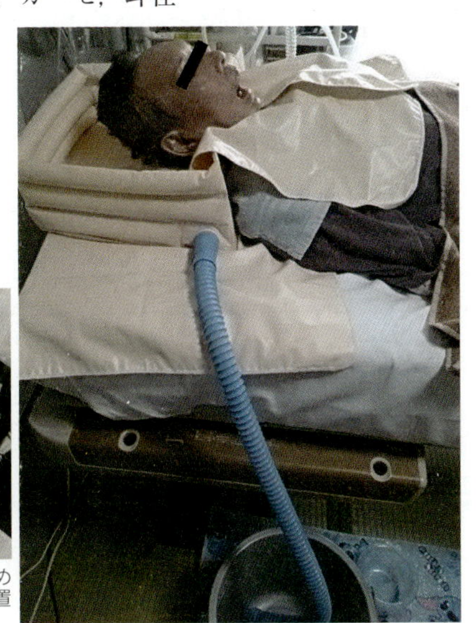

図3-8 簡易洗髪器を使用した洗髪

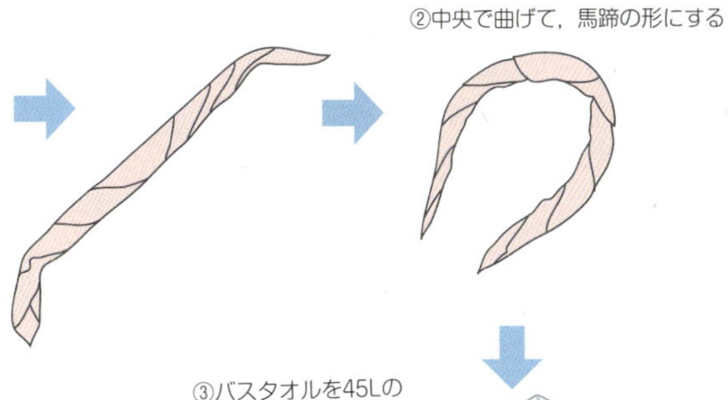

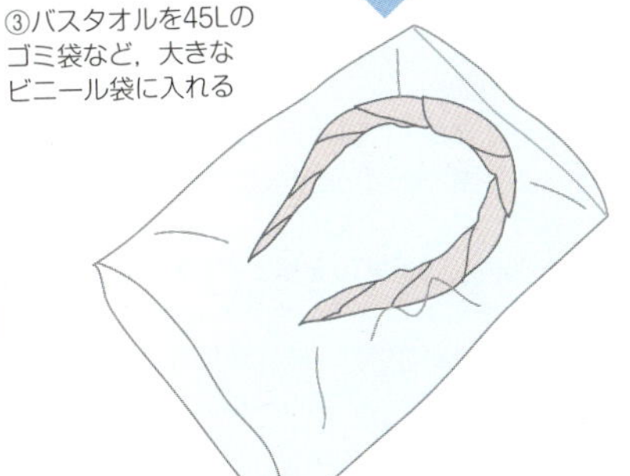

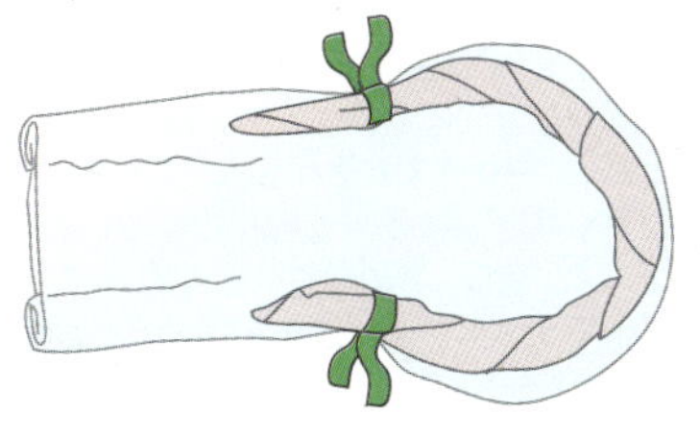

図3-9 家庭にある道具を用いたケリーパッドのつくり方

	方法と観察の視点	療養者・家族支援と根拠
1	**療養者の健康状態を確認する** ・バイタルサイン（血圧，脈拍，呼吸，体温，意識状態），睡眠状況，食事時間，尿意・便意，排泄の有無 ・頭髪，頭皮の状態（皮脂，汚れ，発赤，びらん，湿疹，外傷），褥瘡の有無，瘙痒感	●洗髪よる血圧と呼吸への影響を予測し可能か判断する ●長期臥床療養者は耳介部や後頭部が褥瘡好発部位である ●体調不良，発熱時や頭皮に異常がある場合は洗髪を避ける ●療養者の生活習慣に合わせることが基本だが，洗髪は3日に1回の割合で実施することが望ましい（➡❶） ❶かゆみや悪臭の原因となる遊離脂肪酸は前回洗髪後72時間以降に増加し，不快感も強くなる[1]
2	**居室の環境を整え，必要物品を準備する** 1）清拭時の室温は24± 2℃に保つ 2）空調の風が療養者に当たらないように，風向を調整する 3）窓側のカーテンや障子，隣室へのドア，襖を閉める 4）体位の調整などの実施までにかかる時間で湯が冷めることを考えて湯を準備する	●個々の家庭では室温が異なること，居室に湯を運ぶ間に気温が下がることがあるので，室温を調整し，気化熱奪取を予防し，療養者の体温低下を予防する ●プライバシーを保護し，室温を一定に保つ ●湯の温度は療養者の好みに合わせるが，使用時に38～40℃程度が適温である
3	**療養者の体位を整え，洗髪用具を配置する** 1）ケリーパッドの場合はベッドの対角線に斜めに療養者の体がくるようにして，なるべくベッドの端の角に頭部がくるようにする 2）簡易洗髪器の場合は，頭側のほうへ移動させる 3）防水シートとその上にバスタオルを敷き，ベッドの端まで覆う 4）ケリーパッドまたは簡易洗髪器を頭部の下に挿入する 5）頸部が後屈しすぎないように，専用の枕かケリーパッドの下にタオルを重ねて置く 6）膝窩に枕，バスタオルを丸めて置く 7）髪をブラシで梳かし，ほつれ，汚れを取り除く 8）頭皮をマッサージする ・手先，足先のしびれ，嘔気，気分不良 ・頭髪の状態（脱毛，枝毛，ほつれ），表情 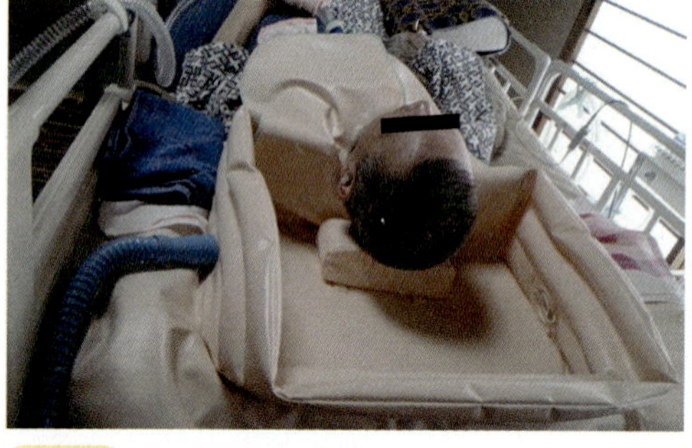 図3-10　**シャワー洗髪の準備**	●頸部が後屈しすぎると，頸椎損傷のおそれがあり，脳血流が障害されて気分不良を起こすなど負担が大きい ●膝を楽に曲げた姿勢が確保できると腰部の負担が軽減し，安楽にできる ●髪を梳かし，頭皮をマッサージすることで，汚れを除去でき，洗髪に使う湯量を減らすことでできる ●蒸しタオルで3分ほど頭部全体を覆ってからマッサージを行うと，皮脂が浮く ●髪をとかしながら声をかけて，療養者の不安を取り除く ●毎日洗髪を行っていない場合は，脱毛の量が多いため，ブラッシングすることで，排水時の片づけをスムーズにできる ●脱毛を気にするために，話題には出さす，目につかないように片づける
4	**髪を洗う** 1）湯の温度を確認し，排水路とバケツの位置を調整する 2）耳栓をして頭皮と頭髪を十分にぬらす 3）シャンプーをしっかり泡立てて，頭皮，頭髪を十分な泡で洗う 4）すすぐ前に手やタオルを使って泡をできるだけ除去し，よくすすぐ ・耳に湯が入っていないか，瘙痒感はないか ・洗い残し，すすぎ残しの部位はないか	●温湯を使用する（➡❷） ❷温湯で洗髪すると，交感神経の活動が促進され，安静時に比べエネルギー代謝量が増加する ●湯温が高い場合は血圧上昇を招くため，湯温が適切か，援助者は上腕内側にあてて確認する ●湯が思わぬ方向に流れ，リネン類や床をぬらすことがあるため，バケツまで排水がスムーズか確認する ●頭皮や髪が十分に水分を含んでいないと泡立ちが悪く，洗浄効果が薄れ，爽快感も得られない ●泡を手やタオルでよく取り，すすぎの湯を減らすことで体力の消耗を抑える

	方法と観察の視点	療養者・家族支援と根拠
	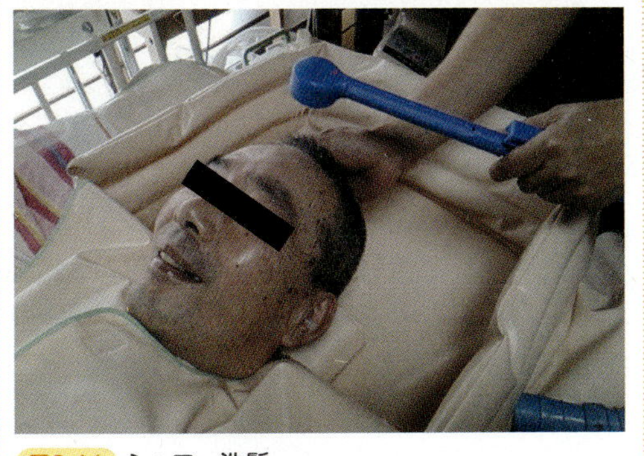 図3-11 シャワー洗髪	
5	**髪を乾かし，髪形を整える** 1）生え際，毛の根元から，髪の毛をかき分けて乾かす 2）ドライヤーの温風により療養者の肌が熱くなりすぎていないか確認する 3）ブラシで髪形を整える ・ドライヤー温風の温度，頭皮の状態（発赤，湿疹，外傷） ・疲労度，表情	●襟足，後頭部の内側は乾きにくいため，しっかりかき分けて乾かす ●同じ部位に温風を当てていると，想像以上に熱くなり熱傷のおそれがあるため，ドライヤーは常に間に手をかざして確認する ●療養者に鏡を見せて，髪形を確認することで満足感が得られる
6	**環境を整える** 1）湯を用いた場合，寝衣やシーツが塗れた場合は交換する 2）床がぬれている場合は拭き取る 3）療養者の体位やベッドの位置を確認し，元の環境に戻す	●室内気温と湿度を調整し，気化熱の発生を防ぐ

❶加藤圭子・深田美香：洗髪援助に関する実験的検討－頭部の皮脂と自覚症状について，鳥取大学医療技術短期大学部紀要，32：67-76，2000.

E 自力で体動が困難な療養者のベッド上で行う手浴・足浴

●目　　的：入浴やシャワー浴が行えない場合に，清拭と組み合わせて部分浴を行う。手や足の汚れを取り除き，温熱刺激により血行促進効果がある。交感神経・副交感神経が刺激され，疼痛緩和やリラックス効果，睡眠導入効果がある。手指の関節拘縮があると指が密着し，不衛生になりやすく，臭気を発生し，白癬や褥瘡を引き起こすため定期的に実施する。

●必要物品（図3-12）：タオル，バスタオル，浴用タオル，防水シート，ガーゼ（端切れ），石けん，洗面器，ビニール袋，シャワーボトル，手袋

図3-12 手浴・足浴の必要物品

	方法と観察の視点	療養者・家族支援と根拠
1	**居室の環境を整え，必要物品を準備する** 1）清拭時の室温は24± 2℃に保つ 2）空調の風が療養者に当たらないように，風向を調整する 3）窓側のカーテンや障子，隣室へのドア，襖を占める 4）体位の調整などの実施までにかかる時間で湯が冷めることを考えて湯を準備する	●個々の家庭では室温が異なること，居室に湯を運ぶ間に気温が下がることがあるので，室温を調整する ●部分浴であっても気化熱奪取を予防し，療養者の体温低下を予防する ●プライバシーを保護し，室温を一定に保つ ●スムーズに行い，体力の消耗を抑える ●湯の温度は療養者の好みに合わせるが，使用時に39～40℃程度が適温である
2	**療養者の状態を確認，手を洗う体位を整える** 1）座位がとれる場合は，ベッドの上体を起こし，テーブルに防水シートバスタオルを敷き，洗面器を置く 2）座位がとれない場合は，片方ずつ側臥位になり手浴を行う 3）洗面器の中に手が浸けられる体位の保持が可能か確認し，難しければビニール袋を用いる ・肩，肘，手，手指関節の拘縮，疼痛の有無 ・体位に無理がないか ・皮膚の汚れ，臭気，状態（発赤，びらん，湿疹，外傷） ・爪の状態（長さ，肥厚，割れ）	●温熱効果により，拘縮の痛みを軽減できるが，疼痛が強い場合や外傷などの皮膚の異常がある場合は手浴を避ける ●テーブルが高すぎると肘関節部より手先が高い位置になり，湯が肘関節部に流れてきてリネン類をぬらすため，洗面器が空の状態で位置を確認する ●麻痺や拘縮があると洗面器の高さに合わせて手を浸けることが難しいため，側臥位でビニール袋を用いて行う ●肘関節や肩関節が拘縮し，肩関節の可動域が狭い場合，肘の下にクッションを挿入し，大腿の横に洗面器をつける ●爪が伸びていると，手浴中に療養者や援助者の皮膚を傷つけることがある
3	**手を洗う** 1）洗面器の湯に手をしばらく，つけて温める 2）手指が拘縮している場合は，無理に指を開かせようとせずに，マッサージしながらやさしく筋の緊張をほぐしながら関節を伸展させる(➡❶) 3）石けんをよく泡立てて，包み込むようにして指先，指間と指，手掌，手背，手首，爪と爪の間を洗う 4）皮膚密着している部分は薄いガーゼを挟み洗う	❶手指関節は屈曲位，手関節は掌屈位に拘縮する ●湯につけておくと，筋の緊張が和らぎ，関節運動が行いやすくなり，機能訓練になる ●療養者自身ができる部分は声をかけながら自身で行うように促し，残存機能活用の機会とする ●マッサージ，温熱効果により末梢循環が促進され，痛みが緩和しリラックス効果が得られる ●刺激の少ない療養者好みのアロマオイルや入浴剤を入れるとさらにリラックス効果が増し，療養者家族とのコミュニケーションの機会になる

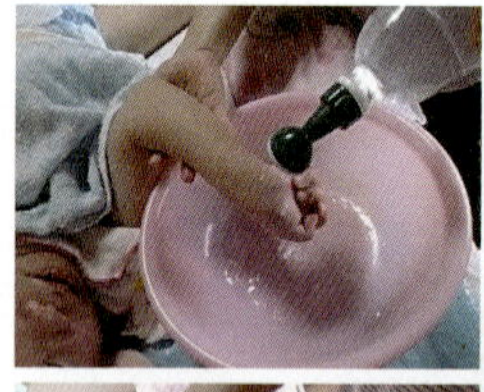
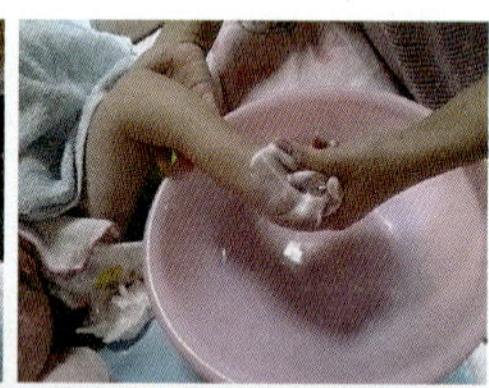
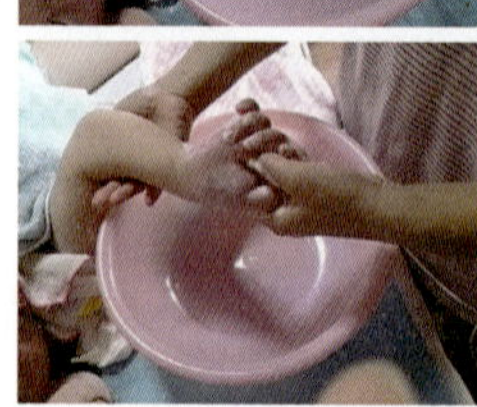
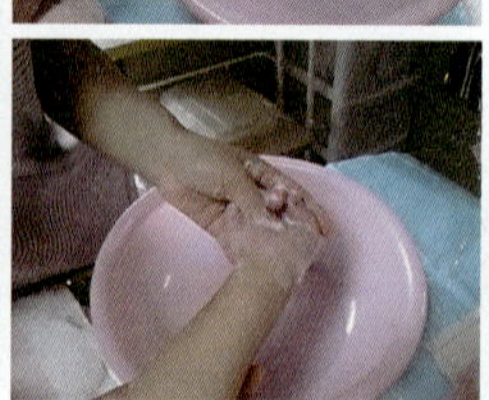
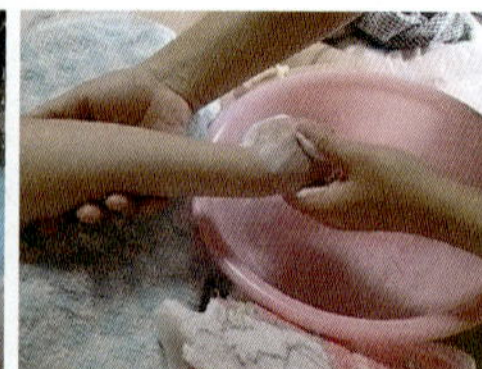
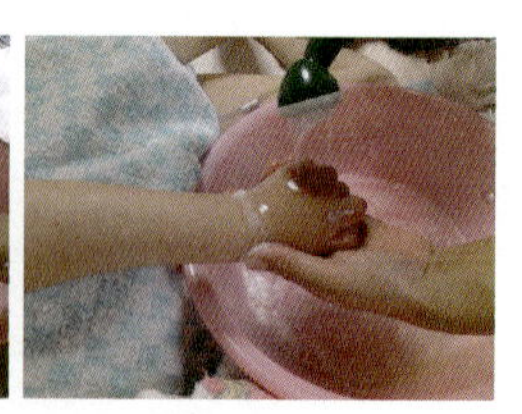

図3-13　手浴の手順（小児）

	方法と観察の視点	療養者・家族支援と根拠
4	**療養者の状態を確認，足を洗う体位を整える** 1）座位保持が可能であれば，ベッドの端に端座位になる 2）ベッド上での足浴は，膝を立て，膝窩に枕を置いて安定させる 3）防水シートとバスタオルを敷く 4）周囲の届く範囲に石けんやガーゼ，かけ湯用のシャワーボトルを配置する 5）療養者が熱く感じないように，湯温の調整を行う ・足の皮膚の状態（発赤，びらん，湿疹，外傷，白癬），褥瘡の有無，爪の状態（長さ，肥厚，割れ，爪白癬） ・足関節の拘縮，痛みの有無 ・疲労度，表情	●足を洗面器に浸けたまま療養者のそばから離れると危険なため，動かずに物が取れる位置に置く ●身体が安定しない場合は介護物品を活用し安定させる ●足浴は時間もかかり疲労することもあるため，安楽な体位を整える ●気分不良や足部，爪の異常がある場合は足浴を避ける ●長期臥床療養者の場合，足踵部は褥瘡の好発部位である ●白癬菌が感染するおそれがあるため，援助者は手袋を装着する
5	**足を洗う** 1）洗面器の湯にしばらく浸けて温める 2）拘縮している場合は，マッサージしながらやさしく関節を伸展させる 3）石けんをよく泡立てて，包み込むようにして足の裏，足背，指先，指間と指，足首，爪と爪の間を洗う 4）皮膚密着している部分は薄いガーゼを挟み洗う  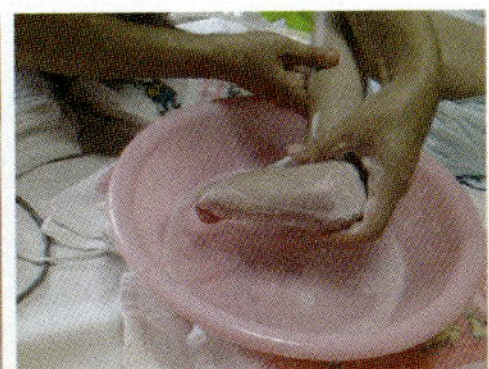  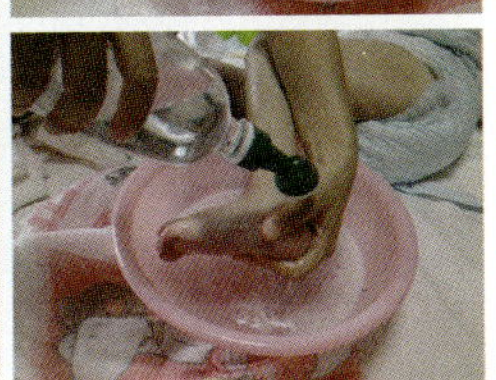 図3-14 **足浴の手順**	●足先は適温でも体温との温度差が大きいため熱く感じることがある（➡❷） ❷足先は感覚受容器が多く集まっており，末梢部分は血行が悪くなりやすい ●時間が長すぎると発汗し，エネルギーを消費し体力が消耗され，疲労感につながる可能性もある ●長期臥床の療養者の場合，足関節が拘縮し尖足になりやすいため，湯の中で関節を動かし拘縮予防と機能訓練の機会とする ●療養者後好みのアロマオイルや入浴剤を入れながら行うとリラックス効果が増し，満足感が得られる ●睡眠導入効果があるため，就寝前に行うと効果的である
6	**爪を切り，保湿する** 1）手足の爪を切る（詳細は「F自力で体動が困難な療養者のベッド上での口腔ケア」を参照） 2）クリームを塗布する	●温めると関節が動かしやすくなり，爪も柔らかくなるため，苦痛を与えずに切ることができる ●乾燥していると皮膚の損傷を起こしやすく，爪も割れやすくなる

F 自力で体動が困難な療養者のベッド上で行う口腔ケア

●目　　的：口腔ケア時の開口やマッサージ刺激は，嚥下訓練の機会にもなる

●必要物品：タオル，コップにお湯，スポンジブラシ（図3-15），綿花，舌圧子，楽のみ，吸引器，ビニール袋，ガーグルベースン，手袋

写真提供：株式会社モルテン

図3-15 **スポンジブラシ**

	方法と観察の視点	療養者・家族支援と根拠
1	**療養者の健康状態を確認し，必要物品を準備する** 1）手の届くところ物品を置き，吸引器はすぐ使えるようにする ・意識状態，覚醒状態，開口状態 ・呼吸状態，咳嗽の有無	●意識状態の低下，半覚醒の状態であるときに口腔ケアを行うと誤嚥する可能性がある ●ケア中に療養者から離れることがないように，使う道具はすぐ取れる位置に置く ●口腔内を触られることは不快であり，羞恥心を伴うため，あらかじめケアの実施を確認する ●開口状態や嚥下機能に応じて，ウォーターピックや，吸引器に接続可能な歯ブラシ，口腔ケア用のウェットティッシュも活用する
2	**療養者の体位を整える** 1）可能であれば座位をとり，頸部は前屈する 2）仰臥位の場合は状態を30度以上に挙げる 3）側臥位の場合は健側を下にする	●頭部が後屈していると水分が気道に流れ込み，誤嚥する
3	**口腔内を清拭する** 1）歯ブラシを持つことができる場合には，療養者自身に行ってもらい，足りない部分を介助する 2）スポンジブラシに水分を含ませ，コップのふちで水分をよく絞る 3）口腔内全体を湿らせ，義歯がある場合は取り除く 4）ブラシを回転させるようにして前面，側面，奥，内側，舌の汚れを取り除く 5）部位を変える度にスポンジをよくすすぐ 6）ブラッシングと十分な水を用いて口腔内の汚れを取る 7）含嗽はガーグルベースンの代用品としてペットボトルをカットして周囲をビニールテープで被ったものを使用することもある ・開口状態，義肢の装着状態 ・歯，歯肉，舌の状態（色，出血，食物残渣） ・むせがないか，含嗽水は吐き出したか	●療養者自身で行えるように，ブラシを握らせてみて，これから行うケアの理解も促す ●認知症療養者などでは，口唇に触れて少しずつ湿らせて反応を確認する（➡❶） ❶口腔ケアの必要が理解できず，口の中に手を入れられることを不快に感じ，指やブラシを強く噛んでしまうことがある ●高齢者は特に口腔内が乾燥しているため，義歯を取り除くときに湿らせず大きく開口すると，口唇が亀裂することがある ●口腔内の汚れの原因は，食物残渣，分泌物，歯垢，細菌など様々である。バイオフィルムは水だけでは流されず，抗菌物質や免疫細胞は浸透しないため，ブラシによる機械的な摩擦でしか除去されない。 ●開口が困難な場合は口唇や頬の内側に触れつつ療養者の反応を見ながら少しずつ行う ●含嗽ができないときは口腔ケア用ウェットティッシュや清潔なガーゼで汚れを拭き取る
4	**義歯の手入れ** 1）食後は義歯を取りはずし，流水で流した後，義歯専用の洗浄剤を使って洗う 2）就寝時にはずす場合は，蓋のある専用容器に入れて，水を入れて保管し，水は毎日交換する	●汚れのこびりつきがひどい場合は，歯ブラシで除去してから洗浄剤につける ●歯磨き粉を使うと研磨剤で傷つくことがあるので，専用の洗浄剤を用いる ●乾燥すると劣化しやすい

G 自力で立位保持ができる片麻痺（右側）がある療養者の更衣

● 目　　的：更衣をすることで，臭気を予防し皮膚を清潔に保つことができる。自分好みの衣服を選択し，着替えることによって，自信がもて外出意欲が高まる。寝衣から日常着に着替えることにより，生活のリズムをつくることができる。関節を動かす機会となり，残存機能の維持と向上を図ることができる

● 必要物品：着替え一式（図3-16），洗濯かご（選択袋），ベッドアーム

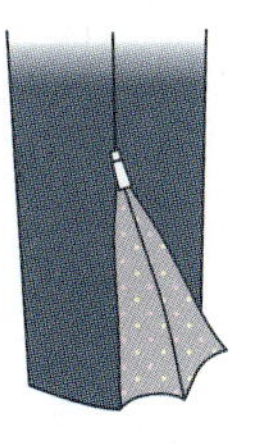

図3-16 ファスナー，マジックテープを工夫した室内着

	方法と観察の視点	療養者・家族支援と根拠
1	**居室環境を整え，必要物品を準備する** ・カーテンを閉め，室温を20 ～ 24℃に保つ ・着替える衣服を選び，着る順番に重ねて座位になった左側に置き，洗濯袋，洗濯かごを左側の足元に置く ・快適な衣類を着用するためには，外気環境に合わせて衣服の材質を選択する	●片麻痺のある場合，更衣に時間がかかり，短い時間であっても冷感を防ぐ ●スムーズに行えるように，健側である左側で作業ができるように，作業域・作業動線が確保できる物品の位置を確認する ●本人の好み，希望に合わせた衣服を選択できるように声をかけ，確認する ●被服気候には，温度と湿度の他にも，衣類の含気性(空気を含む性質，通気性，保湿性，透湿性，吸水性)が関係する
2	**汚れた衣服（前開きのパジャマ上半身）を脱ぐ** 1）ボタンを左手ですべてはずす 2）左手で襟元を広げ，肩を出し，背中側から衣服を引っ張ったり，脇腹と腕をこすったり，腕を振ったりして脱ぐ 3）右側は左手で引っ張って脱ぐ 4）衣服の汚れを確認し，洗濯するか判断する ・麻痺側を引き込んでいないか，体調の変化，ふらつき	●片麻痺などにより運動機能の障害や拘縮がある場合，障害のない健側から脱ぐことで，患側を脱ぐときにゆとりができ，可動域の制限があっても脱ぎやすい ●手指の巧緻性や，健側の可動性，筋力を確認しながら，残存機能を活用して自力で行えるところは自分で行う ●更衣の動作は様々な関節・筋肉の機能訓練の機会となり，ボタンをはずす細かい動きは脳への刺激になる ●麻痺側を引き込んだり，打撲により脱臼や外傷のおそれがあるため，患側の位置に気をつけるように説明する
3	**清潔な衣服（丸首のブラウス上半身）を着る（図3-17）** 1）右袖部分を肩口から袖口までたぐる 2）患側の右腕に右袖を通し，左手で引っ張り肩まで着る 3）首を通して頭を出し，左腕を通す ・健側の可動性，筋力，体位の保持 ・表情や疲労度，更衣への意欲 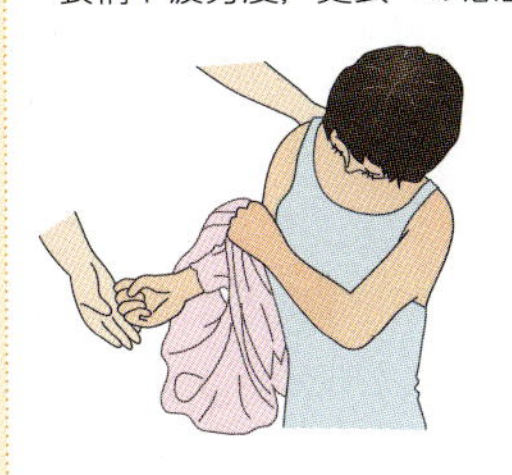 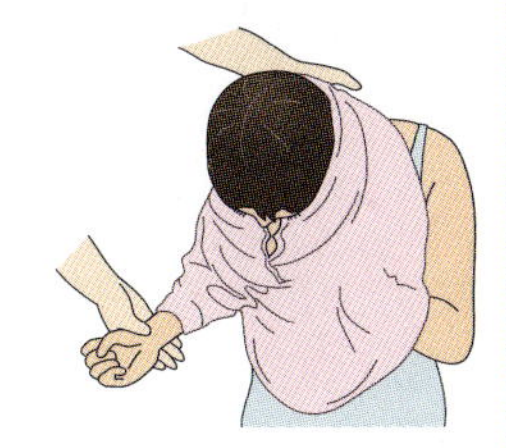 **図3-17** 患側からの着衣	●脱ぐときとは逆に，着るときは患側から通すと布に余裕があるため着やすい ●患側は関節拘縮があるために，袖などの長い部分はたぐり寄せて短く持って通す ●利き腕が患側の場合は，健側といってもスムーズに着脱ができずにイライラする，できないことに自尊心が低下することもある。励ましながら，疲労度や表情を見て介助する ●衣服のデザインや素材は療養者の好みを尊重するが，麻痺がある場合は前開きタイプが着脱しやすい ●被りタイプの衣服は襟元，肩口，袖口のゆったりした物が着脱しやすい ●座位を保持しながら，腕を大きく動かしたりすると体位が不安定になるため，疲労やふらつきがあれば，患側を支える ●ボタンをマジックテープに替えたり，ファスナーを取り付けて広く開くようにしたり，衣服をリフォームすることで，障害があっても好みの着慣れた衣服を着ることができる

	方法と観察の視点	療養者・家族支援と根拠
4	**汚れた衣服（ウエストゴムズボン下半身）を脱ぐ** 1）左手で介助バーを持ち，立位になる 2）立位バランスを確認する 3）左手でズボンの左右を少しずつ引き下ろし，膝部分まで降ろす 4）ベッドに腰をかけて，左下肢を挙げ，左手で引っ張り左足側を脱ぐ 5）左足で，患側右足をすくい上げる 6）左手で右足ズボンを引っ張り脱ぐ 7）衣服の汚れを確認し，洗濯するか判断する ・顔色，意識状態，立位バランス ・下肢の可動域，筋力 ・衣服が排泄物で汚れていないか ・皮膚の状態（乾燥，落屑，発赤，びらん，湿疹）	●座位から立位になることで，起立性低血圧を引き起こすことがあるため，体位を変更する動作は一つひとつバランスを確認してゆっくり行う ●立位でのふらつきがあると転倒し，頭部打撲などの危険があるため，患側からしっかりと支える ●左足（健側）で右足（患側）のすくい上げができると座位バランスが安定する ●すくい上げができると，左手が届いて自力でのズボンの着脱が可能になる ●認知機能の低下や知覚麻痺により，自分で失禁に気づかない場合もあるため，排泄物の汚れは直接指摘せずに，「そろそろ着替えましょう」など傷つかない声かけを行う ●座位中心の生活の場合，殿部に褥瘡を生じやすいため，更衣のときに観察する
5	**清潔な衣服（ウエストゴムズボン下半身）を着る** 1）座位のまま右足（患側）のズボンを左手でたぐり，すくい上げている右足の膝上まで通す 2）右足を下ろし，ズボンの腰部分をつまんで広げて，左足を膝上まで通す 3）介助バーを持ち立位になり，バランスを確認する 4）左手でズボンの左右を少しずつあげる ・立位バランス，ふらつき，疲労度 ・後ろ部分が殿部まで上がり，履けているか ・裾がまくれていたりしないか，全体のシルエットが整っているか	●ズボンの裾幅，材質（伸縮性・滑り具合）を検討し，自力で着脱可能なものを選択する 前立てをマジックテープにすると片手でも開きやすく，裾にファスナーをつけると，大きく広がり足を通しやすい ●ウエストはゆるいゴムが着脱しやすいが，ゆるすぎると歩行時にずり下がり，転倒の危険を招く ●ズボンは膝上まで上げておくと，立位になったときにずり落ちて下がるのを防げる ●上下の衣服を着替えるには時間がかかるため，疲労度をみて，休憩が必要か判断し，自立でできたところを一緒に喜び，励ます ●後ろ姿は療養者自身では確認しにくいため，身だしなみ，シルエットが整っているか全体を確認する

H 自力で体動が困難な療養者の整容：洗面，ひげそり，爪切り

●目　　的：整容を行い，外見的な美しさ，清潔さが整えられることで，外出や他者との交流意欲が増す。朝に目覚めて，整容を行うことは生活習慣の一つであり，一定の生活リズムを保つことができ，社会的参加への動機づけとなる

●必要物品：テーブル，タオル，バスタオル，洗面器，防水シート，新聞紙，ビニール袋，蒸しタオル，石けん，シェービングフォーム，ひげそり，爪切り，ニッパー，手袋

	方法と観察の視点	療養者・家族支援と根拠
1	**必要物品を準備し，療養者の体位と環境を整える** 1）座位が可能な場合は，テーブルに洗面器を置き，防水シートを敷く 2）新聞紙やビニール袋を敷く	●洗面やひげそりを行うことについて説明し，本人の希望，意思を確認する ●爪やひげが周囲に飛ばないようにする
2	**洗面を行う** 1）顔をタオルで濡らし，目，鼻，口に入らないように注意し，泡立てた石けんをつける 2）臥床の場合は石けん清拭を行う 3）洗面器でタオルをよくすすぎ，石けん分が残らないように拭き取る 4）乾いたタオルで拭く 5）化粧水やクリームを塗布するときは，指先につけて，少しずつ全体に伸ばす	●目をつぶる，口を閉じるタイミングを声かける ●石けん分が残っていないか，洗い残し，すすぎ足りないところはないか声をかけ確認する ●化粧水やクリームは好みの量があるので，療養者に確認しながら追加する ●石けん分の拭き残しがあると皮膚が乾燥し，損傷しやすくなる

	方法と観察の視点	療養者・家族支援と根拠
	・皮膚の異常（発赤，湿疹，びらんなど）や石けん分，水分の拭き残しはないか	
3	**ひげを剃る** 1）蒸しタオルで温め，シェービングフォームを塗る 2）皮膚のたるみ，しわを伸ばしながら行う 根元から毛の流れに沿って，生え方によって剃刀を当てる向きを変える	●好みの長さや，残したい範囲があるのか療養者自身に確認する ●温めると毛が柔らかくなり，剃りやすい ●療養者自身で頬や口を膨らませ，舌でオトガイ部の皮膚を伸ばすと剃りやすい ●逆剃り（毛の流れと逆に剃る）と肌を痛める
4	**爪を切る**（図3-18，19） 1）入浴，手浴・足浴後に行う 2）利き手でないほうで動かないようにしっかり固定する 3）爪と指肉の間を確認しながら一度に深く切らずに，少しずつ部位を変えてスクエアカットに切る 4）ニッパーは深く切りすぎてしまうため，使い慣れていない場合は使用しない ・爪が伸びていないか，割れ，変形（白癬や陥入），肥厚はないか，周囲の皮膚の炎症	●爪は1日に0.1～0.15mm伸びる。手の爪は，指先の保護，物をつかみやすくする，指先の感覚を鋭敏にするなどの機能があり，足の爪は立位の保持や安定した歩行に欠くことができない ●爪の両端は少し斜めに切れ目を入れて切るとニッパーの刃が入りやすい ●反り返ってるニッパーは深爪しやすいので使用しない ●爪を切る前に温めておくと柔らかくなり切りやすく，割れるのを防ぐ ●恐怖心に配慮し，声をかけながら行う ●丸く山形に切ると巻き爪を起こしやすい

爪の先端の白い部分は1mmほど残る程度にまっすぐに切る

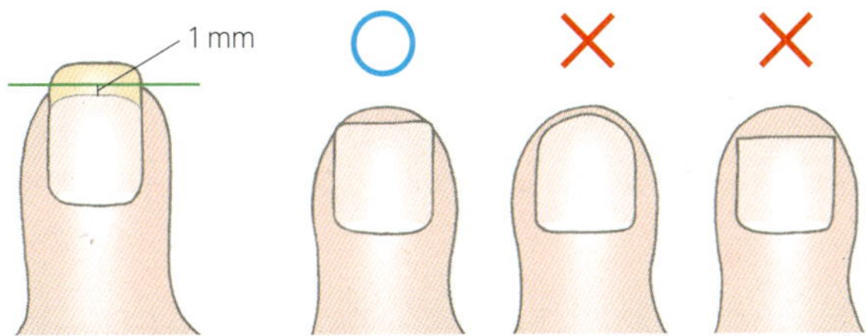

山のような形に切ったり，深く切り過ぎない。足の母指の指先を手の指先に触ったときに，手の指の腹に足の母指の先と爪が“触る”くらいがちょうどよい。一度に切ろうとしないで，何回かに分けて切る

図3-18 爪の切り方

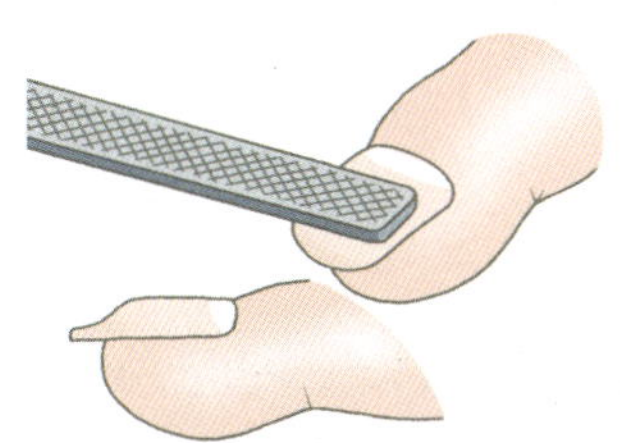

厚くて硬い爪の場合
切るときに割れることがあるので，切る前にやすりで薄く削るとよい。さらに，爪の先端にニッパーで縦に細かく切れ目を入れてから，少しずつ切ると切りやすい

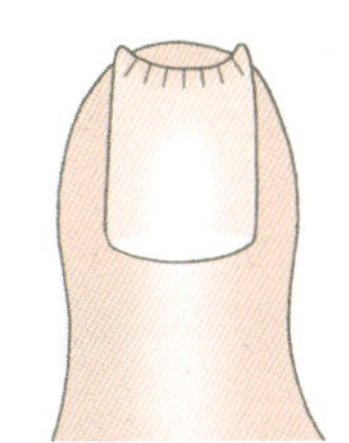

巻き爪の場合
ニッパーで縦にわずかに切れ目を入れてから，少しずつ切る。爪の両端は少し斜めに切れ目を入れると，刃が入りやすい

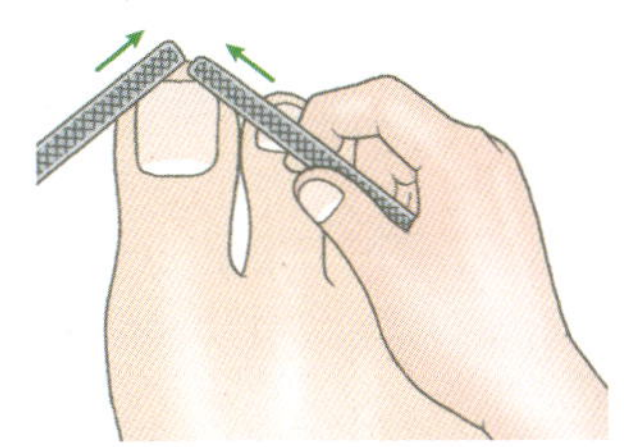

爪用のやすりで，爪の両方の角を爪の中央に向かって慎重に削る。このとき，やすりを往復させてゴシゴシと削らないこと。やすりをかけ終えたら，爪の先が滑らかになっているかどうか，指先でなぞって確かめる

図3-19 厚くて硬い爪や巻き爪の切り方

文　献

1）川島みどり：生活行動援助の技術―ありふれた営みを援助する専門性，看護の科学社，2014，p.151.-p174.p.214-p.233.
2）任和子・他著：系統看護学講座　専門分野Ⅰ　基礎看護技術Ⅱ基礎看護学③，医学書院，2019，p.153.-p.202.
3）竹尾惠子監修，西尾和子・他著：医療安全と感染管理を踏まえた看護技術プラクティス，第3版，メディカル秀潤社，2014，p.226.p.263.
4）齊藤茂子編著，荒添美紀・他著：実習の想定外を乗り切るなるほど看護技術,メヂカルフレンド社，2019，p.115.p.140.
5）公益財団法人日本看護財団監修，草場美千子・他著：訪問看護基本テキスト各論編，日本看護協会出版会，2018，p.3. p.6. p.30-p.41
6）臺有桂・他編，石田千絵・他著：在宅療養を支える技術，メディカ出版，2018，p.55.p.75-p.77.
7）河原加代子・他著：系統看護学講座　統合分野　在宅看護論，医学書院，2019，p.210.
8）押川眞喜子監修，押川眞喜子・他著：写真でわかる訪問看護，改訂第2版，インターメディカ，2011，p.25.
9）石垣和子・上野まり・他編集，石垣和子・他著：在宅看護論　自分らしい生活の継続をめざして，南江堂，2014，p.287

4 活動と休息

学習目標
- 在宅療養者の日常生活動作の状況や運動・活動機能のアセスメント方法を理解する。
- 最小のエネルギーで安全・安楽に身体を動かし保持する理論と方法を理解し，療養者の体位変換・移動の看護技術を習得する。
- 療養者の休息・睡眠のアセスメント方法と援助方法を理解する。

生体は本来，活動−休息，あるいは覚醒−睡眠という生体リズムをもっている。本節では，活動を主に身体的活動として，在宅療養者の援助について考えていく。活動は，生活意欲と密接に関連があることから，生活意欲や生きがいへの支援についても取り上げる。

1 在宅療養者の活動における看護技術の特徴

在宅療養の場で活動への援助を行うのは，多くは家族である。そのため，療養者および介護者が，共により安全で安楽に体位変換や移動が行えるように家族が介護の方法を体験し，習得できるよう援助する。

まず，療養者の活動に関するアセスメントを行い，療養者の自立度を確認し，自立度に応じた援助を行う。活動における援助を行う際には，人間の自然な動きを基本として行う。また，療養者の在宅での環境についてもアセスメントし，在宅の環境に合わせた援助を工夫する。理学療法士による訪問リハビリテーションが行われている場合は，情報を共有し，協働して活動への援助を行う。

臥床中心の療養生活であっても，身体を動かすことにより，以下のような効果をもたらすことができる。

・呼吸面積が拡大し，換気量が増す。
・循環機能が促進する。
・熱の算出が増す。
・エネルギーを消費するため，食欲が増す。
・筋力が維持・増強する。
・自律神経系を賦活化する。
・気分転換でき，生活にリズムができる。

このような活動の効果を高めるために，以下のような原理を学び，援助に取り入れ，療養者および家族に指導する。

1）良い姿勢

良い姿勢とは，脊柱が生理的彎曲を保ち，内臓器官や筋群に負担がかかっていない状態である。自力で体位変換が困難な療養者の安楽な体位をとる際には，枕などを利用し，良い姿勢を保つようにする。良い姿勢の条件を以下にあげる。

・各筋肉にかかる負担が少ないため，疲れにくい。
・重心が低く，支持基底面積が広く，重心線が支持基底面にあるため，安定している。
・内臓諸器官への圧迫がない。
・外観が美しい。

2）ボディメカニクス

ボディメカニクス（身体力学）とは，人間の姿勢・動作時の骨格・筋・内臓などの各系統間の力学的相互関係をいう。身体の構造や機能を力学的な視点からとらえ，合理的な動作を行う。看護援助を行う際，効率のよい身体の使い方ができるよう応用する。

3）活動における援助の背景となる原理

（1）ベクトル

ベクトルとは，大きさと向きをもった量をいう。より大きな合力を得るには，平行四辺形の対角線上に力が加わることを考慮して援助を行う（図4-1）。

療養者を手前に引き寄せるときや支持するときに，介助者は腕を脇につけ肩幅で手を使うと力の効率がよい（図4-2）。

療養者をベッド上で長座位から端座位にするときは，療養者の身体を小さくまとめてシャープなV字型にすると力の効率がよい（図4-3）。

療養者を仰臥位から長座位にする際には，真っすぐ起こすよりも，自然に自分で起き上がるときのように，弧を描くようにして起こすほうが介助者の力が少なくて済む（図4-4）。

（2）慣性モーメント

物体を回転させるときに，回転半径が大きいほど回転速度が速くなり，それだけ回転エネルギーが大きくなることを回転の慣性が大きいという。物体を回転させる際にコンパクトにまとめるとより少ないエネルギーで回転させることができる。

（3）作用・反作用

物体を引っ張ると引っ張り返され，押すと押し返される。これを作用・反作用という。こ

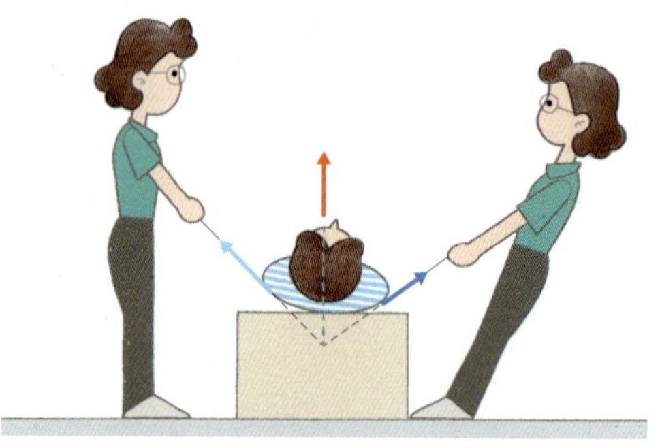

図4-1 合力を得る方法

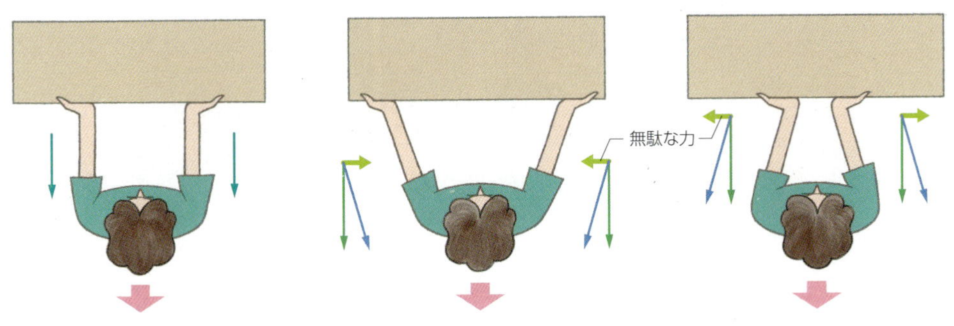

両手を平行に使うことで無駄な力を減らす

図4-2 手の使い方で無駄な力を減らす方法

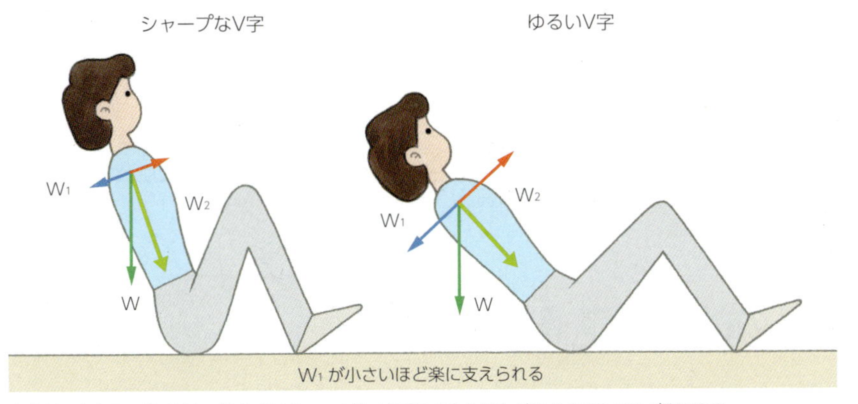

療養者の上半身に働く重力（W）は，シャープなＶ字にするとW_1が小さく支えるのが楽になる

図4-3 シャープなV字を利用する方法

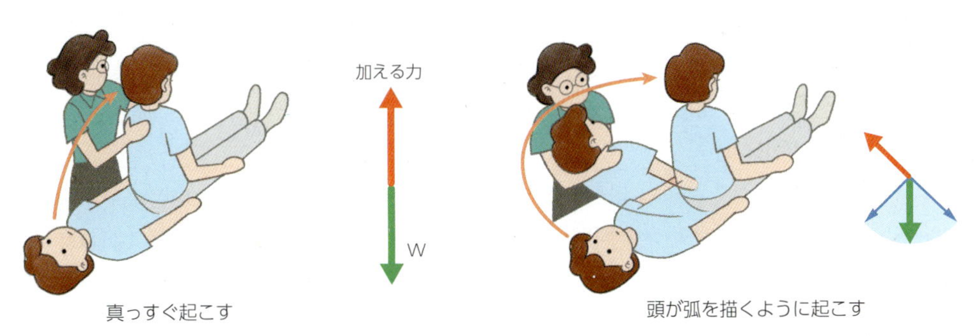

まっすぐ起こすよりも，動かす距離は長くなるが，瞬間に入れる力が小さい

図4-4 瞬間の力を少なくする方法

の２つの力は大きさが等しく，同一線上で反対の向きに作用する（図4-5）。

（4）トルクの原理

トルクとは，力と距離の積で表される量である。物体を回転させるために必要な力は，一般に回転軸（中心）からの距離に反比例する。仰臥位から側臥位への体位変換のときに，膝を立てることができる療養者は膝をなるべく高く立てることで，回転しやすくなる（図4-6）。

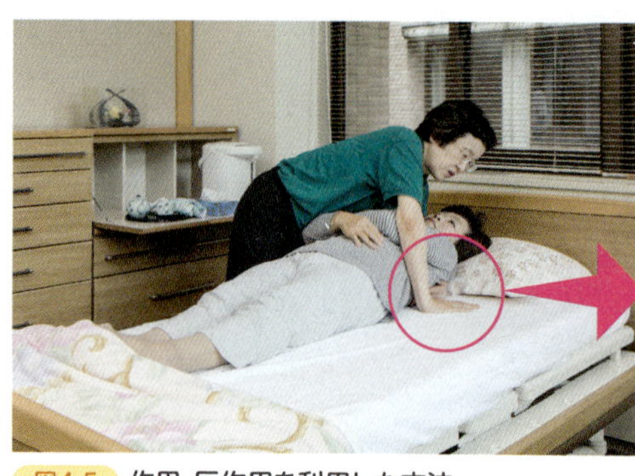
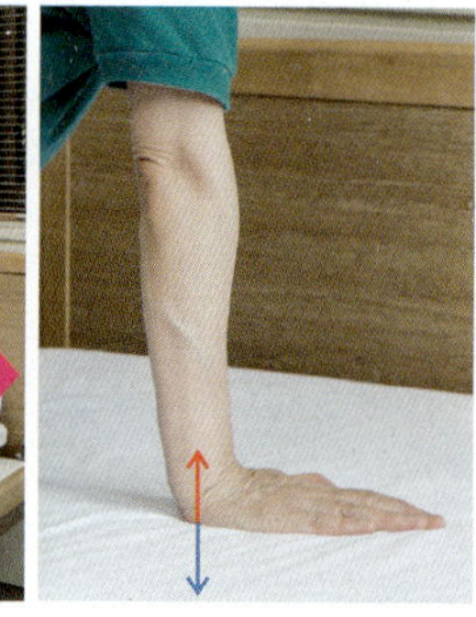

図4-5 作用・反作用を利用した方法

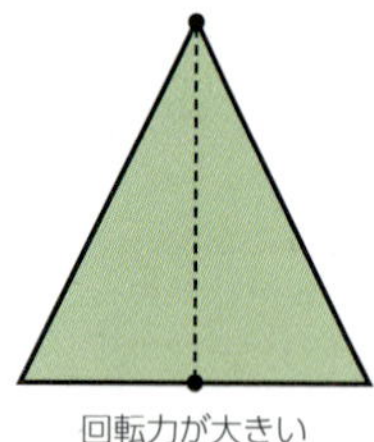

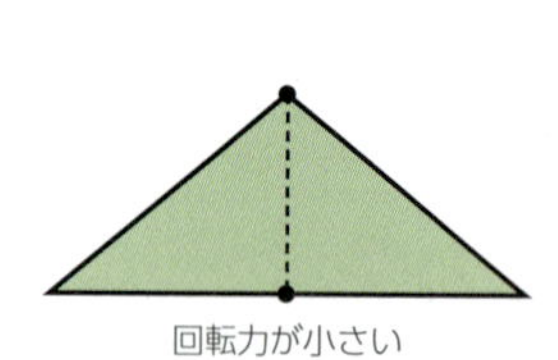

図4-6 トルクの原理

2 活動への援助に関するアセスメント

活動への援助を行うために，以下の点をアセスメントする。

・年齢，性別。
・生活習慣。
・疾患名，治療方針。
・身体的側面：病態，障害の有無と程度，拘縮，苦痛の有無と程度，安静度，日常生活動作（ADL），移動動作の自立度，移動方法（独歩，つかまり歩き，四つ這い，車椅子，歩行器使用など）。
・心理的側面：疾病による心理面の変化，身体状況の認識と受容状況，疾病・病状の理解と生じやすい問題への理解，不安・ストレス，生活意欲，家族への気がねなど。
・環境・生活の側面：住宅の広さ，階段・手すり・エレベーターの有無，移動用具や補助具の活用，住宅改修の有無，装具，靴。
・家族・介護状況の側面：年齢，性別，体格，健康状態，介護に関する知識や技術，他の援助者の有無，経済力。

3 活動への援助にあたっての留意事項

1）体位の変化による血圧への影響

一般には，最大血圧は立位が最も低く，座位，臥位の順に高く，最小血圧はこの逆で，立位がやや高く，座位，臥位の順で低くなる。臥位から立位をとったときに血圧が低下するのは，瞬間的に循環血液量が減少するとともに，静脈血の心臓への還流に負荷がかかり心臓からの送血量が減少することによる。心臓の送血量が減少すれば，最大血圧は低下する。この血圧低下が長時間継続すると，ついには脳貧血を起こし一時的に意識を消失することがあるため，十分に注意する。

2）転倒・転落の防止

移動や体位変換の援助に際して，転倒・転落を防止することが大切である。その要因を知り，防止に努める。

（1）転倒・転落の要因

療養者側の要因と療養環境の要因がある。療養者側の要因として，運動障害（両側のバランス障害，筋力低下，関節拘縮など），視力障害，知覚・神経障害，認知・記憶障害などがある。

（2）転倒・転落の防止

①療養者に対する援助

・動作の際には声をかけ，次の動作を説明し予告する。
・適切な履物，衣類を選択する。
・歩くときの姿勢や歩幅を指導する。

②環境面への配慮

・補助具，福祉用具，装具などは，使用しやすく，移動時に邪魔にならない場所に配置し，歩行の邪魔にならないようにする。
・車椅子や歩行器などは適切に使用し，ストッパーのかけ忘れに注意する。
・ベッド使用時は，高さに注意し，ベッドから足を下ろした場合，足底面が床に着く高さとする。
・手すりの設置など，必要時には住宅改修などを考慮する。

③家族との協働

・家族へ危険防止について適切な情報を提供し，家族と協働して危険防止に努める。

3）生活意欲・生きがいへの支援

生活意欲や生きがいをもつことは，活動への原動力となる。療養者・家族は，変化の少ない日々を過ごしていると考えられる。看護師は日常の会話から療養者・家族が生活のなかで大事にしていること，生きがいに感じていることを尊重し，支援していくようなかかわりをもつことが大切である。看護師の姿勢としては，療養者や家族の体験を傾聴・共感し，支援することで自ら生活意欲や生きがいを見出せるよう支援する。

4 在宅療養者の休息における看護技術の特徴

休息とは，大辞林によると「仕事や運動などをやめて休むこと。ゆったりした気分でくつろぐこと」である。休息には一時的な休息と睡眠がある。

在宅療養者は，日々，変化の少ない時間を過ごしがちになることから，療養者の状態によっては，好みの飲み物や軽食をとるなど休息の時間を設け，活動と休息のリズムができるように支援する。

在宅療養では，住み慣れた家での生活であり，環境の変化や生活パターンの変化が不眠の原因となることは少ないが，身体的・心理的問題から不眠となる場合もある。睡眠への援助はよい覚醒のために重要であるため，睡眠に関するアセスメントを行い，睡眠障害や不眠がみられれば支援する。睡眠に関するアセスメントでは，看護師が夜間の療養者の状態を観察できないため，家族や介護者から情報を得て，アセスメントを行う。

また，介護者の睡眠が確保されていることが，介護力を維持していくために必要であるため，介護者への支援を併せて行う。

よい睡眠における援助には，以下の方法がある。

・サーカディアンリズムに合った生活のリズムをつくる。
・環境を調整する。
・入眠前の援助や普段行っている就寝儀式を行う。
・リラクゼーションを取り入れる。
・不眠の訴えに対する援助を行う。

特に高齢者や認知症療養者で昼夜が逆転している場合は，散歩など日中の活動を促し，日光を浴びることでサーカディアンリズムを整えるように支援する。認知症療養者の不眠に対しては，病態による対応も必要となることから，医師と連携し支援する。

5 睡眠のメカニズム

1）概日リズムと睡眠の周期

脳の視床下部の視交叉上核の部位に生物時計があり，これがほぼ24時間周期のリズム（概日リズム，サーカディアンリズム）をつくり出している。生物時計は，人が効率よく快適に生活できるように，昼夜の環境変化に応じて，睡眠・覚醒，活動・休息などにサーカディアンリズムを発現させている。

睡眠はレム（rapid eye movement：REM）睡眠とノンレム（non-REM）睡眠に分けられ，さらに5期に分けられる。身体の疲労回復を果たすといわれているノンレム睡眠は，浅眠期，軽睡眠期，中等睡眠期，深睡眠期の4期からなり，レム睡眠期を入れて5期となる。人では約90～110分の周期（睡眠の周期）で1夜に数回現れる。

2）年齢による睡眠の変化

人間の1日の睡眠時間は新生児が最も長く，その後は老年期に向かって短くなっていく。夜間の中途覚醒時間は，中年以降に現れ，高齢者は回数，時間ともに増える。中高年期になると，概日リズムの位相がずれて，早寝早起きになる。

 6 睡眠への援助に関するアセスメント

1）睡眠に関するアセスメント項目

・年齢，性別。
・生活習慣。
・身体的側面：疾患名，身体症状，苦痛の有無，治療方針，使用薬剤。
・睡眠状況：通常の就寝時刻・覚醒時刻，入眠の状況（寝つきはどうか，眠りの深さ），夜間の中途覚醒の有無，早期覚醒の有無，目覚めの状況，睡眠に関する満足感，就寝儀式（排泄，洗面，歯みがきなど），睡眠薬使用の有無，痛み・苦しみ・心配事など眠りを妨げる因子の有無，睡眠に関して困っていること。
・心理的側面：不安，心配事。
・環境・生活の側面：住宅周辺の環境（騒音など），療養生活の場の環境（室温，部屋の明るさ，トイレの位置）。
・家族・介護状況の側面：家族の介護力，介護状況。

2）睡眠に関するアセスメント

上記にて得られた情報をもとに，以下の側面からアセスメントする。
・必要な睡眠時間が確保されているか。
・睡眠の満足度。
・サーカディアンリズムと合っているか。
・睡眠の周期の異常の有無。
・入眠を妨げる因子の有無。

看護技術の実際

A 自力で体位変換が困難な療養者の活動への援助

●目　的：自力で体位変換が困難な療養者の，同一体位による局所の圧迫による褥瘡や呼吸・循環障害を予防する

	方法と観察の視点	療養者・家族支援と根拠
1	**仰臥位から右側臥位に変換する（膝を立てて行う方法）** 1）身体の状態を観察する ・症状・訴えを観察する 2）体位変換することを伝え同意を得る 3）療養者の頭部を看護師の右手掌を広げた状態で支える（➡❶）（図4-7a） 4）看護師の左手で枕を引き「右を向きましょう」と言葉をかけて，頭部を右側に向ける（➡❷）	●療養者・家族にケア内容を説明し，できる部分については本人が行えるよう支援する ❶右手掌を広げて支えることで，頭部の支持基底面積が広がり，安定して支えることができる ❷右を向くよう伝えることで，協力を得る。自力で動かすことができない場合でも，療養者の意思が働くように言葉をかけることで協力が得られる

方法と観察の視点	療養者・家族支援と根拠
5）右腕が下になるように，療養者の両手を交差し，指先を肩に置く（➡❸）（図4-7b）	❸上半身を小さくまとめることで，慣性モーメントにより容易に回転できる
6）看護師は身体の向きを療養者の足元の方向に変え，ベッドに水平に立ち，右足を前に左足を後ろに置き，療養者の両膝を把持する。看護師が前足から後ろ足へ重心を移動することで両膝をなるべく高く足立てをする（➡❹）（図4-7c）	❹看護師の重心の移動とともに療養者の膝を容易に立てることができる。膝を高く立てることで容易に回転できる（トルクの原理）
7）右手を療養者の膝に，左手を左肩に置く	
8）膝を手前に倒し，腰殿部を回転させながら浮いてきた肩を手前に引き寄せる（➡❺）（図4-7d）	❺最初に膝を倒すことにより腰殿部が回転し，容易に側臥位をとることができる
9）側臥位が安定していることを確認する（図4-7e）	

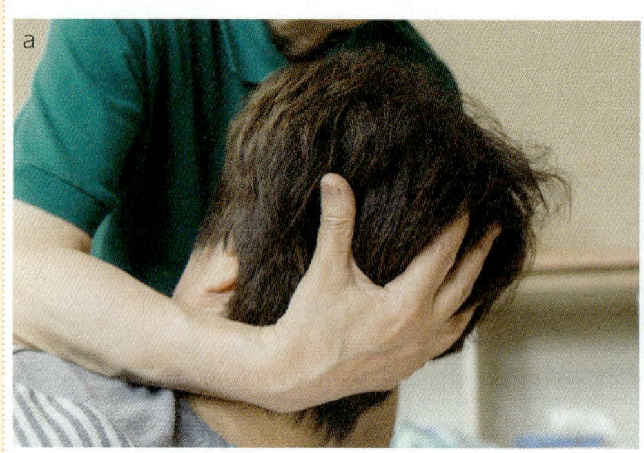

広げた右手掌で頭部を支える

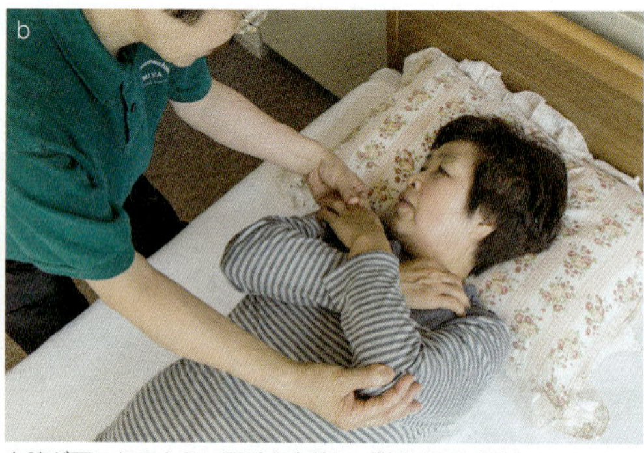

右腕が下になるように両手を交差し，指先を肩に置く

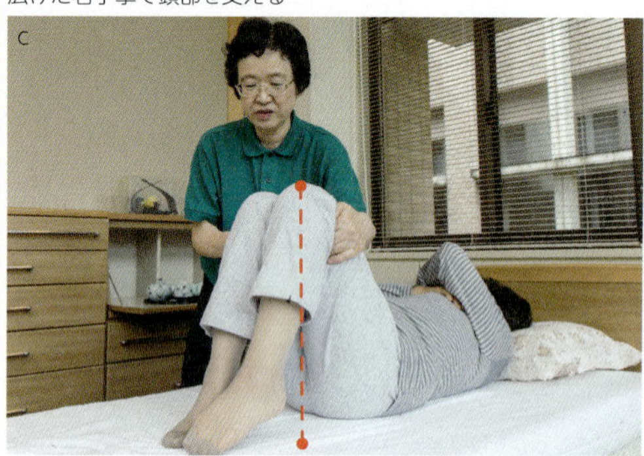

両膝をなるべく高く足立てをする

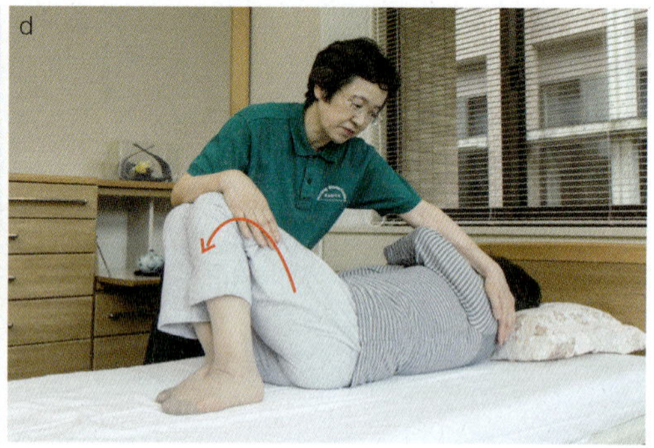

膝を手前に倒し，腰殿部を回転させながら肩を手前に引き寄せる

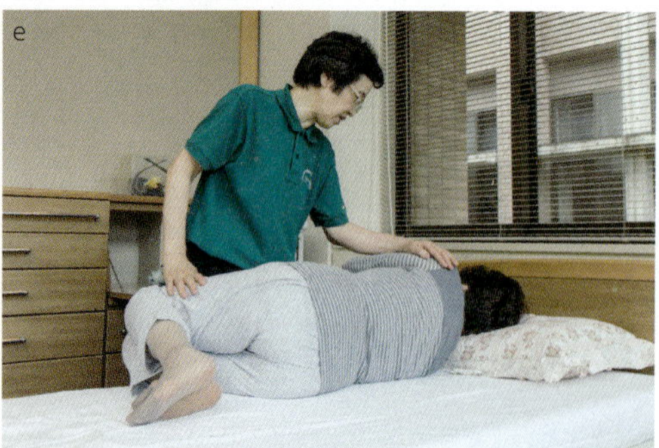

側臥位が安定していることを確認する

図4-7 仰臥位から右側臥位へ（膝を立てて行う方法）

	方法と観察の視点	療養者・家族支援と根拠
2	**仰臥位から右側臥位に変換する（膝が立てられない場合）** 1）身体の状態を観察する ・症状・訴えを観察する 2）体位変換することを伝え，同意を得る 3）療養者の頭部を看護師の右手掌を広げた状態で支える（➡❻） 4）看護師の左手で枕を引き「右を向きましょう」と言葉をかけて，頭部を右側に向ける（➡❼） 5）療養者の顔を横向きにして右腕を左肩に置く（➡❽）（図4-8a）	●療養者・家族にケア内容を説明し，できる部分については本人が行えるよう支援する ❻右手掌を広げて支えることで，頭部の支持基底面積が広がり，安定して支えることができる ❼自力で動かすことができない場合でも，療養者の意思が働くように言葉をかけることで協力が得られる ❽上半身を小さくまとめることで，慣性モーメントにより容易に回転できる

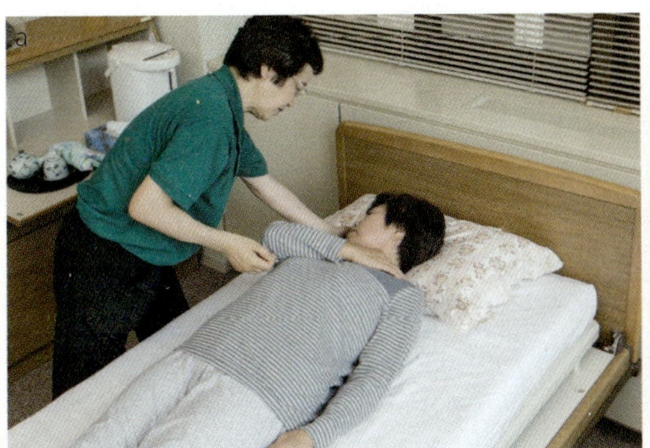

顔を横向きにして右腕を左肩に置く

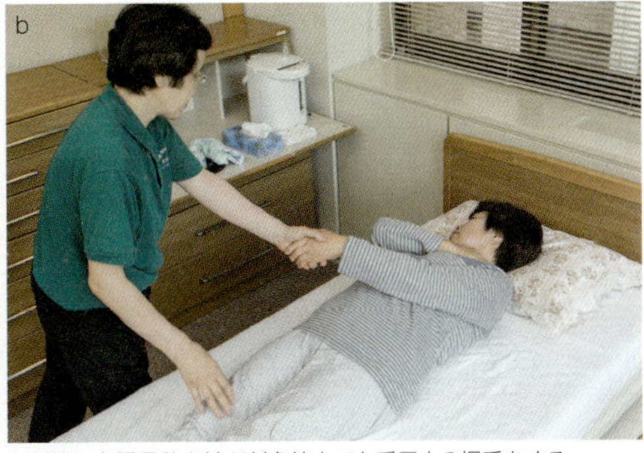

左肩峰と右腸骨稜を結ぶ対角線上で左手同士の握手をする

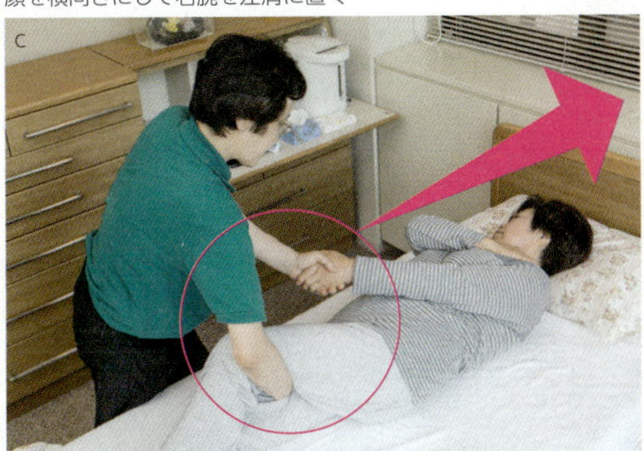

右大腿側面をベッドのサイドバンパーに押し当てる

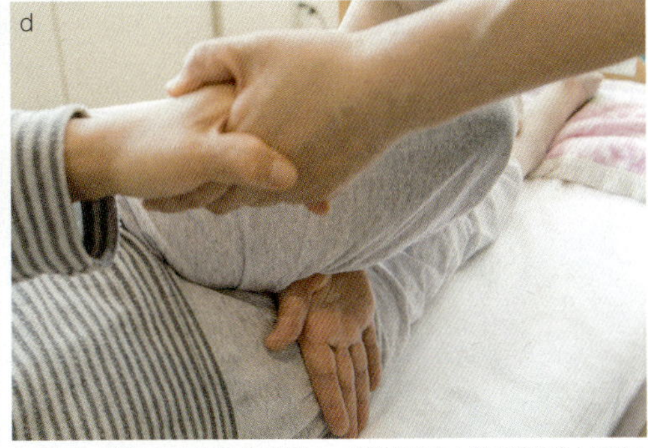

右手を左大腿中央から順手で挿入し，手の甲を右大腿中央部の上に置く

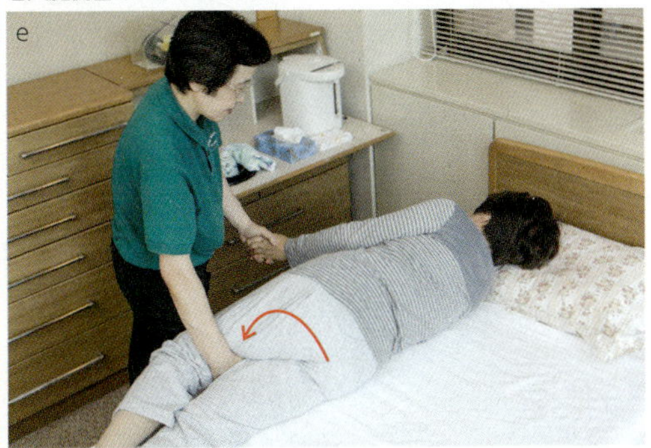

手の甲を大腿に押し当てて支点にし，腰殿部の回転をつくる

図4-8 仰臥位から右側臥位へ（膝が立てられない場合）

	方法と観察の視点	療養者・家族支援と根拠
	6）療養者の左肘を右手で免荷しながら，左肩峰と右腸骨稜を結ぶ対角線上で，左手同士の握手をする（図4-8b）。上肢が麻痺して動かせない場合は，看護師は左手を療養者の左肘に置く 7）看護師は右大腿側面をベッドのサイドバンパーに押し当てながら「失礼します」と声をかけ，右手を左大腿中央から順手で挿入し，手の甲を右大腿中央部の上に置く（図4-8c,d） 8）手の甲を大腿に押し当てて支点にし，腰殿部の回転をつくる（➡❾）（図4-8e）。握手した手を対角線上の下方に向けて軽く引き，右側臥位にする	❾トルクの原理により，てこを利かせて腰殿部の回転をつくる
3	**療養者自身が仰臥位から側臥位になる（ひもを活用した側臥位：右片麻痺のある療養者の場合）** 1）家族に，療養者の肩の位置にあたるベッドサイドにひもを取り付けてもらう 2）健側の手で，麻痺側の肩から下方にたどって肘関節を把持し，麻痺側の腕を腹部の上に移動する（図4-9a） 3）健側の足を立て，麻痺側の膝窩に入れて外側に倒すと腰殿部が少し回転する（図4-9b） 4）肩の位置に取り付けたひもを下から握り，おへそを見るように頭を上げながら，肘を支点にしてひもを手前に引き側臥位をとる（図4-9c,d） 5）肩の位置に取り付けたひもをつかみ，肘を支点にして引く	●自力での体位変換は，療養者の自立につながるため積極的に勧め，安全・確実に体位変換ができるよう指導する ●麻痺側の肩関節の亜脱臼を防ぐため，麻痺側の腕は腹部の上に置くよう指導する ●健側の足で腰殿部の回転をつくるよう指導する

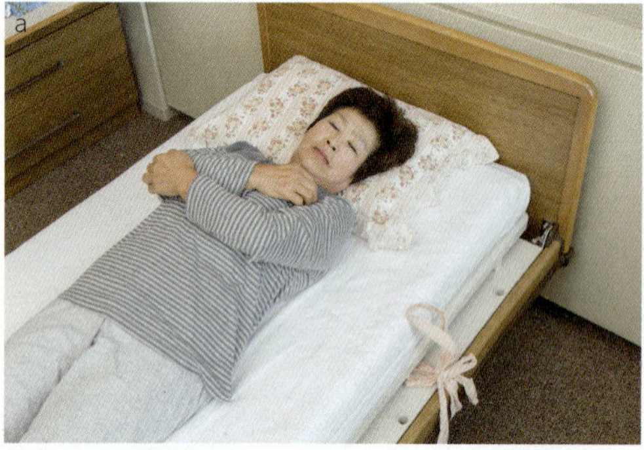

健側の手で肘関節を把持し，麻痺側の腕を腹部の上に移動する

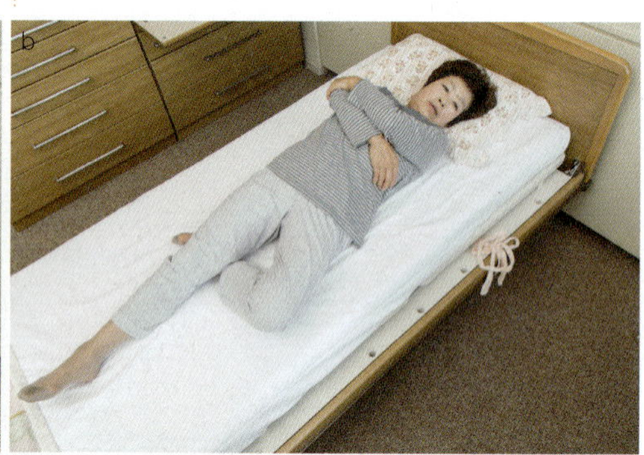

健側の足を立て，麻痺側の膝窩に入れて外側に倒す

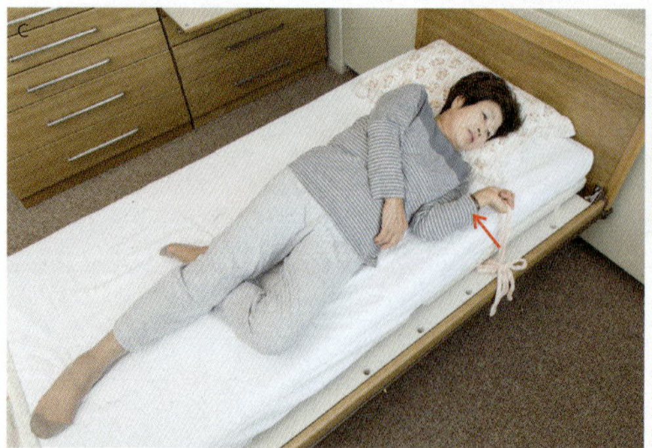

ひもを手前に引いて側臥位をとる

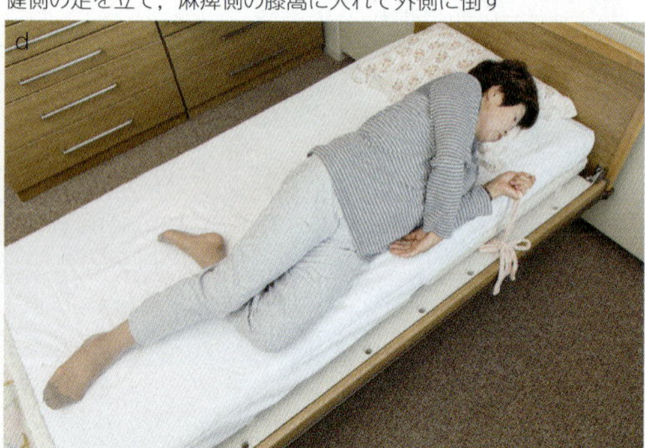

図4-9 仰臥位から側臥位へ（ひもを活用した側臥位）

	方法と観察の視点	療養者・家族支援と根拠
4	**水平移動を介助する** **<上半身の移動>** 1）身体の状態を観察する ・症状・訴えを観察する 2）体位変換することを伝え，同意を得る 3）療養者の頭部を看護師の右手掌を広げた状態で支え，枕を移動側に置く（➡⑩） 4）看護師の左腕をV字にして，療養者の頭頂部から挿入し，療養者の後頸部を支える（➡⑪）（図4-10a） 5）療養者の左腕を下にし，胸で交差して腕を組み，上半身をコンパクトにまとめる（➡⑫） 6）看護師は右手で療養者の左肩関節部を軽く上げ，左手掌を大きく開き，肩甲骨下端で背部を支持する 7）看護師は右手を療養者の左側胸部中央付近のベッドに置き，上半身の体重を右腕に乗せてベッドに垂直に腕を立てる（➡⑬）（図4-10b） 8）療養者の上半身をスウィングして手前に移動する（図4-10c）	●療養者に体位変換をどのように行うのか説明しながら行う ⑩右手掌を広げて支えることで，頭部の支持基底面積が広がり，安定して支えることができる ⑪看護師の腕をV字にして肘関節部に療養者の頭を乗せることで最小のエネルギーで頭部を支えることができる ⑫上半身を小さくまとめることで，慣性モーメントにより容易に回転できる ⑬垂直に腕を立てることにより作用・反作用を有効に活用でき，最小の力で移動できる

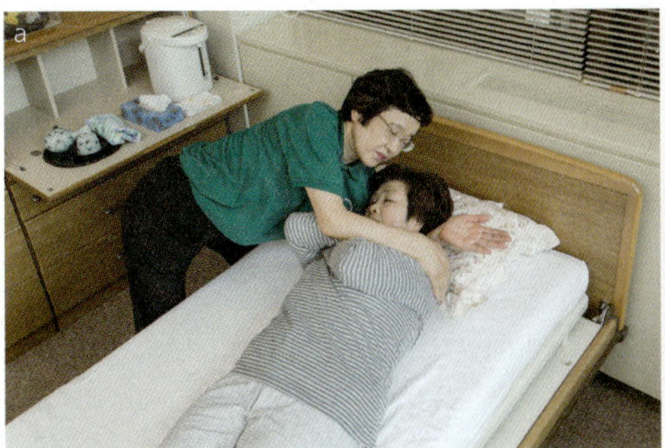

左腕をV字にして頭頂部から挿入し後頸部を支え，右手で左肩関節を軽く上げる

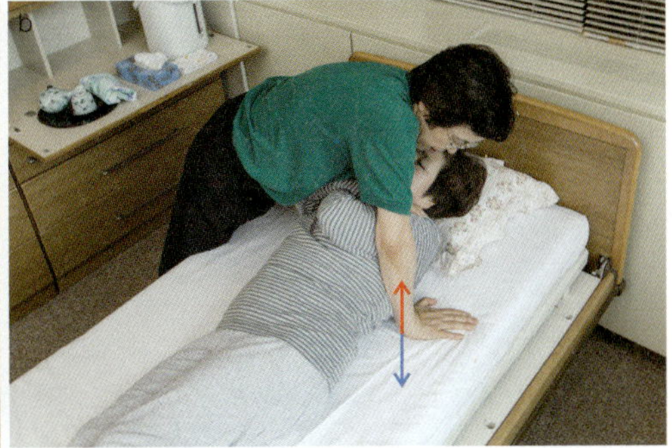

肩甲骨下端で背部を支持し，ベッドに垂直に腕を立てる

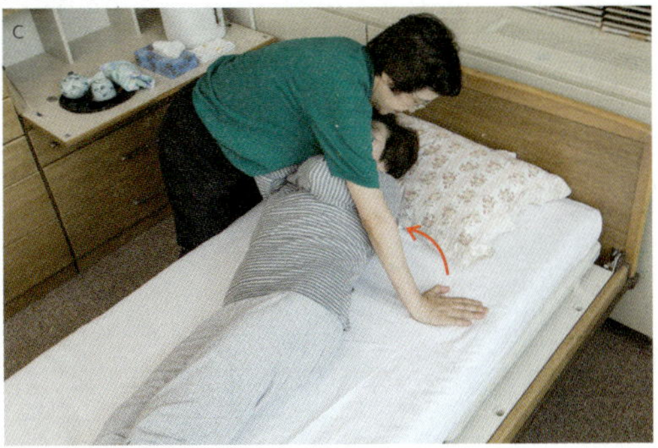

上半身をスウィングして手前に移動する

図4-10 上半身の水平移動

方法と観察の視点	療養者・家族支援と根拠
<下半身の移動> 1）身体の状態を観察する ・症状・訴えを観察する 2）体位変換することを伝え，同意を得る 3）療養者の両膝を軽く曲げて立てる（図4-11a） 4）看護師は右肘を療養者の立てた膝の間に挿入し，両膝を把持する	●療養者に体位変換をどのように行うのか説明しながら行う

	方法と観察の視点	療養者・家族支援と根拠
	5）看護師は療養者の左大転子に左手を添え，前傾して療養者と一体となり重心を合わせる（図4-11b） 6）上半身の重心を前から後方に移動し，下半身を手前に移動させる（図4-11c）	

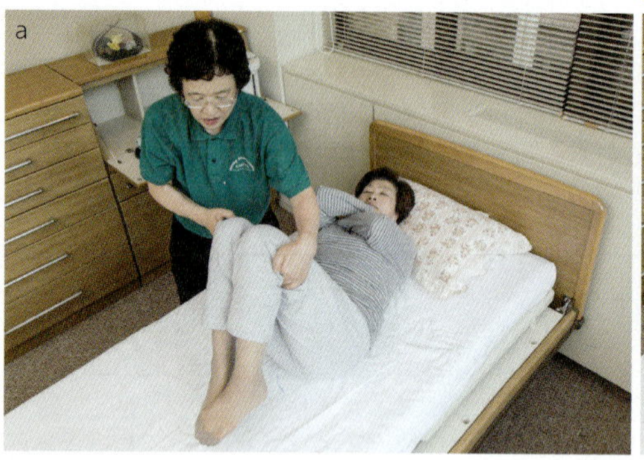

両膝を立てる

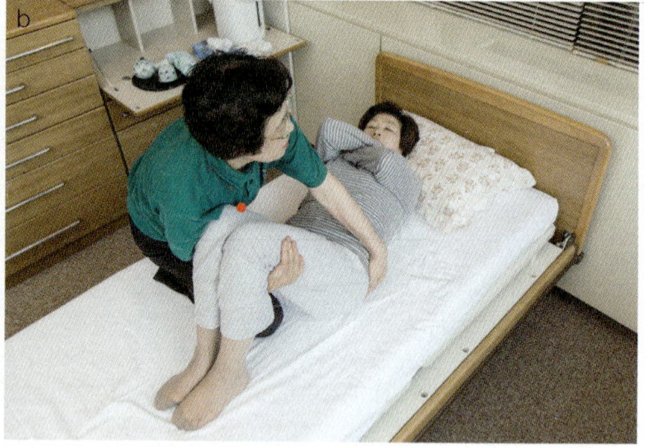

左大転子に左手を添え，前傾して療養者と一体となり重心（●）を合わせる

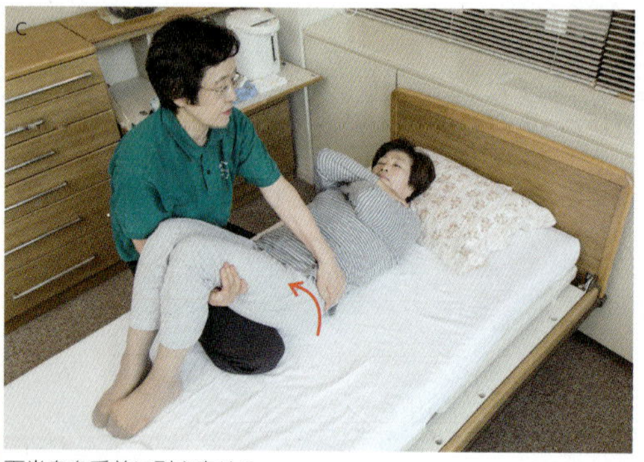

下半身を手前に引き寄せる

図4-11　下半身の水平移動

	方法と観察の視点	療養者・家族支援と根拠
5	**腰殿部を挙上する** 1）身体の状態を観察する ・症状・訴えを観察する 2）体位変換することを伝え，同意を得る 3）療養者の両手は，肘をベッドにつけた状態で上腹部で組んでもらう 4）療養者の膝を体幹に寄せてなるべく高く立ててもらう（➡⑭）（図4-12a） 5）両膝をつけたまま足を左右に開く（図4-12b） 6）両膝頭より4横指分上の位置に看護師の右腕を置き，左肘はウエストの位置に押し当てる。療養者の膝を外側に少し倒し，左手掌は腰殿部下に浅く挿入し，重心を合わせる（➡⑮） 7）両膝頭を足元に向かって回転させるように押すと同時に，看護師の左前腕全体で腰殿部が上がるのを補助する（図4-12c） 8）協力が得られる場合は「踵を意識してベッドを踏んでください」と声をかける（➡⑯） 9）看護師の肘をベッドに固定して，手掌で仙骨部を支える	●療養者に体位変換をどのように行うのか説明しながら行う ⑭トルクの原理により膝を高く立てることで回転する ⑮重心を合わせることにより最小の力で腰を挙上できる ⑯療養者に踵を意識してベッドを踏んでもらうことで，腰の挙上が容易になる

	方法と観察の視点	療養者・家族支援と根拠
	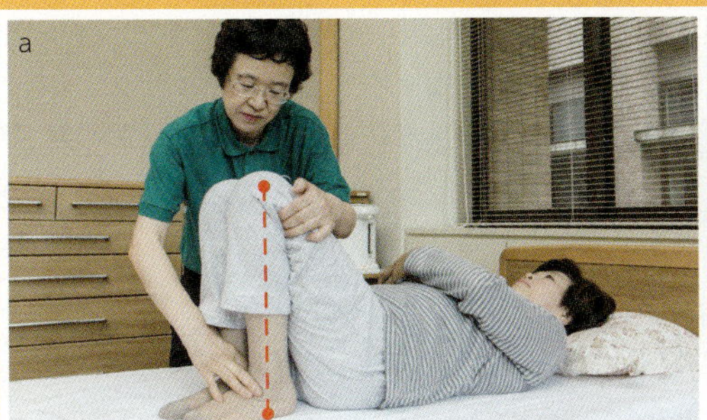 a 膝を体幹に寄せて高く立ててもらう  c 膝を外側に倒し，左手掌は腰殿部下に浅く挿入し重心を合わせ，左前腕全体で腰殿部が上がるのを補助する **図4-12 腰殿部の挙上**	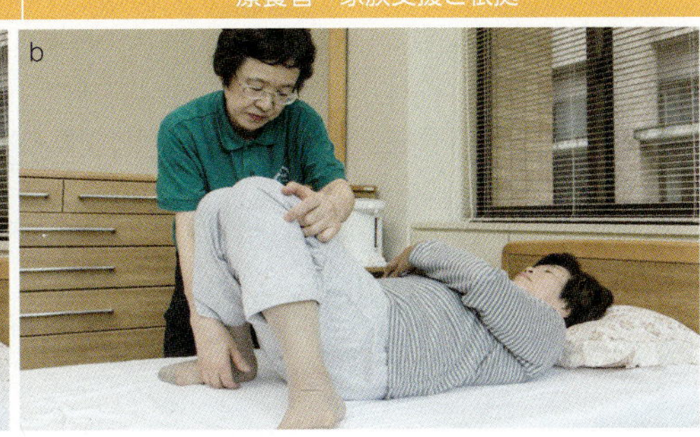 b 両膝をつけたまま足を左右に開く
6	**仰臥位からの起き上がりを介助する** 1）身体の状態を観察する ・症状・訴えを観察する 2）体位変換することを伝え，同意を得る 3）療養者の頭部を看護師の右手掌を広げた状態で支える（➡⑰）。左腕をV字にして，療養者の頭頂部から挿入し，療養者の後頸部を支える 4）看護師は右手で療養者の左肩関節部を軽く上げ，左手掌を大きく開き，肩甲骨下端で背部を支持する（図4-13a） 5）看護師は体の向きを足元の方向に変え，療養者の右手は軽く体幹から離しておく（図4-13b） 6）看護師は左大腿をサイドバンパーに押し当て，右足を後ろに曲げて浮かせ，左足に重心を乗せる。「右を向いてください」と声をかけて，手前に倒して上半身を右側臥位にする。療養者の右肘の下を軽く押さえ，右足を前方に踏み出しながら上半身を手前に引き，療養者の頭でカーブを描くようにして起こす（➡⑱）（図4-13c） 7）療養者の両手を大腿の上に置き，姿勢を安定させる	●療養者に体位変換をどのように行うのか説明しながら行う ⑰右手掌を広げて支えることで，頭部の支持基底面積が広がり，安定して支えることができる ⑱カーブを描くことで自然な起き上がりの頭の動きをつくる
7	**長座位から端座位に体位変換する** 1）身体の状態を観察する ・症状・訴えを観察する 2）体位変換することを伝え，同意を得る 3）看護師の左腕で療養者の上半身を支え，右手は療養者の両膝窩に挿入して膝を曲げる。療養者の体をV字にしてバランスをとる（➡⑲）。殿部を支点として，看護師の右手を手前に引き，左手はやや上方に押して身体を回転させる（➡⑳）（図4-14a）	●療養者に体位変換をどのように行うのか説明しながら行う ⑲身体全体をV字にまとめて回転しやすくする ⑳ベッドに接する摩擦面を少なくすることで力の分散を防ぐことができる

方法と観察の視点	療養者・家族支援と根拠
4）ベッドから両足を下ろして，端座位にし，足底を接地させる（図4-14b,c）	

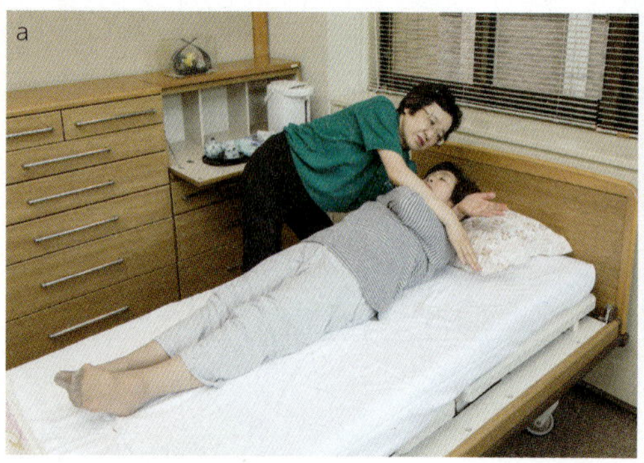

a 右手で左肩関節部を軽く上げ，左手掌を大きく開き，肩甲骨下端で背部を支持する

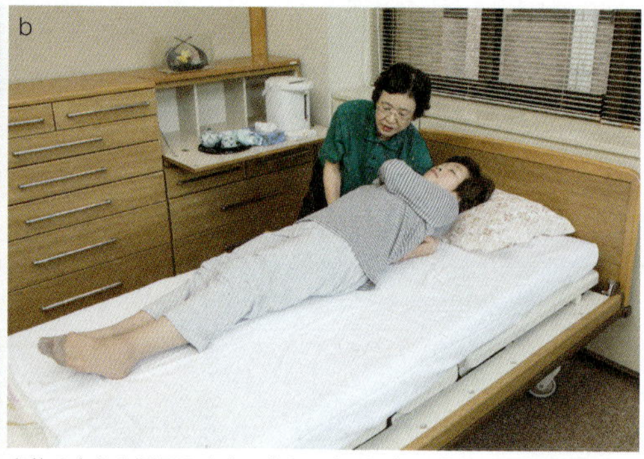

b 身体の向きを足元の方向に変え，右手は軽く体幹から離しておく

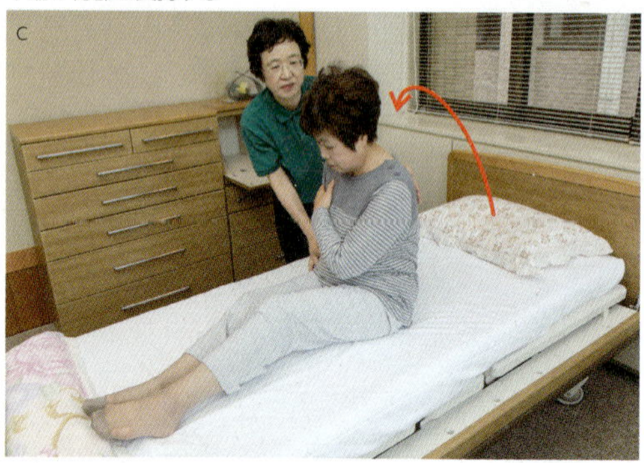

c 上半身を手前に引き，頭でカーブを描くようにして起こす

図4-13 仰臥位からの起き上がり

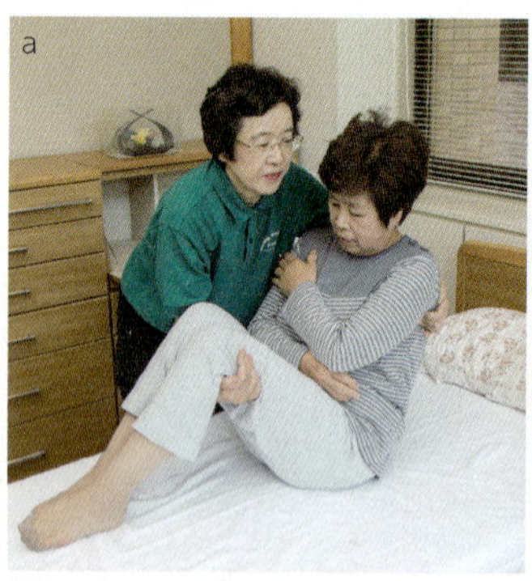

a 体をV字にしてバランスをとり，殿部を支点として身体を回転させる

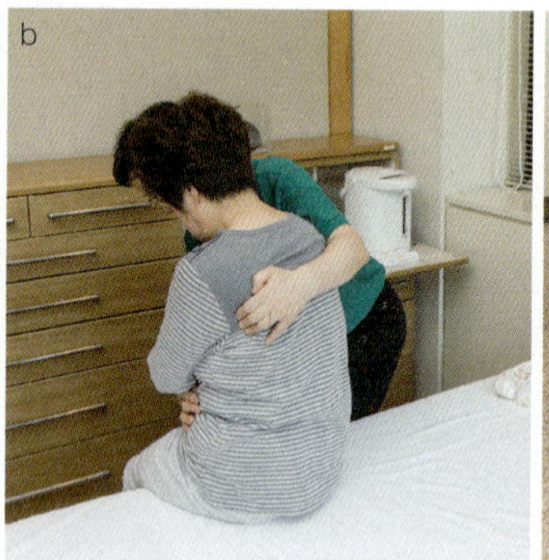

b，c ベッドから両足を下ろして端座位にし，足底を接地させる

図4-14 長座位から端座位へ

	方法と観察の視点	療養者・家族支援と根拠
8	**布団で臥床している場合に仰臥位から座位へ体位変換する** 1）身体の状態を観察する ・症状・訴えを観察する 2）体位変換することを伝え，同意を得る 3）療養者の腕を組み，看護師は向き合って座る（➡㉑） 4）療養者の右脇腹に看護師の右膝をつけ，肩の位置に左膝を立てる（図4-15a）	●療養者に体位変換をどのように行うのか説明しながら行う ㉑療養者の腕を組み，上半身をコンパクトにまとめることで，慣性モーメントを利用して容易に回転できる

方法と観察の視点	療養者・家族支援と根拠
5）看護師は療養者の首下から左手を回し，首を支えながら左肩を包むように両手の指を組む（図4-15b） 6）療養者の頭が横にカーブを描くようにしながら，手前に起こす（➡㉒）（図4-15c）。このとき，看護師は前傾した上半身を前方から後方に移動させながら，元の姿勢に戻る（図4-15d）	㉒カーブを描くことで自然な起き上がりの動きをつくる

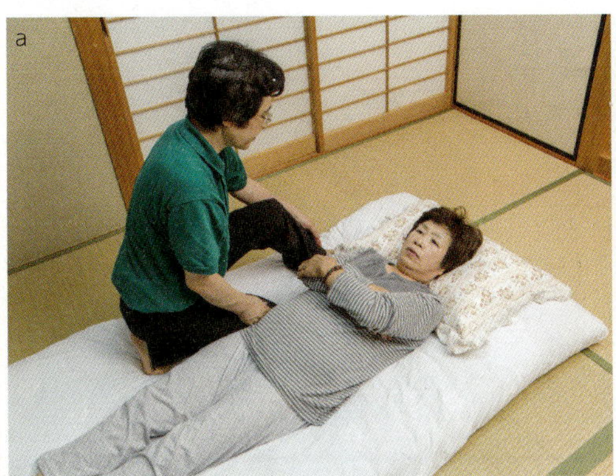
療養者の腕を組み，向き合って座り，右脇腹に右膝をつけ，肩の位置に左膝を立てる

首を支えながら左肩を包むように両手の指を組む

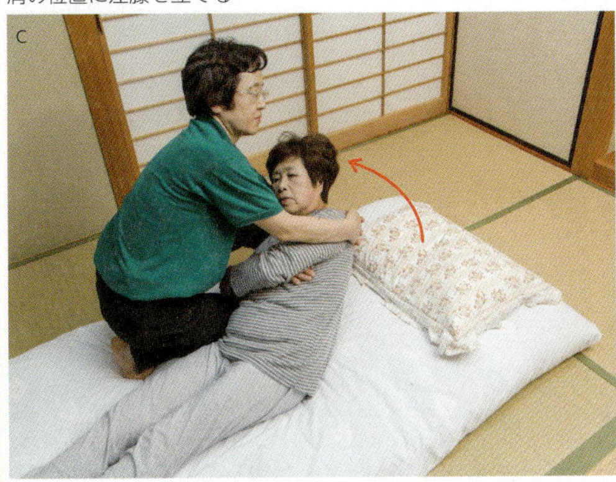
頭が横にカーブを描くようにしながら手前に起こす

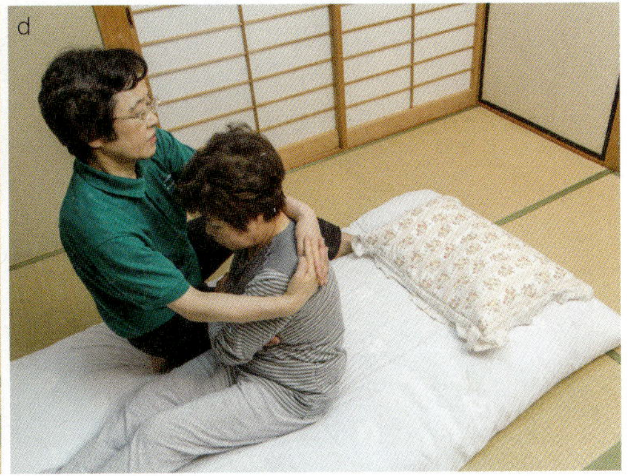
看護師は前傾した上半身を前方から後方に移動させながら，前の姿勢に戻る

図4-15 仰臥位から座位へ（布団で臥床している場合）

	方法と観察の視点	療養者・家族支援と根拠
9	**引き上げる（健側の足を活用する）** 1）身体の状態を観察する ・症状・訴えを観察する 2）体位変換することを伝え，同意を得る 3）療養者の頭部と平行に肩の下に看護師の左膝を浅く挿入する（図4-16a） 4）看護師の右手で療養者の後頭部を支え，看護師の左腕をV字にして頭頂部から後頸部に挿入し支える（図4-16b） 5）療養者の両腕を肘が直角になるように前腕で組み，看護師は背部を片手で支え療養者の右肘を包み込むように把持する。看護師は右足を一歩前に出し，上半身を軽く側臥位にして，頭が右側でカーブを描くようにして起こす（➡㉓）（図4-16c） 6）看護師は左肩で療養者の上半身を支持し，背部から両手を挿入して療養者の前腕を持ち，療養者に健側の膝を立ててもらう（図4-16d）	●麻痺のない側の機能を積極的に使い，筋力を維持することを伝える ●療養者に体位変換をどのように行うのか説明しながら行う ㉓頭のカーブを描くようにすることで，自然に起き上がるときの動きをつくる

方法と観察の視点	療養者・家族支援と根拠
7）「1，2，3」の合図で健側の足でベッドを踏んでもらうタイミングで療養者と重心を重ね両腕の脇をしめて引き上げる（➡㉔）（図4-16e） 8）看護師は挿入した左膝をはずし，療養者を静かに臥床させる（図4-16f）	㉔療養者と看護師が重心を重ねることで最小の力で引き上げることができる

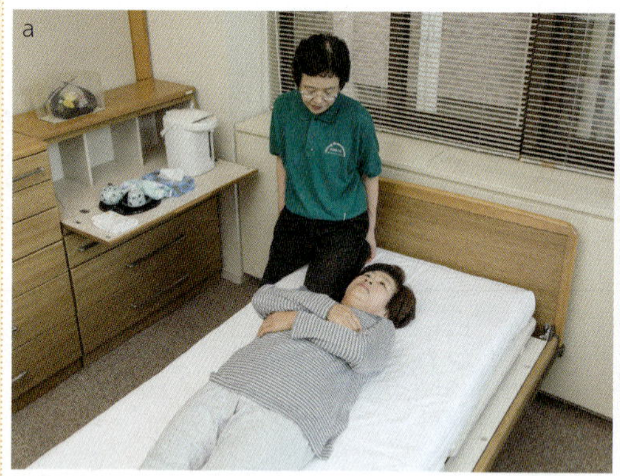

a 頭部と平行に肩の下に左膝を浅く挿入する

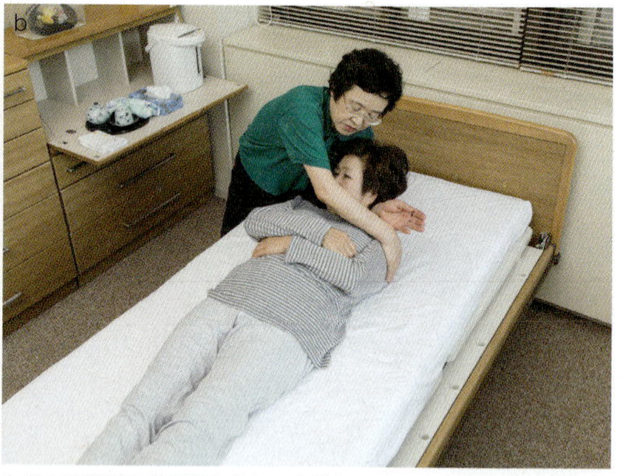

b 右手で療養者の後頭部を支え，左腕をＶ字にして頭頂部から後頸部に挿入し支える

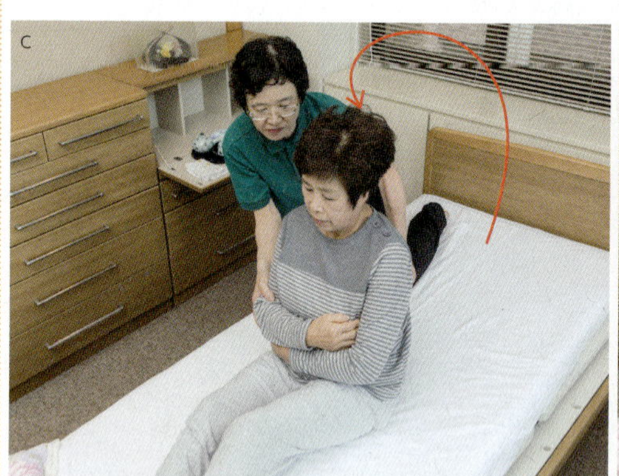

c 頭が横にカーブを描くようにしながら手前に起こす

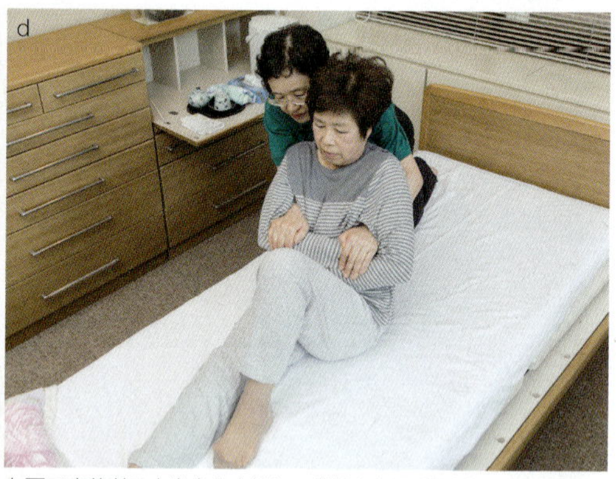

d 左肩で療養者の上半身を支持し，背部から両手を挿入して前腕を持ち，療養者に健側の膝を立ててもらう

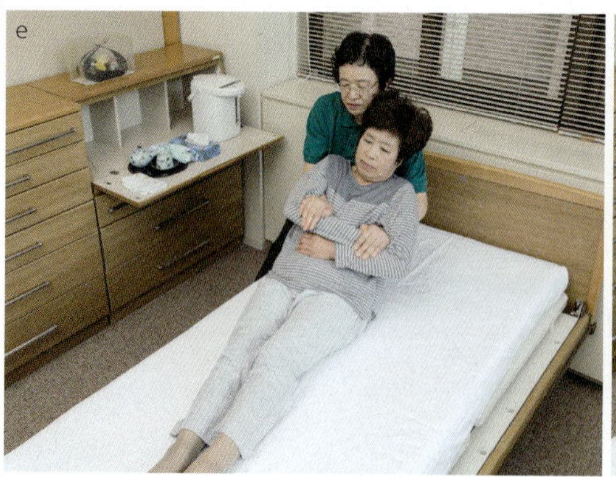

e 看護師は療養者との重心を近づけてベクトルの原理を活用し自身の両腕の脇をしめて，1，2，3の合図で健側の足でベッドを踏んでもらい，引き上げる

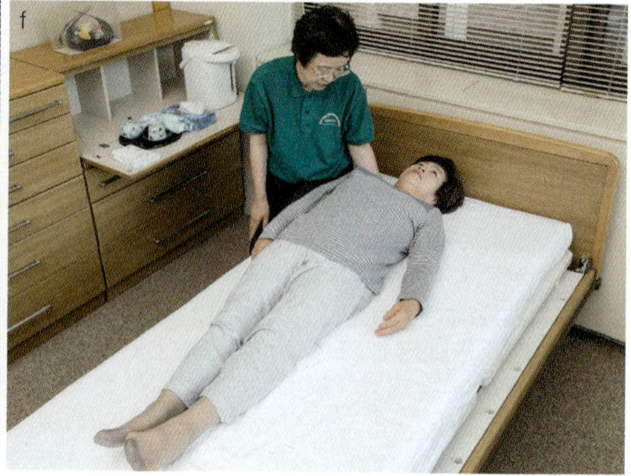

f 看護師は挿入した左膝をはずし，療養者を静かに臥床させる

図4-16 身体の引き上げ(健側の足を活用)

	方法と観察の視点	療養者・家族支援と根拠
10	**歩行を介助する** 1）身体の状態をアセスメントする ・症状・訴えを観察する 2）室内環境・着衣をアセスメントする ・療養者が安全に歩行できる室内環境か ・療養者の衣類や履物が歩行に適しているか 3）療養者の歩行時の状態（以下，11～15）により，転倒を予防できる位置に立ち歩行を介助する	
11	**歩行介助：療養者の手首か前腕を持つ方法**（図4-17a） 1）療養者の手首か前腕を持つ（➡㉕） 2）療養者が手の届く距離を保ち，斜め後ろから療養者のペースに合わせて付き添って歩く	㉕手首か前腕を持つことにより，療養者のふらつきを防ぐ

a 療養者の手首か前腕を持つ方法

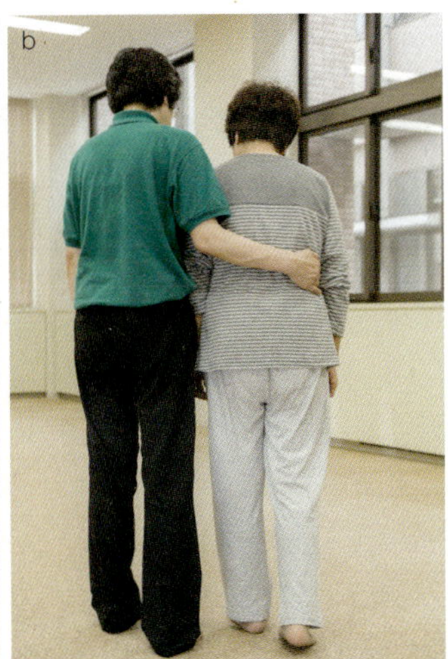
b 腰部を支える方法

c 腕や肩につかまってもらい，看護師が一歩前を歩く方法

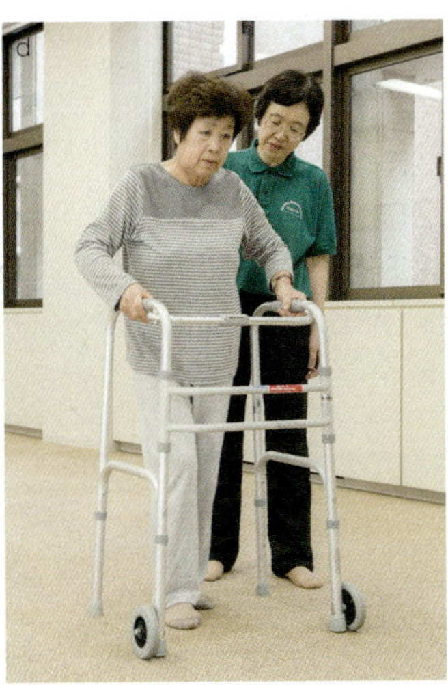
d 歩行器を使用の場合，看護師は歩行器の後方につく

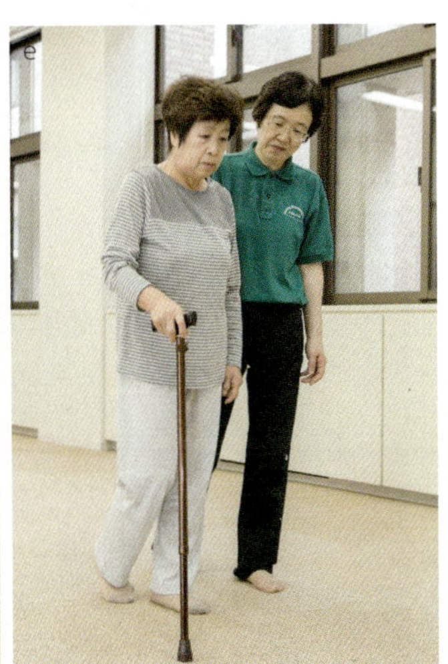
e 杖をついている場合，看護師は杖の反対側に立つ

図4-17 **歩行介助**

	方法と観察の視点	療養者・家族支援と根拠
12	**歩行介助：腰部を支える方法**（図4-17b） 1）療養者の腰部を支える（➡㉖） 2）療養者が手の届く距離を保ち，斜め後ろから療養者のペースに合わせて付き添って歩く	㉖療養者の腰部を支えることで転倒を防ぐ
13	**歩行介助：看護師の腕や肩につかまってもらい，看護師が一歩前を歩く方法**（図4-17c） 1）看護師の腕や肩につかまってもらう（➡㉗） 2）療養者の一歩前を，療養者のペースに合わせて歩く	㉗療養者に看護師の腕や肩につかまってもらうことによりふらつきを予防する
14	**歩行介助：歩行器を使用する場合**（図4-17d） 1）歩行器の後方につく（➡㉘） 2）療養者のペースに合わせて歩く ・歩行時，両足底が床面についているか	㉘療養者が転倒しそうになった際に後方から支える
15	**歩行介助：杖をついている場合**（図4-17e） 1）杖の反対側に立ち，必要時，腰部に手を添える ・杖の先端を床面に垂直についているか 2）療養者のペースに合わせて付き添って歩く	●杖を床面に垂直につくよう指導する ●介助者に対して転倒防止のために，すぐに療養者を支えられる位置にいるように指導する ●看護師は療養者が転倒しそうになった際に転倒を防ぐよう反対側に立つ
16	**車椅子への移乗を介助する（準備）** 1）身体状態をアセスメントする ・気分不快がないか ・車椅子での移動が可能な体調であるか 2）車椅子を点検する ・タイヤの空気が十分に入っているか ・ストッパーの効き具合を確認する 3）ベッドサイドの環境を整備する 4）療養者が端座位時に足底部が床面に着くよう，ベッドの高さを調整する	
17	**車椅子への移乗を介助する** 1）車椅子を療養者の移動時に軸になる足側（健側）に準備する ・ベッドとの角度は30～45度程度になっているか（図4-18a） ・ストッパーがかかっているか	●介護者のペースで進めないように指導する ●療養者に一つひとつの動作について声をかけて行い，次の動作に移る

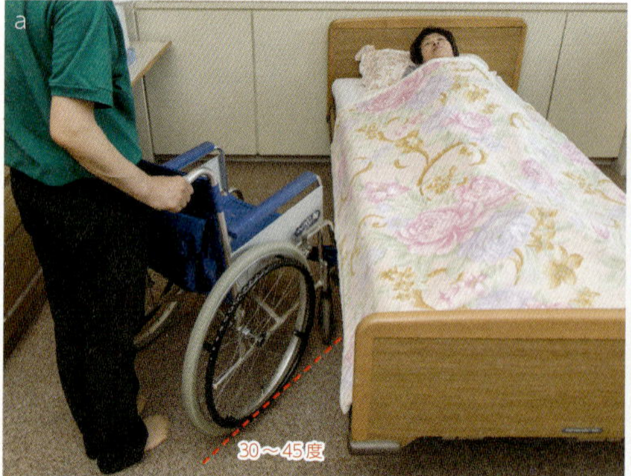

車椅子の準備

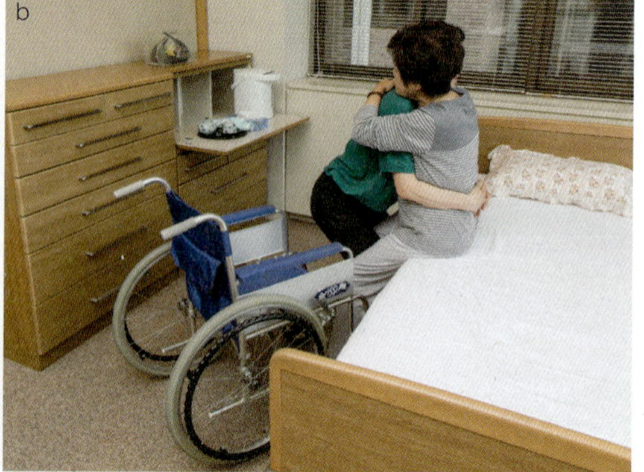

療養者は両腕を看護師の首に回し，看護師は療養者の腰に両手を回して組む

図4-18 車椅子への移乗

方法と観察の視点	療養者・家族支援と根拠
2）履物が必要な場合は準備する 3）看護師は療養者と向き合い，足を肩幅程度に開いて立つ。療養者の足も肩幅程度に開いた位置に置く 4）療養者は両腕を看護師の首に回し，看護師は療養者の腰に両手を回して組む（図4-18b） 5）看護師は療養者の片足または両足をはさむように立ち，腰を下ろして療養者とタイミングを合わせて療養者を支えるようにして，立位をとらせる（図4-18c）。看護師の軸足で回転させ車椅子に座らせる（図4-18d,e）	

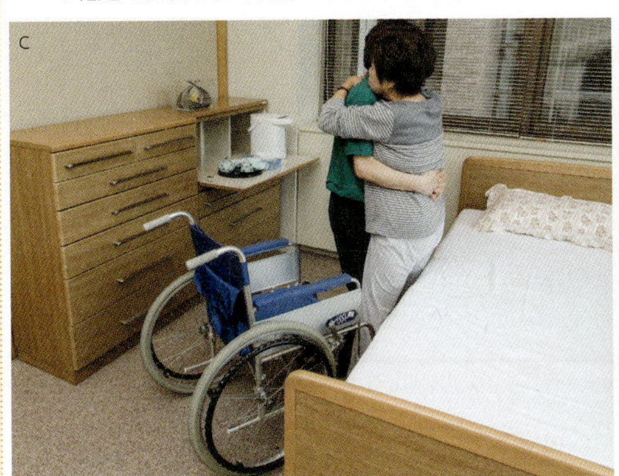
片足または両足をはさむように立ち，タイミングを合わせて立位をとらせる

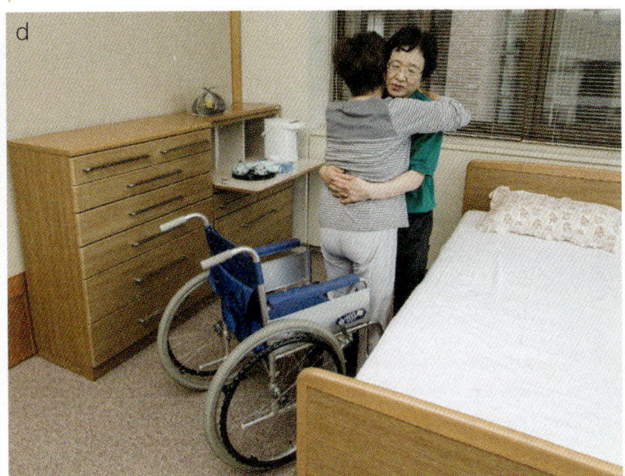
看護師の軸足で回転させる

車椅子に座らせる

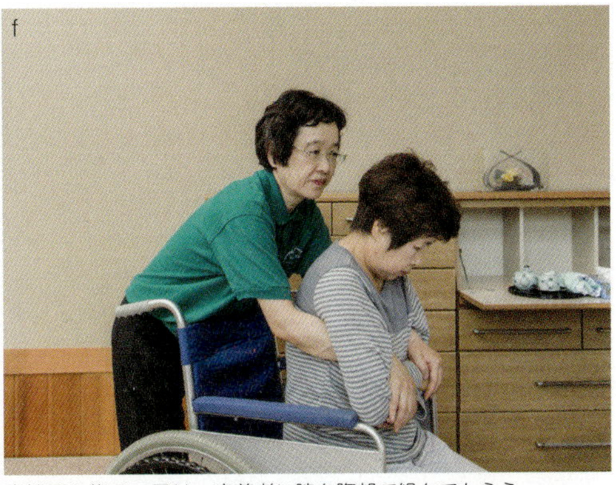
車椅子の後ろに回り，療養者に腕を腹部で組んでもらう

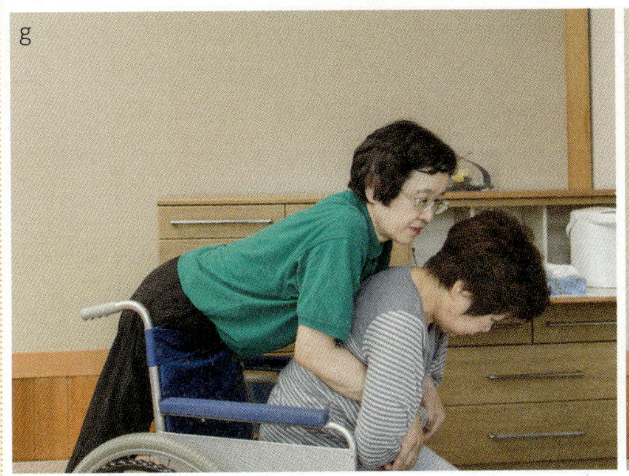
背部から両手を挿入して前腕を把持する

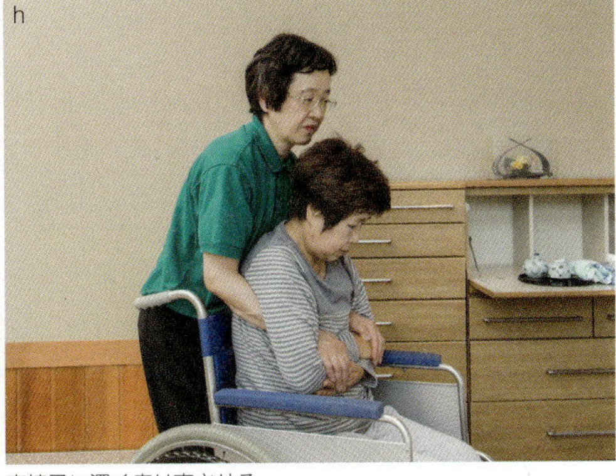
車椅子に深く座り直させる

図4-18 **車椅子への移乗（つづき）**

	方法と観察の視点	療養者・家族支援と根拠
	6）車椅子の後ろに回り，療養者に腕を腹部で組んでもらい，背部から両手を挿入して療養者の前腕を把持する。療養者を前傾させて重心を近づけるようにし，引き上げる瞬間に看護師の脇をしめて後方に移動し，車椅子に深く座り直させる（➡㉙）（図4-18f,g,h） 7）療養者が座ったことを確認後，フットレストを下ろし，療養者の足を載せる（➡㉚） 8）姿勢を整えてからブレーキをはずし，動くことを伝え，動き始める	㉙看護師の重心移動により，療養者の腕を引き上げることなく椅子に深く座り直すことができる ●療養者の腕を無理に引き上げることで肩関節を脱臼することがあるので，療養者の状態に合わせて複数での介助を考える ㉚中途半端に座ってフットレストを下ろすとずり落ちて転倒することがある

移動の援助にあたり看護師や介護者の腰痛予防や療養者の負担軽減のための移動補助用具がある。スライディングシートやグローブ，スライディングボードなどがある。療養者の状態をアセスメントし，必要に応じて移動補助用具を活用する。

B 睡眠への援助

●目　　的：療養者に睡眠に関するアセスメントを行い，環境調整や入眠前の援助，リラクゼーションを指導するなどして不眠を予防する

	方法と観察の視点	療養者・家族支援と根拠
1	**睡眠に関するアセスメントを行う** 1）睡眠に関するアセスメントを行う ・必要な睡眠時間が確保されているか ・睡眠の満足度 ・サーカディアンリズムと合っているか ・睡眠の周期の異常の有無 ・入眠を妨げる因子の有無 2）課題があれば，課題に対する看護援助を計画し，支援する	
2	**睡眠への援助を行う** 1）覚醒時に光が当たるようにし，サーカディアンリズムに沿った生活のリズムをつける（➡❶） 2）環境を調整する 3）入眠前の援助として，入浴（➡❷）や寝る前のホットミルク（➡❸）を取り入れる 4）就寝前に排泄を済ませる（おむつを使用している場合は交換する，夜間のみポータブルトイレを使用する場合は設置する） 5）普段行っている就寝儀式を行う（洗面，歯磨き，必要時口腔ケア）	●療養者が自ら行える場合は療養者へ指導し，家族の援助が必要な場合は，家族へ指導する ●昼間の生活に一定のリズムをもたせるため，療養者に合った適度な運動や刺激を与えるよう工夫する。また，昼寝は長時間にならないようにする ❶人は日光に当たると，概日リズムがリセットされる ●環境調整を指導する ・寝衣：ゆったりした寝衣に着替える ・部屋の温度・湿度の調整 ・光・音の調整 ・気になるにおいがある場合は原因を取り除く ❷睡眠は体温が低下していくときに自然に訪れる。就寝前にぬるめの湯で入浴すると，入浴後，体温が低下するため，寝つきがよくなる。足浴でも効果が期待できる ❸ホットミルクに含まれるカルシウムには精神安定作用がある ●夕食後はカフェインを含むコーヒー，緑茶，ココア，栄養ドリンクなどの摂取を控えるよう指導する
3	**リラクゼーションを援助する** 1）マッサージ・指圧で筋肉の緊張をとる 2）音楽を聴く	

	方法と観察の視点	療養者・家族支援と根拠
4	**不眠の訴えに対する援助を行う** 1）訴えをよく聞き，不眠の原因に対処する 2）苦痛を訴える場合には，医師に相談し睡眠薬を処方してもらう	

文　献

1）平田雅子：臨床看護のなるほど！サイエンス<JJNスペシャル64>，医学書院，1999.
2）志自岐康子・松尾ミヨ子・習田明裕編：基礎看護学3基礎看護技術<ナーシング・グラフィカ>，第5版，メディカ出版，2014.
3）阿部正和：看護生理学—生理学よりみた基礎看護，メヂカルフレンド社，1985.
4）紙屋克子監：ナーシングバイオメカニクスに基づく自立のための生活支援技術，ナーシングサイエンスアカデミー，2005.
5）貴邑冨久子・根来英雄：シンプル生理学，改訂第5版，南江堂，2005.
6）坪井良子・松田たみ子編：考える基礎看護技術Ⅱ　看護技術の実際　基礎看護学，第3版，ヌーヴェルヒロカワ，2005.
7）菊池和子：文献レビューによる看護ケアベストプラクティスー患者と看護職者にとって安全で安楽な車椅子移乗技術，看護技術，60（11）：92-95，2014.

5 住まい・生活環境

学習目標

- 住まい・生活環境のあり方が，在宅療養者の健康やQOLに影響することを理解する。
- 療養者一人ひとりの身体状況と生活環境の多様性・問題点を理解し，自立した生活を継続するために住みやすい住環境の整備の方法について学ぶ。
- 住環境がケアの効率化など介護負担の軽減につながり，在宅療養の継続に影響することを理解する。
- 療養者の生活環境を整備するための専門家チームにおける看護師の役割を理解する。

1 住まい・生活環境のとらえ方

1）住まい・生活環境とは

厚生労働省は，団塊の世代が75歳以上となる2025年を目途に，重度な要介護状態となっても住み慣れた地域で自分らしい暮らしを人生の最期まで続けることができるよう，住まい・医療・介護・予防・生活支援が一体的に提供される地域包括ケアシステムの構築を実現していくとし，高齢者のプライバシーと尊厳が十分に守られた住環境が必要と提言している。

住まいとは，個人またはその家族が集まって生活を営む場であり，生活の基盤となるものである。持ち家，民間の賃貸住宅，公営住宅，社宅や官舎などがあるが，単に「建物として雨風をしのぐ場所」「食事や睡眠をとる場所」というだけではなく，誰にも気兼ねせず自分らしくいられる安心できる場所である。そこには一人ひとりの思いや信条があり，多様な暮らしと生活環境がある。子どもや孫が庭に植えた記念樹を眺めるのを楽しみにしている祖父母や自家菜園で野菜作りを楽しむ夫婦，犬の散歩で近所の人とおしゃべりするのを楽しみにしている一人暮らしの人など，様々な生活があり思い出がいっぱいつまった空間である。どんなに古くて小さくても，住まいとは憩いの場，家族の集まる場，地域の人との交流の場であり，他人には計り知れない大切な場所である。

住まい・生活環境とは，住まいの大きさや快適さ，使いやすさだけではなく，安心して休息をとり，地域とのかかわりのなかで自分らしい生活が実現できる場所であり，人が人らしい生活を営むために必要な「機能」と「地域環境」を併せもつ空間である。在宅看護では，そこに住む人の思いや暮らしぶりを理解したうえで，療養者の価値観を大切にしながら支援していかなければならない。

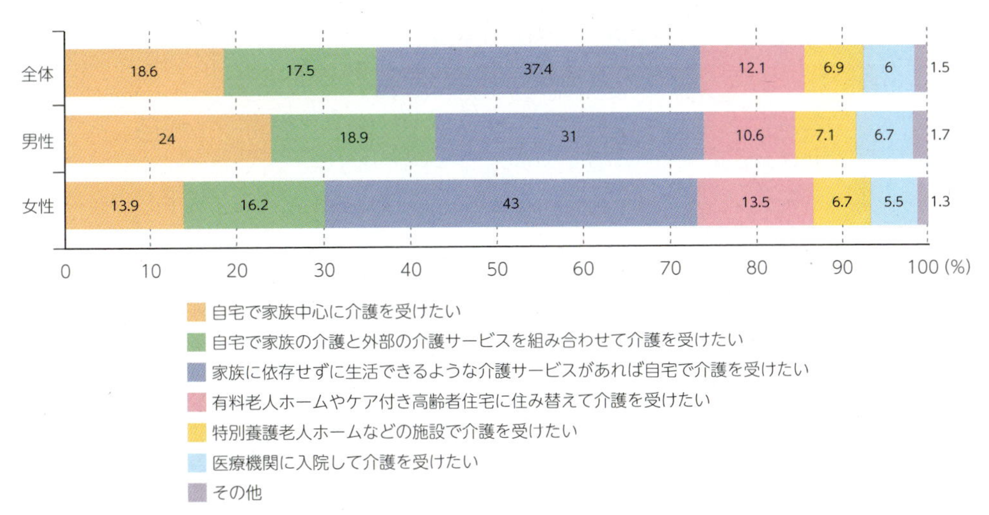

図5-1 どこでどのような介護を受けたいか

厚生労働省政策統括官付政策評価官室委託「高齢社会に関する意識調査」(2016年) を参考に作成

2) 療養者にとっての住まい・生活環境

加齢や疾患で要介護状態になったときに，自らの意思で住む場所を選択できる人はどれくらいいるだろうか。

『平成30年版高齢社会白書』[1] によると，要介護状態など虚弱化したときに約7割の人は自宅での生活を望んでいる (図5-1)。しかし，高齢者や障害者になったときに「家にいたいけれどこんな身体では家で暮らせない」「病院でできていたことが家ではできない」と訴えている。こうした要因には，身体的な問題や介護者の状況もあるが，住宅構造など「住まい・生活環境」が影響していることが多い。たとえば，「玄関の段差が降りられない」「つかまるところがなくて立ち上がることができない」「歩行器ではトイレに入れない」など，家屋の構造が療養者の生活に適さず，在宅療養が物理的に困難になる。また，転倒を恐れベッド上の生活をすることで，だんだん筋力や身体機能が衰え，寝たきりになることもある。

加齢による身体機能の低下や疾患などによる障害をもっても，安心していきいきと自立した生活ができるかどうかは，療養生活を送るうえで重要なポイントである。療養者が住み慣れた地域で社会とのかかわりをもち，自立した個人の生活スタイルを継続していくためには，その基盤となる住まいや生活環境を暮らしやすいものに整えることが重要である。

3) 療養者の住宅状況と地域環境

『国民衛生の動向2021/2022』によると，全世帯の約5割は65歳以上の高齢者のいる世帯である[2]。そのうち，持ち家に住む比率は約8割で，高齢者の多くが持ち家に居住している[3]。身体障害児・者も9割以上が本人または家族の持ち家に住んでいる[4]。

住宅建築を時期別にみると，耐震基準の見直しが行われた1980 (昭和55) 年以前に建築された住宅が全体の29.6％と古い家屋が約3割ある[5]。

日本ではバリアフリー住宅が推進され，2018年の高齢者がいる住宅のバリアフリー化率は42.4％となったが，2013年とほとんど変わらない[6] (表5-1)。高齢者などに配慮した設備

表5-1 高齢者が住む住宅のバリアフリー化率(%)

年次	一定のバリアフリー化率	高度のバリアフリー化率
2013年	41.2	8.5
2018年	42.4	8.8

一定のバリアフリー化住宅：２箇所以上の「手すりの設置」又は「段差のない屋内」がある住宅
高度のバリアフリー化住宅：２箇所以上の「手すりの設置」又は「段差のない屋内」及び「廊下などが車椅子で通行可能な幅」がいずれもある住宅
総務省：平成30年住宅・土地統計調査

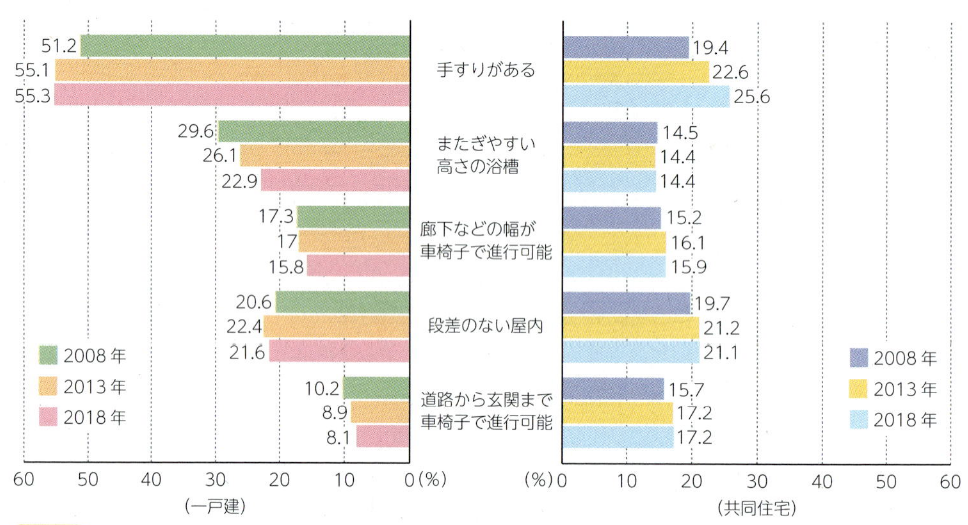

図5-2 高齢者などに配慮した設備のある住宅の内容
総務省：住宅・土地統計調査を参考に作成

の内容については，手すりの設置された家は増えているが，浴槽の高さ，廊下幅，段差の解消，道路から玄関まで車椅子で通行可能などの設備が整った家は少ない（図5-2）[7]。共同住宅では，道路から玄関までの設備は一戸建てに比べて多いが，その他の設備の整った住宅は少ない。これは，共同住宅であるため改修ができないことも影響していると考えられる。

地域環境においても，バリアフリー化が推奨されている一方で，60歳以上の人が不便に感じている事柄としては，「道路に階段，段差，傾斜があったり，歩道が狭い」「ベンチや椅子など休める場所が少ない」「バスや電車など公共の交通機関が利用しにくい」などがあり，屋内・屋外ともまだまだ課題が多い[8]。

4）日本の住まいの特徴

日本の住宅は，畳の柔らかさや木の温かみから一見やさしい住居にみえるが，身体機能の低下した高齢者や障害者には住みづらく問題が多い。玄関の上がりがまちや居室などの段差，布団や畳での生活スタイル，和式トイレや浴室の構造など，生活動作に障壁となることが多く，療養者の生活に適していない（表5-2）。また，居室と廊下などの温度差による循環器系もしくは脳卒中や心筋梗塞などの発症，浴槽に転落し溺死する家庭内事故が発

表5-2 日本の住まいの問題点

段　差	・玄関の上がりがまちや部屋と廊下などに段差があり，車椅子や歩行器など福祉用具が使いづらい ・転倒・転落事故，外出困難などの原因となる
開口部の幅の狭さ	・古い家屋は尺貫法の影響で出入口の幅が狭く，車椅子などの利用がしづらく移動が困難である
室内面積の狭さ	・ベッドを入れると室内が狭くなり，福祉用具が活用しづらい ・ベッド周辺の空間が狭いため，介護に不便である
和式の生活文化	・玄関で靴を履き替える，畳の上に座る，畳の上に布団を敷いて寝る，和式トイレでしゃがむ，浴槽にまたいで入るなど，身体機能が低下した療養者には不便である
家屋内の温度差	・居室と廊下などの温度差が大きく，特に循環器系の疾患をもつ療養者には危険が大きい

生している。療養者は，少しの段差で転倒し骨折して寝たきりになることがある。また，転倒を恐れベッド上の生活をすることでおむつを使用し，その結果寝たきりになることもある。安全にいきいきと過ごすには，こうした住居の抱える問題点を抽出し改善していく工夫が必要である。

5）家庭内事故の割合と課題

高齢者の不慮の事故のうち，「誤嚥等の不慮の窒息」「転倒・転落」「不慮の溺死及び溺水」については，交通事故より死亡者数が多く防げた死として重要である[9]。死亡に至らないまでも高齢者の日常生活事故で，救急搬送された数は年々増加し（図5-3），４割以上が入院の必要がある中等症以上と診断されている。不慮の事故の内訳をみると，「転倒・転落」が９割以上を占める（図5-4）。

家庭内での転倒の場所は「居室・寝室」が74.3％と多く，次いで「玄関・勝手口」が10.3％，「廊下・縁側」7.6％と続く（図5-5）。また，転落の場所は「階段」が54.2%と多く，「ベッド」20.9％，「椅子」10.3%と続く[10]。家庭内事故のきっかけは高齢者では，小さな段差でのつまずき，足がもつれて家具にぶつかる，ベッドから降りるときに靴下が滑る，バスマットやじゅうたん，毛布などに足をとられる，風呂場の床で滑るなどが，転落・転倒の原因になっており，若い人にとっては何気ない動作が事故の原因となっている。

福祉用具などによる高齢者特有の重大な事故としては，介護ベッドの手すりによる事故

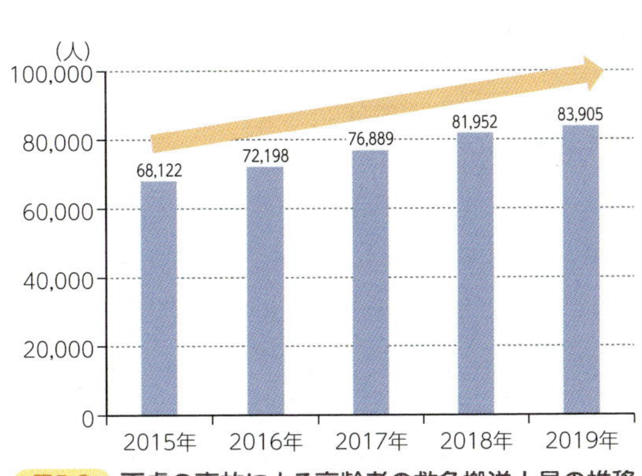

図5-3 不慮の事故による高齢者の救急搬送人員の推移

東京都消防庁のデータを参考に作成

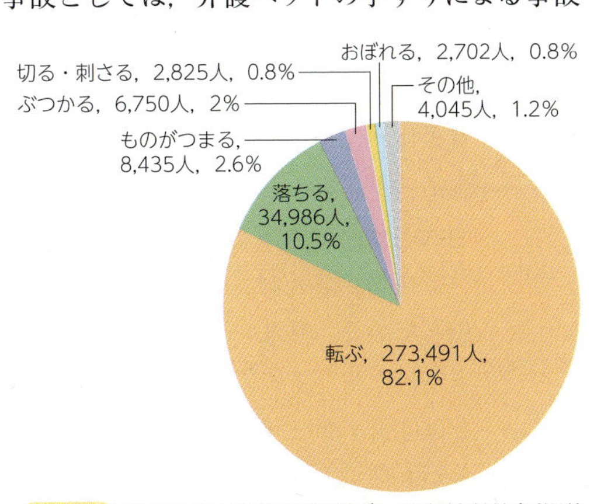

図5-4 都内における事故種別ごとの高齢者救急搬送（2015年からの5年間）総数333,234人

東京都消防庁のデータを参考に作成

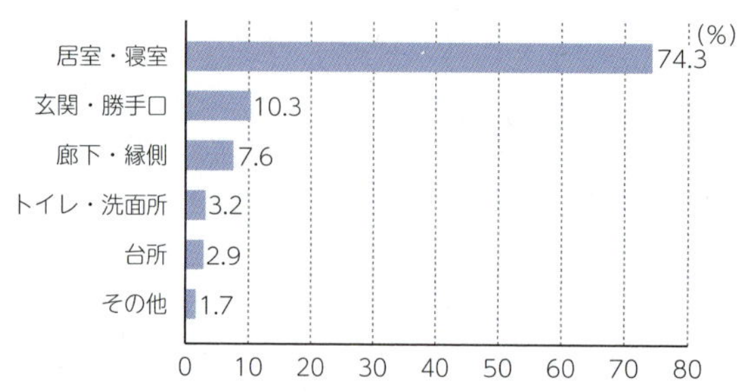

図5-5　65歳以上の住宅等居住での転倒事故発生場所(2019年)
東京都消防庁のデータを参考に作成

がある。手すりと手すりの間のすき間や，手すりとヘッドボード（頭側板）のすき間に首をはさみ死亡に至るものや，手すりのすき間に腕や足などを差し込んで骨折する事故などが多く発生している[11)]。

これまで述べたように，家庭内事故は療養者の活動範囲や生活環境と密接にかかわっており，日本の住宅はまだまだ在宅療養者にとって生活しづらく危険が多い。今後，高齢化が進むことでますます在宅療養期間が延長すると思われるが，核家族化の進行や女性の社会進出により家庭内介護力は低下しており，家庭内事故の発生や介護力の低下による寝かせきりの増加などが考えられ，住環境の整備が急務とされている。

2　在宅療養を支える住まい・生活環境の整備

1）目的と意義

住まいおよび生活環境を整備することにより，加齢や障害をもっても安全で自分らしくQOLの高い生活を送ることができ，家族の介護負担が軽減できる。

2）住まい・生活環境の整備の基本

療養者の住まい・生活環境は，療養者・家族にとって生活の場であることを念頭におく。療養者・家族両者の希望を基本に安全性を検討し，療養者の身体状況と介護状況を配慮した空間を確保し，QOLの維持・向上を図る。

住まい・生活環境の整備上の問題に関しては，看護師の力だけでは不可能なことも多い。看護師は，療養者の身体状況や生活への支障，生活へのこだわり，家族全員の生活状況や生活スタイルなどを把握し，住まい・生活環境のアセスメントを行う（表5-3）。そのうえで，本人・家族や介護支援専門員，理学療法士，建設事業者などチームで検討する。

療養者の多くは，できるだけ家族に負担をかけたくない，自分のことは自分でしたいと思っている。住まい・生活環境を整備することで，不十分でも自分のことが自分でできるようになり，さらに家庭内での役割も遂行できるようになる。その人らしい活動ができることはQOLの向上や家族の介護負担の軽減につながるため，療養者の自立を支援していくことが大切である。

(1) 安 全 性

在宅療養者の住まいを考えるうえでは，住居内の段差の解消，歩行や動作を補助する手

表5-3 住まい･生活環境のアセスメント

療養者の身体状況，生活への支障	・室内での移動状況：歩行，歩行器・手すり・杖を使用しての歩行，車椅子移動，床上移動，寝たきり ・ADLを行ううえでの身体的問題：食事・入浴・排泄・睡眠・更衣・外出などで，何ができ何ができないか
介護状況	・介護者の有無，続柄，年齢 ・介護の程度 ・介護負担感
住まい，環境	・借家か持ち家か（住宅改修ができるか） ・移乗・移動に不安を感じていないか ・つまずきや転倒がなく安全に日常生活が行えているか ・介護者が住宅の構造による介護のしづらさを感じていないか ・ADLの低下がみられないか ・自分らしい生活を送っているか
経済状況	・住宅改修や福祉用具貸与の費用があるか
社会資源活用	・社会資源活用の意思と思い

すりの設置，十分な採光や照明など，日常生活や外出が安全に行えることが最優先事項である（図5-6）。一人ひとりの身体状況をアセスメントし，事故を予防する工夫をする。

・脳梗塞による半側空間無視や，白内障による視力低下がある場合は，見えやすい色の家具を選択し，床に物を置かない。
・リウマチなど手関節に痛みや変形がある場合は，握りやすい形状の手すりを設置する。

（2）QOL向上のための生活空間の確保

①移動しやすさ

療養者は，食事や排泄など元気な頃には何でもなかった動作に負担を感じている。動くことが大変なため，生活に必要な物をベッド上や身の回りに置き，1日の大半を自室で過ごす人も多い。その結果，活動不足から心身機能が低下し寝たきりとなる。また，生活に変化や刺激がなく，昼夜逆転など生活のリズムを乱すケースもある。

療養中であってもいきいきと生活するために，居室からトイレ，浴室，食事室などに移動できるように環境整備を図る（図5-7，8）。療養者の思いや生活スタイルにフィットした機能的な住宅改修の検討や福祉用具の活用を支援する。

②快　適　さ

療養者は気温に敏感で影響を受けやすい。特に脳血管障害や自律神経障害など体温調節

aの手すりは端に袖口などが引っ掛かり転倒や転落の危険があるので，bのように端が丸くなっている手すりがよい。cは車椅子が使用できるよう，廊下と居室の間の敷居をはずしスロープにしている

図5-6 手すり，スロープの工夫の例

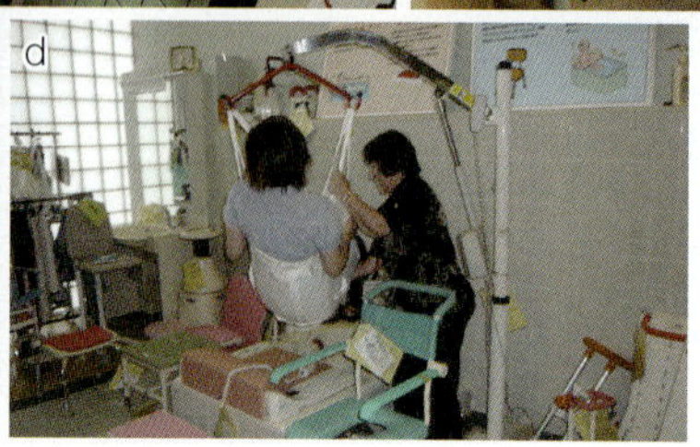

a　手すりにつかまってスリッパを履けるが，立ち上がるときに手が届かないため立ち上がりにくい
b　リビングの横にトイレと洗面台を設置し，引き戸で区切っている。洗面台の下にスペースがあるので車椅子で使用できる
c　浴槽では身体を保持しやすいが，またぐ動作に支障がある場合，入るのが困難である
d　昇降式のバスボードが設置され，リフトで浴槽に入ることができる

図5-7　トイレ，浴室の工夫の例

介護負担の少ない移乗・移動でいきいきと暮らしている要介護度４，認知症のある90代女性の例
a,b　スライディングボードを使用しベッドから車椅子へ
c,d　アームの部分が跳ね上がる電動昇降座椅子を使用し畳の上に座ることでひ孫たちと触れ合える
e,f,g,h　フットレストはたたむことができるアーム跳ね上げ式。移乗しやすい車椅子やスロープなどを使い外出ができることで，認知症があってもいきいき生活できる。また，介護負担も軽減され在宅での生活の継続につながる

図5-8　事例提示（移乗・移動しやすさがQOL向上に）

機能に障害がある療養者では，体温が室温によって左右されるために室温の調整は大切である。十分な採光や風通し，快適な室温や湿度などに配慮する。

③家族への配慮

家は療養者のみが生活する場所ではない。療養者だけでなく家族の生活への思いを把握する。夜間，療養者と同室で休む介護者の場合，睡眠中に起こされることがあり介護負担

も大きい。介護者の休息場所を確保し社会資源の導入を検討する。このような事例を図5-9に提示する。また，夜間は療養者と別室で休む場合は，家族がアラーム音やコール音が聴き取れるか確認する。

トイレや浴室を家族と共用する場合も多いので，掃除・片づけのしやすさなどもポイントとなる。

④生きる気力がもてる工夫と地域での支援づくり

療養者の自宅周辺の地域環境も，ハード面とソフト面の情報を把握する。

自宅は段差解消機とスロープが設置してあるので車椅子で移動できるが，近所のスーパーに階段があって入れない，車椅子で外出すると視線が気になるなど，療養者の外出を

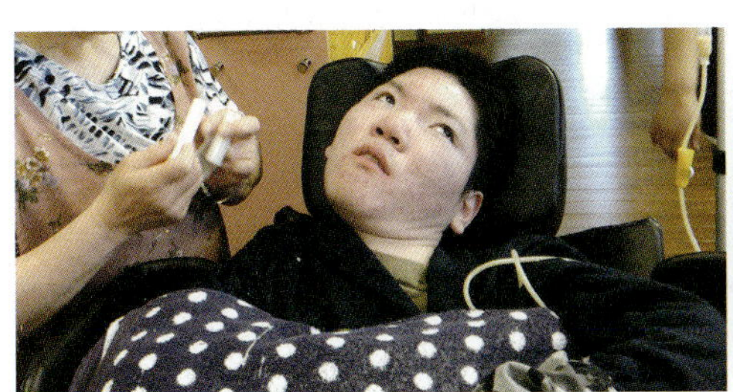

2歳で脳炎を発症し両上肢・下肢・体幹に障害がある10代の男性。日中は車椅子や布団の上で過ごし，家族がそろう夕方から行動が活発になる。夜間は母親が隣で寝ている。吸引器などはリビングに置いている。ベッド柵に足をはさむことや身体をぶつけて内出血するため，ベッドは使用していない。布団の下にすのこを敷いて湿気がこもらないように工夫している。母親の希望により，利用しているデイサービス（富山型デイサービスわが家）でも自宅と同じ環境で過ごせるよう，畳の上に布団を敷いている

図5-9 事例提示

a 身体状況に合わない手すりの例。療養者は身長約145cmと小柄で左利き，人工関節のため両膝が曲がりにくく，手すりにつかまり前向きに降りることができない。廊下に両手を付き後ろ向きに降りている

b 手すりの設置により安全に外出できる

c シルバーカーを利用して向かいの家でお茶会

d 車庫につながる場所に段差解消機を設置。外出が楽になり，家族の介護負担が軽減された

e 引き戸の玄関にスロープを設置。外出しやすく，車椅子でリビングに入れる。療養者の寝室に直接出入りできる入口にもなっている

f 脳梗塞の後遺症で左半身麻痺の60代の女性。退院後は家に閉じこもりがちであった。介護支援専門員から訪問看護サービスの依頼があり，本人の生活への思いを聴き，趣味を取り入れたリハビリテーションとともにチームで住宅改修を検討し玄関を改修した。自家用車のハンドルにグリップを取り付けたことで片手で運転でき，買い物や映画に行けるようになった

g 在宅療養を支えるのは訪問サービスだけでなく，通所サービスや民生委員，近所の人と交流しやすい環境が必要である。子どもとのふれあいで笑顔の高齢者（富山型デイサービスこのゆびとーまれ）

図5-10 外出支援と地域づくりの例

はばむ課題は様々ある。療養者が地域の行事に参加しやすい環境か，杖をついての散歩で気軽に声をかけてくれる環境かなど，地域住民の意識が力になるかバリアになるかで，療養者のQOLは違ってくる（図5-10）。

散歩や映画，買い物など社会的・文化的活動は，在宅療養における精神的な安定，身体機能の維持を図るうえで重要である。

ここで筋萎縮性側索硬化症（amyotrophic lateral sclerosis：ALS）のAさんの事例を紹介する。

Aさんは，30歳代でALSと確定診断を受けた男性である。日々できなくなることが増え生きる気力を失ったが，ある人との出会いで前向きに生きようと思った。経鼻的持続陽圧呼吸療法（CPAP）常時使用，胃瘻造設（飲み込みは悪くなったが口からの摂取可能）し，全介助の状態であるが会話ができる，指がわずかに動く，目の動きがある。自身のできることを考え，訪問介護事業所自薦サポートセンターを設立し，勤務の調整などパソコンを使って入力したり，自分に適した福祉用具を使用することで，外に出てドライブや外食，看護学生への講義，県外の活動に参加している。そして，現在「生きたいように生きるために，必要な準備（自分の肉声を残すソフトの活用，視線入力の活用，文字盤利用，口文字利用，特殊浴の設置）を進め，今後に夢をもち生活している（図5-11）。

また，Bさん60歳代は，「今日できたことが明日はできなくなるかもしれない」という不安・恐怖と闘いながら，病気と向き合い今を楽しく生きようと，日本ALS協会A県支部長を務め，支部活動やピアカウンセリング，看護学校での講義などをしていた。当時の身体状況は手首と指のみ動く状態であり，介助がないと自分では何もできない状態であった。Bさんとチームで話し合いを重ね，スプリングバランサー（わずかな力で自身の腕を動かすこ

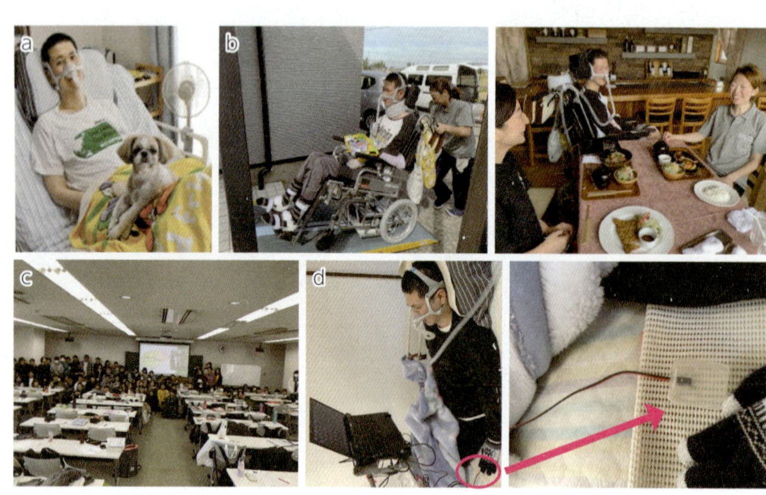

a　愛犬と一緒に
b　スロープを利用してランチに外出
c　看護学生への講義
d　ソフト（ボイスター）の活用：今後に向けてパソコンで文字を打ち「自分の声」をもとにした合成音声でコミュニケーションをとる方法の練習

図5-11　生きる気力がもてる工夫（Aさん）

a　スプリングバランサーを使用して自分で食事をする
b　エルゴレストアームを使用しパソコンを打つ
c　旅行が生きる気力となる（沖縄旅行）

図5-12　生きる気力がもてる工夫(Bさん)

とができる装置）やレストアーム台（肘かけ台）を使用したことにより，食事をしたりパソコンを打つなど一人でできるようになった（図5-12）。看護学校の講義では「これしかできない」から「これもできる」と考え方を変えることで，外での活動や旅行が可能になり，生きる気力となっていることを語っていた。

表5-4　自立した生活を送るための住まい・生活環境の構造と留意点

場　所	住まい・生活環境の構造	留意点
居室・居間	居室の位置	・家族の気配が感じられ，見守り・見守ってもらえる ・近隣の人と交流しやすい ・周囲の人や景色を眺めることができる
	段　差	・段差を解消し，つまずき・転倒を予防する ・段差がなければ車椅子が利用しやすい
	電気設備関係	・人工呼吸器や酸素濃縮装置などの医療機器を安全に使用するために，医療機器とその他電化製品の使用電気容量を確認し，契約電気容量に不足がないか確認し必要量を確保する ・医療機器のプラグは，3Pコンセント（アース付き）とする ・照明などのスイッチが操作しやすい場所にある
	移動の安全性	・和室には立ち上がりやすいように安定した椅子などを置く ・移動のための手すりの設置や，つかまるための安定した家具などを置く ・手すりは角が引っかからない形態・太さに配慮し，身体状況に合った適切な場所に設置する ・床に物を置かない ・コード類は，つまずかないように配線する
	視　覚	・テレビやカレンダー，時計などは療養者の見える位置に置く
	器材・衛生材料・薬などの保管場所	・家族・サービス事業者にわかりやすい場所に保管し，消毒物品が汚染されず取り出しやすいよう配置する ・療養者の行動範囲，介護者・サービス事業者の動線，家族の生活を考慮し，手洗い場・汚物を捨てる場所を決め，物品を配置する ・子どもが持ち出せない場所に保管する ・家族の生活空間を侵害しない保管場所とする
	ベッド	・ベッドの前後左右にスペースがあるとスムーズに介護できる ・ベッドは高すぎると不安定で転倒しやすく，低いと立ち上がりが難しいため，高さの調整できるベッドを選択する ・仰臥位のときに天井の照明が目の真上に来ないよう配慮する ・庭など室外が見え，室内での人の動きがわかるよう配置する

表5-4 自立した生活を送るための住まい・生活環境の構造と留意点（つづき）

場所	住まい・生活環境の構造	留意点
居室・居間	ペット対策	・ペットは家族の一員であるが，ペットによるノミ・ダニの発生，羽や毛などによるアレルギー発症に気をつける ・医療機器は，室内犬や猫が触れないような場所に設置する
	震災対策，緊急連絡	・振動による医療機器・家具類などの転倒・転落がないよう対策する ・緊急時の連絡はあわてることが多いので，電話機付近に連絡先を明記して貼っておく
食事室・台所	家族とのふれあい	・一緒に食事ができるよう食事室を整える
	自立	・調理台の高さが調整できるか，キッチンの下に車椅子などの入るスペースがある ・自助具などを利用し一人で食事ができることは，生きる意欲につながり介護負担の軽減にもなる
階段・廊下	広さ・段差	・車椅子・歩行器を利用して通れる幅がある。自走式の場合，肘を広げて回す広さや曲がり角で曲がれる広さが必要である ・段差がなければ車椅子・歩行器が利用しやすい
トイレ・洗面台・浴室	トイレの位置	・居室からの移動が少ない位置とする
	広さ	・福祉用具の使用や介護ができる広さがある ・車椅子を使用する場合は，トイレや浴室などの間口を広くする ・便座に座ったときに，身体の前側に十分なスペースがある ・洗面台の下にスペースがあると，車椅子で作業しやすい
	安全	・出入り口付近や必要な所に手すりがある ・十分な明るさを確保する ・急激な温度変化による事故（ヒートショック）を防ぐため，温度差を少なくする ・中で倒れた場合，引き戸・折り戸・外開きのドアであると緊急時の対応がしやすい <トイレ> ・座位保持が難しい場合は，便器の両側に手すりを設置し，立ち上がりが難しい場合は前側を広くし手すりも前に取り付ける ・便器は身体の大きさや能力に合った高さとする ・洋式トイレが使用しやすい <浴室・浴槽> ・床は滑りにくい素材にする ・足の先が浴槽の壁につくと身体を保持しやすい ・足がつかない浴槽は，浴槽の中に滑り止めマットなどを敷くと身体が安定しやすい ・またぎやすい高さで腰をかけるスペースがあると入りやすい ・浴槽に座るところがない場合は，バスボードなどを利用して浴槽にかけて座位で入る
	自立	・身体状態が不安定で着脱に支障がある場合は，脱衣室に椅子を置く ・水栓金具は使いやすい位置に設置し，握りやすい形状にする
	臭気	・居室でポータブルトイレを使用する場合は，臭気に配慮して消臭剤や消臭チップなどを利用する
玄関・駐車場	自立	・ドアは自力で開閉しやすい取っ手にし，サッシの金具の位置・形状は指がかかりやすいものにする ・靴の着脱に支障がある場合は椅子を置く
	出入り口・広さ	・車椅子・歩行器などで入れ，車椅子・歩行器などが置ける広さがある ・家族が不在時にサービス事業者が訪問することもあるので，玄関とは別に療養者の寝室に直接出入りできる入口があると便利である
	外出	・段差解消機・スロープなどがあると車椅子での外出が容易である
	駐車場	・雨や雪が降ったときでも外出がしやすいように屋根がある ・車椅子使用者が乗り降りできる広さがある
	安全	・玄関マットはつまずきの原因となるのではずす。または，滑り止めマットを敷く ・大きな段差がある場合は，降りるときの健側に縦の手すりがあると安全である

この生きる気力を支援するためには，その人の今の身体・生活状況と今後，病状の進行によって生じる障害をアセスメントし，その対処法をチームメンバーと共に考えていくことが非常に重要である。在宅看護には，この事例のように難病・相談支援センターや友の会，人的ネットワークや日常生活支援用具などの情報を把握しながら，地域での支援づくりの実践が求められる。

3）自立した生活を送るための住まい・生活環境の構造と留意点

住環境への提案をする場合には，療養者の住まいへの思いを十分に聴き，自宅で使用している家具や物品がどのような意味をもっているかにも配慮して提案する。たとえば，安定性のない古い椅子を危険であると撤去を提案する場合，しかしそれは息子が買ってくれた思い出の椅子かもしれない。こうした点にも十分配慮したうえで提案する。

療養者が自立して，その人らしい生活が送れるよう援助するために，住まい・生活環境の構造や留意点を表5-4に示す。

3 住まい・生活環境の改善と制度の利用

看護師には，療養者の自立の維持，介護者の介護負担の軽減を図る方法として，住宅改修や福祉用具に関する情報を提供できる知識が求められる。住居の改修・改築には，貸し家であるか持ち家であるかの情報は大切である。

1）介護保険制度の利用による住宅改修

心身の機能が低下し日常生活を営むのに支障がある要介護者などの自立した生活を支援する住宅改修の種類には，以下のものがある。

①手すりの取り付け，②段差の解消，③滑りの防止および移動の円滑化などのための床または通路面の材料の変更，④引き戸などへの扉の取り替え，⑤洋式便器などへの便器の取り替え，⑥上記①～⑤の住宅改修に付帯して必要となる住宅改修。

支給限度基準額は，要介護度にかかわらず定額20万円であり，所得に応じて住宅改修にかかった工事費用の１～３割の自己負担がある。

2）障害者総合支援法の利用による住宅改修

地域生活支援事業の日常生活用具の居宅生活動作補助用具（住宅改修費）の給付：介護保険との併用はできず介護保険が優先される。障害者（児）の居宅生活動作などを円滑にする用具であって，設置に小規模な住宅改修を伴うもの。

3）その他住宅改造費の助成

住宅の改造を必要とする障害者に改造費用の一部が助成される。各自治体によって，制度がなかったり内容が異なる。

4）福祉用具との併用

住宅改修と同時に重要なことは，福祉用具を有効に活用することである。療養者の年齢や心身状況をアセスメントして，機能をきちんと理解し活用する。

（1）介護保険制度利用による福祉用具のレンタル

介護保険制度により利用できる福祉用具を表5-5に示す[13) 14)]。介護保険制度による福祉用具のレンタルは要介護度によって使用できる種目に制限がある。また，腰掛便座や入浴補助用具など再利用に心理的抵抗感が伴うもの，使用により形態・品質が変化するものは「特定福祉用具」として販売対象となる。

（2）障害者総合支援法による日常生活用具などの給付

日常生活用具給付などの給付事業は，障害者など日常生活がより円滑に行われるための用具を給付または貸与することなどにより，福祉の増進に資することを目的としており，地域生活支援事業の一事業として位置づけられている。表5-6に対象用具を示す[14)]。

表5-5 介護保険制度の福祉用具レンタル

①手すり（取り付け工事不要のもの） ②スロープ（取り付け工事不要のもの） ③歩行器 ④歩行補助杖 ⑤車椅子 ⑥車椅子付属品（クッション，電動補助装置など） ⑦特殊寝台	⑧特殊寝台付属品（マットレス，移動用バーなど） ⑨床ずれ防止用具（エアマットなど） ⑩体位変換器 ⑪認知症老人徘徊感知機器（離床センサーを含む） ⑫移動用リフト(つり具の部分を除く) ⑬自動排泄処理装置* ＊再利用に抵抗のあるレシーバー，チューブ，タンクなどの交換可能部品は販売対象

◆要支援1，2，要介護1：①-④
◆⑬は要介護4以上の方が利用できる
◆要介護度によって使用できる種目に制限があるが，一定の条件に該当する場合は，例外的に利用が認められることがある（例：パーキンソン病の治療薬によるon-off現象などの状態変化，がん末期などの急性増悪，疾病その他の原因により身体への重大な危険性または症状の重篤化の回避などの医学的判断）

みんないきいき介護保険，全国福祉用具専門相談員協会HP，厚生労働省告示より抜粋

表5-6 地域生活支援事業による日常生活用具の給付

種目	品目
①介護・訓練支援用具	特殊寝台，特殊マットなどの身体介護を支援する用具，障害児が訓練に用いる椅子など
②自立生活支援用具	入浴補助用具，聴覚障害者用屋内信号装置など入浴，食事，移動などの自立生活を支援する用具
③在宅療養等支援用具	電気式痰吸引器，盲人用体温計など在宅療養を支援する用具
④情報・意思疎通支援用具	点字器，人工喉頭などの情報収集，情報伝達や意思疎通などを支援する用具
⑤排泄管理支援用具	ストーマ装具など排泄管理を支援する用具や衛生用品
⑥居宅生活動作補助用具（住宅改修費）	居宅生活動作などを円滑にする用具で，設置に小規模な住宅改修を伴うもの

文献

1）内閣府：平成30年度版高齢社会白書，p.32-33.
2）厚生労働統計協会：国民衛生の動向・厚生の指標増刊，68(9)，2021/2022，p.53.
3）総務省統計局：平成 30 年住宅・土地統計調査-住宅及び世帯に関する基本集計結果の概要，p8.
<https://www.stat.go.jp/data/jyutaku/2018/pdf/kihon_gaiyou.pdf>（アクセス日：2020/3/23）

4）内閣府：令和3年版障害者白書，p.245.
<https://www8.cao.go.jp/shougai/whitepaper/r01hakusho/zenbun/pdf/ref2.pdf>（アクセス日：2021/10/26）
5）国土交通省：平成30年度住宅経済関連データ.
<https：//www.mlit.go.jp>（アクセス日：2020/3/23）
6）総務省統計局：平成30年住宅・土地統計調査，住宅の構造等に関する集計結果の概要
p.1.<https://www.stat.go.jp/data/jyutaku/2018/tyousake.html>（アクセス日：2020/3/23）
7）総務省：平成25年および平成30年住宅・土地統計調査，住宅の構造等に関する集計.
8）内閣府：平成29年度版高齢社会白書，p.43-44.
9）厚生労働省：令和元年（2019）人口動態統計，不慮の事故死.
<https://www.e-stat.go.jp/dbview?sid=0003411675>（アクセス日：2021/10/26）
10）東京消防庁：救急搬送データから見る高齢者の事故.
<https://www.tfd.metro.tokyo.lg.jp/lfe/topics/202009/kkhansoudeta.html>（アクセス日：2021/10/26）
11）日本福祉用具・生活支援用具協会：事故情報.
<http://www.jaspa.gr.jp/?page_id=73>（アクセス日：2020/3/23）
12）厚生労働省：厚生労働省告示より一部抜粋，全国福祉用具専門相談協会ホームページ：介護保険と福祉用具「レンタル・販売対象種目」.
<http://www.zfssk.com/kaigo/index.html>（アクセス日：2020/3/23）
13）社会保険出版社編集部編：みんないきいき介護保険，社会保険出版社，令和3年度版，p.18.
14）厚生労働省ＨＰ：日常生活用具給付等事業の概要.
<https://www.mhlw.go.jp/stf/seisakunitsuite/bunya/hukushi_kaigo/shougaishahukushi/yogu/seikatsu.html>
（アクセス日：2020/3/23）

在宅療養に伴う医療的な援助技術

1 在宅酸素療法

学習目標
- 在宅酸素療法（HOT）の目的と特徴を理解する。
- 在宅酸素療法に使用する酸素供給機器の原理を理解し，安全に管理できるよう指導できる。
- 在宅酸素療法を受ける療養者の抱える身体的・心理社会的な課題を理解し，療養者・家族の日常生活の援助と指導ができる。

1 在宅酸素療法における看護技術の特徴

在宅酸素療法（home oxygen therapy：HOT）は，在宅呼吸管理の一つで，安定した病態にある慢性呼吸不全患者が対象となる。在宅呼吸管理は，慢性閉塞性肺疾患（chronic obstructive pulmonary disease：COPD，肺気腫，慢性気管支炎，喘息）や肺がん，肺炎，肺結核，神経難病，がん，脳血管疾患の後遺症，あるいは様々な疾患の終末期など在宅ケアにおいて欠かせないケアの一つである。そのうちのHOTは，低酸素状態を酸素投与によって補うことが目的とされる。従来，酸素投与が必要な場合は入院を余儀なくされていたが，酸素供給機器が開発され，1985年の医療保険適用以来，在宅医療に位置づけられ，2017年では約17万人が実施している。

看護では，HOTを必要とする療養者の特徴を理解し，日常生活や適切な酸素供給機器の取り扱いに関する支援を通じ，HOTとともに暮らしていくその人らしさへの支援が目標となる。

2 在宅酸素療法の適応

HOTは，医療保険対象（在宅酸素療法指導管理料）の療法であり，その規定での対象は，高度慢性呼吸不全例，肺高血圧症，慢性心不全，チアノーゼ型先天性心疾患及び重度の群発頭痛の患者である。

高度慢性呼吸不全例のうち，対象となる患者は在宅酸素療法導入時に動脈血酸素分圧55mmHg以下の者および動脈血酸素分圧60mmHg以下で睡眠時または運動負荷時に著しい低酸素血症をきたす者であって医師が在宅酸素療法を必要であると認めた者，慢性心不全患者のうち，医師の診断により，NYHAⅢ度以上であると認められ，睡眠時のチェーン-ストークス呼吸がみられ，無呼吸低呼吸指数が20以上であることが睡眠ポリグラフィー上確認されている症例とする。群発頭痛の患者のうち，群発期間中の患者であって，1日平均

1回以上の頭痛発作を認める者（2018年4月現在[1)]）。

主な疾患名は，COPD（慢性閉塞性肺疾患），次いで肺線維症・間質性肺炎，肺結核後遺症などである[2)]。また，2018年度の診療報酬の改定で，COPDのうち，Ⅲ期以上の状態の者について，条件を満たせば，遠隔モニタリング加算も算定できることになった[1)]。

導入時の社会的条件として，①患者および家族がHOTの必要性を理解していること，②長期間にわたり自宅で治療あるいは介護が可能なこと，③定期的な通院が可能なこと（往診可），④酸素供給機器の管理が継続的にできること，⑤緊急時には医療機関への連絡ができること，⑥介護者および家族が患者の病状を把握し協力が得られること，⑦禁煙が完全に守られていることがあげられ，初回導入は，入院により適切な指導管理方法を学ぶことが望まれる。

3 在宅酸素療法を受ける対象の特徴

酸素療法を受ける対象は，言うまでもなく，呼吸困難感をもっている。それは，「息苦しい」「息が吸いきれない」「吐けない」「詰まる」「ぜいぜいする」など様々な表現であり，主観的な症状であるため，客観的に理解したり測定したりすることが難しい。動脈血酸素分圧や酸素飽和度の値と一致しない場合もあり，周囲に苦しさを理解されないつらさを抱いている場合もある。このため，フェイススケールやMRC（Medical Research Council）息切れスケールなどを用い，症状をその人がどうとらえているかの把握が重要となる。

また，「息苦しいこと」そのものが，生命の危険につながるのではないかという強度の不安や，息苦しさのため他の家族や友人と同じ行動をとれず，孤立感をもつことがある。酸素チューブにつながれていることが行動や社会参加を制限する要因となり，閉じこもりやうつ傾向になりやすい精神的な問題をもっている場合がある。

また，たとえば麻痺のある療養者の「食事ができない」「トイレに行けない」というADLの低下とは違い，「自分でできるが動くと苦しい，自分で行うと苦しい」ことによるADLの障害であることが特徴である。この点を本人や周囲が理解していないことから無理をして自分で行い，その後病状が悪化する場合もあるため，日常生活の維持にも適切な介護が行われることが重要である。

HOTに限らず，在宅療養者全般の特徴といえるが，高齢者が多いため，①複数の疾患をもつ，②症状の現れ方が非典型的である，③経過が速い，④水・電解質バランスを崩しやすい，⑤薬剤の作用・副作用が非典型的である，⑥合併症をきたしやすい，⑦症状の訴えが不明確，などについて配慮する。加えて，病状悪化の一番の要因は感染であり，感染の予防・早期発見・対応が重要であり，本人・家族のセルフケア能力向上への支援が重要となる。

4 在宅酸素療法の効果

HOT療養者にとって，HOTが適切に継続されることによって，以下のような身体・精神・社会面における効果が期待できる。

①心負荷の軽減：肺での酸素量が増え，血中の酸素濃度が上がり，これまでより少ない循環血液量で必要な酸素が身体に行きわたる。このため，心臓への負担が軽減し，肺高血圧，肺性心などの合併症が改善される。
②呼吸困難感の改善：低酸素症が改善し，呼吸困難感が緩和される。
③運動能力の改善：①②により外出や運動を楽しむことができる。
④入院回数の減少：急性増悪を回避し，入院日数も減少できる。
⑤QOLの改善：仕事や役割の継続や安心感など，総合的効果として満足感が高まる。
⑥生存期間の延長：低酸素血症の持続によって生じる障害を予防し，生存率が改善する。

5 在宅酸素療法導入支援

1）導入の前提条件

前述した適応基準を満たし，かつ導入前提条件としては，以下のことがあげられる。
・療養者・家族が基礎疾患の病態を把握している。
・療養者・家族・医療関係者が，HOTの効果や方法について十分理解している。
・地域医療システムとの連携がとれている。

2）在宅酸素療法に必要な機材（酸素供給機器）

HOTを行う酸素供給機器として，①液体酸素装置，②酸素濃縮装置，③酸素ボンベ，④クロレートキャンドル型酸素発生器がある（表1-1，1-2）。これらは，設置型（在宅用）と携帯型（外出用）に区分される。

（1）液体酸素装置（図1-1）

酸素が−183℃で液化することを利用したもので，液体の酸素を気化させることで気体の酸素を供給している。気体のボンベより効率よく大容量の酸素を供給できるが，自然蒸発により700～800g/日の損失があるため，長時間密閉された部屋に置くことは避け，火気厳禁のもとで管理する。電源を必要としないため電気代がかからず，停電時にも利用可能である。さらに，外出時など高流量を必要とする場合，長持ちするなどのメリットがある。

反面，重量があり，設置場所を選ぶ点，供給システムが確立していない地域がある点，使用にあたっては，都道府県知事への届け出義務があり，操作も注意すべき点などがあり，制度や体制の理解と管理技術の習得など十分な指導が必要であり，酸素濃縮装置ほど普及していない。

（2）酸素濃縮装置（図1-2）

空気中の酸素を取り込み，濃縮させて，酸素を供給する装置である。表1-1のように膜型と吸着型があり，現在は吸着型が主流である。両者ともに電源が必要であるが，吸着型のほうが消費電力が大きく維持費がかかる。

全国的なレンタルシステムが確立しており，メンテナンスは，3か月に1回程度機器供給会社により行われる。ほとんど故障はみられないが，停電により酸素供給が停止するため，バックアップ用に酸素ボンベが欠かせない。

表1-1 主な酸素供給機器(設置型)

	液体酸素装置	酸素濃縮装置	
		膜　型	吸着型
概　要	・液体酸素が熱で気化することを利用 ・流量調節器と加湿器を通して吸入する ・タンクの交換は業者が行う ・重量があるため，エレベーターのない上層階への運搬は困難 ・使用しなくても自然蒸発する	21％の酸素を含む空気を取り込み，窒素を除き，酸素を濃縮させる ・高分子膜に空気を通過させ，濃縮した酸素を発生させる ・加湿器が不要	・吸着剤に空気中の窒素を吸着させ，濃縮した酸素を発生させる ・水分も吸着するため加湿器が必要
酸素濃度	99.5％以上 (高濃度・高流量が確保できる)	40％	流量が多くなると濃度が下がる 1L/分：93±3％ 2L/分：90±3％ 3L/分：82±3％
流　量	10L/分まで フロー式	7L/分まで ダイヤル式	
供給時間	20Lタンク：約280時間 40Lタンク：約570時間 (1L/分の場合)	電源確保により常時供給	
電　気	不要	必要	
届け出義務	あり	なし	
メリット	・経済的（電気代がかからない） ・停電時に使用可能 ・子容器に液体酸素の充填が可能で携帯性に優れる	・比較的容易に連続使用が可能 ・操作が簡単	

表1-2 主な酸素供給機器(携帯型)

	液体酸素（子容器）	酸素ボンベ	クロレートキャンドル型酸素発生器
構造特徴	子容器に充填できる（充填作業はやや複雑）	200～500Lのアルミ合金製ボンベやFRP（繊維強化プラスチック）を用いた軽量ボンベ	・塩素酸ナトリウムと鉄粉，その他の混合物で形成される固形酸素発生剤（クロレートキャンドル）から熱分解反応によって酸素を発生させる ・1回使い切り
主な用途	外出時	外出時や酸素濃縮装置の故障時の緊急用	チアノーゼ型先天性心疾患
酸素濃度	99.5%以上	99.5%以上	99.8%
流量と流量計	0.25～6.0L/分 フロー式	0.25～6.0L/分 フロー式	3L/分 調節不可
供給可能時間	14時間	・2.7～5.0時間（ボンベの大きさにより異なる） ・呼吸同調式酸素供給調節器使用（呼吸20回/分の場合）：8.2～14.9時間	・3L/分で12分間 ・途中で止めることができない
重　量	2.2kg (充填時：3.6kg)	0.7～2.0kg (充填時：1.1～2.5kg)	860g

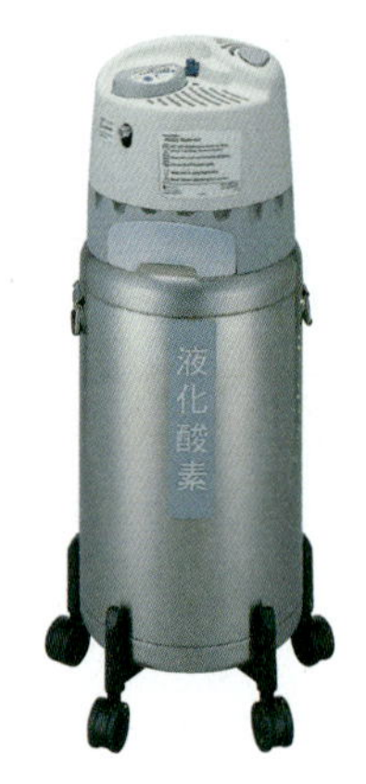

ヘリオス（リザーバー）

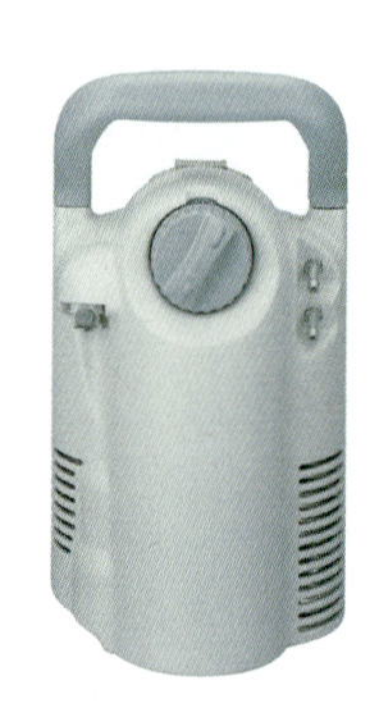

ヘリオス（ポータブル）

写真提供：チャートジャパン株式会社

図1-1 液体酸素装置

オキシウェル・3X

写真提供：大陽日酸株式会社

図1-2 酸素濃縮装置

オキシライト　Cシリーズ

写真提供：大陽日酸株式会社

図1-3 酸素ボンベ

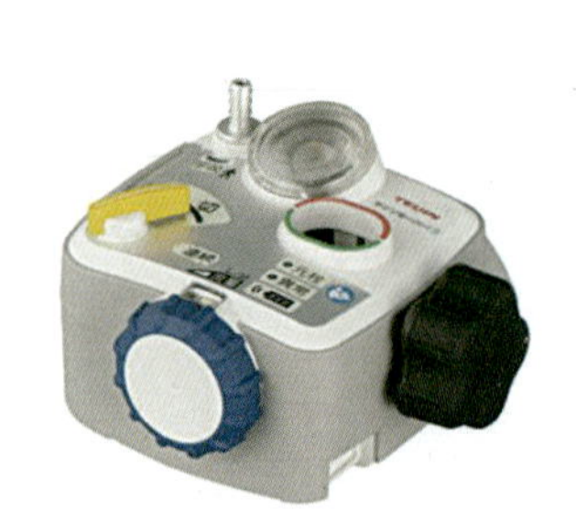

サンソセーバー®5

写真提供：帝人ファーマ株式会社

図1-4 デマンドバルブ

O_2パック

写真提供：ミドリ安全株式会社

図1-5 クロレートキャンドル型酸素発生器

（3）酸素ボンベ（図1-3）

高圧酸素を圧力調節器で減圧し，流量調節器を通して酸素を供給する。在宅で常時使用するには容量が少ないため，外出時や酸素濃縮装置のトラブル時に携帯用・緊急用として準備されることが多い。

外出時に使用する携帯型は容量が少ないため，外出時間が長くなる場合には複数本用意しなければならず，実用的ではない。そこで，酸素消費を節約するために，呼吸同調式酸素供給調節器（デマンドバルブ；図1-4）とともに使用することが多くなった。呼吸同調式酸素供給調節器は，患者の吸気に合わせて酸素が流れる仕組みになっており，連続送気の場合に比べて1/2～1/3の酸素消費量で済む。

（4）クロレートキャンドル型酸素発生器（図1-5）

塩素酸ナトリウムと鉄粉などで形成される固形の酸素発生剤であるクロレートキャンドルから，熱分解反応を利用して酸素を発生させる装置である。小型軽量であり，使用方法

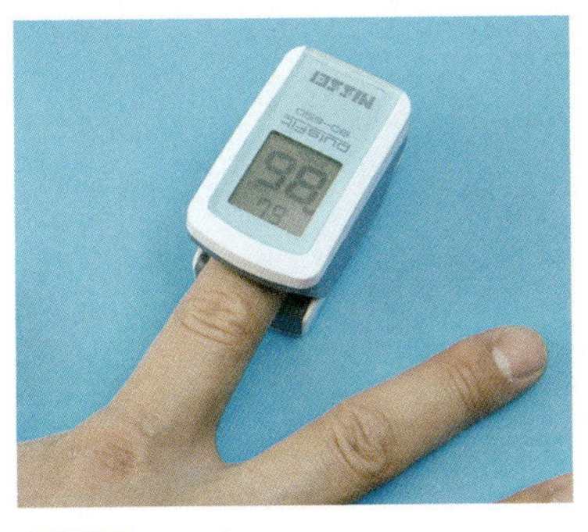

図1-6 パルスオキシメーター

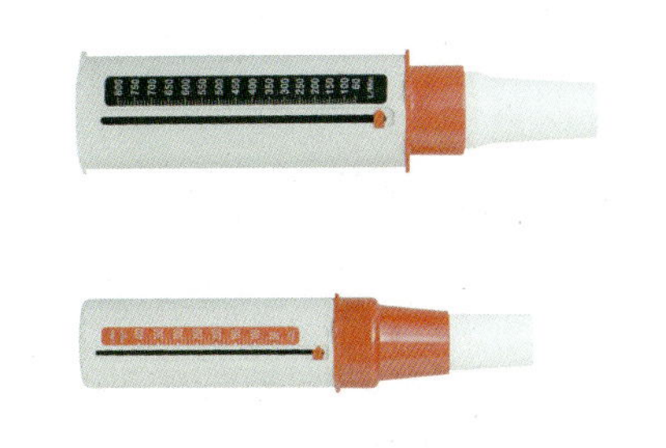

クレメントクラーク社ミニライトピークフローメーター

写真提供：松吉医科器械株式会社

図1-7 ピークフローメーター

も簡単である。しかし，流量調節ができず，3L/分の酸素を約12分間均一に発生し，途中で止めることはできない。1回使い切りで高価なため，救急蘇生用や応急用に備えるなど常時酸素療法が必要な患者には適さない。チアノーゼ型先天性心疾患患者のHOTの保険適用となっている。

以上，HOTに使用される酸素供給機器には様々な機種がある。療養者の必要流量や生活スタイル，自宅の状態（エレベーターのない住宅では液体酸素の搬入は困難など）に応じて，適するものを選択できるよう支援する。

また，これら酸素供給機器が適切に使用できているかの指標として，パルスオキシメーター（図1-6）やピークフローメーター（図1-7）などがあるので，呼吸状態の評価も行えるよう指導する。

3）在宅酸素療法導入までの流れ

在宅療養までの移行支援は，HOTに限らず，ほかの医療処置導入において共通する点が多々ある。「適応査定→意思確認→機器決定→技術指導・教育→院内トレーニング・試験外泊→退院→支援」という一連の流れを把握する（図1-8）。HOTは，入院患者の退院（在宅移行）時に導入されることが多いが，近年の在院日数の短縮化により，在宅療養の環境整備を外来で指導する場合もある。その場合，十分な指導・教育が困難なことがある。移行時の医療機関とその後の支援にかかわる訪問看護師が連携し，継続的な支援体制を構築していけるようにする。

HOTの適応は，高度慢性呼吸不全の判定基準（前述の「在宅酸素療法（HOT）の適応」）に基づき，主治医が判断する。適応とされた場合に，療養者への説明が行われ同意を得て在宅療養への移行準備が始まる。

療養者・家族の理解力や介護力，環境に応じて，適切な酸素供給機器を選択する。

技術指導では，機器の取り扱い（保守管理の内容を含む），吸入量や時間の指示および調整方法と範囲の確認，注意点（引火しやすいので装置を火気から離す，たばこやろうそくなどの取り扱い，電気機器のスイッチからの引火に注意する），病状観察方法と対処法（酸素の吸入状態，労作時呼吸苦の観察法），緊急時の連絡方法など，共に確認しながら整理していく。

1．在宅酸素療法適応の決定
①諸検査結果，基礎疾患を踏まえた臨床症状，適応基準からの判断（医師）
②在宅酸素療法の必要性の説明と患者の同意
③在宅医，訪問看護ステーション（必要時）の選択・決定
④退院調整（スクリーニング）

2．酸素供給機器の決定と業者への連絡
①酸素の流量，患者の活動耐性，外出頻度，居室内環境，家屋立地条件，介護力の有無と程度などから酸素供給機器の決定
②在宅酸素療法指示書作成，資材課・医事課・酸素業者への連絡・諸手続き
③療養環境評価目的の退院前訪問の検討と実施

3．指導・教育
①病状の経過，在宅での観察事項，定期的な受診の必要性の説明
②酸素供給機器の取り扱いの指導
③酸素飽和度の測定とその値の見方
④日常生活上の留意点についての指導：感染予防，栄養，排泄，清潔，薬剤管理，社会資源活用，移動，安全対策など
⑤緊急時の対応についての説明と連絡体制の検討

4．院内トレーニング・試験外泊
①酸素供給機器・酸素飽和度測定器の試用
②試験外泊の検討
③必要時，訪問看護師，介護支援専門員などの退院前訪問の実施
④試験外泊用の酸素供給機器および携帯型酸素ボンベの設置
⑤試験外泊時の酸素飽和度の値と，酸素の指示流量の再検討
⑥退院前カンファレンス

5．退　院
①酸素供給機器の設置
②携帯型酸素ボンベの準備：帰宅用，外出用
③外来受診日・訪問看護日の決定
④病棟看護師から外来看護師，訪問看護師への退院時サマリーによる状況報告および連絡

6．訪問看護
①入院中の指導・教育内容の確認と継続指導
②主治医，外来看護師，介護支援専門員など多職種との連携（サービス担当者会議）
③酸素飽和度の測定および自己測定値の評価
④緊急時の連絡体制の確認およびシミュレーション

7．外　来
①定期的な動脈血ガス分析，酸素飽和度などの測定および評価
②外来看護師による保健指導
③酸素業者による定期的な保守点検

入院（1～5）　在宅（6～7）

図1-8　在宅酸素療法導入の流れ
岡崎美智子・正野逸子編：根拠がわかる在宅看護技術，第2版，メヂカルフレンド社，2008，p.362．より転載

退院後，訪問看護の導入が必要な場合には，訪問看護ステーションの決定と情報提供を行い，知識・技術の習得状況を確認し，試験外泊を計画する。試験外泊を行うことで，病院では予測されなかった問題を経験することもあり，具体的なイメージをもつことができる。帰院後，状況を確認し，問題点への対応を行う。このことで，在宅療養への移行がよりスムーズになることが期待できる。可能であれば，病棟看護師，訪問看護師も同行し，実際に生活する環境を見聞きすることで，療養者に応じた具体的な看護計画を立案することが可能となる。なお，在宅酸素療法指導管理対象は，訪問看護制度における「特別管理

加算」の対象であり，外泊時の訪問看護算定など算定要件が緩和される。このように，入院中から在宅療養を円滑に行うための訪問看護制度が充実しつつあるため，利用できる制度についての情報収集も必要である。

試験外泊後に生じた課題も解決し，在宅療養の準備が整った時点で退院となり，同時に在宅療養が開始となる。開始にあたっては，退院時カンファレンスなどで，関連する職種が一堂に会し，顔の見える関係を構築し，それぞれの役割の確認と療養者の生活・看護・介護の方向性を統一させるような支援を行う。特にCOPDにおいては，集学的なアプローチの重要性が指摘されている[3)]。

6 在宅酸素療法を受ける療養者への日常生活支援

HOTは，状態の安定した療養者の在宅療養ではあるものの，体調の変動をきたしやすく，それが致命的になりやすいため，日頃の観察や体調把握に留意する。療養者・家族が「いつもと違う」状態や環境に自ら気づき，対応できるように支援スタッフは連携し支援にあたる。

1）毎日の体調の観察

毎日時間を決めて，今日の体調を把握する習慣をもてるようにする。

（1）体調観察のポイント

以下の点を一つずつ観察する。その際，フェイススケールなどを用いることで，日々の変化に早期に気づくことができる。

・顔色：体調のバロメーターである。いつもの顔色と比べてどうか。
・意識の状態：眠り続けていないか，奇妙なことを言わないか。
・頭痛：低酸素・高炭酸ガス血症のときに生じることがある。
・冷汗：低酸素状態のときに生じることがある。
・表情：つらそうな表情をしていないか。
・息苦しさ，息切れ：いつもより強いか，呼吸の回数・深さ・音はどうか。
・チアノーゼ：唇や爪の色はいつもと比べてどうか，いつ紫色になったのか。
・脈拍，血圧：脈の回数や血圧がいつもと比較して多かったり，少なかったりしていないか。
・咳：いつもより多くないか，ずっと続いているか，乾いた咳か湿った咳か。
・痰：いつもより多くないか，何色か，固いのかサラサラしているのか。
・動悸：いつ起きるのか，いつもより強いか，汗・めまい・吐き気はあるか。
・胸痛：胸のどこがどのように痛いのか，いつ起こるのか，強さはどうか。
・喘鳴：胸がぜいぜい，ヒューヒューするか，どんな音か，息を吸うときか吐くときか。
・浮腫：顔やまぶた，手先・足先はいつもよりむくんでいないか，足のすねを圧迫した後に指の跡がすねに残らないか，尿量は普段より少なくないか。
・体重：心臓・腎臓の機能のバロメーターとなる。
・痛み：どこが痛むのか，痛みで深呼吸や体動・生活が制限されていないか。

（2）日常生活上の自覚症状

体調観察のほかに，日常生活上の自覚症状として，食欲，睡眠，歩行・移動，排便などを確認する。

・食欲：全般的な調子を反映しやすい。一般に，急性増悪期や発熱期では，食欲が低下する。

・睡眠：十分な睡眠はQOLを左右する。高齢者では，加齢に伴う睡眠パターンの変化から不眠になることが多いので注意する。

・歩行・移動：体調と増悪状態を反映しやすい。動悸や息切れの増悪は歩きたくない，動けないといった状態を引き起こすため，疾患の悪化を把握することができる。

・排便：食事摂取量，水分摂取量などと関連する。息切れのため努責が困難となることで便秘になりやすい。

2）日常生活支援

慢性呼吸不全患者のADLは，機能的な低下というより，動くことによって生じる息切れや苦しさから制約を受ける場合が多い。そのため，日常生活において，パルスオキシメーターを用いて酸素飽和度を測定し，労作時の低酸素状態が続かないよう考慮する。以下，日常生活支援におけるポイントを示す。

（1）生活環境

酸素供給機器で酸素吸入しながらの生活であり，チューブが届く範囲での行動となる。チューブは最大20mくらいまで延長できるが，労作時の酸素飽和度の低下を考慮すると，居室は階段のない1階であることが望ましい。

酸素供給機器は壁や家具から前後左右15cmあけ，加湿器やヒーターなどの火気から離して設置する，普段の生活動線を把握し電話などは身近な場所に設置する，チューブ類でつまずかないよう整理するなど，環境を整える。

（2）食　事

慢性呼吸不全では，呼吸機能障害により呼吸筋の酸素消費量が増大し，安静時のエネルギー消費量が亢進するため，栄養障害や体重減少をきたしやすい。栄養が不足していると，予後にも影響するため，栄養バランスの整った食事を摂取することを勧める。一方，食べ過ぎやガスの発生は，胃が横隔膜を下から押し上げ，楽な呼吸を妨げる原因となる。一度にたくさん食べられないときは，量を減らして4～6回に分食するとよい。分食は，食事によるエネルギー消費を抑える効果もある。

高エネルギー，高タンパク質の食事を基本とし，消化管でガスが発生しやすいもの（イモ類，タケノコ，ねぎなど）を避ける。

（3）清　潔

カニューレを付け，酸素投与しながらの入浴は可能であり，身体の清潔を保つことは感染予防につながる。しかし，入浴は酸素消費量が多く，体力を消耗するため，息を吐きながら行うなど，できるだけ負担の少ない方法を選択する。椅子を用意し立ち上がりの負担を軽減する，浴槽の湯量を調整して肩までつからない，長湯をしない，熱い湯を避ける（38～40℃程度にする），動作の前にゆっくり息を吸い，動作は口すぼめ呼吸でゆっくり吐きな

腹式呼吸：①腹がへこむまで，息を十分吐き出す。②鼻から息を深く吸い込む（腹が膨らむ）

口すぼめ呼吸：①軽く口を閉じ，鼻で息を吸い込む。②口をすぼめ，吸い込むときよりも2倍以上の時間をかけてゆっくり息を吐き出す（1，2で吸って，3，4，5，6…で吐くなど数えながら行うとよい）

図1-9 腹式呼吸と口すぼめ呼吸のコツ

がら行う，などの工夫をする。

医師に状況を相談し，入浴前から入浴後の呼吸が安定するまで，酸素流量を増やすことも有用である。

シャワー浴は入浴に比べて酸素消費量が少ないため，体調をみて切り替えるとよい。

（4）排　泄

排便による努責は，酸素消費量を増加させる。便秘にならないように，食事指導や腹部マッサージなどの温罨法を考慮する。和式便器での排泄は，動作時の酸素消費量を増加させる原因になるため洋式の利用を勧める。

洋式便器に腰かけ，軽く息を吸い，口すぼめ呼吸でゆっくりと息を吐きながら排泄するよう指導する。動作後には，横隔膜呼吸で腹部を膨らませながら，鼻から息を吸うなど呼吸の乱れを調整し，ゆっくり動くよう助言する。

（5）運動，呼吸リハビリテーション

動くと苦しいことから，動くことがおっくうになり，寝たきりや座りきりになり，筋力低下を起こすことが考えられる。酸素吸入を行いながら，適度な運動を心がける。

労作時における基本の呼吸法は，ゆっくりした呼気を意識して，最小の力で落ち着いて呼吸することである。普段，無意識に行っている呼吸を意識的に行うには，まず口すぼめ呼吸と腹式呼吸（図1-9）を習得し，動作の開始と呼気を合わせるよう指導する。

このような呼吸法を習得し，前述の日常生活における各場面に取り入れることで息切れの予防につながる。

3）社会資源の活用

HOTを受けている人が利用できる制度やサービスを理解し，活用できるよう情報提供を行う。制度の多くは，自治体独自の支援や「介護保険優先」などの決まりごとがある。また，申請窓口は担当部署が分かれているなど煩雑である。病院の社会福祉相談室や，地域の保健所・保健センターなどに相談し，必要な時期に必要なサービスが受けられるように調整する。主な社会制度には，医療保険，介護保険，障害者総合支援法に基づくサービス，年金など経済的支援，患者会などの独自の支援などがあり，状態や地域性を考慮して活用できるとよい。

（1）医療保険

健康保険，国民健康保険，共済組合保険などがあり，加入している保険制度を利用する。年齢や収入によって自己負担の割合は異なる。

高額療養費制度は，所得や年齢に応じて，それぞれに設定された自己負担額を超えた部分を払い戻す国の公的制度である。

（2）介護保険

65歳以上の第１号被保険者と40歳以上の16の特定疾病に該当する第２号被保険者が対象である。HOT対象者のうち，慢性閉塞性肺疾患（COPD）は，特定疾病の一つである。

申請に基づき要介護認定を受けると，介護サービスや通所サービス，福祉用具など各要介護度に応じたサービスが利用できる。利用にあたり，ケアマネジャー（介護支援専門員）がコーディネート役となる。

（3）障害者総合支援法

HOTを受ける人は，申請により呼吸機能障害の身体障害者手帳を取得できる。状態に応じて１・３・４級のいずれかとなり，等級に応じたサービスを利用できる。主な福祉サービスとして，医療費助成，手当・年金，鉄道・バス・航空運賃などの割引減免，税控除，在宅・施設介護，日常生活用具給付などがあるが，自治体によって対象や額が異なる。

（4）患者会

HOTを受ける人は，酸素療法によって状態が安定し活動範囲が広がり，QOLの維持向上が期待できる。一方で，酸素療法による日常生活上の制限，カニューレを装着することによる違和感，ボディイメージの変化，つながれているという拘束感を抱えての生活である。

患者会を通じて，同じ境遇の者同士の交流ができ，ピアカウンセリングによって療養上の必要な情報交換を行うことができることを伝える。うつ傾向になりやすい特徴があるため，思いを受け止め，発散できる場は重要である。HOT患者の集いやバスハイクを実施している病院もあり，充実した生活を送る手助けとなっている。

看護技術の実際

A 酸素濃縮装置による酸素投与

- 目　　的：慢性呼吸不全状態にある療養者の低酸素を補うために，在宅で酸素療法を実施する
- 必要物品：酸素濃縮装置（吸着型），鼻カニューレ，酸素チューブ，加湿器，精製水（流量３L/分以上のとき）

	方法と観察の視点	療養者・家族支援と根拠
1	**家庭内の設置場所，室内環境を観察する**（➡❶）（6-2）「日常生活支援」参照）	❶延長チューブにつまずいての転倒，コンセント離脱などが予測されるため，療養者・家族と相談しながらあらかじめ環境調整を行っておく
2	**酸素濃縮装置を準備する：加湿器の準備** 1）加湿器をはずして精製水を所定の位置まで入れる 2）加湿器を所定の場所にはめ込む ・カチッと音がして確実に接続できたか確認する	●加湿器は，流量3L以下は加湿の必要がない❶ことを伝える
3	**酸素濃縮装置を準備する：酸素チューブの接続** 1）酸素チューブを酸素濃縮器の酸素流出口に取り付ける ・チューブの屈曲や閉塞がないか確認する（➡❷） 2）酸素チューブと鼻カニューレを接続する	❷チューブの屈曲や閉塞により必要な酸素が供給されないおそれがある
4	**酸素濃縮装置を準備する：電源を入れる** 1）酸素濃縮器の電源を入れる ・作動ランプの点灯を確認する ・加湿器からの気泡，作動機械音を確認し，異常音や振動がないかも確認する 2）流量ダイヤルを指示流量に合わせる ・鼻カニューレから酸素が出ていることを確認する	●病状による指示流量の変更の可能性もあるため，そのつど指示量を確認する
5	**鼻カニューレを装着する** ・正確に装着できているか ・カニューレの汚れや劣化・硬化を確認する	●鼻カニューレで圧迫されるため，顔面の痛みがある場合，ガーゼやティッシュの厚みで局所の圧迫を避けるよう工夫する ●鼻カニューレの手入れ方法を指導する ・汚れていたら水洗いし乾かす ・水を通すとだんだん硬くなるため，硬くなったら，新しいものと交換する
6	**適切に酸素投与が行われているか身体状態を観察する** ・呼吸状態，酸素飽和度を確認する ・自覚症状（食欲，睡眠，歩行・移動，排便）を観察する（6-1）-(2)「日常生活上の自覚症状」参照）	●医療者の訪問など，定期的に確認が行えるように社会資源の活用を勧める ・現在，テレナーシングの方法❷も開発されている（➡❸） ❸毎日決まった時間に症状を登録することで異変の早期発見につながり，急性増悪の予防効果がある
7	**酸素濃縮器，加湿器の保守・管理を行う** ・加湿器，フィルターの取り扱いと管理を確認する ・コンセント，ブレーカーを確認する	●定期的なフィルターの洗浄・交換を指導する ●業者による保守点検を必ず受けるよう指導する ・原因不明の場合や停電時には，すぐに酸素ボンベの作動に切り替えて，業者に連絡する ●アラーム発生時の対応を指導する ●災害時の対策として，十分な量の酸素ボンベを準備するよう伝える

❶日本呼吸器学会肺生理専門委員会・日本呼吸管理学会酸素療法ガイドライン作成委員会編：酸素療法ガイドライン，日本呼吸器学会，2006.
❷亀井智子・山本由子・梶井文子・他：COPD在宅酸素療法実施者への在宅モニタリングに基づくテレナーシング実践の急性増悪および再入院予防効果―ランダム化比較試験による看護技術評価，日本看護科学会誌，31(2)：24-33，2011.

文 献

1）平成30年診療報酬在宅酸素療法　診療報酬点数早見表，維持通信社，2018.
2）日本呼吸器学会肺生理専門委員会在宅呼吸ケア白書ワーキンググループ編：在宅呼吸ケア白書2010，社団法人日本呼吸器学会，2010.
3）河内文雄，巽浩一郎，長谷川智子編：一歩先のCOPDケア，医学書院，2016.
4）聖路加看護大学テレナーシングSIG編：テレナーシング実践ガイドライン，ワールドプランニング，2013.

2 在宅人工呼吸療法

学習目標
- 在宅人工呼吸療法（HMV）の目的と特徴を理解する。
- 在宅人工呼吸療法の適応を病態・社会的側面から理解する。
- 在宅用人工呼吸器の構造と呼吸補助の仕組みを理解する。
- 在宅人工呼吸療法実施にあたって観察項目を理解し，使用している療養者の状態をアセスメントできる。
- 在宅人工呼吸療法実施にあたって，必要な知識・技術の指導内容を理解する。

1 在宅人工呼吸療法における看護技術の特徴

在宅人工呼吸療法（home mechanical ventilation：HMV）とよばれる在宅呼吸管理には，主に気管切開式人工呼吸（tracheostomy invasive ventilation：TIV）と非侵襲的人工呼吸（non-invasive ventilation：NIV）の２種類がある。

1990年代に入って，非侵襲的換気療法の導入・発展により飛躍的に増加し，2000年代では，全国17,000人ほどの人が実施している療法である[1]。

対象は，在宅酸素療法（home oxygen therapy：HOT）同様，安定した病態にある慢性呼吸不全，神経筋疾患患者などである。HOTが酸素投与によって低酸素を改善する療法であることに対して，HMVでは換気運動を補助するため低換気を改善することが目的となる。つまり，拘束性換気障害などが対象となる。換気補助を日常的に必要とし，それが正確に行われることで生命を維持できる。

看護では，HMVを必要とする療養者の特徴を理解し，HMVが安全・快適に行われるために，適切な人工呼吸器の取り扱いや気道クリアランスに関する支援を通じ，HMVとともに暮らしていくうえで，その人らしさへの支援が目標となる。

2 在宅人工呼吸療法の適応

HMVは，医療保険対象（在宅人工呼吸療法指導管理料）の療法であり，以下のような規定となっている[2]。

①長期にわたり持続的に人工呼吸に依存せざるをえず，かつ，安定した病状にあるものについて，在宅において実施する人工呼吸療法をいう。

②対象となる患者は，病状が安定し，在宅での人工呼吸療法を行うことが適当と医師が認めた者とする。

なお，睡眠時無呼吸症候群（sleep apnea syndrome：SAS）の患者は在宅人工呼吸療法の対象とならないが，在宅持続陽圧呼吸療法の対象となる。

SAS以外の疾患の規定はないが，特に慢性閉塞性肺疾患や神経筋疾患，脊髄損傷などの慢性の呼吸不全が占める。HMVは，①患者および家族の在宅療養への意思が確認できている，②精神的に安定している，③介護者がHMVに必要な知識と技術を確実に習得している，④在宅療養を支援する十分な体制がある，⑤緊急時の受け入れ体制が確保できているなど，病状の安定はもとより，心理社会的な諸条件を整備する必要がある。

HMVの方法には，マスクによるNIVと気管切開下に行うTIVがあり，このほかに少数ではあるが体外式陰圧呼吸とよばれる方法もある。NIVとTIVの違いを表2-1に示す。従来はTIVが主流であったが，痰を自力で出せる患者は気管切開を必要とせず，またNIVが発展し広く普及したことによりNIVを第一選択とするようになった。呼吸器疾患でのNIVの適応は，以下の①および②に示す症状があり，③の（a）～（c）いずれかを満たす低換気状態である。

①呼吸困難感，起床時の頭痛・頭重感，過度の眠気などの自覚症状
②体重増加・頸動脈の怒張・下肢の浮腫などの肺性心の徴候
③（a）動脈血二酸化炭素分圧（$PaCO_2$）≧55mmHg：酸素吸入例では，酸素吸入時の$PaCO_2$，酸素吸入していない場合は，室内空気下で評価する
（b）$PaCO_2$＜55mmHgであるが，夜間の低換気による低酸素血症を認める場合
（c）安定期の$PaCO_2$＜55mmHgであるが，高二酸化炭素血症を伴う増悪や入院を繰り返す場合

一方，神経筋疾患での適応は，換気障害に加え，誤嚥や痰の喀出力低下といった障害を考慮する。現在，以下のような低換気状態は，NIVを第一選択とする[3]。

①$PaCO_2$が45mmHg以上
②睡眠中に血中酸素飽和度が88%以下を５分以上持続
③%予想努力性肺活量（%FVC）が50%以下か，最大吸気圧が60cmH_2O以下
④%FVCが50%以上でも，症状に応じて実施

肺活量，咳の最大流速，酸素飽和度，呼気終末の二酸化炭素モニターの定期的な測定を行い，咳介助により痰を除去し，さらにNIVの換気補助が必要かを検討する。

表2-1 人工呼吸の種類

	気管切開式人工呼吸（TIV）	非侵襲的人工呼吸（NIV）
概要	・気管挿管が長期にわたる場合に気管切開を行い，カニューレを接続することで人工換気が可能 ・カニューレ管理や気道分泌物の管理が必要	・気管切開を用いずインターフェース（マスクやプラグ）を用いて行う
長所	・確実な気道確保が行える ・換気効率がよい	・簡便に行える ・会話や食事が可能
短所	・気管切開が必要（侵襲的である） ・食事や会話が困難になる場合がある ・カニューレによる刺激や異物挿入のため，出血，感染，喀痰喀出困難，気道狭窄などのリスクがある	・確実な気道確保が行えない ・気道分泌物の除去が困難 ・マスクフィッティングが必要 ・同調性が求められる（意識や理解力が低下しているとうまくいかない場合がある）

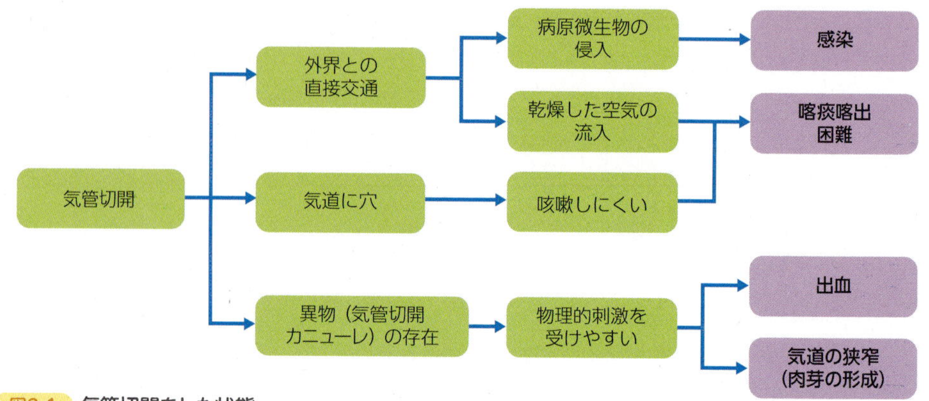

図2-1 気管切開をした状態

人工呼吸器装着中のALS患者の療養支援　訪問看護従事者マニュアル，平成15年度　看護政策立案のための基盤整備推進事業報告書，日本看護協会，2004．より転載

特に，NIVからTIVへの移行については，疾患によりかなりの違いがある。呼吸器疾患の多くはNIVでの管理が可能である一方，神経筋疾患では重度の喉頭・咽頭機能の低下のため，気管切開による人工呼吸が必要とされている。つまり，NIVでは完全に気道確保が行えているわけではないので，気道内分泌物の除去が困難であったり，自発呼吸がまったくない場合には，継続は困難になる。看護師には，①適切にNIVが実施できているか，②TIVへ移行するべきかの見きわめの視点をもつ必要がある。また，TIVでは図2-1[4]に示すように，気管切開の特徴を理解したうえでのケアが必要である。

3 在宅人工呼吸療法を受ける対象の特徴

人工呼吸療法が必要な対象は，「低換気」の状態にある。慢性肺胞性低換気では，頭痛や日中の眠気など，一見，呼吸とは関係がないように思われる症状出現から始まるので，注意が必要である。呼吸器疾患では息切れで呼吸症状を自覚するが，神経筋疾患では四肢の運動機能の低下により，ADLの低下・縮小がみられるため，その状態に慣れてしまい，症状が見過ごされる場合がある。

神経筋疾患では，四肢の運動機能低下や会話，飲み込みなどに様々な障害を呈する場合があり，呼吸障害にとどまらず全身にわたる障害への対応が必要となる。

球麻痺症状がある場合，咳嗽力の低下や気管切開留置によって気道内分泌物が貯留しやすい状態である。気道クリアランスが人工呼吸療法の成否の鍵を握るといっても過言ではないほど，気道ケアが重要な役割を占める。

人工呼吸療法により長期の生存が可能となる一方，原疾患の進行は止められないこともあり，人工呼吸療法の選択にあたり，療養者・家族は苦悩することが避けられない。さらに，経過が長いことで介護負担を懸念し，「迷惑をかけたくない」と思い悩む療養者も少なくない。人工呼吸療法の選択は，意思決定のなかでも最も重大な選択である。このような揺れる思いや苦悩を受け止め，支え，介護負担などの社会的な要因が意思決定の妨げにならないよう療養環境・体制を整備し，自由な意思決定につながる支援が求められている。

HMVの適応条件を満たした場合に，在宅療養へと移行するが，常時医療従事者がいない環境では，管理次第で療養者の生命に大きな影響を及ぼすことになる。このため，導入にあたっては，自らの病状管理に加え，人工呼吸管理にあたる知識・技術の十分な習得が必要となる。このことは，療養者およびその家族には，絶えず医療機器に囲まれる緊迫感・責任感を強いることもある。

人工呼吸器装着で，呼吸障害が改善し，日常生活が過ごしやすくなる半面，マスクや気管切開による意思伝達のしにくさ，呼吸回路の拘束感があり，その生活範囲を縮小する場合もある。看護師は，療養者・家族を社会から孤立させないよう，呼吸器を装着した日常生活の過ごし方や，散歩や外出などを通じた社会参加を共に考えていく。人工呼吸療法によって呼吸障害が緩和され，新たなエネルギーが湧いてくるケースも少なくない。生活のなかに溶け込む人工呼吸療法を目指すことが，在宅療養支援の醍醐味ともいえる。

在宅療養が長期化していくなかでは，日々の変化に乏しく，生活のマンネリ化が指摘される場合もある。しかし，原疾患の進行や合併症の出現，長期の人工呼吸療法による過換気傾向など様々な症状を呈するため，継続的な観察と早期発見・対応の体制が欠かせない。

4 在宅人工呼吸療法で用いる人工呼吸器の種類と特徴

1）在宅用人工呼吸器の種類としくみ

在宅で用いる人工呼吸器は，近年小型・軽量・デジタル化が進んでいる（図2-2）。在宅において非医療者が操作することを前提とした構造や仕様が求められている。また，停電・災害時に備え，バッテリーで使用可能なものが望ましい。

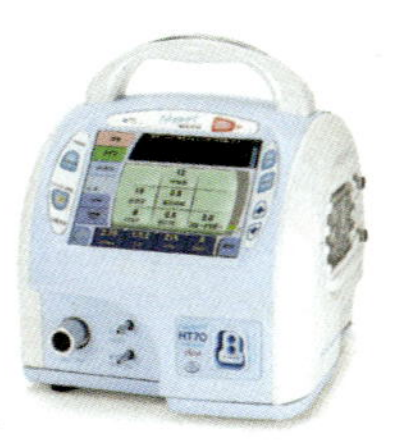

ニューポート™
ベンチレータ
モデルHT70プラス
写真提供：
コヴィディエンジャパン株式会社

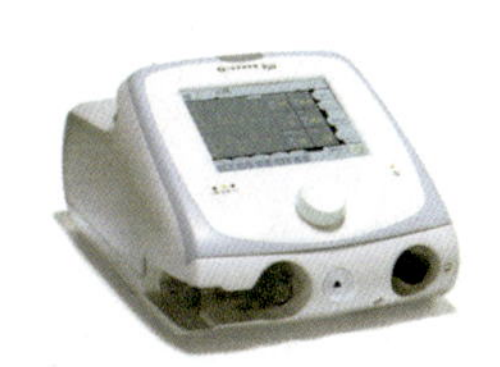

MONNAL
T50ベンチレータ
写真提供：
アイ・エム・アイ株式会社

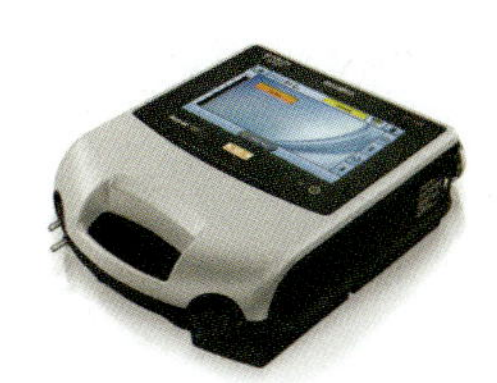

ASTRAL
写真提供：
フクダ電子株式会社

LTV2 2200
写真提供：
アイ・エム・アイ株式会社

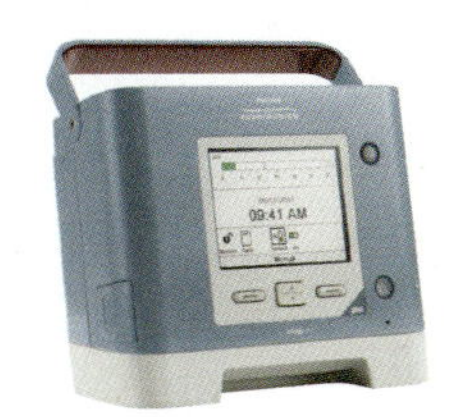

トリロジー 100 plus
写真提供：
株式会社フィリップス・ジャパン

図2-2 主な在宅用人工呼吸器

在宅用人工呼吸器は，従来，NIV専用器とTIV専用器に分かれていたが，近年は両方可能な機種が増えており，換気方式も一台で従圧式（補助圧を設定する）と従量式（換気量を設定する）の両方が可能になっているものが主流となっている（図2-2）。

なお，NIV専用器のうち，吸気時と呼気時に同じ陽圧がかけるものをCPAP（continuous positive airway pressure，気道内持続陽圧）療法といい，これにより上気道の閉塞を防ぐ効果があり，睡眠時無呼吸症候群（SAS）の治療法として用いられる（注:この療法自体は，診療報酬上在宅人工呼吸器指導管理料算定の対象にはならず，在宅持続陽圧呼吸療法指導管理として別に定められている）。

人工呼吸器は，本体と電源，回路からなり，人の呼吸の仕組みと同じようにイメージすれば理解が深まる。つまり，「本体」は，呼吸の指令部署であり，設定画面により，呼吸補助の設定がなされる。動力源である「電源」が供給されることで，ポンプとして，室内空気を取り込み設定された量または圧の空気を送り出す。「呼吸回路」は気道であり，インターフェースまでの空気の通り道である。この途中で，バクテリアフィルターや，加湿があり，粉塵除去や空気に加湿を与えることで，口や鼻の役割を果たしている（図2-3）。機種によって，様々な回路構成があり，戸惑うかもしれないが，呼気の切り替えと加湿の方法に大別すれば，理解が深まる。

呼気の切り替え方式には，呼気弁式と呼気ポート式がある。呼気弁式は，呼気弁によって，吸気と呼気が切り替わる仕組みになっている。吸気のときに，弁が閉まり空気を逃がさず，肺に送り込み，呼気のときには，弁が開放され，空気が大気中に拡散される。この

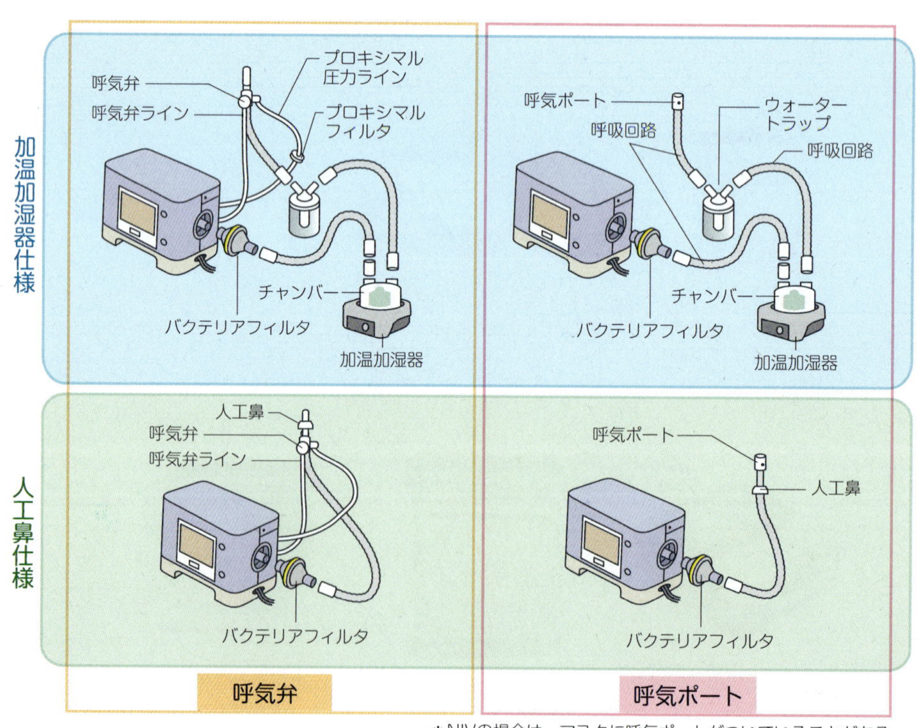

図2-3 人工呼吸器回路の一例

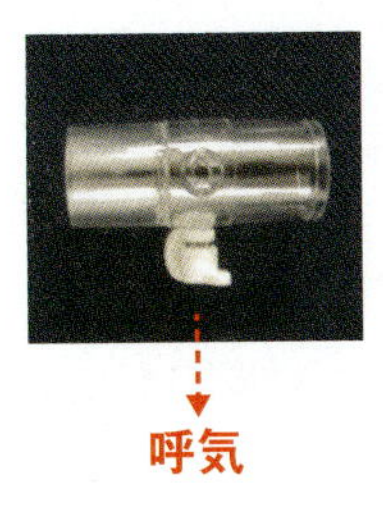

図2-4 呼気ポートをもつコネクター

ほか換気量や気道内圧を測定するためのセンサーチューブが付いており，回路構成はやや複雑になる。これに対し，呼気ポート式は，回路内には常に空気が流れており（定常流），空気の流れで吸気と呼気を識別するため，特に自発呼吸との追従性を高める効果が期待されるものである。呼気を再呼吸しないための「呼気ポート」と呼ばれる穴があり，これは絶対塞いではならない（図2-4）。

次に，加湿である。特に気管切開では，空気は，口や鼻を通過しないので，送気ガスを加湿する必要があり，NIVでも定常流の送気により，乾燥が助長されるため，加湿が望ましい場合もある。その加湿の方法に，加温加湿器を用いる場合と人工鼻を用いる場合とがある。加温加湿器は，チャンバーとよばれる容器に入れた滅菌蒸留水を温めることで，送気ガスに水分を含ませる方法で人工鼻より加湿性能は高い。結露になりやすいこともあり，過剰な水滴をためるウォータートラップが回路に加わり，より回路構成は複雑になる。これに対し人工鼻は，体温で温められた呼気（水蒸気）をフィルターでとらえ，次の呼吸で戻すことによって加温加湿効果を得るものである。電源いらずで，回路構成もシンプルになる反面，呼気を再呼吸するシステムであるため，二酸化炭素が貯留しやすい患者やフィルターが呼気抵抗になる場合，呼吸仕事量を減少させたい場合には，適用にならない。

それぞれの長所と短所を表2-2に示す。状態や生活に応じ，選択する。

これらの在宅用人工呼吸器は，診療報酬体系においては，医療機器供給会社と医療機関

表2-2 呼気弁方式・呼気ポート式・加温加湿器・人工鼻の長所と短所

	呼気弁方式	呼気ポート式
長所	・呼気弁によって，厳密に吸気と呼気のサイクルが分かれる ・連続流があまり流れないので，会話や食事に有利	・定常流のため，自発呼吸のある場合に同調しやすい ・回路構成が簡素で取り扱いが簡便
短所	・各種センサー類が付き，回路構成がやや複雑	・定常流のため乾燥が助長されやすい

	加温加湿器	人工鼻
長所	・加湿性能が高い ・禁忌がない	・受動的な加温加湿で，電源が不要 ・回路構成が簡素で取り扱いが簡便
短所	・電源が必要。回路構成が複雑 ・気道熱傷のリスクがある ・常に滅菌蒸留水が必要である	・気道分泌物が粘稠で，人工鼻まで到達する場合，フィルターが目詰まりを起こす ・低体温，二酸化炭素が貯留しやすい患者 ・フィルターが呼気抵抗になる場合，呼吸仕事量を減少させたい場合には適応外

の間でのレンタル契約により，使用する在宅患者のもとに届けられるシステムとなっている。病院によっては，臨床工学技士が介在し機器管理を行うところもあるが，機器供給会社のメンテナンスシステムに則り保守管理が行われることが多い。機械は故障するものであることを前提に，予備の機器を常備しておくことが望ましい。故障や異常時に対応できる24時間対応可能な機器供給会社のシステムであることが必要であるが，異常時に機器か病態由来か見きわめがつかないことも多々ある。レンタル元の医療機関の緊急体制の整備も不可欠である。

2）在宅用人工呼吸器の取り扱いと観察点

在宅における人工呼吸器は，生活必需品として電化製品の一つである反面，正常作動が妨げられるときには生命維持を脅かすものになるため，生命維持装置として慎重な管理と取り扱いを要する。

家庭内の電気系統を確認し，可能であれば独立した電気系統であることが望ましい。ドライヤーや電子レンジなど消費電力の大きいものと同系統にすることは避ける。また，パソコンなどの精密機器同様，湿気やほこりに弱いため，設置場所や電源コード類の整理など家庭環境の整備が大切である。

加えて，電化製品との最も大きな違いは，人工呼吸器は装着している人と一心同体であるということである。装着している状態は呼吸器の作動状況に大きく影響を受けるため，装着者と機械，両方の観察が欠かせない。NIV（表2-3）[5]，TIV（表2-4）[5] それぞれの機器と装着者の観察点（点検項目）と内容を示す。NIVは自発呼吸を補助するものなので，特に装着者の状況把握が欠かせない。

人工呼吸器を電化製品として考えた場合の留意点として電源の確保という点がある。特に近年，災害が多発しており，停電時の対応が欠かせない。停電時対策としては，①専用バッテリー，②市販蓄電池，③自動車（シガーソケット）からの給電，そして，④発電機（なるべく専用バッテリーの充電に使用）である。人工呼吸器の正常作動には，正弦波出力が欠かせないが，発電機などは，正弦波出力の機種は限られ，かつメーカー推奨は得られない。事前に「災害時個別支援計画」として，人工呼吸器の停電対策について話し合っておくことが肝要であり，電源を用いない蘇生バッグでの換気方法を習得しておくことが望ましい。

在宅人工呼吸療法導入支援

HMVの導入にあたっては，以下の支援過程をたどる。

1）本人・家族の受容（意思確認）

状態が安定し医師に在宅療養可能と判断されると，本人・家族の病状の受け入れ状況と在宅療養への意思を確認する。確認がとれたら院内の退院調整部門などへ連絡し，在宅療養の調整が始まる。

表2-3 非侵襲的人工呼吸(NIV)の点検・確認項目

	点検項目		内容・設定
本　体	電源，コンセント		AC電源ランプ・コンセントの具合，ほこりなど
	異常音，異臭		呼吸器からの音，におい
	フィルター		吸気フィルターの清掃・交換
換気条件の設定項目	モード		
	IPAP		($hpa \cdot cmH_2O$)
	EPAP（CPAP）		($hpa \cdot cmH_2O$)
	バックアップ回数/分		回/分
	バックアップ吸気時間		秒
	ライズタイム		
	低圧アラーム		($hpa \cdot cmH_2O$)
	低換気アラーム		L/分
回　路	接続部のゆるみ，亀裂		
	蛇管，気道内圧，呼気ポートの水貯留		
	マスク	マスクの汚れ	マスクの手入れ
		装着部皮膚	発赤やびらん
		固定ベルト	汚れや位置調整
酸　素	流量		L/分
	接続の確認		
療養者	呼吸回数/分		回/分
	リーク量		
	SpO_2		%
	脈拍		回/分
	本人の訴え（呼吸苦，唾液量など）		
	呼吸器の使用状況・時間		
バッテリー	外部バッテリーの充電確認		
	内部バッテリー（ある場合）の充電確認		

東京都医学総合研究所：難病患者在宅人工呼吸器導入時における「退院調整・地域連携ノート」，難病ケア看護データベース．より転載

表2-4 気管切開式人工呼吸(TIV)の点検・確認項目

	点検項目	内容・設定
本　体	電源，コンセント①	コンセントを抜いてインジケーターの確認
	電源，コンセント②	コンセントを差し込んでインジケーターの確認
	異常音，異臭	呼吸器からの音，におい
	フィルター	吸気フィルターの清掃・交換
換気条件の設定項目	換気モード	
	Vt（1回換気量）	mL
	吸気圧（IPAP）	($hpa \cdot cmH_2O$)
	PEEP（EPAP）	($hpa \cdot cmH_2O$)
	吸気トリガー	
	呼吸回数（バックアップ数）	回/分
	I/E・吸気流量・吸気時間	
警報の設定	低圧アラーム	($hpa \cdot cmH_2O$)
	高圧アラーム	($hpa \cdot cmH_2O$)
	換気量アラーム	
回　路	回路接続・亀裂	
	加温加湿器の電源確認	
	加湿器の水位確認	
	人工鼻使用者は点検，交換	
酸　素	酸素流量	L/分
	接続の確認	
実測値	Vt（1回換気量）	mL
	気道内圧	($hpa \cdot cmH_2O$)
	換気回数	回/分
装着時間	呼吸器装着時間	h/日
療養者	SpO_2	%
	脈拍	回/分
バッテリー	充電状況	

東京都医学総合研究所：難病患者在宅人工呼吸器導入時における「退院調整・地域連携ノート」，難病ケア看護データベース．より転載

2）介護者と家庭環境の確認と課題整理

介護者の状況は在宅療養の大きなポイントになるので，介護者の健康状態や介護力，家族構成を確認する。また，住居環境を聴取し，在宅療養の実現に向けた課題を整理する。

3）条件整備

（1）社会的基盤（利用できる制度）の整備

上記 2）であがった課題について，利用できる制度を確認しながら対応策を立案する。介護保険や障害者総合支援法の利用による人的・物的環境の整備や，年金など経済的な基盤を含め，家族の生活を視野に入れた検討を行う。

さらに，地域支援体制として，往診医や訪問看護ステーションなどの医療提供体制を整備し，緊急時対応，連絡体制などを整える。

（2）看護・介護方法の指導

病棟看護師が中心になって，在宅療養に必要な看護・介護内容を指導・伝達する。主介護者だけでなく，必要に応じて介護に参加する関係者が指導を受けられるとよい。

（3）必要な器具・器材の準備と供給体制

呼吸管理に必要な機器・器材や衛生材料など，療養上必要となる物品について，診療報酬上で供給されるのか，自己負担になるのか，利用できる制度による補助などを確認しながらそろえていく。

スケジュール（手順のめやす）　実施日を（ / ）に記入していきます。

手順項目	日時／担当者	めやす 退院　日前 ／（ ）頃～	打ち合わせ ／（ ） ：	めやす 退院　日前 ／（ ）頃～	めやす 退院　日前 ／（ ）頃～	退院カンファレンス ／（ ） ：	めやす 退院　日前 ／（ ）頃～	退院日 ／（ ）	在宅カンファレンス ／（ ）
❶ 療養者の基本情報の収集（フェイスシートの作成）	退院調整看護師	❶→ （ ／ ）							
❷ HMVの条件確認	退院調整看護師	❷→ （ ／ ）							
❸ 利用できる制度の確認	保健師 退院調整看護師	❸→ （ ／ ）							
❹ 退院調整に向けての打ち合わせ	退院調整看護師		❹打ち合わせ						
❺ 在宅療養支援ネットワークの構築（ケアプラン案作成）	ケアマネジャー 保健師 退院調整看護師			❺→ （ ／ ）	→				
❻ 病棟看護師による家族への介護技術指導	病棟看護師			❻→ （ ／ ）	→				
❼ 療養環境の確認	保健師 ケアマネジャー				❼→ （ ／ ）				
❽ 必要な医療機器や衛生材料の準備	退院調整看護師				❽→ （ ／ ）	→	→		
❾ 退院カンファレンス	退院調整看護師					❾ 退院カンファレンス			
❿ 人工呼吸器学習会	退院調整看護師						❿→ （ ／ ）		
⓫ 退院日に向けての準備	退院調整看護師						⓫→ （ ／ ）	退院日	在宅カンファレンス

図2-5　支援スケジュールの例

東京都医学総合研究所：難病患者在宅人工呼吸器導入時における「退院調整・地域連携ノート」，難病ケア看護データベース．より転載

4）打ち合わせ：在宅ケア会議

1）～3）の進捗状況を，病棟・退院調整部署，リハビリテーション関係職などの院内多専門職間で共有し，次いで保健師，往診医，訪問看護ステーションなど地域関係者との共有を調整していく。在宅療養の実現に向けた課題を整理し，見通しを確認し合う。

5）試験外泊

試験外泊によって実際の在宅療養のイメージがつかめるため，積極的に行う。外泊中も訪問看護の算定が可能な場合がある。

6）退院カンファレンス，在宅カンファレンス

これまでに，あるいは試験外泊によって得られた課題を出し合い，解決に向けた取り組みを提案し，在宅療養へ向けた最終的な調整を行う。

退院後は，定期的に在宅カンファレンスを開催し，連携を継続させる。

実際の支援スケジュールの例として図2-5[5] をあげる。各機関が役割分担のもと連携して進めていく。

看護技術の実際

A 非侵襲的人工呼吸による呼吸介助（マスクフィッティング）

●目　　的：呼吸器疾患，神経難病などにより有効な換気ができない人に，鼻マスクやフェイスマスクなどのインターフェースを介して気道に陽圧をかけ，換気を改善する

●必要物品：換気補助装置，フィルター，呼吸回路，インターフェース

	方法と観察の視点	療養者・家族支援と根拠
1	**手を洗う**	
2	**必要物品の準備・確認をする**	
3	**呼吸回路を接続する** 1）空気取り入れ口のフィルターを装着する（➡❶） 2）蛇管を呼吸接続口に差し込む 3）呼気ポートを接続する ・各部が正しく接続されているか ・呼気ポートはマスク一体型もあるため注意する	●フィルターを清潔に扱うよう指導する ・定期的に交換（1回/2週）し，中性洗剤で洗浄し乾かす ❶室内の空気を機械内に取り込み送気するため，フィルターにより機械内部へのほこりの侵入を防ぐ ●NIVの仕組みや注意点を指導する ・NIVでは空気が口や鼻を通過するため，基本的には加湿の必要はないが，絶え間ない送気による刺激や乾燥が生じるため，加湿器仕様の回路を利用する場合もある ・NIVに使用される機種は，常に回路内に空気が流れているため，呼気を逃がす孔をもつ呼気ポートが必要である
4	**マスクを組み立て装着する（マスクフィッティング）** 1）マスクの種類，大きさを選定する 2）ヘッドギア，ソフトキャップなどを取り付ける 3）顔に合わせて装着する	●マスクには様々な種類があり機種ごとに決められていることが多いが，マスクフィッティングが成否の鍵を握ることを伝える ●日中と就寝時でマスクを変えるなど，一点への長時間の圧迫を避けるよう指導する（➡❷） ❷長時間使用すると，皮膚への圧迫による潰瘍形成などトラブルが発生しやすい

	方法と観察の視点	療養者・家族支援と根拠
		●最近のマスクは送気による膨張（エアクッション）を利用してフィッティングさせる構造になっているので，あまり強く締め付けないよう伝える
5	**電源を入れ作動を開始する** 1）マスクを装着した状態で作動を開始する（➡❸） 2）機器のセルフテスト実施後に作動開始となる 3）安静にし，口を閉じてゆっくりと鼻で息をしてもらう	❸漏れが大きいとリーク補正の送風により苦痛が生じるため，マスクを装着して開始する ●自発呼吸が低下し，マスクを装着しただけで圧迫感が生じる場合は，装着したらすぐに開始できる「スタンバイ」の機能を活用するよう伝える
6	**身体状態を観察する**（➡❹） ・訴え：苦痛，夜間の睡眠がとれているかなど ・症状の改善：頭痛・頭重感の改善，起床時の爽快感など ・マスクの装着感：発赤・潰瘍の有無 ・呼吸困難感 ・リーク：口渇・目の刺激の有無 ・腹部膨満感：呑気がないか ・呼吸音，胸郭・腹部の動き ・呼吸回数，呼吸パターン・リズム ・呼吸補助筋の動き ・バイタルサイン	❹バイタルサインに加え，装着者自身のモニタリングが重要であることを伝え，自覚症状の聴取を指導する ●リークの補正を指導する ・リークは最大60L/分まで可能であるとされるが，あまり過度にならないよう定常値を観察する ・苦しいときは口を閉じ，空気が肺のほうへ回る感覚をつかんでもらう（➡❺） ・装着によりフルフェイスマスクへの変更も検討する ❺口からのリークが最も多く，苦しいので口を開けてしまうことでリークが増し悪循環となる ●リークによる目への刺激に留意するよう伝える

B 気管切開式人工呼吸による呼吸介助

●目　　的：呼吸器疾患や神経難病などにより有効な換気ができない人に，気管切開下における人工呼吸療法で呼吸を補助する

●必要物品：在宅用人工呼吸器，加温加湿器（または人工鼻），呼吸回路，テストラング，蒸留水

	方法と観察の視点	療養者・家族支援と根拠
1	**手を洗う**	
2	**必要物品の準備・確認をする**	●機種によって必要物品や接続方法が異なるため，呼吸器供給会社からの説明を受け，不明点はその場で確認する
3	**呼吸回路を組み立てる**（図2-3参照）**：フィルター・加温加湿器の接続** 1）空気取り入れ口のフィルターを装着する（➡❶） 2）バクテリアフィルター（➡❷）とフレキシブルホースを接続する（図2-6） 3）加温加湿器（➡❸）の上限まで蒸留水を入れ35～37℃に温度を調整する 4）ウォータートラップを接続する	❶室内の空気を機械内に取り込み送気するため，フィルターにより機械内部へのほこりの侵入を防ぐ ❷療養者に吸入される空気をきれいにし，交差感染の危険を減らす目的がある ❸加湿は，乾燥した空気の流入を防ぐために必要である ●呼吸回路の仕組みを説明する ・呼吸回路は，気道をイメージすると理解しやすい。フィルターは粉じん防御の鼻，フレキシブルホースとフレックスチューブは空気の通り道の気管，加温加湿器は気道を加湿する口の役割を果たす。これに過剰な結露を落とすウォータートラップと制御のための呼気弁や測定チューブが加わる

	方法と観察の視点	療養者・家族支援と根拠
	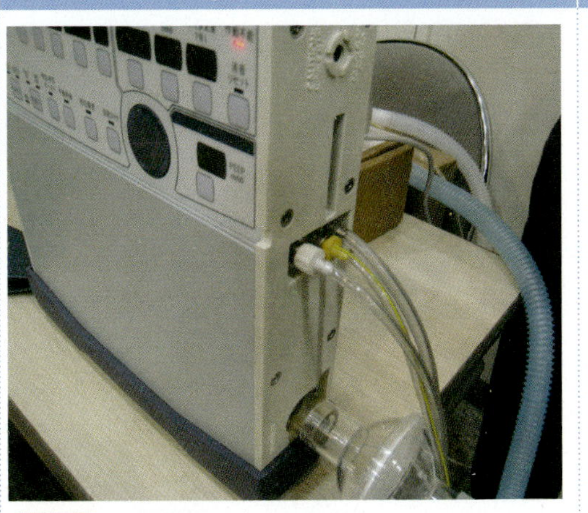 図2-6 呼吸回路のバクテリアフィルターと各種測定チューブの接続	
4	**呼吸回路を組み立てる**（図2-3参照）**：チューブ類の接続** 1）呼気弁とフレックスチューブを接続する 2）各種測定チューブを接続する ・正しく接続されていることを確認する ・各接続部ははずれやすいので，ゆるみがないかチェックする	●呼吸回路の注意点を指導する ・これまでは加温加湿器を組み込んだものが多かったが，近年は通気により加湿される人工鼻の仕様が増えてきた。過剰な加湿により人工鼻が閉塞する危険があるため，加温加湿器使用中に人工鼻を組み込んではならない ・室内温度や季節により結露が生じるため，回路内の定期的な水の排除：水切りを行う ・水切りの際に，逆流や療養者の気管に入らないよう注意する
5	**医師の指示どおり設定されているか確認する** ・換気モード ・1回換気量，呼吸回数，アラーム設定	●ロック機構を有する機種では誤って設定が変更されないよう，ロック状態に設定するよう指導する
6	**電源を入れ作動を開始し，作動状況を確認する**（図2-7） ・作動電源：正常作動を示す色のランプがつくか ・作動状況：テストラングをつけ，正常に作動するか，回路リークがないか ・アラーム：テストラングを手で強く握ると高圧アラームが鳴るか，はずすと低圧アラームが鳴るか ・機器と回路の設置状況：機器の配置，呼吸回路の配置（療養者の気管切開カニューレを牽引していないか，ウォータートラップは，療養者より低い位置にあるかなど） 図2-7 作動状況の確認	●AC電源利用であれば，通常緑色ランプが点灯するので点滅や他の色の場合，その原因を探すよう伝える ●テストラングをつけた状態で1回換気量，気道内圧をみて作動状況を確認するよう指導する（➡❹） ❹トラブル発生時，機器が原因かどうかを見きわめる判断材料の一つとなる

	方法と観察の視点	療養者・家族支援と根拠
7	**療養者に装着し，状態を観察する（➡❺）** ・呼吸器と同調しているか ・胸郭の動き，エア入り，顔色，チアノーゼの有無 ・SpO_2，脈拍などバイタルサイン ・気道ケア ・アラームが鳴っていないか（表2-5参照）	❺療養者は微妙な変化を敏感に感じるため，回路交換や呼吸器本体の交換時に，いつもと違う感じがないか，特に注意するよう伝える ・測定値上の変化と同時に，自覚症状を十分把握する ●アラームが鳴ったときの留意点を指導する ・アラーム設定の状況が発生したときのみ作動するので，設定によってアラームの意味するものが異なることに留意する ・回路がはずれていても，布団がかぶさり圧がかかればアラームが作動しない場合もある。常に療養者の状況を観察して判断する ・アラーム発生の原因がわかるまでは，リセットボタンを押さない
8	**必要なケアを行う** 1）気道ケアなどを十分に行う 2）カニューレのカフ圧管理を行う（➡❻） 3）回路内の水滴の逆流を防ぐ	❻カニューレの交換後数日間は同じカフ圧でもリークが生じる場合がある。使用日数を考慮しながらカフ圧調整を行う
9	**緊急時を想定し，対策を準備する** 1）想定される緊急時対応の指示をあらかじめ決めておく：カニューレの抜去，呼吸器の作動停止（➡❼），その他 2）蘇生バッグを手の届く誰でもわかる場所に設置し，確実に操作できるよう準備する 3）緊急時の連絡先・連絡順を決め，シミュレーションする（➡❽）	●緊急時には，まず療養者の呼吸確保を第一に優先するよう指導する ❼呼吸器のトラブルは回路が原因であることが多く，原因が特定できなくても回路交換を行うことで改善されることがあるため，複数人確保できれば回路交換を行う ❽原因が呼吸器由来か療養者由来か判断がつかない場合もあるため，どこ（誰）に最初に連絡するかをあらかじめ決めておく ・機器供給会社の対応は，2時間以内を目安にしており，その間，呼吸が確保できる体制を整備する

表2-5 人工呼吸器のアラームトラブルシューティング（従量式を例として）

アラームの種類	状況（適切な設定値の目安）	考えられる原因	対　応
気道内圧上限アラーム	気道内圧が設定値より上昇し，気道内圧が高くなっている この状態が続くと，肺の圧障害・損傷の危険が高くなる 適切なアラームレベルに設定する （通常の最高気道内圧の＋10～＋20％または＋5～＋10cmH_2O）	痰の貯留	・気管内吸引，排痰援助をする
		回路がねじれている，押しつぶされている	・確認し対処する
		呼気弁の動きが悪い（呼気弁の接続が悪い，結露，呼気弁の劣化など）	・確認し対処する
		バクテリアフィルターのつまり	・交換日を確認し，疑われる場合は新しいものと交換する
		ファイテング，咳込み	・頻回な場合は人工呼吸器の設定変更の必要があるため，医師に連絡する
		不適切な高圧アラーム設定値	・頻回な場合は人工呼吸器の設定変更の必要があるため，医師に連絡する

表2-5 人工呼吸器のアラームトラブルシューティング（従量式を例として）（つづき）

アラームの種類	状況（適切な設定値の目安）	考えられる原因	対応
気道内圧下限アラーム	気道内圧が設定値に達しない この状態が続くと，肺の圧障害・損傷の危険が高くなる 適切なアラームレベルに設定する （通常の最高気道内圧の－10～－20％または－5～－10cmH_2O）	呼吸器回路のはずれやゆるみ，接続ミス，呼吸器回路破損（蛇管の穴や亀裂，加温加湿器チャンバーのひびや破損など）	・回路を確認し，つなぎ直す（①気管カニューレと回路，②各回路間，③加温加湿器と回路接続部，加温加湿器のひび割れ，④人工呼吸器本体と回路，⑤呼気弁チューブ・気道内圧チューブのはずれ） ・回路破損は目に見えないピンホールの場合もあるので，確認が困難なこともある ・回路一式と加温加湿器の滅菌蒸留水入れを交換して変化を観察することも一解決方法である ・小さい穴は気道内圧低下の変化が少なく，アラームが鳴らないこともあるので注意する
		気管カニューレカフ圧の低下（カフのエア漏れや破損）	・確認しカフエアを定量まで再挿入する ・度々カフエアが抜ける場合は，カフの不良や破損と考えて，カニューレ交換が必要なため医師に連絡する
		呼気弁チューブ・気道内圧チューブのはずれや結露水の貯留	・確認し対処する
		低圧アラームの設定が不適切	・気道内圧アラームの設定値変更の見直しが必要なため医師に報告する
分時換気量下限	1分間の換気量が設定した値に達しない 適切なアラームレベルに設定する （通常の分時換気量最高気道内圧の－10～－30％）	「気道内圧下限アラーム」参照	
		（自発呼吸がある場合） 自発呼吸の減少	・頻回な場合は人工呼吸器の設定変更の必要があるため，医師に連絡する
I：E比アラーム	吸気：呼気の割合が逆転している	不適切な人工呼吸器の設定（不適切な吸気流速など）	・医師に連絡する
		呼吸器の設定が意図せずに変更されていた（何かの拍子に動いたなど）	・呼吸器設定値を確認し，医師に連絡してもとに戻す
		呼気弁に水滴が付着，あるいは呼気弁の不具合・不調	・水滴を除去し確認する ・改善しない場合は呼気弁を交換する ・それでも改善しない場合は医師に連絡する
作動不良（全アラーム）		電源を入れたときのアラームテスト	・1～2秒で鳴り止み，作動開始したら正常反応
		ブレーカーが落ちた	・ブレーカーを確認し復帰させる
		呼吸器本体の故障	・医師および機器供給会社に連絡する
電源に関するアラーム（連続音のアラームが鳴る）		電源の問題 1）プラグが抜けていた（プラグが抜けているのに気づかず，外部バッテリーあるいは内部バッテリーで作動していて，バッテリーを使いきってしまった）	・プラグを再挿入する（人工呼吸器作動中に内部バッテリーは自動的に再充電される。外部バッテリーを人工呼吸器に接続しておくと，外部バッテリーも自動充電される）
		2）コードの断線	・医師および機器供給会社に連絡する

表2-5 人工呼吸器のアラームトラブルシューティング(従量式を例として)(つづき)

アラームの種類	状況(適切な設定値の目安)	考えられる原因	対応
		3) AC電源のヒューズ切れ	・説明書を見てヒューズを取り替えるか，医師および機器供給会社に連絡する
		4) バッテリーで駆動している場合はバッテリー（外・内部バッテリー）の電圧低下	・AC電源に切り替えるか蘇生バッグで対応する ・外・内部バッテリーの容量を点検し充電する ・外部バッテリーは耐用年数を確認する ・内部バッテリーは人工呼吸器のメンテナンス時に機器供給会社で点検する

川村佐和子監修，数間恵子・川越博美編：在宅療養支援のための医療処置管理看護プロトコール，第2版，日本看護協会出版会，2010，p.48-51を参考に筆者作成

C 持続陽圧呼吸による呼吸介助

● 目　　的：睡眠中の上気道開存維持により無呼吸，低呼吸の改善を図る

● 必要物品：換気補助装置，フィルター，鼻マスクなどのインターフェース

	方法と観察の視点	療養者・家族支援と根拠
1	**手を洗う**	
2	**必要物品の準備・確認をする**	
3	**呼吸回路を接続する** 1）空気取り入れ口のフィルターを装着する 2）蛇管を呼吸接続口に差し込む	●CPAPの仕組みを説明する ・機器の構造や特徴はNIV器と同様である ・NIVでは空気が口や鼻を通過するため，基本的には加湿の必要はないが，絶え間ない送気による刺激や乾燥が生じるため，加湿器仕様の回路を利用する場合もある ・出張や旅行時に携帯できるサイズになっている
4	**マスクを組み立て装着する（マスクフィッティング）**	●自分で装着できる人が多いため，微妙な位置の調整やコツを習得できるよう支援する
5	**電源を入れ作動を開始する**	●マスクを装着した状態で使用を開始するよう伝える（➡❶） ❶漏れが大きいとリーク補正の送風により苦痛が生じるため，マスクを装着して開始する
6	**エアリークの有無を確認し，必要時，鼻マスクを調節する**	●途中で目が覚めてトイレなどに行く場合は，作動ボタンをスタンバイにしておくよう伝える

文 献

1）宮地隆史：全国都道府県別在宅人工呼吸器装着者調査2018，「難病患者の総合的支援体制に関する研究班」分担研究．<https://plaza.umin.ac.jp/nanbyo-kenkyu/asset/cont/uploads/2019/2018.pdf>（アクセス日：2020/4/14）
2）平成30年診療報酬在宅酸素療法　診療報酬点数早見表，維持通信社，2018．
3）人工呼吸器装着中のALS患者の療養支援訪問看護従事者マニュアル，平成15年度看護政策立案のための基盤整備事業報告書，日本看護協会，2003．
4）日本神経学会監修，「筋萎縮性側索硬化症診療ガイドライン」作成委員会編：筋萎縮性側索硬化症診療ガイドライン2013，日本神経学会，南江堂，2013．
5）東京都医学総合研究所：難病患者在宅人工呼吸器導入時における「退院調整・地域連携ノート」，難病ケア看護データベース．<http://nambyocare.jp/results/chikirenkei/chikirenkei.html>（アクセス日：2020/4/14）

3 吸　引

学習目標
- 療養者の呼吸状態をアセスメントし，吸引の必要性を判断できる。
- 在宅における吸引の特徴を理解し，気管吸引と口腔・鼻腔吸引の技術を習得する。
- 在宅療養の生活環境に応じた吸引に関する必要物品の選定と管理ができる。

1 在宅における吸引の看護技術の特徴

吸引の目的は，気道分泌物を除去することにより，気道の開存（確保）を図り，無気肺・肺炎・窒息の予防や呼吸困難感の改善，肺胞でのガス交換を維持・改善することである。吸引は，日常的に行われる手技の一つであるが，その苦痛は計り知れないものがあり，必要性を見きわめ，必要最小限に実施するということを忘れてはならない。

近年，呼吸理学療法は，ACT（airway clearance techniques）として，体系化されている（図3-1）[1]が，これには，吸引は含まれていない。まず，これらの気道浄化手技を確実に行い，それでも残る気道分泌物に対して吸引を行う。吸引は，最後の手段であることの認識が重要である。

そのうえで，「在宅における」ということでは，以下の３点が特徴といえる。

（1）生活の一部としての痰の吸引

日常的に在宅で吸引の援助が必要な療養者の疾患は，主に慢性疾患であり，急性増悪に陥らないように注意しながら，生活することを余儀なくされている。一方，状態が落ち着いているなかでは，吸引を日常生活に取り込みながら，鼻をかんだり，流涎を拭うということの延長線上として実施している場合も多い。療養者と家族が当たり前の生活を当たり前に営むことが重要であり，QOLの維持に必要な援助としての位置づけがあることを認識する。

（2）非医療職が実施する痰の吸引

在宅療養においては，医療職が常にそばにいる環境ではない。医療職の不在のなか，本人，家族そして，特定行為従事者である介護職員など，非医療職が実施している。

2012年４月から「社会福祉士及び介護福祉士法」（昭和62年法律第30号）の一部改正により，社会福祉士及び一定の研修を受けた介護職員など（登録特定行為事業者という）においては，医療や看護の連携により，安全確保が図られていることなど，一定の条件下で「たんの吸引等」の医行為を実施できることになった[2]。

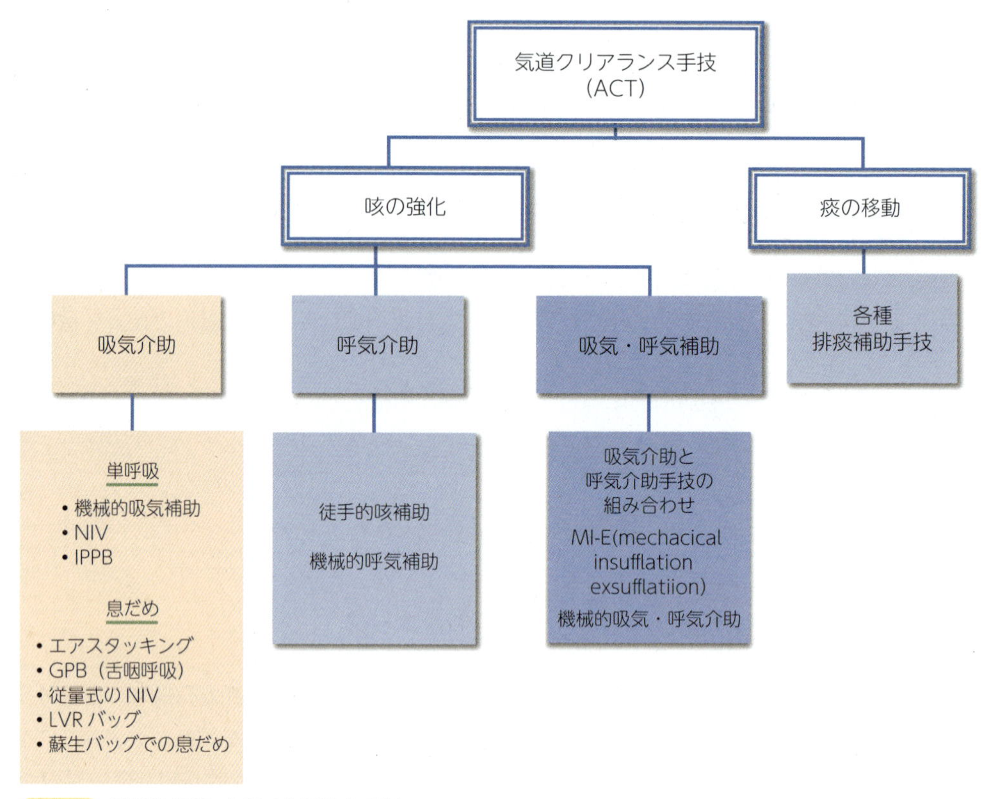

図3-1 神経筋疾患における気道浄化手技
Chatwin M, Toussaint M, et al：Airway clearance techniques in neuromuscular disorders: A state of the art review, Respiratory Medicine, 136:98-110, 2018.より引用改変

これら，非医療職の痰の吸引技術の維持・向上のための指導や日々，適切に行われているか否かのモニタリングを通じて，適切なタイミングで指導することが重要である。

（3）吸引器や必要物品の管理が「在宅ならでは」のことがある

病院であれば，壁配管式での吸引が可能であるが，家庭では，「電気式吸引器」を利用することになる。電気式吸引器の吸引力は，「吸引圧×排気流量」で決まるとされる。吸引圧は，機種による差は大きくなく，異なるのは，排気流量のほうである。同じ圧であれば，排気流量が大きいほうが吸引力は高くなり，短時間で効率的に吸引できるということになる。当然，吸引器自体の値段にも影響するが，適正な吸引器の選択が重要である。電気製品ということでは，停電時の使用に困るため，内蔵電源（バッテリー）を有した機種が望まれる。吸引器は，多くの場合，個人購入（障害者総合支援法による補助がある）であり，メンテナンスがされないこともある。充電式の場合，定期的な充電などの保守管理が重要である。

次に，吸引に使用する器具類についてである。病院内においては，吸引に使用する吸引カテーテルは，感染予防のために単回使用が原則であるが，経済的負担や交差感染の危険性が少ないことから，在宅療養の場では定期的な交換で実施されている場合が多い。

吸引カテーテルなどの衛生材料は，「在宅療養指導管理料」を算定している医療機関から，「十分に供給」されることになっている（医政局長通知）。実際には，医療機関ごとにその方針は異なり，必要十分に供給されているかは，確認が必要である。

2 痰の吸引手技の特徴

1）上気道と下気道の清潔概念を区別する

在宅療養における吸引の種類には，以下の３種類がある。

①**口腔内吸引**：口腔内から咽頭まで（介護職員（登録特定行為事業者）：口腔内）

②**鼻腔内吸引**：鼻腔から咽頭まで（介護職員（登録特定行為事業者）：鼻腔内）

③**気管吸引**：気管切開口から気管分岐部手前まで（介護職員（登録特定行為事業者）：気管カニューレ内部）

咽頭より手前か否か，すなわち上気道か下気道かで，清潔保持の概念も変わってくるので，口・鼻腔吸引と気管吸引とで大別して解釈するとよいだろう。口や鼻であれば，常在菌が存在するエリアであり，厳密な清潔操作は不要であるが，気管吸引の場合，吸引カテーテルによって，本来無菌状態である下気道に，菌を落とし込む危険性があるため，清潔操作を要する。また，吸引操作自体が盲目的であり，実際にどこに到達しているか解剖学的構造を想像しながら実施する。

2）吸引圧・時間・カテーテルの選択

過剰な吸引圧と時間は，気道粘膜損傷や低酸素をきたす。至適吸引圧として，気管吸引圧最大で20kPa（150mmHg）とされている[3)]。前述したように，吸引力は吸引圧×排気流量で示され，吸引圧を上げるだけでは，効率的な吸引にはならない。吸引カテーテルを挿入してから引き抜くまでにかける時間も10秒程度にとどめることが望ましい。吸引時間が長いほど，SpO_2の回復に時間がかかる（Ⓐ気管吸引参照）。これには，短い時間で効率的に吸引できる吸引力をもった機種の使用が望まれる。

気管カテーテルは，気管粘膜を損傷しないように先端が丸まった形状であることが望ましい。できれば吸引圧調節口や目盛り付きであればさらによいがコストはかかる。カテーテルには，単孔式と多孔式があり，多孔式（横にも孔がついている）であれば，先端を回すことで，より痰が引きやすくなる。また，カテーテルの太さによって吸引器のコネクティングチューブとの接続部のカラーが決まっている（10Frは黒，12Frは白など）。カテーテルが太すぎると，吸引時に気道にある空気を大量に吸い込んでしまうおそれや，気管吸引の場合，気管切開チューブ自体にカーブがあるため，太いカテーテルだと途中でつかえるおそれがある。一方，カテーテルが細すぎると，粘稠度の高い痰が詰まりやすくなる。適正な範囲（気管吸引の場合，気管切開チューブ内径の1/2以下の外径のカテーテル）のものを選択する。

3）吸引器具の管理

吸引カテーテルの保管方法には，消毒液につける浸漬法と，カテーテルを乾燥状態で保つ乾燥法とがある（Ⓐ気管吸引参照）。浸漬法は，ある程度の消毒効果が認められるが，物品準備の煩雑性や器具の保管によって，消毒液が汚染された場合には，感染リスクが高くなることがいわれている[4]。乾燥法のほうが簡便であり，とり入れられやすいが，吸引頻度によっては，カテーテルの内腔が十分に乾燥しないまま次の吸引となり，消毒効果は得られない。経済的状況や介護力など総合的に判断して決定するが，どちらの方法にしても，吸引前の手指衛生，吸引後は十分な通水で吸引カテーテル内腔を清潔にすること，定期的な消毒液と洗浄水，吸引チューブの交換が重要である。

4）吸引実施中に起こりやすいトラブル

吸引は，空気を吸われるという苦痛のうえ，低酸素状態や無気肺，迷走神経刺激による不整脈など，生体への侵襲もあり，適切な判断と手技に基づく実施や病状モニタリングは非常に重要である。吸引器を使用して行うことからは機器によるトラブルも生じやすい。表3-1に，吸引の合併症と表3-2に機器のトラブルとその対応について示す。

表3-1　気管吸引の合併症と原因，対応策

<table>
<tr><th>合併症名</th><th>主な原因</th><th>対応・予防策</th></tr>
<tr><td>気道粘膜の損傷</td><td>・吸引カテーテルの過挿入
・過剰な吸引圧</td><td rowspan="9">1．吸引カテーテルの選択
2．カテーテル挿入位置
3．吸引圧・時間の設定
4．吸引頻度
5．感染管理
6．モニタリングと異常時は，吸引操作を中止する</td></tr>
<tr><td>気道感染</td><td>・不衛生な吸引手技</td></tr>
<tr><td>低酸素血症</td><td>・無呼吸状態の長時間化</td></tr>
<tr><td>気管支攣縮</td><td>・吸引カテーテルの刺激による気道平滑筋の攣縮</td></tr>
<tr><td>無気肺</td><td>・人工呼吸者の場合，回路をはずすと気道内圧の陽圧が解除され肺胞が一気に虚脱する</td></tr>
<tr><td>不整脈</td><td rowspan="4">・気道への刺激は交感神経に働き，アドレナリン，ノルアドレナリンの分泌が起こり，心拍数上昇につながる。末梢血管の収縮，脳血流量の増加により起こる。迷走神経反射に及んだ場合には，徐脈，血圧低下などが起こり得る</td></tr>
<tr><td>血圧変動</td></tr>
<tr><td>頭蓋内圧亢進</td></tr>
<tr><td>臓器血流の低下</td></tr>
</table>

中山優季：その他の手技　吸引，特集/在宅医療でよく行う医療手技を再考する！，在宅新療0→100，4（8）：748-756，2019.より転載（一部改変）

表3-2　機器のトラブルとその対応

<table>
<tr><th>事　象</th><th>考えられる要因</th><th>対処方法</th></tr>
<tr><td rowspan="4">作動不能</td><td>電源が入っていない</td><td>プラグや延長コードの接続確認</td></tr>
<tr><td>コードの断線</td><td>修理</td></tr>
<tr><td>モーター内に水</td><td>修理</td></tr>
<tr><td>停電</td><td>充電式または電源不要の吸引器の使用</td></tr>
<tr><td rowspan="2">吸引圧が上がったまま</td><td>回路内の閉塞</td><td>閉塞箇所の確認，修理</td></tr>
<tr><td>逆流防止弁の異常</td><td>逆流防止弁の確認，修理</td></tr>
<tr><td rowspan="3">圧が上がらない</td><td>吸引瓶の破損</td><td>原因の対処，予備を準備しておく</td></tr>
<tr><td>パッキンの紛失</td><td>原因の対処，予備を準備しておく</td></tr>
<tr><td>回路接続ミス</td><td>接続確認，空気の漏れ部分を探す</td></tr>
<tr><td>つながらない</td><td>接続管（コネクタ）がない，合わない</td><td>適切な接続管を準備する</td></tr>
</table>

中山優季：その他の手技　吸引，特集/在宅医療でよく行う医療手技を再考する！，在宅新療0→100，4（8）：748-756，2019.より転載（一部改変）

3 排痰ケアの重要性

生体には本来，線毛運動で気道から異物を除去するしくみ（気道クリアランス）が備わっている。このしくみを後押しするのが，痰を出すための３要素とよばれる①重力，②痰の粘性，③咳の力である。

①重力は，痰のある部位を上側にして，下側に痰を移動すること（体位ドレナージ）である。②の粘性は，痰を柔らかく保つことができれば，線毛運動が効果的に行えることになり，体液管理や薬剤での線溶化，さらには，療養環境における加湿の確認が大切である。そして，最も重要なことは，③咳の力の維持である。大きく息を吸って，喉に力を入れて，「ゴホン」と吐き出すことができれば，吸引は不要になる。

ACT（図3-1）としても，痰の移動（①，②）と咳の強化（③）に大別されている。この咳を高める方法に，吸気介助，呼気介助，吸気・呼気介助がある。呼吸理学療法として知られているものでもある[5)]。

（1）深呼吸・エアスタッキング

吸気補助として，救急蘇生バッグを使って空気を送り，声門を閉じてスタック（息ため）させ，患者にこれ以上保持できない量まで吸気をさせる（図3-2）。この方法のために，一方向弁（吸気を通して，呼気を通さない）を利用する場合もある。

（2）徒手的咳補助（呼気補助）

対象の胸郭下部に介助者の両手を置き，咳に合わせて圧迫し，呼気流速を高めて排痰をしやすくする手技である（図3-3）。

（3）機械的咳嗽補助装置（吸気・呼気補助）

対象の気道に陽圧を与え，その後陰圧に切り替えることにより，肺から高い呼気流を生じさせて自然な咳の補助，また咳を代行することで，患者の気道にたまった分泌物を排出させる装置（図3-4）。

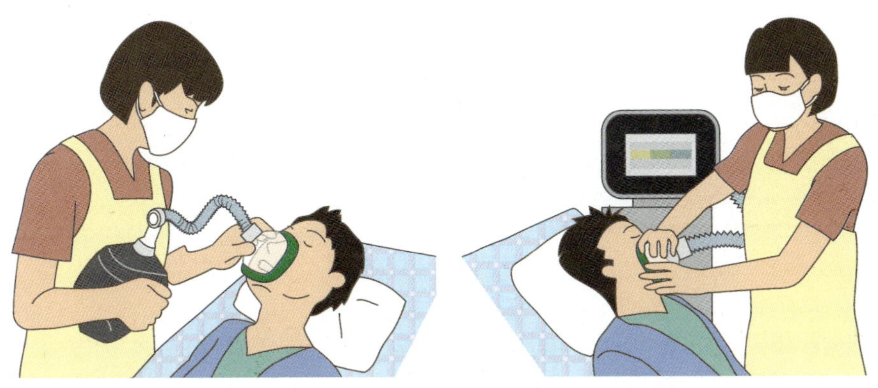

救急蘇生バッグによる送気
（最大強制深呼気の手段）

MI-Eによる送気

図3-2 エアスタック（息ため）の介助

日本リハビリテーション医学会監修，日本リハビリテーション医学会「神経筋疾患・脊髄損傷の呼吸リハビリテーションガイドライン策定委員会」編：神経筋疾患・脊髄損傷の呼吸リハビリテーションガイドライン，金原出版，2014．を参考に作成

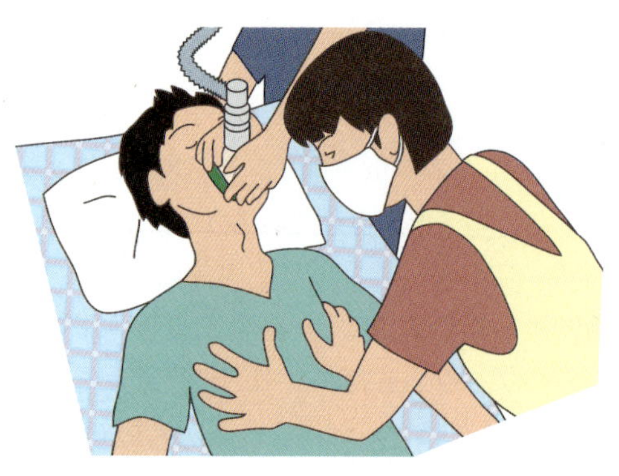
呼気介助によるCPF測定

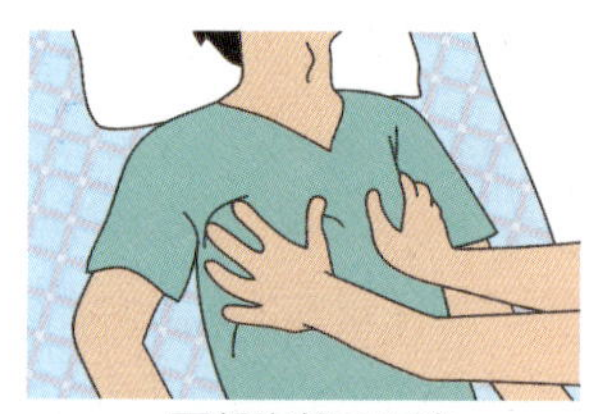
下部胸郭の圧迫

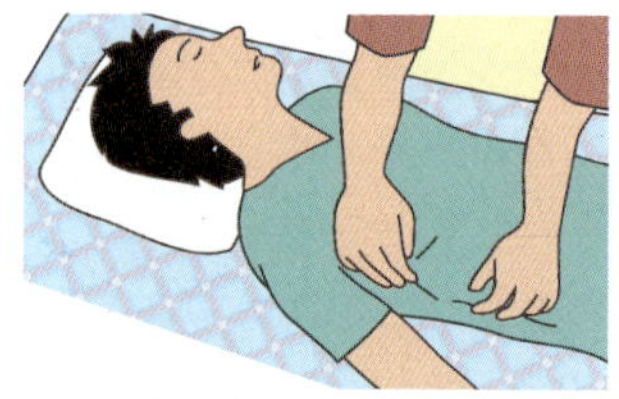
上部胸郭と腹部の圧迫

図3-3 呼気介助

日本リハビリテーション医学会監修，日本リハビリテーション医学会「神経筋疾患・脊髄損傷の呼吸リハビリテーションガイドライン策定委員会」編：神経筋疾患・脊髄損傷の呼吸リハビリテーションガイドライン，金原出版，2014．を参考に作成

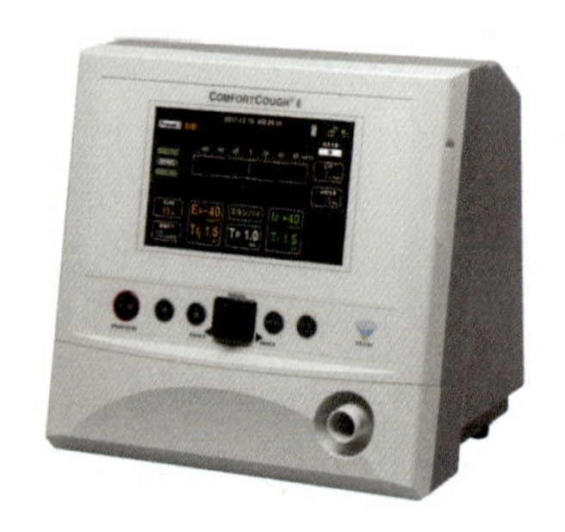
コンフォートカフⅡ
写真提供：カフベンテック株式会社

カフアシスト E70
写真提供：株式会社フィリップス・ジャパン

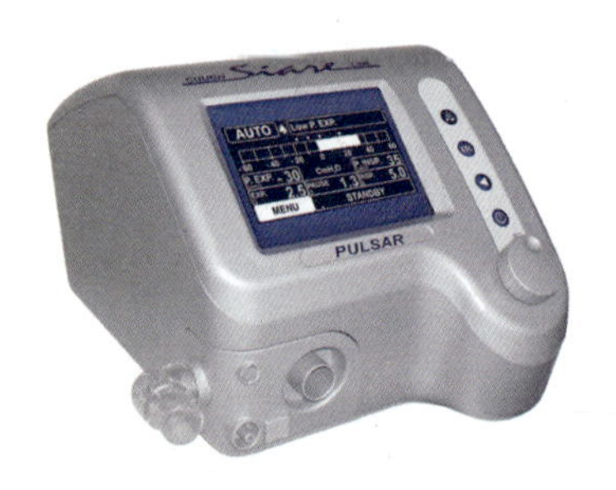

PULSAR
写真提供：チェスト株式会社

図3-4 排痰補助装置

看護技術の実際

A 気管吸引

- **目　　的**：気道内の分泌物や貯留物を除去し，気道を確保し，無気肺・肺炎などの呼吸器合併症を予防する
- **必要物品**：電動式吸引器，吸引器接続用チューブ，吸引用カテーテル，消毒液（塩化ベンザルコニウム，クロルヘキシジン　エタノール添加が望ましい），滅菌精製水，吸引水および，カテーテル保管用容器（各1），消毒綿（アルコール綿），手袋または，鑷子（清潔）

	方法と観察の視点	療養者・家族支援と根拠
1	**効果的な吸引実施のためのケア** ・呼吸困難感や痰の貯留に関する自覚症状の有無と程度を確認する ・粘稠性が強い痰は効果的な吸引ができないので，療養者の脱水状態や室内乾燥状態を防ぐ ・視診，触診，打診，聴診の順で痰の貯留位置･状態（➡❶）を確認する ・適切な排痰法を判断する	●表情，顔色，チアノーゼの有無，心拍数，呼吸数，呼吸方法，呼吸音などの呼吸状態を示すサインを見逃さない ●療養者の極度の脱水を防ぐように飲水状態や舌や口唇の乾燥を気にかける ●冷暖房による思わぬ乾燥状態を招くので，加湿を促す ❶触診と打診で痰の位置と性状がおよそ確認でき，聴診でさらに正確な痰の位置と性状が観察できる ●末梢気管支にある痰を，主気管支部分まで移動させてから吸引することが効果的とされ，吸引前に加温・加湿❶または体位排痰法を取り入れることを勧める
2	**療養者に吸引の説明を行い，協力を得る**	●療養者の意識がない場合でも必ず声をかけるように伝える
3	**吸引器を準備する**（図3-5） ・吸引器が正しく作動するように準備する 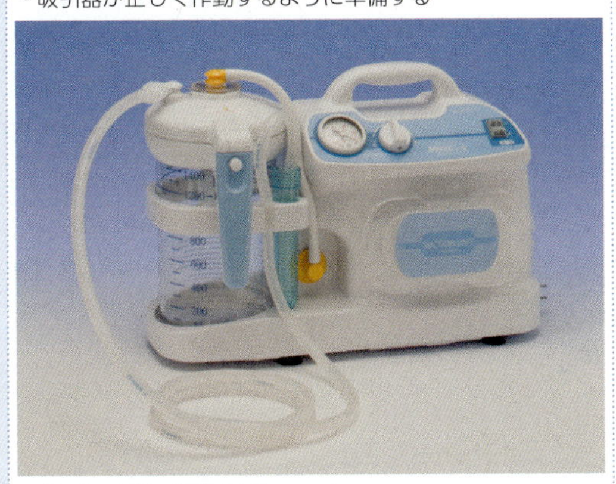 写真提供：新鋭工業株式会社 図3-5 **ポータブル電動式吸引器（ミニックS-Ⅱ）**	●吸引器に以下の異常がないか確認する ・プラグがコンセントに接続されている ・電気コードの断線・接触不良がない ・モーター内に水の貯留がない ・連結チューブとの接続部分のゆるみや破損がない ・排気フィルターの目詰まりがない ・吸引びんの蓋が確実に閉鎖している（パッキンの脱落や破損がないか確認） ・吸引圧の適切な設定（80～120mmHg）❷がされている
4	**圧力計の指針の上昇を確認する** ・吸引器の電源を入れ，吸引圧が上昇することを確認する	●療養者に吸引カテーテルを挿入した後に，吸引圧が上昇せずに吸引ができないというトラブルを防ぐために，吸引手技の前には必ず吸引器の圧力計の指針が上昇することを確認する ●吸引器の圧力は，吸引器接続用チューブや吸引カテーテルを完全に塞ぐことで上昇するので，空気調整孔のないカテーテルを装着している場合は，カテーテルを折り曲げる。また調整孔がある場合は，カテーテルを装着せずに，吸引器接続用チューブの先端を指で塞ぎ，設定した目盛りまで吸引圧が上昇することを確認する。
5	**誤嚥を予防するために体位を整える**	●原則として仰臥位で嘔吐による吐物の誤嚥を予防するため顔を横に向けるが，療養者の状況に応じた安全な体位をとるよう指導する
6	**呼吸予備能力に応じ，アンビューバッグによる加圧や100％酸素による深呼吸を促す**（➡❷）	❷吸引中の低酸素血症を予防する
7	**手を洗う**	●石けんを十分に泡立てて，指間・爪の中も丁寧にこすり，流水で洗い流す
8	**滅菌手袋を装着する** 1）吸吸引時にカテーテルを操作する利き手に滅菌手袋を装着する	●手および挿入時のカテーテルの清潔を保持するように指導する

	方法と観察の視点	療養者・家族支援と根拠
	2）鑷子を使用する場合は，鑷子を持つときに汚染部位に触れていないか注意する	
9	**吸引用カテーテルと吸引器接続用チューブを接続する** 1）吸引器のスイッチを入れ，手袋を装着した手か鑷子を使用して吸引用カテーテルを持ち，チューブと接続する 2）滅菌水を少量吸引する(➡❸❹) ・カテーテルが周囲のものに触れて汚染していないか注意する	❸滅菌水を少量吸引してカテーテル内を通すことで，吸引圧が上昇するか確認する ❹滅菌水につけることで，カテーテルに付着している消毒液を除去し，気道内粘膜への消毒薬による刺激を除く ●カテーテルが新品の場合には，不要である
10	**吸引カテーテルを気管カニューレ内に挿入する** 1）清潔な手または鑷子でカテーテルの先端から5～6cmのところを持つ（➡❺） 2）吸引カテーテルを気管カニューレ内に静かに，素早く挿入する（➡❻）	●カテーテル挿入時の注意点を指導する 登録特定行為事業者(介護職)は，カニューレ内部まで。医療職であっても，カニューレから1～2cm程度までを目安とする（気管分岐部までには到達させない） ❺先端をどこにも触れず，かつ不潔にならずに扱える範囲で操作する ❻従来，吸引圧をかけずに，挿入するようにされてきたが，適切な吸引カテーテルを選択することで，吸引する空気の量は，過剰にならないこと，吸引カテーテルがカニューレ内部にとどまる限り，肉芽形成の心配がないこと，分泌物の位置を把握できることなどから，圧をかけたまま静かに挿入する方法が提唱されている
11	**吸引カテーテルを，ゆっくりこよりをよるようにねじりながら吸引する**（図3-6，3-7）（➡❼） 1）吸引圧は，150mmHg を目安とする（➡❽） 2）1回の吸引は，10～15秒以内（➡❽） 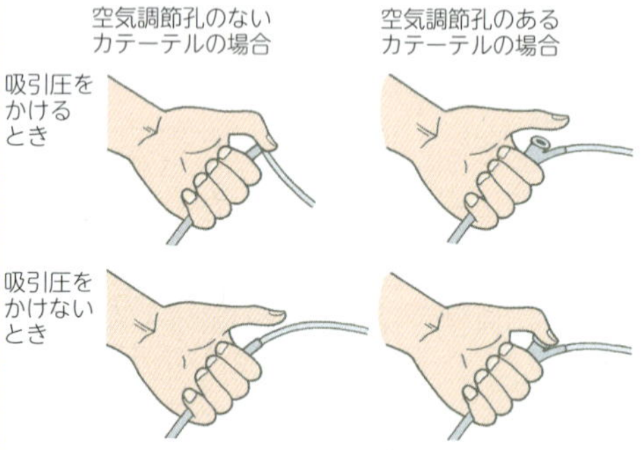 図3-6 カテーテルの操作	●吸引時の注意点について指導する ❼ねじるのは，多孔式の吸引カテーテルの開放部の位置をずらし，効率的に吸引しやすくするためである。鑷子使用の場合には，回しても位置がずれないため，意味がない ❽気管吸引圧150～200mmHg(20～25kPa)。吸引中は，自分も息を止めながら実施するとよい。過剰圧・長時間吸引は，気道粘膜損傷や低酸素のリスクとなる 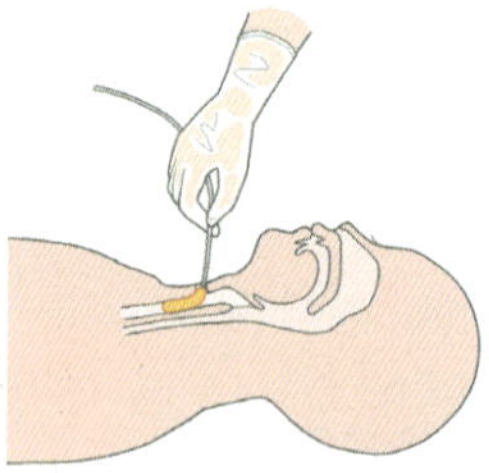 図3-7 カテーテルの回し方
12	**吸引カテーテルを引き上げたら，消毒綿でカテーテルの外側を拭き，付着した分泌物を除去する**（➡❾）	❾アルコールは，抗微生物スペクトルが広く，芽胞を除くほとんどすべての微生物に有効で，即効性もある。吸引ごとに消毒用アルコール綿でカテーテル外側を清拭し，有機物を除去し，洗浄水の汚染を防ぐ
13	**分泌物がカテーテル内に残らないように「水」を吸い上げる**（➡❿）	❿この「水」は，滅菌精製水，煮沸水，水道水の諸説あり，一定のコンセンサスは得られていない。重要なことは，十分な量（100mL以上）で通水すること[3]，さらに定期的な交換である

	方法と観察の視点	療養者・家族支援と根拠
14	**痰が除去できたかどうかアセスメントし，必要であれば，再度吸引を行う**	
15	**吸引器のスイッチを切り，カテーテルをチューブからはずし，** **・消毒液にひたす（浸漬法）** **・乾燥容器に戻す(乾燥法)（➡⓫）**	⓫吸引カテーテルは，単回使用が原則である。やむを得ず再利用する場合には，消毒液浸漬保管（浸漬法）と乾燥容器に戻す乾燥法がある

❶秋元照美・他：加温・加湿の生理，呼吸器ケア，5（10）：60-66，2007.
❷川西千恵美・他：ここまでわかった！ 気管内吸引エビデンス，エキスパートナース，18（15）：34-50，2002.
❸林由佳・他：気管内吸引カテーテル再使用時の洗浄および保管方法に関する検討，山陽論業，16：145-153，2009.

B 口腔・鼻腔吸引

●目　　的：口腔・鼻腔・咽頭部の分泌物を除去し，気道を確保すること

●必要物品：電動式吸引器，吸引器接続用チューブ，吸引用カテーテル，消毒液（気管吸引とは，別に口腔・鼻腔専用とする），滅菌精製水，吸引水および，カテーテル保管用容器（各1），消毒綿（アルコール綿），手袋または，鑷子（清潔）

	方法と観察の視点	療養者・家族支援と根拠
1	**排痰法実施の有無を判断する** ・触診や聴診で痰の貯留位置・状態を確認し，判断する	1～5は「A気管吸引」に準じる
2	**療養者に吸引の説明を行い，協力を得る** ・呼吸困難感や痰の貯留に関する自覚症状の有無と程度を確認する	
3	**吸引器を準備する**（図1-3 参照） ・吸引びんと吸引器接続用チューブが正しくセットされているか ・電源を入れて作動するか	
4	**圧力計の指針の上昇を確認する** ・吸引器接続用チューブを折り曲げるか，連結管の先端を指で塞ぎ，設定した目盛りまで吸引圧が上昇するか確認する	
5	**誤嚥を予防するための体位を整える**	
6	**手を洗う**	
7	**清潔な手袋を装着する** ・吸引前にカテーテルを操作する利き手に手袋を装着する	●口鼻腔は，常在菌が存在しているため，口鼻腔内にとどまる限り，気管吸引ほどの厳密な清潔操作を要さない。実施者を汚染から守る目的で，手袋を着用するとよい

	方法と観察の視点	療養者・家族支援と根拠
8	**吸引用カテーテルを挿入する** 1）カテーテルの先端から5～6cmぐらいのところを持つ 2）口腔・鼻腔にすばやく挿入する（図3-8） 図3-8 カテーテルによる口腔・鼻腔からの吸引	●登録特定行為事業者(介護職)は，口腔・鼻腔内まで ●成人の場合，鼻腔(7～8cm)と咽頭の長さ(12～15cm)を考慮し，約15～20cmの挿入とする 口腔・鼻腔内は，粘膜に覆われているため，原則挿入時には，圧をかけない（ごくわずか）
9	**カテーテルをゆっくり「こより」をよるようにねじりながら吸引する** 1）吸引圧は，80～120mmhg程度が目安とする 2）1回の吸引は，10～15秒以内	●粘膜を吸着しないように，留意する ●咽頭部を越えて，気管に到達させることは，避ける
10	**吸引カテーテルを引き上げたら，消毒面でカテーテルの外側を拭き，付着した分泌物を除去する**	
11	**分泌物が，カテーテル内に残らないように，「水」を吸い上げる**	●吸引カテーテルが口腔・鼻腔内にとどまる限り，水は，水道水で差し支えない
12	**痰が除去できたか確認し，1回で吸引できない場合には，8～11を再度行う**	
13	**吸引器のスイッチを切り，カテーテルをチューブからはずし，** **・消毒液にひたす（浸漬法）** **・乾燥容器に戻す(乾燥法)** **で保管する**	

C 排痰補助装置

●目　　的：分泌物の喀出と深呼吸

●必要物品：装置本体，フィルター，鼻マスクなどのインターフェース

	方法と観察の視点	療養者・家族支援と根拠
1	**手洗いを行う**	
2	**必要物品を準備・確認する**	●嚢胞性肺気腫や，気胸など何らかの圧損傷が懸念される療養者への使用には，十分な検討が必要である
3	**マスクを患者の口に当て，吸気相として，1～3秒間陽圧をかけながら，吸気努力をしてもらう**	●初めて実施するときは，口以外，胸やおなかに当ててみて，低めの圧から開始し，どのような原理であるかを体験してもらう ●「吸って，吸って，吸って」とタイミングよく声かけをして，深呼吸を促す
4	**陽圧で胸部が盛り上がったことを確認し，呼気相（陰圧）に切り替えると同時にゴホンと咳努力をしてもらう**	●タイミングが合わない場合は，無理に合わせようとせず，声門を開いて楽にし，機械にゆだねるよう助言する
5	**分泌物が喀出されたら，すぐに拭き取るか，吸引する**	

	方法と観察の視点	療養者・家族支援と根拠
6	**通常，連続した4～5回の咳を1サイクルとする。その後20～30秒の休憩を取り，過換気を回避する**	●過換気にならないように，休息をとる
7	**このサイクルを繰り返し，最大4～6回行う**	

文　献

1）Chatwin M, Toussaint M, et al：Airway clearance techniques in neuromuscular disorders: A state of the art review. Respiratory Medicine, 136:98-110, 2018.

2）厚生労働省：喀痰吸引等制度について.
<https://www.mhlw.go.jp/stf/seisakunitsuite/bunya/hukushi_kaigo/seikatsuhogo/tannokyuuin/index.html>（アクセス日：2020/3/19）

3）日本呼吸療法医学会気管吸引ガイドライン改訂ワーキンググループ：気管吸引ガイドライン（改訂第1版）成人で人工気道を有する患者のための，人工呼吸，30（1）：75-91，2013.
<http://square.umin.ac.jp/jrcm/pdf/pubcome/pubcome003-1.pdf>（アクセス日：2020/3/10）

4）中山優季：その他の手技ー吸引，特集／在宅医療でよく行う医療手技を再考する！，在宅新療0－100，4（8）：748-756，2019.

5）日本リハビリテーション医学会監修,日本リハビリテーション医学会「神経筋疾患・脊髄損傷の呼吸リハビリテーションガイドライン策定委員会」編：神経筋疾患・脊髄損傷の呼吸リハビリテーションガイドライン，金原出版，2014.

4 在宅末梢点滴静脈注射法

- 末梢血管から水分や薬剤を投与する末梢点滴静脈注射法について，その仕組みや合併症を理解し，概要を在宅療養者・家族に説明できる。
- 在宅末梢点滴静脈注射法において，安全・効果的な実施方法および制度を理解し，概要を療養者・家族に説明できる。
- 在宅末梢点滴静脈注射法を安全・効果的に実施するために必要な基本的看護技術を習得する。

1 在宅末梢点滴静脈注射法における看護技術の特徴

1）診療補助行為としての静脈注射

静脈注射の実施は，医師または歯科医師が行う医行為であり，看護師の業務の範囲を超えるものとされていた。しかし，実際の臨床現場では，医療施設において医師の指示のもとに看護師が実施しており，また，在宅医療の普及によって自宅においても医療処置の多くが実施され，医行為への対応も求められるようになった。厚生労働省はこのような医療状況に鑑み，2002（平成14）年に「看護師等による静脈注射の実施について」の通知によって，静脈注射は保健師助産師看護師法に規定する診療の補助行為の範疇として取り扱うものとした。

2）看護師による静脈注射実施の条件

日本看護協会は「静脈注射の実施に関する指針」[1]において，看護師による実施範囲をレベル１～４に分類し，状況に応じて基準を定めて行うことが必要とした。訪問看護においては，「医師の臨場がなく，急変時の対応が困難である」ため，「一定以上の臨床経験を有し，かつ，専門の教育を受けた看護師のみが実施することができる」（レベル３）ことを勧めている。また，施設内基準の作成にあたっては，以下の条件を考慮するとした。

・医師が診察したうえでの指示であること。

・十分な器材，衛生材料などが提供されること。

・看護師が責任をもって実施前・中・後の観察を行い，対応できること。

訪問看護師が静脈注射を安全に実施するために必要な知識・技術を表4-1に示す。知識や手技を習得するだけでなく，療養者や家族に対する説明・教育も重要な技術である。

表4-1 訪問看護師による静脈注射の実施に必要な知識・技術

1．患者の状態に関するアセスメント
2．治療方針を理解するための知識
3．解剖・生理学
4．薬剤に関する知識（薬剤の作用・副作用，投与方法，標準的使用量，配合禁忌，薬剤管理）
5．副作用への対応
6．緊急時の対処方法
7．安楽の確保，最小限の苦痛での実施技術
8．合併症の予防
9．安全対策，事故防止対策
10．感染対策
11．器具・器材の適切な選択，取り扱い，管理
12．倫理的配慮
13．療養者教育・指導
14．介護者教育・指導

日本看護協会：静脈注射の実施に関する指針，2003．を参考に作成

2 末梢点滴静脈注射法の種類と特徴

1）静脈注射の分類

「静脈注射の実施に関する指針」[1]では，看護師がかかわる静脈注射を表4-2のように分類している。

2）穿刺する血管の選択

下肢の血管は深部静脈血栓症の原因となりやすいため上肢の血管から選択するが（図4-1），以下に示す状態の血管は避ける。

・関節部や利き手（日常生活に支障をきたさないようにするため）
・動静脈シャント部位側や乳房切除術後の患側（うっ血しやすいため）
・麻痺側（血管外漏出の可能性が高いため）
・そのほか，蛇行している血管，かぶれや湿疹，浮腫などがみられる部位

表4-2 静脈注射の分類

<table>
<tr><td rowspan="4">末梢静脈</td><td>静脈注射</td><td>ワンショット薬液（1回のみの投与）</td><td>静脈に注射針を刺入し，注射器を用いて投与する</td></tr>
<tr><td rowspan="3">点滴静脈注射</td><td>短時間持続注入</td><td>短時間，持続的に投与して終了，抜去する（いわゆる「抜き刺し」）</td></tr>
<tr><td>長時間持続注入</td><td>長時間あるいは長期間，持続的に投与する</td></tr>
<tr><td>間歇欠的注入</td><td>ヘパリンロックなどにより血管確保し，1日のうち一定時間帯に投与する</td></tr>
<tr><td rowspan="2">中心静脈</td><td rowspan="2">中心静脈（栄養）法</td><td>持続注入</td><td>24時間持続的に投与する</td></tr>
<tr><td>間歇的注入</td><td>1日のうち一定時間帯に投与する</td></tr>
</table>

日本看護協会：静脈注射の実施に関する指針，2003．より転載

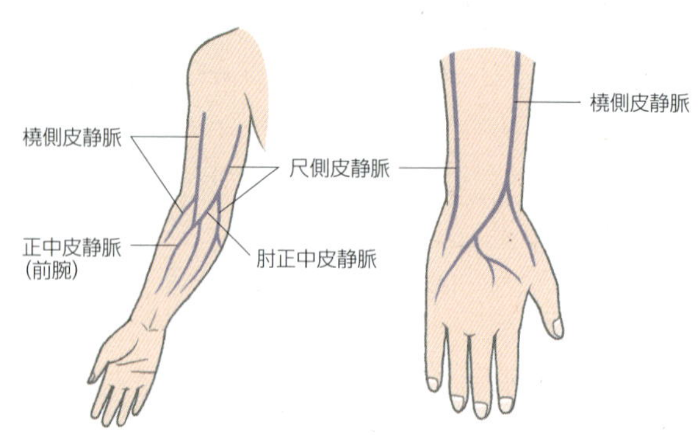

図4-1　穿刺可能な上肢の静脈

3　末梢点滴静脈注射法に関するトラブル・合併症とその対処法

1）血管外漏出

選択した血管に適切に針が入っていない場合，また，貫通してしまった場合に，薬液が血管外に漏れ出て，腫脹や疼痛などが生じる。

予防は，適切な血管および針の選択，刺入直後の血液逆流の確認，刺入後の確実な固定である。

2）静 脈 炎

薬液の刺激や局所へのカテーテルによる刺激などで生じ，血管に沿って腫脹，発赤，圧痛などの炎症症状がみられる。

予防は，長期間の同一部位の刺入や針の留置を避けることである。

3）皮下血腫

血管後壁の誤穿刺や不十分な止血によって血液が皮下軟部組織に漏出し，血腫が形成される。

予防は，正確な技術により血管内に針先を留置し，確実な止血をすることである。

4）末梢神経損傷

穿刺する注射針が末梢神経を傷つけると，痛みやしびれが生じる。

予防は，血管や神経の走行に関する十分な解剖生理の知識をもって穿刺部位を選択することである。穿刺後は，必ず穿刺部位の疼痛の有無を確認する。

5）感　　染

注射針の穿刺や薬液の注入の際，器材や薬液，穿刺部周囲の皮膚から細菌が体内に入り，炎症症状を引き起こす。

予防は，使用する器材や薬液，穿刺部位の消毒を徹底することと，実施者の手洗いが重要である。使用する物品は清潔に管理するよう注意する。

4 在宅末梢点滴静脈注射法の導入支援

1）実施体制の整備と看護師の配置

訪問看護にて末梢点滴静脈注射法を実施するには，管理者と訪問看護師による協働が重要である。各々の業務について解説する。

（1）管 理 者

訪問看護ステーションにおける在宅末梢点滴静脈注射に関する看護師の業務内容を決定し，責任の範囲を明確にする。看護師による静脈注射の実施体制を整え，指導・教育を行ったうえで看護師の配置を決定する。

・訪問看護ステーションの理念・方針の明確化。

・実施可能な看護師の確保・配置。

・実施に伴うリスクマネジメント。

・研修による質の保証。

（2）訪問看護師

実際に静脈注射を実施する看護師は，静脈注射に関する知識・技術を習得し，実績・経験を積む必要がある。

・訪問看護師による静脈注射の実施に必要な知識・技術（表4-1参照）を習得している。

・療養者・家族と信頼関係を築ける。

・主治医と連携がとれ，治療内容を理解したうえで実施し，報告・相談ができる。

2）医師との連携

（1）指示書の記載

医師が記載する訪問看護指示書および特別訪問看護指示書の様式には，注射に関する指示書（在宅患者訪問点滴注射指示書）もあり，指示書の種類欄に○をつけて提示する形となっている。この指示書には，点滴注射の指示期間や投与薬剤・投与量・投与方法，薬の相互作用・副作用についての留意点，薬物アレルギーの既往の記入欄があり，的確に医療行為の指示を伝えるものとなっている。

（2）診療報酬

主治医は「在宅患者訪問点滴注射管理指導料」として週に60点の診療報酬を得ることができる。算定の要件としては，在宅患者訪問点滴注射指示書などの文書の交付，薬剤・回路など十分な医療器材，衛生材料の供与があげられている。

（3）衛生材料，薬剤の供給

実施において必要な薬剤や準備すべき衛生材料などは，「在宅患者訪問点滴注射管理指導料」で主治医から供給されるが，状況により様々な供給方法がある。医師が往診や訪問診療時に持参する，家族が主治医の診療所で受け取る，薬剤師が届ける，看護師が主治医の診療所や薬局で受け取り持参するなどである。いかなる場合でも，療養者に対して速やかに静脈注射が実施できるよう，指示を出す主治医と連携して準備をする。

①針

・静脈注射（ワンショット）：１回の静脈穿刺により薬剤を注射器で注入する場合は，翼状針または直針を用いる（図4-2）。

・点滴静脈注射：長時間，長期間，間欠的に点滴静脈注射を行う場合，プラスチック製のカテーテル針を留置する（図4-3）。留置針はフィルムドレッシング材を用いて固定する（図4-4）。

・皮下埋込み式ポート：血管内に挿入するカテーテルと，体外から針で穿刺して輸液を投与するリザーバーからなる。皮膚の上からリザーバーのセプタム（シリコン製の膜）をヒューバー針で穿刺して薬液を注入する。在宅中心静脈栄養法のような長期間の栄養管理やがん化学療法などで使用される（第Ⅳ章５，p.222を参照）。

②輸液ライン

医療施設で用いられる輸液セットを使用する。末梢からの点滴静脈注射なので，通常，中心静脈栄養で用いられる輸液セットのようにフィルターは用いない。長期間継続して用いるときには，感染予防のために輸液セットは適宜新しいものを使用するか，薬液ボトルから針まで一体化した輸液セットを使用する。

③衛生材料

穿刺部の皮膚などの消毒用の綿や針刺入後の固定に使用されるテープなどで，医療施設で用いる物品を使用する。自宅環境で衛生管理が難しい場合もあるため，確実な消毒，安全な薬液の注入が行えるよう体制を整える。

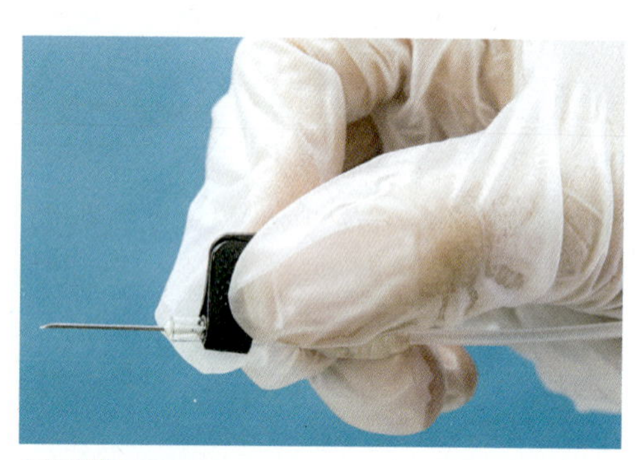

図4-2　翼状針

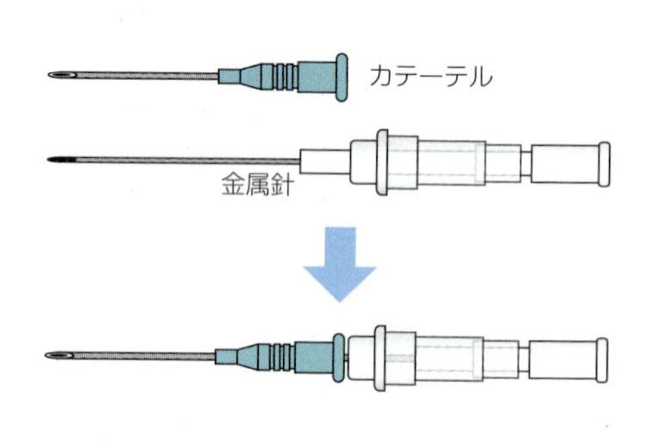

図4-3　末梢静脈留置カテーテル

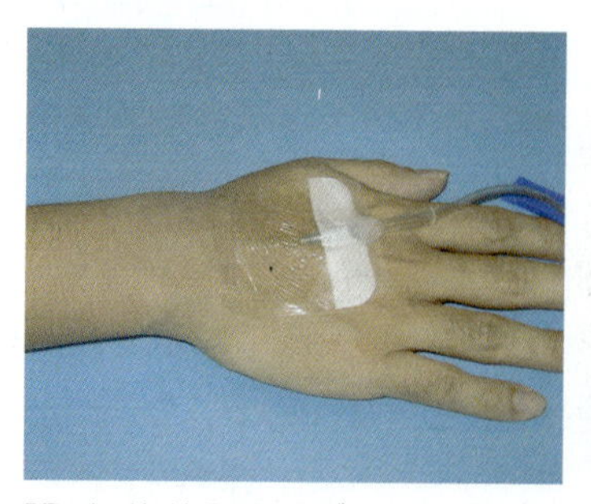

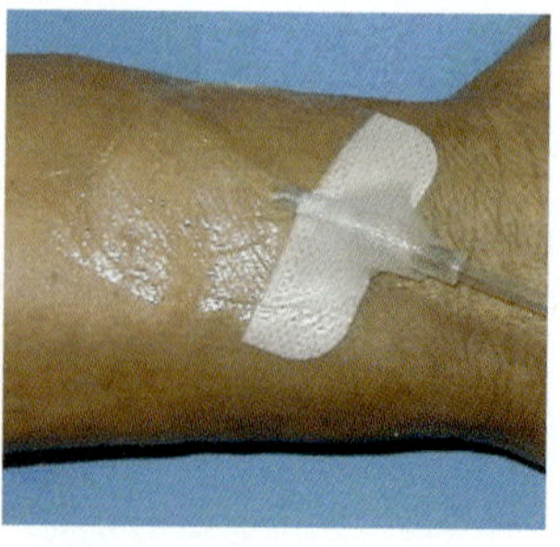

BD インサイト ™ オートガード ™ 針刺し損傷防止機構付き静脈留置カテーテル
写真提供：日本ベクトン・ディッキンソン株式会社

図4-4　末梢静脈留置カテーテルの固定

④使用薬剤

末梢点滴静脈注射が必要な療養者は，経口的に水分や栄養が摂取できず脱水症状があったり，肺炎など早急な治療が必要であったりする。これらの症状改善に必要な薬剤が使用される。

・輸液製剤：生理食塩水などの等張電解質輸液，ソリタ® などの低張電解質輸液。
・栄養輸液：糖質輸液剤，アミノ酸製剤，脂肪乳剤。
・抗菌薬。

看護技術の実際

A 末梢点滴静脈注射の実施

●目　　的：医師の指示にある末梢点滴静脈注射の適応であることを確認し，安全・安楽に静脈注射を実施する

●必要物品：指示書（訪問看護指示書，特別訪問看護指示書，在宅患者訪問点滴注射指示書など），指示書にある薬剤，シリンジ（薬剤準備用），輸液セット，注射針，消毒綿，駆血帯，肘枕またはタオル，医療廃棄物容器，手袋（必要時），医療用テープ，フィルムドレッシング材，点滴スタンドまたは吊り下げ用具，シーネ・包帯（固定補助具，必要時）

1）準　　備

	方法と観察の視点	療養者・家族支援と根拠
1	**指示内容および療養者の状態を確認する** 1）指示書の内容を確認する 2）療養者の状態を確認する ・医師の指示時の状態と現在の状態に相違はないか ・療養者が末梢点滴静脈注射の必要性を理解しているか 3）処方箋を確認し，薬液などの物品を供給元から受け取る ・指示内容と提供薬剤に相違はないか	●療養者の状態に変化がないか，療養者･家族に確認し，変化があった場合は事前に連絡するよう説明する ●末梢点滴静脈注射の実施について療養者･家族が理解し，協力が必要であることを説明する
2	**環境を整備する** 1）居室内を整理整頓し，換気する ・実施する療養環境の清潔さを確認する ・実施者が注射の動作を滞りなく行えるスペースがあるか確認する 2）点滴スタンドや吊り下げ用具を設置する ・薬液ボトルを吊り下げ，安定性を確認する 3）調剤のための清潔な場所を確保する ・調剤する場所の清潔さを確認する	●安全･清潔に実施するための環境整備を療養者･家族に協力・依頼する
3	**薬剤・器材を準備する** 1）石けんと流水で手を洗う（必要に応じて手袋を装着する） 2）血管の状態や点滴中の体位を考慮して，注射針・輸液セット・固定法を選択する 3）薬剤の準備は病院での実施と同様である ・表4-3を活用して確認する	●手洗いのための洗面所使用の協力を依頼する ●点滴静脈注射中の状況を予測し，刺入部位，固定法などを事前に療養者･家族に説明し，同意を得る

表4-3 静脈注射の実施前の確認事項

1．5Rを確認する	1）Right drug（正しい薬剤） 2）Right dose（正しい量） 3）Right route（正しい方法） 4）Right time（正しい時間） 5）Right patient（正しい患者）
2．患者の薬剤アレルギー歴，禁忌について情報を確認する	
3．薬液の安全性を確認する	1）有効期限，使用期限 2）保管状態：温度，遮光 3）混濁の有無 4）異物混入の有無など
4．機器，器材の安全性を確認する	1）滅菌材料の使用期限 2）ディスポーザブル製品の包装の濡れ，破損の有無 3）機器の動作確認，保守点検

日本看護協会：静脈注射の実施に関する指針，2003．より転載

2）実施・実施後

	方法と観察の視点	療養者・家族支援と根拠
1	**必用物品を準備する** 1）薬液濃度，投与量，投与時間に応じて注射針を選択する ・末梢血管の状態と針の太さ・長さが適切か 2）薬剤名，投与量，投与速度，投与方法，投与日時･時間を指示書で最終確認する	●点滴静脈注射中，刺入部の安静が保てるよう観察することを，療養者・家族に実施前に説明する
2	**注射部位を選択する** 1）利き手･患側･関節･蛇行血管などは避け，末梢側の太く弾力のある血管を選択する（➡❶） 2）必要時，肘枕やタオルで注射部位を伸展させる	❶下肢の静脈は，深部静脈血栓症を起こしやすい。かぶれにくく安定して貼れる皮膚，安静可能な部位などを選択する
3	**針固定の準備をする** 1）医療用テープはすぐ貼れる状態に準備する 2）フィルムドレッシング材は必要最小限のサイズに切っておく 3）シーネ・包帯（固定補助具）を準備する	●固定補助具が必要な場合，包帯の代わりに家庭にあるタオルや，シーネの代用として厚紙などの提供を依頼する
4	**血管を怒張させ，注射部位を消毒する** 1）選択部位より10～15cm中枢側に駆血帯を巻く 2）消毒綿で中心から周囲へ清拭し，乾燥させる	
5	**注射針を刺入・固定する：翼状針使用の場合** 1）針の翼を閉じて利き手で持つ 2）針先端まで薬液を満たす 3）針を保持している反対側の手で刺入部の皮膚を伸展させる 4）刃面を上にし，10～20度の角度で穿刺する ・穿刺部付近に疼痛がないか（➡❷） ・血管の突き抜けや血管損傷がないか 5）針を基部まで挿入する 6）血液の逆流を確認する（➡❸） 7）駆血帯をはずす 8）針の翼を開く 9）薬液の滴下を確認する（注入開始） ・薬液注入時に針先端付近に腫脹がないか（➡❹） ・指示時間と滴下数が合っているか 10）翼状針を医療用テープで安全・確実に固定する（➡❺）	●実施前に，神経損傷，血管の損傷，薬液漏れの際の痛みや腫脹について説明し，実施後に症状があった際には速やかに伝えるよう協力を依頼する ❷神経損傷の可能性がある ❸血管内に挿入できている ❹血管の突き抜けや血管損傷があると薬液注入時に針先端付近に腫脹がある ❺引っ張られた際すぐに針が抜けないよう，チューブをループ状にして固定する

	方法と観察の視点	療養者・家族支援と根拠
6	**注射針を刺入・固定する：静脈留置針使用の場合** 1）チューブを接続する先端まで薬液で満たし，清潔で接続しやすいところに置く 2）針を利き手で持つ 3）針を保持している反対側の手で刺入部の皮膚を伸展させる 4）内針刃面を上にし，10～20度の角度で穿刺する 5）カテーテル内の血液の逆流を確認する（➡❻） 6）さらに数ミリ針を挿入する 7）カテーテルを入れたまま内針を抜去する 8）駆血帯をはずし，針挿入付近の静脈を圧迫する ・内針抜去時に途中で止めていないか ・内針を再挿入していないか ・カテーテルが内針より先に出ていないか 9）カテーテルとチューブを接続する 10）薬液の滴下を確認する（注入開始） ・薬液注入時に針先端付近に腫脹がないか（➡❼） ・指示時間と滴下数が合っているか 11）留置針を医療用テープやフィルムドレッシング材で安全確実に固定する（➡❽） ・刺入部の炎症を確認する（➡❾） ・フィルムドレッシング材が刺入部炎症を観察できるよう固定できているか	●実施前に，神経損傷，血管の損傷，薬液漏れの際の痛みや腫脹について説明し，実施後に症状があった際には速やかに伝えるよう協力を依頼する ❻血管内に挿入できている ❼血管の突き抜けや血管損傷があると薬液注入時に針先端付近に腫脹がある ❽引っ張られた際すぐに針が抜けないよう，チューブをループ状にして固定する ❾長期間の留置により炎症が起こる
7	**療養者の状態を観察・記録する** 1）療養者の状態を観察する ・バイタルサインなど身体状態全般を観察する 2）点滴注射中の状態を記録する ・薬剤注入による効果･副作用（治療目的に合った薬効，アレルギー反応など）を確認する ・静脈注射に関連する症状（末梢神経障害，感染徴候，血栓性静脈炎，刺入部の炎症，薬液漏出など）を確認する	●点滴実施中，医療者が付き添えない場合，療養者・家族が異常を早期発見できるよう指導する ・悪心，気分不快，関節痛，刺入部の発赤・腫脹・熱感・疼痛，滲出液などの有無 ●異常時の連絡や対処についてあらかじめ取り決めをし，すぐに対応できる体制をとっていることを説明する
8	**注入終了後の処置を行う** 1）注射針を抜去する 2）圧迫止血する ・固定部の皮膚を観察する 3）医療廃棄物用容器に使用済みの注射針，点滴針，輸液ラインなどを入れ，主治医の所属医療機関で処理する	●医療廃棄物の取り扱いについて取り決めをし，適切な処理ができるよう協力を依頼する
9	**訪問看護記録を記載する** ・実施内容，方法，部位，時間，症状の変化，副作用の有無などについて，情報，判断，実施の視点で記載しているか	

文　献

1）日本看護協会：静脈注射の実施に関する指針，2003.
http://www.nurse.or.jp/home/opinion/newsrelease/2008pdf/jyomyaku.pdf
2）全国訪問看護事業協会・日本訪問看護振興財団：訪問看護における静脈注射実施に関するガイドライン，2004.
http://www.zenhokan.or.jp/pdf/guideline/guide03.pdf
3）化学療法サポート，メディコン．<http://chemo-support.jp/>（アクセス日：2020/7/30）
4）メディ助，メディコン．<https://medisuke.jp/>(アクセス日：2020/7/30)

5 在宅中心静脈栄養法

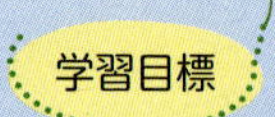

- 栄養補給が必要な在宅療養者に対して行われる中心静脈栄養法（TPN）を理解し，その概要を療養者･家族に説明できる。
- 在宅中心静脈栄養法（HPN）の実施にかかわる仕組みや制度を理解し，その概要を療養者・家族に説明できる。
- 中心静脈栄養法を安全かつ効果的に実施できる具体的な方法，実施に伴う合併症を理解し，必要な看護技術を習得する。

1 栄養療法の種類

栄養療法とは，経口・経腸的に，あるいは経静脈的に栄養素を治療目的に投与することである。その投与経路により静脈栄養法（parenteral nutrition：PN）と経腸栄養法（enter nutrition：EN）に大別される。PNは末梢静脈栄養法（peripheral parenteral nutrition：PPN）と中心静脈栄養法（total parenteral nutrition：TPN）に分けられる。さらに2013年に改訂された日本静脈経腸栄養学会（Japanese Society Parenteral and Enteral Nutrition：JASPEN）による静脈経腸栄養ガイドラインでは，TPNが施行されている場合でも経口摂取や経管栄養を併用することによって中心静脈栄養による投与エネルギー量が総投与エネルギー量の60％未満とされている場合には，補完的中心静脈栄養（supplemental parenteral nutrition：SPN）[1]と定義している。

2 在宅中心静脈栄養法の定義と適応

1）在宅中心静脈栄養法とは

中心静脈栄養法（TPN）は，上大静脈にカテーテルを留置し，その中心静脈カテーテル（central venous catheter：CVC）を介して必要な栄養素を含む輸液剤を注入する方法である。自宅で実施されるTPNは，在宅中心静脈栄養法（home parenteral nutrition：HPN）とよばれる。何らかの原因（腸管大量切除・炎症疾患など）で腸管吸収面積が減少したり機能が低下したりしているため，長期にわたり中心静脈栄養が必要で，かつ原疾患は安定し栄養必要量も安定している症例，末期がん患者で経腸栄養が困難で，かつ本人および家族がHPNを希望する症例などに行われる。現在保険適用としては「原因疾患の如何に関わらず中心静脈栄養以外に栄養維持が困難な者で，当該療法を行うことが必要であると医師が認めた者」が対象となっている[1]。

2）在宅中心静脈栄養法の適応

腸が機能している場合は，経腸栄養を選択することが基本となる。経腸栄養が不可能な場合や，経腸栄養のみでは必要な栄養量を投与できない場合には，静脈栄養の適応となる。静脈栄養の施行期間が短期間の場合はPPNが適応となり，PPNを選択する場合は，末梢静脈の耐用性を考慮する。静脈栄養の施行期間が長期になる場合や，経静脈的に高カロリー（高浸透圧）の輸液を投与する必要がある場合は，TPNの適応となる（図5-1）。TPNの適応となる疾患や状態については，絶対的適応と相対的適応がある（表5-1）。HPNの場合は長期的にTPNを必要とするが，一般状態が安定している患者で療養者や家族が輸液調整を問題なくでき，在宅管理における医療体制の整備なども考慮する必要がある。HPNを実施するための前提条件を表5-2に示す[2)]。

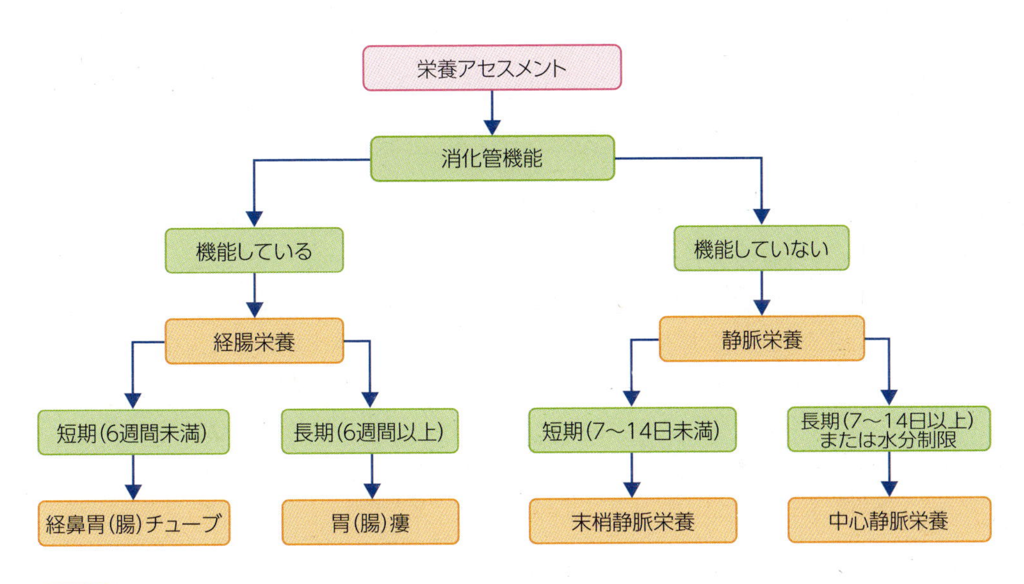

図5-1 栄養療法と投与経路のアルゴリズム

表5-1 中心静脈栄養法の適応

絶対的適応	相対的適応
・消化管が機能していない場合（重度の腸管麻痺や吸収障害など） ・消化管の使用が不可能あるいはすべきでない場合 ・難治性の下痢や嘔吐 ・high outputの消化管瘻（肛門側からの経腸栄養ができない場合） ・消化管閉塞 ・短腸症候群 ・腸管の安静を要する場合（高度の炎症など）	経口・経腸栄養で十分量を投与できない場合 投与量が少ない場合や期間が短い場合はPPN* も考慮 ・外科周術期 ・消化管出血 ・抗がん薬使用や放射線照射時 ・重症感染症 ・急性膵炎（原則，経腸栄養が望ましい） ・その他の重症患者 ・経腸栄養不耐症

＊PPN：partial parenteral nutrition（末梢静脈栄養法）
福島亮治：TPNの特徴と適応，PEGドクターズネットワーク，2012．より転載
http://www.peg.or.jp/lecture/parenteral_nutrition/02-01.html

表5-2　HPNを実施するための前提条件

- 原疾患の治療を入院して行う必要がなく，病態が安定していて（末期がん患者を除く），HPNによって生活の質が向上すると判断されるとき
- 医療担当者の在宅中心静脈栄養指導力が十分で，院内外を含む管理体制が整備されているとき
- 医師が静脈栄養代謝およびその失調を理解しており，医師・看護師が注入管理に関連した合併症とその対処法をよく心得ている
- 病院におけるTPN管理を，医師，看護師，薬剤師，栄養士が協調して問題なく行っていること。在宅管理も訪問看護師や往診を含む協調のよいチーム医療体制で行える
- 患者と家族がTPNの理論やHPNの必要性をよく認識して，両者がHPNを希望し，家庭で輸液調整が問題なくでき，注入管理も安全に行えて合併症の危険性が少ないと判断されるとき

日本静脈経腸栄養学会編：静脈経腸栄養ハンドブック，南江堂，2011，p.462.より転載

3 在宅中心静脈栄養法の実施

1）カテーテルの種類と選択

カテーテルの選択は輸液の治療期間により選択されるのが望ましい（図5-2）。HPNでは患者のQOLと安全性の面から長期留置用CVCが推奨される。長期CVCは，体外式カテーテルとしては皮下トンネル型シリコン製のCVC（図5-3）や，埋め込みタイプでは完全皮下埋め込み式カテーテル（図5-4）が用いられている[1)]。

（1）体外式カテーテル

内頸静脈や外頸静脈などの頸部の静脈，大腿静脈や大伏在静脈などの下肢の静脈，橈側皮静脈や尺側皮静脈や肘正中静脈などの上肢の静脈を穿刺して，中心静脈へカテーテル（central venous catheter：CVC）を挿入する（図5-5）。

皮下トンネル型Broviac/Hickmanカテーテルはダクロン・カフが付いており，皮下トンネル内で周囲組織と癒合するために自己抜去が少なく，刺入部の逆行性感染の防御に有用である[1)]（図5-4）。

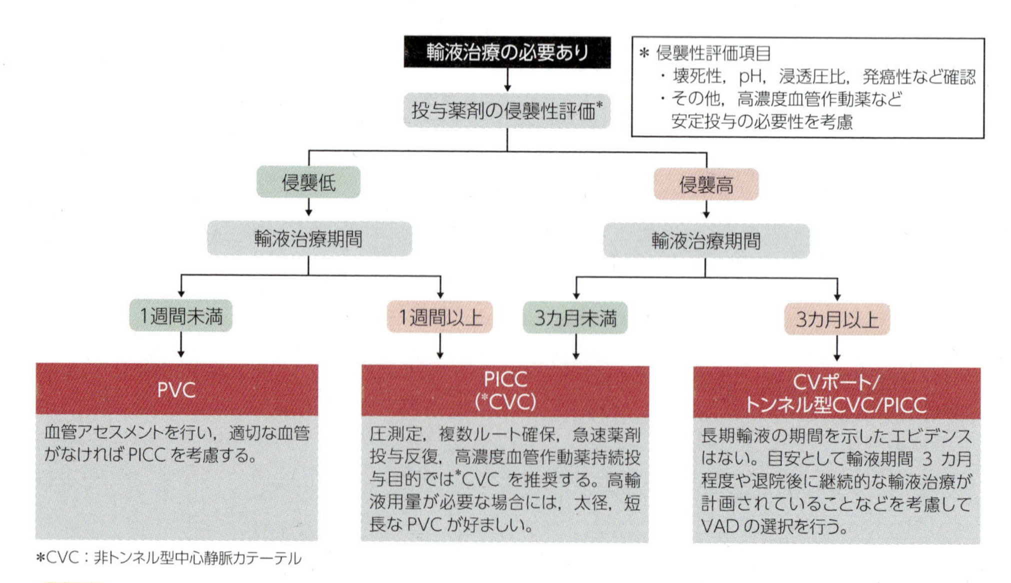

図5-2　カテーテルの選択アルゴリズム（日本VADコンソーシアム：輸液カテーテル管理の実践基準より）

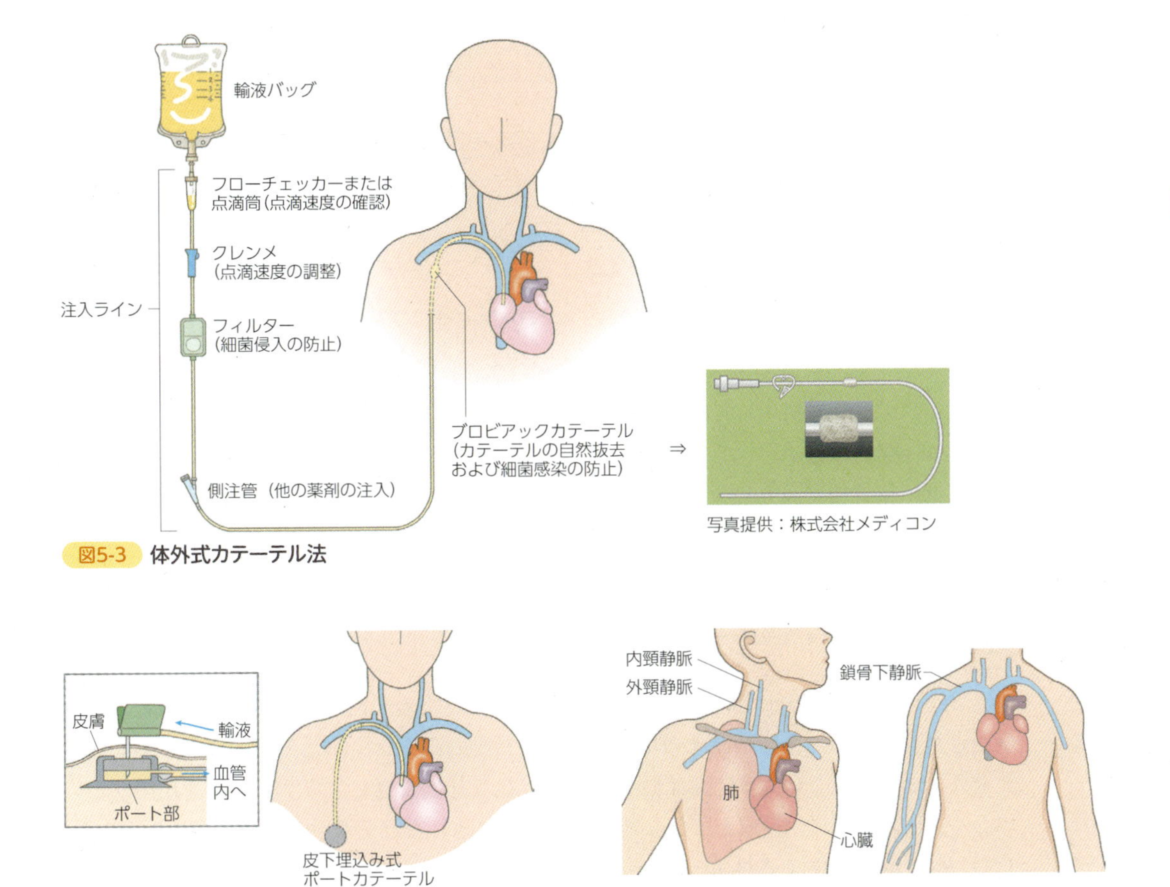

図5-3 体外式カテーテル法

図5-4 皮下埋込み式カテーテル法

図5-5 挿入経路

末梢挿入式中心静脈カテーテル（peripherally inserted central catheter：PICC）は上肢の末梢静脈から挿入するCVCで，気胸や血胸などの危険な合併症が少ない利点がある。

（2）皮下埋め込み式CVポート

CVポートは圧縮されたセプタムというシリコーンゴムがついた小型円盤形のポート（図5-6）を皮下に埋め込み，ポートにつながるカテーテルを鎖骨下静脈などから中心静脈へ挿入する。自然抜去や皮膚挿入部からの感染が起こらず，入浴などが自由に行え，見た目にもカテーテルの露出がないため患者のQOLの向上に有用である。

（3）カテーテルの特徴

PICCやCVポートのカテーテルはオープンエンドとグローションバルブがある。グローションバルブはカテーテル先端側面の3ウェイバルブ機能が血液の逆流を防止し，構造により，カテーテル先端での血栓形成をコントロールする（図5-7）。そのため，ヘパリンロックが不要である。薬剤注入後，あるいは定期的な生理食塩液によるカテーテル洗浄は必要である。

2）注入方法

輸液の注入方法には24時間持続注入法と間欠的注入がある。いずれの方法を選択するか

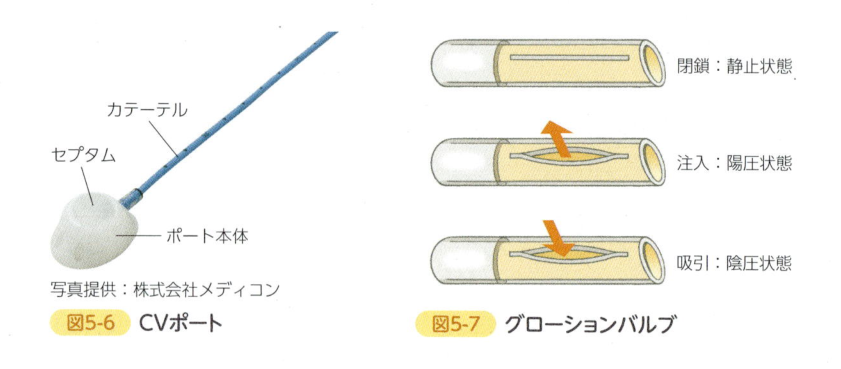

写真提供：株式会社メディコン

図5-6 CVポート

図5-7 グローションバルブ

は患者の状態，基礎疾患，年齢，QOLなどを考慮して選択する。

（1）24時間持続注入

24時間，持続的に高カロリー輸液の注入を行う。血糖や電解質の急激な代謝変動が少なく糖尿病，肝硬変，肝腎障害など急激な水分負荷ができない病態においてすぐれている。しかし，活動範囲が制限され療養者・家族に拘束感が強い。そのため，在宅で24時間注入を行う場合は携帯用輸液システムを活用する。

（2）間欠的注入

1日に一定時間（6～12時間程度）のみ注入を行うため，輸液注入をしない時間は日常生活が可能になる。夜間の注入の場合は昼間の行動制限がなくQOLの向上に役立つ。代謝負荷が大きくならないように開始時と終了前は投与速度を遅くする。基礎代謝疾患がない場合や，ある程度経口摂取が可能な場合は，患者のQOLなどを考慮してこの方法を用いる。

（3）輸液ポンプによる注入

HPNでは輸液量を正確に注入するために小型軽量な輸液ポンプを使用する。輸液ポンプの費用は健康保険でポンプ加算として認められているため病院が患者に貸与する。在宅療法支援を行っている会社からリースを受けることもできる（図5-8）。在宅で使用する輸液ポンプは操作が簡単で確実に輸液が実施できる機能があり，専用の輸液セットを使用する。

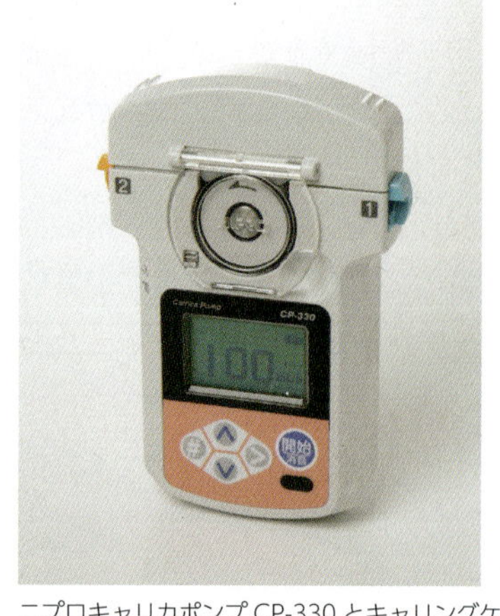

ニプロキャリカポンプ CP-330 とキャリングケース
写真提供：ニプロ株式会社

図5-8 輸液ポンプ

在宅中心静脈栄養法の合併症

1）カテーテルによる合併症

（1）カテーテルの閉塞

物理的な力によりカテーテルが屈曲したり，カテーテル先端に血栓ができたりして閉塞を起こすことがある。

（2）カテーテルの断裂

血管内および皮下ではカテーテルへの外力で断裂することは少ないが，挿入部位によって靭帯（肋鎖靭帯）との擦れ合いから断裂を起こすことがある。断裂部より先端のカテーテルが血流内に入ると，上大静脈，右心房，肺動脈まで到達する危険性がある。

（3）カテーテルの位置の異常

外力によってカテーテルの位置が変わってしまい，高濃度の薬液が細い血管内に注入されることにより血管内皮細胞に障害を与える。抜けかかったカテーテルを押し込むことは細菌感染の危険があるので行わない。

（4）カテーテル関連血流感染症（catheter-related blood stream infections: CRBSI）

CRBSIは「カテーテル留置期間中に発熱，白血球増多，CRP上昇などの感染徴候があって，カテーテルを抜去することによって解熱，その他の臨床所見の改善をみたもの」である。カテーテル挿入・留置の処置，薬液の注入など栄養法の実施において生じる細菌感染でカテーテル局所の感染にとどまらず，全身の血液感染症に発展する危険性がある。感染経路は①輸液製剤の汚染，②輸液ルートの接続部からの感染，③カテーテルの皮膚刺入部からの感染が考えられる。CRBSIが疑われる場合は，血液培養を行い，基本的にカテーテルを抜去し，カテーテルの先端培養し，抗菌薬の投与など全身的な治療を行う。

2）代謝性合併症

（1）糖代謝異常，過剰投与，低血糖

栄養法に用いる薬液は20％程度の糖を含み，カロリーが高い。長期投与する場合は代謝機能に影響し，高血糖，高トリグリセリド血症，脂肪肝などを引き起こす。成人のグルコース投与上限5 mg/kg/分（重症病態時4 mg/kg/分）を守り，高度の栄養障害患者に対してはリフィーディング症候群に留意して，エネルギー投与量は10kcal/kg体重程度の少量から開始することが推奨されている。また糖質の過剰投与を避けるために脂肪乳剤の投与も推奨されるTPN管理中の患者がCRBSIや自己抜去などでTPNを突然中断された場合，反応性に低血糖をきたす場合がある。高濃度の糖質が投与されていたので，インスリン非使用でも，高インスリン血症となっている。TPNを急に中断・中止する場合は低血糖に注意する。

（2）ビタミン・微量元素の欠乏

経口摂取がまったくできない場合，ビタミンや亜鉛，銅などの欠乏を起こすことがある。ビタミンB_1投与不足ではウェルニッケ脳症や乳酸アシドーシスの原因となる。微量元素は，多くの酵素活性の中心的役割を担う重要な物質であり，鉄（Fe），亜鉛（Zn），銅（Cu），ヨウ素（I），セレン（Se），クロム（Cr），マンガン（Mn），コバルト（Co）がヒトの必須

微量元素とされている。亜鉛欠乏では皮疹が出現し，銅欠乏では貧血や好中球減少をきたす。TPN施行時には1日推奨量の総合ビタミン剤および微量元素製剤を投与する。

 HPNの支援

在宅中心静脈栄養法（HPN）は継続的に自宅で医療処置を受けることであり，栄養管理においては専門職のかかわりが必須である。病院や施設では多職種がチームを組み，栄養サポートチーム（nutrition support team：NST）として栄養管理を実施する。在宅療養では地域一体型NSTなどと呼ばれるチームがつくられ，かかりつけ医，訪問歯科医師，訪問看護師，薬剤師，栄養士などによるチーム医療が提供されつつある。

1）HPNの条件

HPNを実施するための前提条件は，前述したとおりである（表5-2参照）[2]。

HPNは患者や家族の同意を得たうえで実施する必要がある。さらに，患者・家族がHPNについて十分理解したうえで，安全に自己管理ができるように教育・指導を受けることが重要である。教育・指導内容，目標は，①清潔操作の重要性の理解，②カテーテルの接続などの清潔操作の理解と訓練，③トラブル発生時に緊急対応や緊急連絡が行えるようにすることである。また，医師，看護師，薬剤師，栄養士などにより外来受診，定期的栄養評価，代謝上のモニタリング（血液検査など）および合併症のチェック，訪問診療，訪問看護など，医療担当者の指導能力，管理・協力体制を整える必要がある。その他にも，院内あるいは院外薬局における薬剤や必要器具の供給など，病院内外で患者支援を行うシステムは必要となる。

2）HPN施行中の注意点

（1）定期的な医療的モニタリング

HPNの継続においては身体状態の観察，定期的な血液検査による医療的モニタリングが重要である。モニタリングの項目として，体重測定や身体計測（上腕周囲長：AC，上腕三頭筋皮下脂肪厚：TSF，上腕筋囲：AMCなど）は来院時や往診時に毎回行い，血液性化学検査（検血，血清アルブミン値，肝機能，腎機能，電解質など）は状態が安定している患者では3か月ごとに，ビタミンや微量元素（鉄，銅，亜鉛，セレンなど）は年1回チェックすることが推奨されている。

（2）感染予防

HPNで最も留意すべき合併症はカテーテル関連血流感染症（catheter-related blood stream infections：CRBSI）である。在宅においては感染予防を第一に考えて実施する。清潔手技の徹底を基本とし，医療者のみでなく，療養者や家族が実施にかかわることを考慮した感染予防対策を明示しておく。

看護技術の実際

A 輸液の準備

- 目　　的：安全・適切に輸液を準備する
- 必要物品：指示書，輸液製剤，フィルター付き輸液ルート（閉鎖式輸液システムが望ましい），点滴スタンドまたは吊り下げ用具（図5-9），アルコール綿

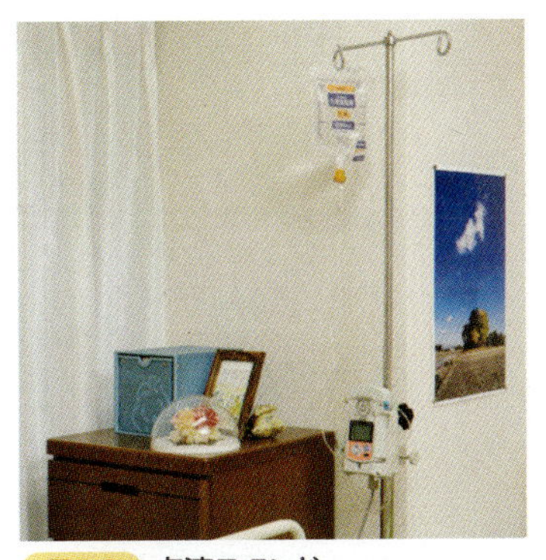

図5-9 点滴スタンド

	方法と観察の視点	療養者・家族支援と根拠
1	**実施体制を整える** ・清潔な環境が保てるスペースを確保する	●清潔な環境で処置ができるよう環境の整備をする ●処置中の清潔操作を保つため，窓の開閉，ペットの出入りなどに留意する
2	**身じたくをし，手を洗う** 1）マスクを装着する 2）手洗い，手指消毒を行う	●家族へ身じたくや手洗いや手指消毒の必要性を説明し，確実にしていることを示す
3	**輸液ラインと輸液ボトルを接続する**	●輸液ボトルの注入口を無菌的に扱うように説明する（➡❶） ❶感染防止のため
4	**注入ラインを準備し，注入ラインの先端まで輸液を満たす（輸液ポンプを使用する場合は，専用ラインを準備する）**	●ポンプ使用のポイントを指導する（ラインのセットなど）
5	**滴下を調整する**	
6	**ポンプの位置などの周囲環境の確認**	

B 皮下埋め込み式カテーテルの場合の穿刺，薬剤の注入

- 目　　的：安全，適切にポートを通して薬液を注入する
- 必要物品：指示書，調剤済みの輸液，フィルター付き輸液セット（閉鎖式輸液システム），点滴スタンドまたは吊り下げ用具，消毒剤付き綿棒，アルコール綿，ヒューバー針，20mLディスポーザブル注射器，注射針，生理食塩水20mL，医療用テープ，滅菌フィルム，医療廃棄物用容器，ディスポーザブルグローブ（滅菌手袋）

	方法と観察の視点	療養者・家族支援と根拠
1	**実施体制を整える** ・清潔な環境が保てるスペースを確保する	●清潔な環境で処置ができるよう家族の協力を得て環境を整備する ●処置中に清潔を保つため，窓の開閉，ペットの出入りなど留意するよう伝える

	方法と観察の視点	療養者・家族支援と根拠
2	**身じたくし手袋を着用** 1）マスクを装着する 2）石けんを用いて流水で手洗い，手指消毒を行う 3）清潔な手袋を着用する	●家族への身じたくや手洗いの必要性を説明し，確実に実施していることを示す
3	**穿刺準備** ・Aで準備した薬剤を用意する(すぐに接続できるように) ・生理食塩水でヒューバー針の内部を満たし空気を出してから輸液を満たす	●輸液の満たし方のポイントを指導する ・クレンメ調節，フィルター部分や点滴筒の扱いを説明する ・輸液ポンプ使用の場合はポンプ専用ラインの取り扱い方のポイントを説明し，ラインをセットする
4	**ポート周囲を消毒し穿刺する** 1）ポビドンヨードまたは70％のアルコール綿棒で刺入部の消毒を行う，穿刺しない側の母指と示指でセプタムを固定する 2）母指と中指でフィン状グリップを押さえ，示指はニードルアングル部の上に置く（図5-10）	●ポートへの刺入は家族ではなく訪問看護師が実施するほうが患者の安心・安全の保障につながる ●できるだけ訪問時間に注入開始となるよう訪問スケジュールを調整する

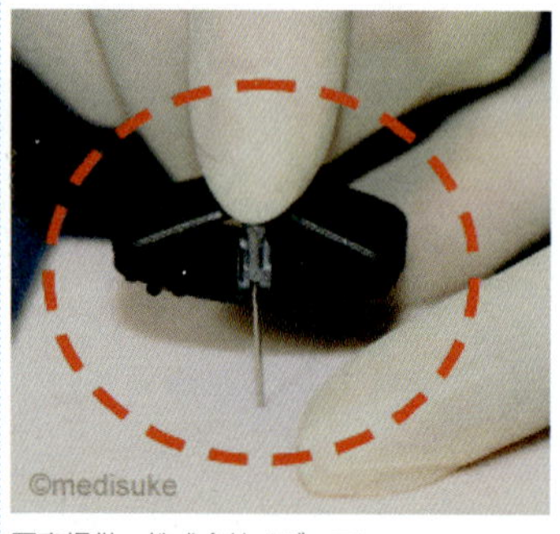

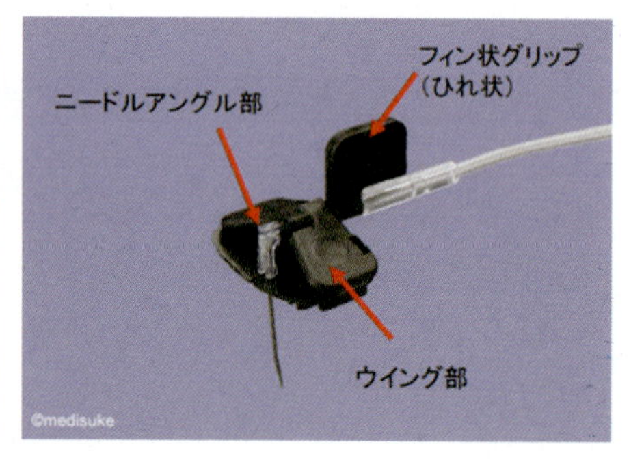

写真提供：株式会社メディコン

図5-10 ヒューバー針の刺入

	方法と観察の視点	療養者・家族支援と根拠
	3）フィン状グリップ部だけでなく，その下のチューブもしっかり把持する 4）セプタムに対して直角にヒューバー針を刺す。針が底にあたり，コツンという感触があるまで押し進める 5）血液の逆流を確認 ポート内の液体を吸引し，カテーテルの閉塞がないか確認後，20mLの生理食塩水でカテーテル内をフラッシュする（パルシングフラッシュ法：注入を数回に分けて行うフラッシュ法） 6）薬剤の注入 ヒューバー針と輸液ラインを接続して薬剤注入を開始する	
5	**針を固定する** 1）滅菌テープでウイング部を体表に固定する 2）刺入部は観察できるようにしておく 3）チューブはUの字に固定するなど，引っ張られたときに針に直接力がかからないようにする（➡❶） 4）針の浮きによってグラつきが生じる場合は，滅菌ガーゼを敷くなどしてグラつきを抑える（図5-11）	●抜去は家族が行うことがあるので，針固定用のフィルム材や医療用テープのはがし方，抜去後の針の取り扱いについて事前に説明する ❶自己抜去を防ぐことができる

	方法と観察の視点	療養者・家族支援と根拠

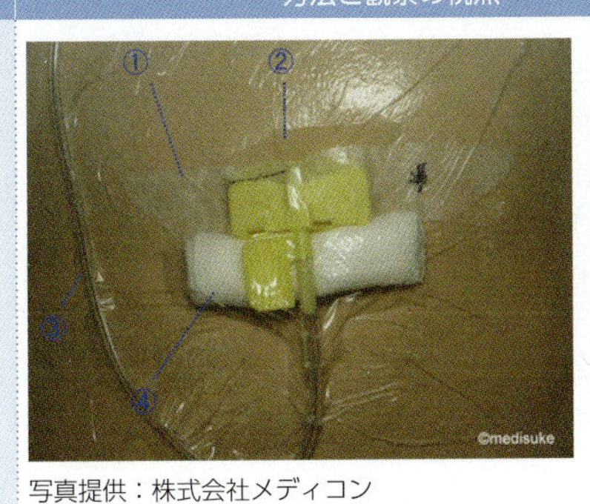

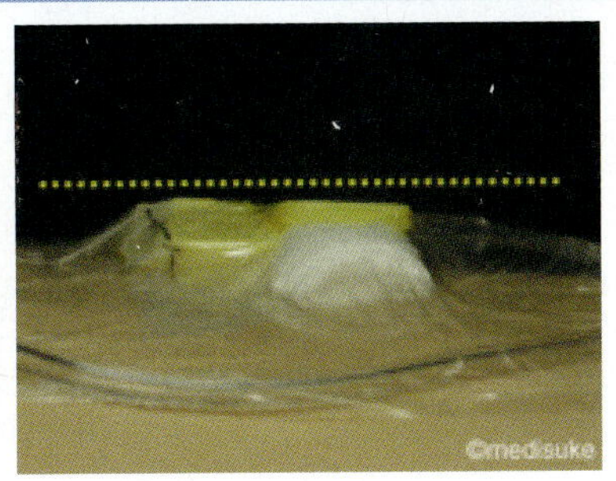

写真提供：株式会社メディコン

図5-11 ヒューバー針の固定

	方法と観察の視点	療養者・家族支援と根拠
6	**滴下を調整する** ・指示された注入速度，滴下になっているか ・輸液ポンプの場合は適切な速度の設定ができているか，電源が確保されているか	●開始時の滴下状態は患者の体位や輸液バッグ・ボトルの位置，残量で変わることがあるので，定期的に確認するように伝える

C 注入終了後のカテーテルの管理

●目　　的：注入を安全に終了し，次回注入できるようにカテーテル・ポートの状態を維持する

●必要物品：指示書，生理食塩水，20mLディスポーザブル注射器，注射針，ヘパリン加生理食塩水100単位/mLを10mL，消毒綿棒，医療廃棄物用容器，ディスポーザブルグローブ（未滅菌）テープまたはカットバン，酒精綿

	方法と観察の視点	療養者・家族支援と根拠
1	**実施体制を整える** ・清潔な環境が保てるスペースを確保する	●清潔な環境で処置ができるよう，家族の協力を得て環境を整備する ●処置中の清潔を保つため，窓の開閉，ペットの出入りなどに留意するように伝える
2	**身じたくし，手を洗う** 1）マスクを装着する 2）石けんを用いて流水で手を洗う	●家族へ身じたくや手洗いの必要性を説明する
3	**必要物品を準備する** ・フラッシュ用の生理食塩水を1mL注射器に準備する ・使用物品を使いやすいところに配置する	
4	**カテーテルロック** **【グローション®カテーテルタイプのポート】** 1）輸液ラインのクランプを閉じる 2）TPN・抗がん剤輸液後：10mLの滅菌生理食塩水，血液を引き込んだ場合：20mLの滅菌生理食塩水でパルシングフラッシュ法にて洗浄を行う 3）残りが0.5mLになったら，注入しながらヒューバー針のクランプを閉じる **【グローション®カテーテルタイプ以外のポート】** 1）ヒューバー針のクランプを閉じて注入を止める	●確実にヘパリンロックを行うことにより感染を予防し，カテーテル内血栓形成・閉塞を防ぐことを伝える ●ヘパリン加生理食塩水はシリンジ充填済みのプレフィルドシリンジなどを利用することにより無菌状態を保つ

	方法と観察の視点	療養者・家族支援と根拠
	2）TPN・抗がん剤輸液後：10mLのヘパリン加生理食塩水，血液を引き込んだ場合：20mLのヘパリン加生理食塩水でフラッシュする 3）残りが0.5mLになったら，注入しながらヒューバー針のクランプを閉じる	
5	**抜針（ヒューバー針の抜針）** 1）透明ドレッシングのはがし方 ヒューバー針を片手で固定し，もう一方の手でドレッシングの端を引っ張るようにしながらゆっくりとはがす。その際，皮膚と透明ドレッシングの間の粘着面をアルコールで拭き取るようにしてはがす(図5-12)	●安全機能付きヒューバー針の場合は，療養者や家族が抜針の手技を行っても，安全性を担保できることを下記の内容で説明する ・抜針時および廃棄時の針刺しを予防するための構造を有する ・抜針と同時に安全機能が作動する ・シンプルな構造のため，誤作動の可能性が低い ・誤操作による針刺しの予防も考慮されたデザイン（二重の安全機能が備わっている） ・片手で抜針ができる

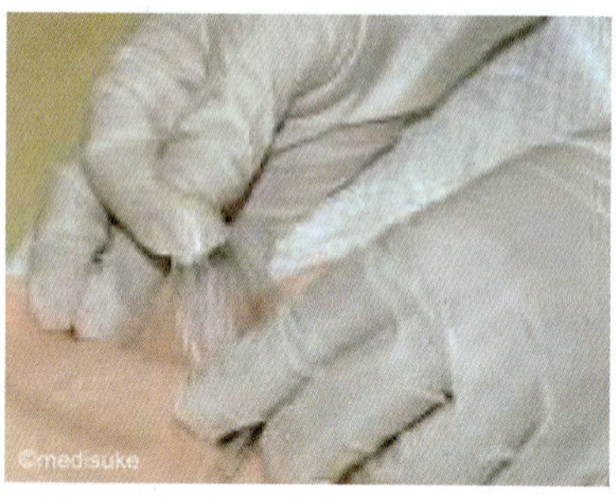

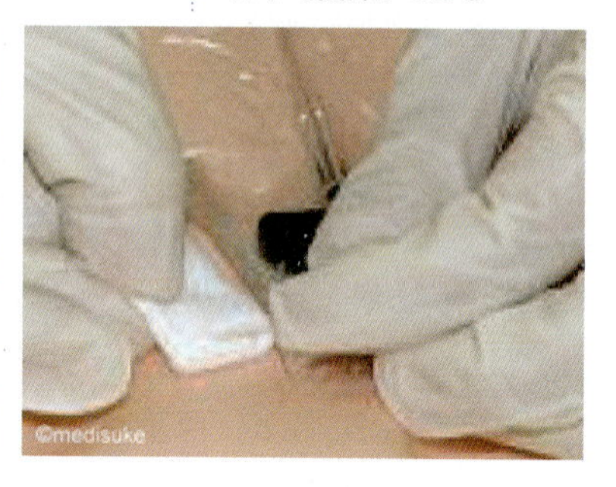

写真提供：株式会社メディコン

図5-12 透明ドレッシングのはがし方

2）利き手の母指と示指の第２関節の内側でウイング部を把持し持ち上げるようにしながら，ウイング部を締め付ける感覚を確かめながらゆっくりと抜針する(図5-13左)

3）針が収納されると「パチッ」という音とともにウイング部がロックされる（図5-13右)

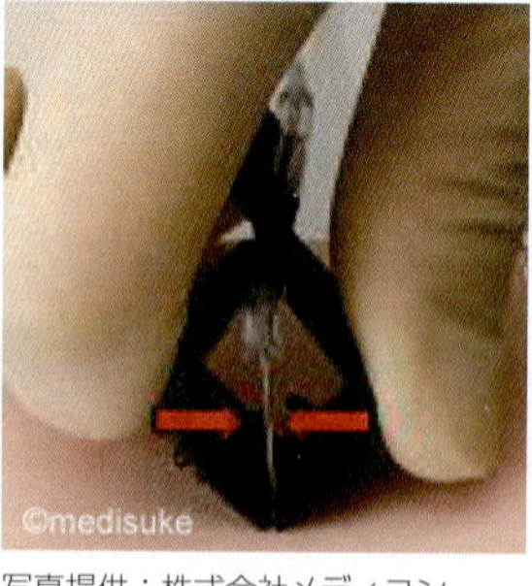

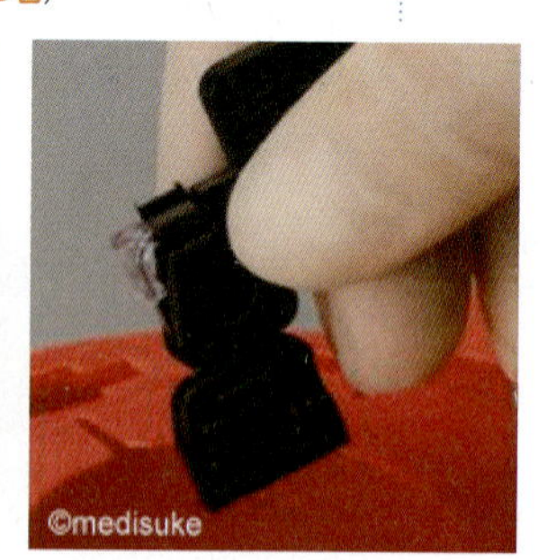

写真提供：株式会社メディコン

図5-13 ヒューバー針の抜針

	方法と観察の視点	療養者・家族支援と根拠
	4）抜針後は速やかに廃棄ボックスに廃棄する	●一般ごみとして廃棄しないように，また医療施設へ返却するまで適切に保管することを説明・依頼する
6	**穿刺部位のケア** 1）滅菌ガーゼまたは滅菌テープで針を刺した部位を覆い，もし出血があれば押さえて止血する（圧迫止血) 2）手袋をはずして手洗いを行う	

D 注入終了，ヘパリンロック

●目　　的：注入を安全に終了し，次回注入できるようカテーテル・ポートの状態を維持する
●必要物品：指示書，ヘパリン加生理食塩水入り注射器，消毒液，綿球または滅菌綿棒，医療廃棄物用容器

	方法と観察の視点	療養者・家族支援と根拠
1	**実施体制を整える** ・清潔な環境が保てるスペースを確保する	●清潔な環境で処置ができるよう，家族の協力を得て環境を整備する ・処置中の清潔を保つため，窓の開閉，ペットの出入りなどに留意するよう伝える
2	**身支度し，手を洗う** 1）マスクを着用する 2）石けんを用いて流水で手を洗う	●家族へ身支度や手洗いの必要性を説明し，確実に実施していることを示す
3	**必要物品を準備する** ・消毒薬，綿球・滅菌綿棒，注射器を使いやすいところに配置する	
4	**注入ラインの流れを止め，療養者側にヘパリン加生理食塩水を満たす：体外式カテーテル法** 1）クレンメを閉め，療養者側の側注管部を消毒する 2）ヘパリン加生理食塩水を注入する 3）ヘパリン加生理食塩水を少量残して注入を止める 4）接続部から注入ラインをはずし，保護栓をつける	●確実にヘパリンロックを行うことにより，感染を予防し，カテーテル内血栓形成・閉塞を防ぐことを伝える ●ヘパリン加生理食塩水の調剤は，訪問看護師など専門職が行うよう体制を整える（➡❶） ❶安全性の観点から，家族ではなく訪問看護師が行うことが望ましい。また，シリンジ充填済みのプレフィルドシリンジなどの利用により無菌状態を保つ方法もある
5	**注入ラインの流れを止め，療養者側にヘパリン加生理食塩水を満たす：皮下埋込み式カテーテル法** 1）クレンメを閉め，療養者側の側注管部またはヒューバー針接続部を消毒する 2）ヘパリン加生理食塩水を注入する 3）ヘパリン加生理食塩水を少量残して注入を止める 4）ヒューバー針を抜去する 5）穿刺部の皮膚を観察し，皮膚や突出状態によりガーゼなどで保護する	●確実にヘパリンロックを行うことにより，感染を予防し，カテーテル内血栓形成・閉塞を防ぐことを伝える ●グローションバルブ付きカテーテル（図5-7参照）の場合，ヘパリン加生理食塩水を用いる必要はなく，生理食塩水を注入する ●ヘパリン加生理食塩水の調剤は，訪問看護師など専門職が行うよう体制を整える（➡❷） ❷安全性の観点から，家族ではなく訪問看護師が行うことが望ましい。また，シリンジ充填済みのプレフィルドシリンジなどの利用により無菌状態を保つ方法もある
6	**後片づけをする** ・薬剤，衛生材料，血液・体液付着物は医療廃棄物として扱う	●一般ごみとして廃棄しないように，また医療施設へ返却するまで適切に保管することを説明・依頼する

E カテーテルの管理

ヒューバー針の交換：継続的な輸液を行う場合には，少なくとも7日に1回の頻度でヒューバー針を交換する（「Policies and Procedures for infusion Nurses 3rd edition」より）。

・輸液を継続的に行っているケースで，輸液ラインを週に2回交換している場合

・ライン交換の際に流路が開放されない場合（閉鎖式にして使用している場合）

→ 輸液ラインのみを週に2回交換し，ヒューバー針は7日に1回交換する。

・ライン交換の際に流路が開放される場合など

→ 輸液ラインと同時にヒューバー針も交換する。

文献

1）日本静脈経腸栄養学会編：静脈経腸栄養ガイドライン，第3版，照林社，2013．
2）日本静脈経腸栄養学会編：静脈経腸栄養ハンドブック，南江堂，2011．
3）日本静脈経腸栄養学会編：静脈経腸栄養テキストブック，南江堂，2017．
4）在宅中心静脈栄養法マニュアル等作成委員会，総合健康推進財団編，厚生省健康政策局・日本医師会監：医療者用在宅中心静脈栄養法ガイドライン，文光堂，1996．
5）矢吹浩子編，山中英治医学監：ココが知りたい栄養ケア，照林社，2016．
6）日本病態栄養学会編：認定NSTガイドブック2014，改訂第4版，メディカルビュー社，2014．
7）丸山道生監：NST活動に活かすナースが取り組む栄養療法，アンファミエ，2008．
8）鈴木玲子，常盤文枝編：最新輸液管理〈Nursing mook 41〉，学研メディカル秀潤社，2007．
9）福島亮治：TPNの特徴と適応，PDN(Patient Doctors Network)，2012．
<http://www.peg.or.jp/lecture/parenteral_nutrition/02-01.html>（アクセス日：2020/7/30）
10）化学療法サポート，メディコン．<http://chemo-support.jp/>（アクセス日：2020/7/30）
11）日本臨床栄養代謝学会．<https://www.jspen.or.jp/>（アクセス日：2020/7/30）
12）メディ助，メディコン．<https://medisuke.jp/>(アクセス日：2020/7/30)

6 在宅経腸栄養法

学習目標

- 在宅療養者に対して行われる栄養法の基礎知識を理解できる。
- 在宅経腸栄養法の実施にかかわる医療提供の仕組みや制度を理解し，その概要を療養者・家族に説明できる。
- 在宅経腸栄養法に伴う合併症を理解し，安全かつ効果的に実施するために必要な看護技術を習得する。
- 療養者・家族が経腸栄養の継続に必要な知識・技術を理解し，安全かつ効率的に実施するための支援ができる。

1 在宅経腸栄養法の適応

1）適応基準と病態

経腸栄養法は，嚥下障害や疾病・障害などにより経口的に食事摂取が困難な療養者に対して行われる栄養法の一つである。その適応は，消化吸収障害がなく，以下の要件に合う状態とされる。

・急激な変化のない慢性疾患。
・低栄養状態または欠乏症による継続的な栄養補給が必要である。
・栄養補給により確実な効果が得られる。
・療養者・家族の同意があり，理解と協力が得られる。

2）投与経路

消化吸収機能がある場合は経腸栄養の適応となる。経管栄養経路には，経鼻経路，消化管瘻経路（胃瘻，空腸瘻，経皮経食道胃管挿入）がある。

3）実施に関する意思決定

在宅経腸栄養法の場合，医療機関と異なり栄養剤の投与や投与経路であるチューブ類の管理，状況に応じたスキンケアなど，医療処置を含めた管理の大半を療養者および家族が行うこととなる。したがって，それぞれの家庭環境，療養者の生活状態に応じた方法・支援を行う必要がある。医療者は，療養者の栄養状態の把握，栄養剤投与手技，投与経路の維持・管理などが可能か，不十分であれば，知識や技術習得の意思があるか，などを十分に検討したうえで，療養者・家族に在宅経腸栄養の実施を決める支援が必要となる。

療養者・家族の意思決定支援の際には，経腸栄養法の必要性の説明はもちろんのこと，実施に伴う危険性に焦点をあてるだけではなく，体力回復やそれに伴う運動機能・嚥下機能の回復，家族との交流や社会参加の増加など，療養者や家族が経腸栄養法によって得られる肯定的な面に目を向けられるような説明を行うことが重要である。

2 経腸栄養法の種類と特徴

1）経腸栄養法の種類

経管栄養の経路は，経鼻経路と消化管瘻経路がある（図6-1）。

経管栄養の必要期間が短期間であれば経鼻経管栄養，長期に及ぶ場合は消化管瘻経路（胃瘻・腸瘻）が望ましいとされる。

経鼻経腸栄養法で誤嚥のリスクがある場合はチューブを空腸・十二指腸に留置し，誤嚥のリスクがない場合は胃内に留置する。

経皮経腸栄養法は，誤嚥のリスクがある場合は腸瘻を，ない場合は胃瘻を介しての栄養摂取となる。

胃瘻，空腸瘻と経鼻法の利点・欠点および療養者の状態を考慮し，経路を選択する（表6-1）。

（1）経鼻経管栄養法

経鼻経管栄養法は，比較的短期間（4～6週間が目安）向けの栄養法である。鼻腔から

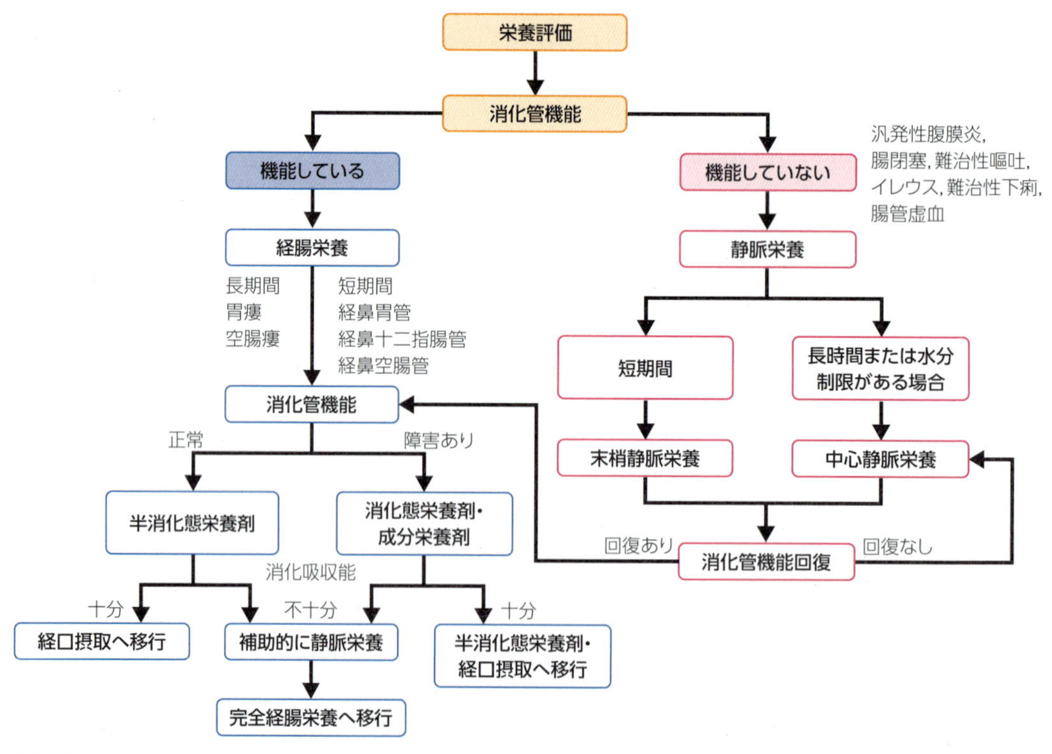

図6-1 栄養療法における投与経路とアルゴリズム（ASPENのガイドライン）

ASPEN Board of Directors and the Clinical Guideline Task Force: Guidelines for the use of parenteral and enteral nutrition in adult and pediatric patients. JPEN J Parenter Enteral Nutr, 26（1 Suppl）: 1SA-138SA, 2002. より引用

表6-1 経腸栄養ルートによる比較

	経鼻法	消化管瘻（胃瘻）	消化管瘻（腸瘻法）
挿入方法	ベッドサイド	PEGが主，手術・PTEG	経胃内視鏡的または手術
チューブの太さ	5-12Fr	18-28Fr	7.5-12F r
チューブ交換の難易	容易	容易	X線視下（比較的容易）
誤嚥（栄養剤の逆流）の危険性	高い	低い	低い
チューブの抜去	起こりやすい	起こりにくい	起こりにくい
療養者のQOL	咽頭不快感，拘束感があり，QOLは良くない	他の方法と比較して良い	栄養剤注入時間が長時間になると拘束感がある

チューブを挿入し先端を胃内に留置する方法（幽門前アクセス），チューブ先端を十二指腸以遠に留置する方法（幽門後アクセス）がある。

経鼻経管栄養法は，経腸栄養の適応で，かつ，栄養剤投与期間が比較的短期間（4～6週間）の場合に選択される。消化管術後や意識障害，嚥下障害，摂食障害などが対象となる。

（2）消化管瘻：特に胃瘻（経皮内視鏡的胃瘻造設術　percutaneous endoscopic gastrostomy：PEG）

長期間（4～6週以上）の経腸栄養法の大半を胃瘻が占めており，経皮的内視鏡的胃瘻造設術（PEG）が一般的である。

胃瘻の適応は，①経腸栄養のアクセスとしての造設（脳血管障害・認知症などのため自発的に摂食不可，神経筋疾患などによる嚥下不能・困難，咽喉頭・食道・胃噴門部狭窄などの例，②誤嚥性肺炎を繰り返す例，③幽門狭窄や上部小腸閉塞時の減圧目的などがある。

胃瘻造設の禁忌は，日本消化器内視鏡学会卒後教育委員会PEGガイドラインによると相対的禁忌と絶対的禁忌に分けられている（表6-2）。

表6-2 胃瘻の禁忌

相対的禁忌	絶対的禁忌
・腹水貯留 ・極度の肥満 ・著明な肝腫大 ・胃の腫瘍性病変や急性胃粘膜病変 ・胃および上腹部手術の既往 ・横隔膜ヘルニア ・出血傾向 ・妊娠 ・門脈圧亢進 ・腹膜透析 ・がん性腹膜炎 ・全身状態不良例 ・生命予後不良例 ・非協力的な患者と家族	・通常の内視鏡検査における絶対禁忌（ショック，急性心筋梗塞，腹膜炎，急性穿孔） ・内視鏡が通過困難な咽頭・食道狭窄 ・胃前壁を腹壁に近接できない状況 ・補正できない出血傾向 ・消化管閉塞（減圧ドレナージ以外の目的の場合）

2）経腸栄養剤の種類

（1）成分からみた分類

経腸栄養剤には，天然濃厚流動食と人工濃厚流動食がある（図6-2）。人工濃厚流動食の種類を表6-3に示す。

（2）形態からみた分類

①粉　末

粉末状のものを温湯などで溶かして注入する。軽量のため持ち運びには便利であるが，溶かす手間がかかること，溶かす際に細菌汚染の可能性がある。成分栄養剤のエレンタール®，エレンタール®P，ヘパン®EDなどがある。

②液　状

多くの栄養剤が液状であり，1mLに付き1kcal以上に調整されており，高濃度の液状となっている。経腸栄養剤の水分含有量は輸液とは異なり，100mL中に100mL含まれているわけではない。1kcal/mL濃度の経腸栄養剤の水分量は約85％であり，栄養剤の濃度が高

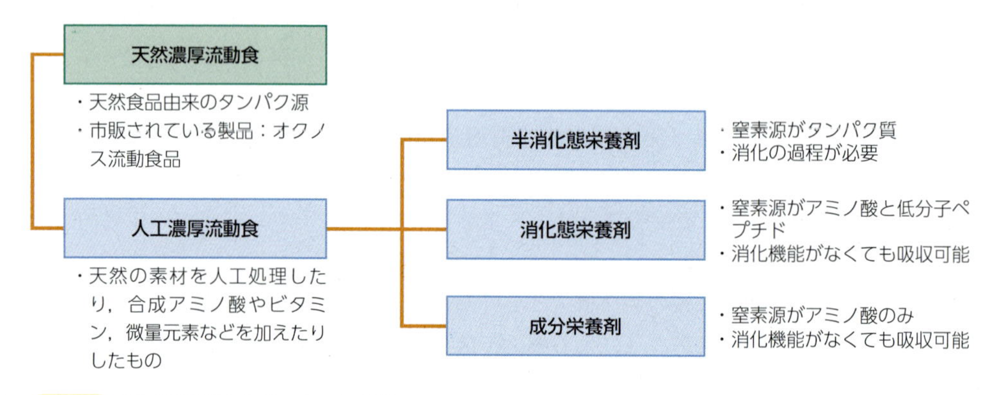

図6-2　経腸栄養剤の成分からみた分類

表6-3　人工濃厚流動食の種類

種　類		半消化態栄養剤	消化態栄養剤	成分栄養剤
栄養成分	窒素源	タンパク質，ポリペプチド	アミノ酸，ジペプチド，トリペプチド	アミノ酸
	脂質含有量	比較的多い	少ない	きわめて少ない
	繊維成分含有量	水溶性，不溶性繊維	なし	なし
製剤の性状	消化機能	多少必要	ほとんど不要	不要
	残　渣	少ない	きわめて少ない	きわめて少ない
	浸透圧	比較的低い	高い	高い
	粘稠性	やや高い	やや高い	低い
	剤形	液状製剤が多い	液状製剤が多い	粉末製剤
栄養チューブ内径		2～3mm，8Fr	2～3mm，8Fr	1～1.5mm，5Fr
取り扱い区分		医薬品，食品	医薬品	医薬品
商品例		エンシュア，ラコール，アイソカル，メディエフ	ツインライン，エンテミール	エレンタール，エレンタールP，ヘパンED

くなるにつれ，水分含有量は減少するため，使用する栄養剤に応じて確認が必要である。また，液状のものは滅菌が可能で缶やレトルトパックの形で供給される。最近はイリゲーターなどの栄養剤注入ボトルに移し替えず，直接チューブにつなぐことができるクローズドタイプ（Ready-to-Hang製剤，ラコール®，メディエフ®など）があり，安全・清潔に注入できる。また，腐敗防止のため１回で使い切り，余った場合も冷蔵庫などで保管し，24時間以内に使用する。

③半固形栄養剤

半固形栄養剤は，液体栄養剤に比べ流動性が低く，胃食道逆流や瘻孔からの流出が減少する。また，吸収が緩やかになり，喀痰の増加が起こりにくい，下痢が起きにくい，血糖値の急激な変化（ダンピング症候群）の予防などの効果が期待できる。さらに，注入時間が短縮でき，注入時の同一体位による負担の軽減にもつながる。

④粘度調整食品，固形化補助食品

胃内で栄養剤と混ざることで粘度を出す粘度調整食品のREF-P１®や，注入前に栄養剤に混ぜて粘度を出すソフティア®ENS，ペグメリン®がある。食用粉末寒天で，半固形化栄養剤を代用することができる。

3）経腸栄養法の使用器具・器材

（1）栄養チューブ

①経鼻チューブ

チューブの選択の際，以下の点に考慮し，医師と相談して決定する。

・安全で刺激が少ない材質である。
・長期間使用できる耐久性がある。
・濃度の高い栄養剤に対応でき閉塞しにくい。
・経済的負担が少ない

また，チューブの特性を理解し，療養者に適したチューブを選択する。チューブのサイズは，成分栄養剤の場合は５Frを，半消化態・消化態栄養剤は８Frを目安とする。内径の小さいチューブは，薬剤注入などで閉塞を起こすことがあるので注意する。チューブの硬化，栄養剤の残渣や薬剤の付着によるチューブの汚染のため，１か月程度で交換する。

②胃瘻チューブ

胃瘻チューブを挿入・留置する場合，経皮内視鏡的胃瘻造設（percutaneous endoscopic gastrostomy：PEG）を行うことが多い。PEGは，開腹手術が不要で，咽頭部へのチューブ刺激がないという利点があるが，適切な医療管理がないとチューブ挿入部周囲からの消化液の漏れや腹膜炎を起こす危険性がある。

胃瘻チューブは胃内への固定が蒸留水注入バルーンによるものと，先端がドーム型のバンパーによるものがあり，さらに，体表にチューブが突出しているチューブ型と，キャップで蓋をするボタン型がある（図6-3）。バルーンは，中の蒸留水の漏れがないかどうか定期的な確認が必要である。チューブ型はADLが低い療養者に適している。それぞれ留置期間は４～６か月であり，これを目安に医師が交換する。

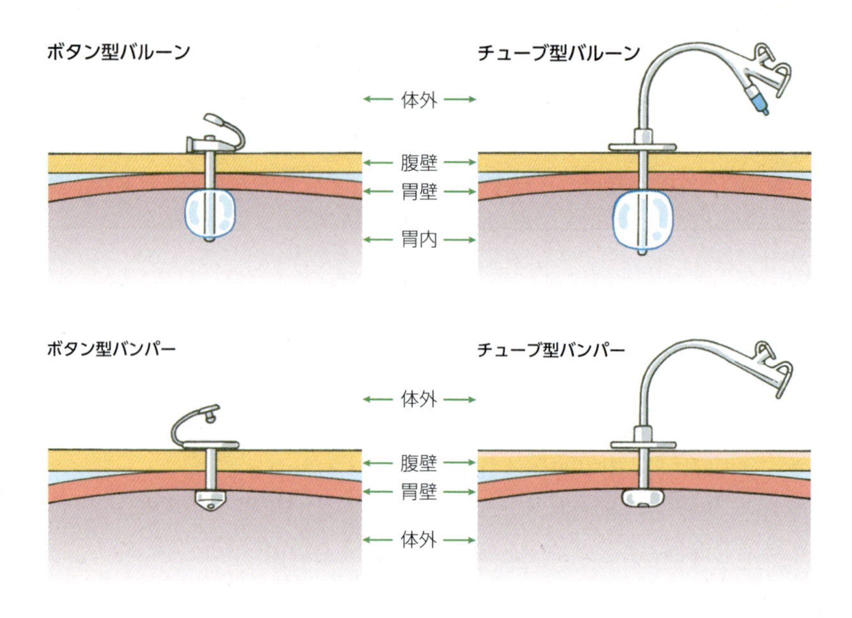

図6-3 胃瘻チューブの種類

(2) 注入用物品

①バッグ，ボトル

在宅療養で栄養剤注入用のバッグやボトルを選択する場合，栄養剤を入れやすい，破損しにくい，漏れにくい，強度がある，注入量が見やすい，安定して吊るすことができる，洗浄しやすく衛生的に保つことができるものが望ましい。自宅に点滴スタンドがない場合，フックを用いて壁面に吊るすなど，工夫して適切な高さを確保する（図6-4）。

②カテーテルチップシリンジ

半固形栄養剤を注入する場合，注入用バッグで滴下注入ではなく，直接胃瘻チューブにカテーテルチップシリンジを用いて注入する（図6-5）。粘度調整をしているので，注入に圧力が必要である。容量があり，圧力をかけやすいドレッシングボトルを用いることもある。

図6-4 注入用バッグの使用例

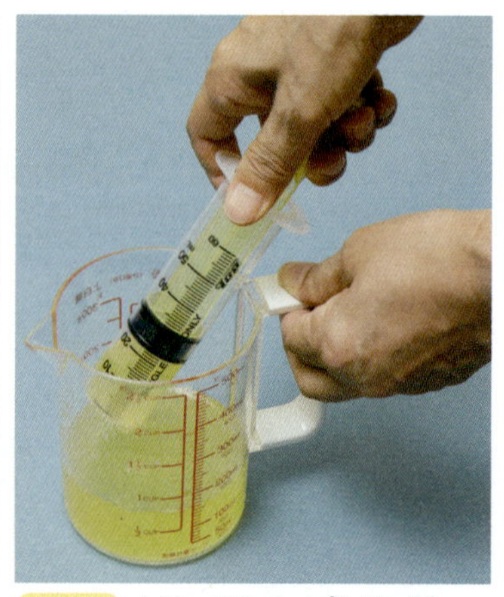

図6-5 カテーテルチップシリンジ

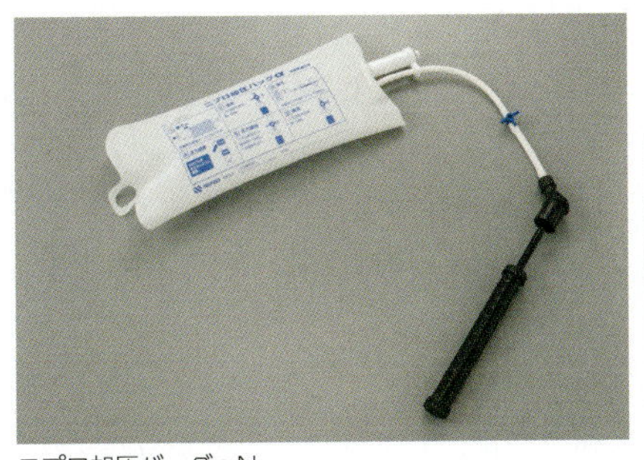

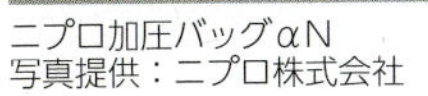
ニプロ加圧バッグαN
写真提供：ニプロ株式会社

図6-6 半固形剤注入加圧バッグ

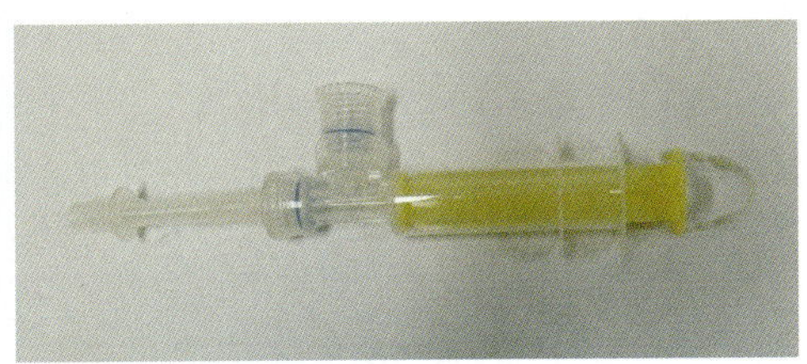

図6-7 半固形栄養剤専用注入器

③その他

栄養剤を直接胃瘻チューブに接続できるものや，半固形栄養剤を一定の圧をかけ注入することができる加圧バッグ（図6-6），半固形剤専用注入器（図6-7）など，様々な物品があるため，その療養者・家族の理解力，介護力，手指の巧緻性などを考え，適した物品を選択する。

3 経腸栄養法に関連する合併症と対処法

経腸栄養法に関連する合併症および対処法について以下に示す。看護師は自身が合併症について理解するとともに，療養者・家族にもわかりやすく具体的に説明を行うことが必要である。

1）機械的合併症：栄養チューブが原因となる合併症

（1）栄養チューブによる刺激・びらん，炎症

栄養チューブの固定による鼻翼のびらん･潰瘍形成，胃瘻チューブ（ボタン）周囲の発赤･びらん・潰瘍・不良肉芽形成。

【対処法】

①適切な栄養チューブの選択：チューブの太さ，材質。
②胃瘻（PEGを含む）および腸瘻の場合は瘻孔の大きさに合ったチューブを使用し，消化液の漏出を防止する。
③経鼻の場合は，エレファント･ノーズ型に固定する。固定の絆創膏は毎日交換し，固定部位の皮膚の保清を行う。
④胃瘻は，体外固定板と皮膚が密着しないように皮膚と体外固定板の間に1～2cmのあそびをつくる。また，カテーテル本体を1日1回以上，360度以上回転させる。

（2）誤嚥性肺炎

誤嚥性肺炎の原因：嚥下障害による口腔内の汚染物質の気道への流入，下部食道括約筋機能障害による胃内容物の逆流，経鼻的に留置したチューブ先端が気道に留置されていることに気がつかず，栄養剤が注入されたこと，などがある。

【対処法】

①経鼻栄養チューブの挿入留置は必ず医師が行い，X線によるチューブ先端の位置確認を行う。

②経鼻栄養チューブ先端の位置確認は栄養剤注入前に行う。位置確認方法は，
・チューブより10～20mLの空気を送気して，心窩部で空気の注入音を確認する
・カテーテルチップシリンジで胃内容物を吸引し，確認する

③口腔ケアの徹底。

④栄養剤注入時の体位の留意：上半身を30度以上ギャッチアップする。胃内に短時間で多量の栄養剤を注入すると逆流を誘発するため，療養者の嚥下状態に応じてポンプ使用による持続注入などの方法を検討する。

（3）栄養チューブの閉塞

栄養剤や薬剤の残渣が原因でチューブ内腔が閉塞する。残渣物が腐敗し感染源となることもある。

【対処法】

①経鼻チューブ：栄養剤注入終了時に約20～30mLの微温湯でチューブ内を通水し残渣を除去する。
※持続注入の場合は4時間ごとに20～30mLの微温湯でチューブ内を通水。

②胃瘻カテーテルは，栄養剤注入終了後に約20～30mLの微温湯でチューブ内を通水し残渣を除去，その後10倍に薄めた家庭用の食用酢5～6mLをチューブ内に充填し，細菌の増殖を抑える。

2）消化器系合併症

（1）悪心・嘔吐，腹痛，腹部膨満感

消化管運動低下や，便秘により生じる。悪心や腹部膨満感により，逆流した栄養剤を誤嚥し，誤嚥性肺炎を起こすことにつながる。

【対処法】

①栄養剤の温度（室温）と使用時間に注意する。

②開封した栄養剤はできるだけ1回で使い切る。残った栄養剤は冷所保存し，その日のうちに使用する。

③栄養剤注入時の体位の工夫と，注入後も30～60分はギャッチアップした体位を保つ。

④ADL・IADL拡大に向けて援助する。

⑤消化管の蠕動亢進剤の処方検討など。

（2）下痢・便秘

栄養剤の温度や注入速度，水分摂取量などにより生じる。症状が激しい場合は，経腸栄養法の一時中断も起こり得る。

【対処法】

①原因のアセスメント：症状が経腸栄養法によるものか，異なる原因によるものかをアセスメントし，経腸栄養法が原因の場合，栄養剤の注入速度，栄養剤の組成，浸透圧，細菌汚染などを確認し，医師に報告する。

②栄養剤の温度（室温）と使用時間に注意する。
③開封した栄養剤はできるだけ１回で使い切る。残った栄養剤は冷所保存し，その日のうちに使用する。
④ADL・IADL拡大に向けて援助する。
⑤消化管の蠕動亢進剤の処方検討など。

（3）代謝性合併症

脱水，電解質異常，酸・塩基平衡異常，高血糖，高炭酸ガス血症などがある。

【対処法】

①脱水：栄養剤に含有されている水分量を加味して不足している水分を栄養剤注入時間帯に注入する。
②電解質異常：低Na，低Cl血症があり，１日栄養摂取熱量が1,200kcal/日以下で栄養剤を投与している場合，長期投与の場合は，注意し，医師に報告，対応を検討する。
③高血糖：療養者の病態に合った栄養剤を医師，栄養士と検討し選択・変更する。

4 在宅経腸栄養法の導入支援

1）在宅経腸栄養法実施の留意点

（1）栄養状態・消化吸収状態の把握

経腸栄養法により栄養状態の改善，体力回復は期待されるが，長期の栄養剤投与により，疾病および健康障害の進行や加齢による消化機能・代謝機能の変化への対応が困難になることがある。血液検査，体重測定，皮脂厚測定などにより，定期的に療養者の栄養状態を把握する。

（2）安全な投与手技

療養者の消化機能などの状態に合わせて，栄養剤の注入速度の設定，注入時の体位，栄養剤の粘度調整などの処置を確実に行う。

（3）投与経路の維持管理

チューブ類については，接触部の皮膚損傷，抜去・脱落，消化液漏れなどが生じる危険性があるため，日々観察し，安全・清潔保持，適切な時期の交換を行う。

（4）実施者の問題

経腸栄養法は医療処置であるため，医療機関では医療職が行うが，在宅療養では療養者自身や家族がその大半を実施する。しかし，重度の要介護者の場合，家族の負担が大きくなり，在宅療養の継続が難しくなることもある。

2012（平成24）年に社会福祉士及び介護福祉士法が一部改正され，都道府県の研修を受け，認定された介護職が経腸栄養法にかかわることができるようになった。療養者・家族の状況を考慮し，かかわる医療職と介護職による適切な実施体制をとることが重要である。

2）在宅経腸栄養法実施にかかわる費用，社会資源

在宅経腸栄養法を実施している療養者への医療は，以下のように医療保険などの適用となっており，病院，診療所などから，栄養法実施に伴う衛生材料，医療機器，栄養剤（医

薬品）などの供給と，訪問看護師など医療者による指導が受けられる。

・在宅成分栄養経管栄養法指導管理料2,500点/月：原因疾患の如何にかかわらず，在宅成分栄養経管栄養法以外に栄養の維持が困難な者に対して行われる栄養法に対する管理料。成分が明らかでない流動食は該当しない。

・在宅寝たきり患者処置指導管理料1,050円/月：寝たきりの状態にある者またはこれに準ずる状態にある者に対して，自らまたはその家族など患者の看護にあたる者が実施する創傷処置に対する管理料。創傷処置のなかに鼻腔栄養が含まれている。この管理料を受けている者は，在宅成分栄養経管栄養指導管理料は受けられない。

また，地域における栄養に関連する専門職の活動として，地域密着型NST（nutrition support team：栄養サポートチーム）があげられる。これは医師，看護師，栄養士，歯科医師，薬剤師などの多職種が連携して，在宅療養者の栄養状態の維持・改善に努めるチーム活動である。栄養補給のみならず，嚥下機能回復や口腔ケアなど，療養者の健康状態や生活の質に着目した働きかけは，今後さらに求められるようになると思われる。

看護技術の実際

A 経鼻チューブ挿入

●目　的：経鼻経腸栄養法による投与経路であるチューブが適切な状態で使用できるよう，定期的にチューブを挿入・交換する

●必要物品：胃チューブ，ガーゼまたはティッシュペーパー，20mL注射器，潤滑剤，聴診器，医療用テープ，ペンライト，ガーグルベースン（嘔吐時用），リトマス試験紙（必要時），医療廃棄物用容器

	方法と観察の視点	療養者・家族支援と根拠
1	**手を洗う** ・石けんを用いて流水で手を洗う　手袋をはめる	
2	**療養者の体勢を整える** 1）体位を整える ・頭部を高くし，座位または半座位がとれるか 2）嚥下運動を確認する ・挿入時に行う嚥下運動ができるか（➡❶）	●療養者・家族に説明する ●適切な体位がとれるよう場所を調整してもらう ❶嚥下運動に合わせてチューブを動かすと円滑に挿入できる
3	**必要物品を準備する** 1）挿入する胃チューブの長さを決める（図6-8） ・胃チューブは療養者の体格に合わせて目安をつけているか（➡❷） 2）医療用テープを固定しやすい長さ，形に切る ・療養者の皮膚の状態や固定位置に合った絆創膏を準備しているか 3）ガーゼに潤滑剤を出す 4）注射器，聴診器を手元に配置する 5）空気を注入しその音を聴診して挿入位置を確認する	●胃チューブの挿入は家族ではなく訪問看護師が実施する。チューブの汚染状況などから予測して，訪問スケジュールを調整する ❷あらかじめ胃まで到達する長さの目安をつけておくとスムーズに挿入できる

	方法と観察の視点	療養者・家族支援と根拠
		①鼻先端・耳朶・剣状突起＋5～10㎝の長さとする ②目安の位置に油性インキなどで印をつける ③印が鼻孔に位置するように挿入する **図6-8 挿入するチューブの長さの決定**
4	**チューブを挿入する** 1）潤滑剤をチューブの先端付近に十分塗布する ・挿入しやすいよう潤滑剤が塗布されているか 2）鼻孔－鼻腔－咽頭－喉頭へと，構造に合わせて挿入する 3）咽頭壁に当たったら，チューブ先端を下げるように動かす。療養者に唾液を飲み込むように促し，嚥下に合わせてチューブを進めるとよい 4）嚥下運動をしてもらい，それに合わせて挿入する（図6-9） ・声かけに合わせて嚥下運動ができるか ・嘔吐反射はないか ・食道まで届かず口腔内にとどまっていないか，開口してもらい咽頭付近をペンライトを用いて確認する 5）印をつけた長さまで挿入する	●挿入角度：45度程度ギャッチアップ，頸部前屈姿勢とし，チューブが口腔内にとぐろを巻いてたまっていないか確認する ●咽頭－喉頭部通過の際には嘔吐反射を引き起こすこと，また嘔吐があったり気管に誤って入ったりした場合には挿入中断・抜去することを伝え，再挿入に対応する 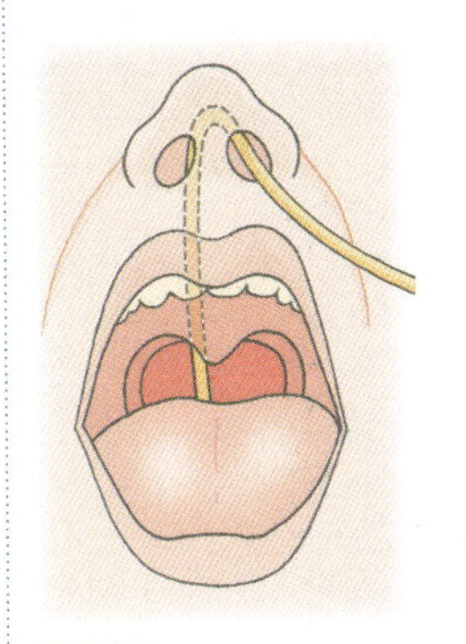 **図6-9 チューブの挿入**
5	**チューブの先端位置を確認する** 1）注射器を用いて胃液を吸引する（➡❸） 2）注射器で空気を注入し，気泡の音を聴取する ・療養者に咳き込みがないか ・聴診器を心窩部に適切に当てているか ・聴取できる量の空気を入れているか	❸胃液が吸引できれば，チューブの先端が胃内の適切な位置にある。吸引されたものが少量で胃液かどうかわからないときには，リトマス試験紙を用いて検査する
6	**チューブを固定する**（図6-10） 1）用意しておいた医療用テープを用いて印が鼻孔にくるように固定する ・顔面皮膚の状態を観察し，適切な部位に絆創膏を貼っているか確認する ・チューブが粘膜などに押し付けられたり，擦れたりしていないか	●長時間同一部位に医療用テープを固定すると皮膚への影響が出るので，適宜貼り替えるよう指導する ●チューブが当たることで褥瘡ができたり，擦れて損傷を起こしたりするので，鼻腔内の状態も適宜確認するよう指導する

	方法と観察の視点	療養者・家族支援と根拠
	図6-10 チューブの固定 2）チューブの注入口を閉じる ・注入口は，クレンメなどで確実に閉じているか	

B 栄養剤の注入

●目　　的：経鼻経腸栄養法および胃瘻による経腸栄養法において，適切に調剤された栄養剤を投与経路から注入し，療養者の栄養状態を維持・改善する

●必要物品：栄養剤（成分栄養などの粉末栄養剤の場合，溶解用にミキサー，泡だて器，シェーキングボトル，ボール，微温湯を用意する），注入バッグ・ボトル，経腸用栄養チューブ，微温湯50mL程度，20～30mLの注射器，点滴スタンドまたは吊り下げ用具

	方法と観察の視点	療養者・家族支援と根拠
1	**栄養剤注入にかかわるアセスメントを行う**（➡❶） ・栄養剤注入の実施が可能か評価する ・食欲，悪心・嘔吐の有無，胃食道逆流症状，下痢・便秘など消化器症状について確認する ・座位または半座位の保持が可能か ・前回注入からの間隔は適当か	❶経腸栄養法による合併症の発症を予防する
2	**手を洗う** ・石けんを用いて流水で手を洗う	
3	**栄養剤を準備する** 1）湯煎または電子レンジで栄養剤を体温程度に温める ・栄養剤は注入に適した温度，濃度か ・保存から使用までの時間は適切か，注入バッグや栄養チューブは洗浄し清潔であるか（➡❷） 2）注入バッグ・ボトルと経腸用輸液チューブを接続し，クレンメで閉じる ・クレンメは閉じた状態で準備しているか 3）栄養剤を注入バッグ・ボトルに入れる 4）クレンメを操作して先端まで栄養剤で満たす ・点滴筒に適切量が入り，滴下が確認できる状態か ＜輸液ポンプ使用の場合＞ 1）栄養チューブをポンプ内にセッティングする 2）注入速度を設定する ・ポンプ対応のチューブを使用し，適切に注入の設定をしているか ・電源を確保しているか ＜成分栄養など粉末栄養剤使用の場合＞ ・栄養剤の溶解のため，泡だて器やシェーキングボトルなどを使用する	●安全に消化吸収できる栄養剤の状態や細菌繁殖の危険性について説明し，清潔・安全に用具を使用できるよう指導する ●適切な温度で注入を始めるため，準備に手間取らないよう指導する ❷細菌繁殖の危険性がある ●ポンプが適切に作動しないときの対応について指導し，医療者への連絡，自然滴下法への切り替えなどの対応ができるようにする

	方法と観察の視点	療養者・家族支援と根拠
4	**注入体勢を整える** 1）座位または半座位とする（➡❸） ・注入に適した上半身の角度になっているか ・注入時，安楽に過ごせる体位か 2）バッグを吊り下げるかポンプを設置する ・自然滴下法の場合，適切な注入圧が得られる高さに吊り下げているか（療養者の腹部より50cm程度の高さ） ・ポンプを使用する場合，設置場所は安定しているか確認する 3）留置しているチューブを確認する ・チューブが抜けかかっていないか ・注入前に胃液を吸引したか	❸腹部を圧迫する姿勢は逆流を起こす危険があるため，椅子やベッド，寝具を工夫して適切な体位を保持する ●注入を効果的に行えるよう，療養者自身が姿勢保持に関心をもって対応できるよう指導する ●療養者に自宅内移動と姿勢保持ができる体力と運動機能があれば，家族と一緒に食事できるよう環境を整える ●チューブが抜けかかっているときの対応について事前に検討する
5	**栄養剤を注入する** 1）胃チューブ，胃瘻チューブに経腸栄養チューブを接続する 2）注入速度，滴下数を調整する ・療養者の状態や栄養剤の特性に合わせた注入速度となっているか（➡❹） ・栄養剤注入に伴う合併症は出現していないか	●嘔吐，腹痛，腹部膨満，下痢，喘鳴，チューブ挿入部周囲への液漏れなど，栄養剤注入中に起こりうる合併症や異常について説明する ●異常時には注入を止め，医師などへ連絡するよう伝える ❹栄養剤の残液や療養者の体位の変化によって注入速度，滴下数が変わるので注意する
6	**必要時，薬剤を注入する** 1）チューブを介して注入可能な状態にする：散剤を溶かす，錠剤は粉砕して溶かす，簡易懸濁法で溶かすなど ・チューブ内に薬剤が固まり閉塞していないか 2）注射器を用いて注入する	●簡易懸濁法について説明・指導する ・錠剤を粉砕したり，カプセルを開封したりせず崩壊・懸濁させる方法である ・投与前に錠剤・カプセルを約55℃の温湯に入れて軽く混ぜ，そのまま5～10分放置し，崩壊・懸濁したら注入器を用いて直接栄養チューブに注入する ●事前に，処方されている薬剤をチューブを介して注入できるよう，医師や薬剤師と検討・調整する
7	**注入終了後，微温湯を注入する** 1）注射器を用いて微温湯を20～30mL注入する（➡❺） ・チューブに合った注入量，注入の勢いで実施しているか ・注入後，チューブ内に栄養剤や薬剤の残渣がないか 2）注入後は逆流を防ぐため1時間程度座位または半座位をとる 3）注入後は胃チューブ・胃瘻チューブクレンメやボタンで閉鎖する	❺チューブの閉塞予防のため ●療養者の消化状態に応じて安静にできるよう指導する
8	**後片づけをする** 1）注入バッグ・ボトル，栄養チューブを洗浄する ・栄養剤や薬剤の残渣がないか ・用具の材質の変化や損傷はないか 2）洗浄したものを乾燥させる	●注入用具，栄養剤の後片づけについて指導する ・注入用具は医療器具ではなく食器として取り扱う ・栄養剤は細菌が繁殖しやすいので保管方法の指示を守る ・毎日の使用によって用具の材質が劣化・損傷しやすいため，適切に洗浄し交換の時期を守る

C 瘻孔造設部分のスキンケア

●目　　的：胃瘻チューブを利用して経腸栄養法を実施している療養者において，瘻孔に起因したスキントラブルを予防し，発生時には適切に対処できる

●必要物品：ガーゼ，石けん，タオル，シャワー・入浴・清拭に必要な物品

	方法と観察の視点	療養者・家族支援と根拠
1	**瘻孔部周辺の皮膚の状態をアセスメントする** ・びらん，発赤など皮膚に損傷はないか ・発赤，腫脹，熱感など感染の徴候はないか ・肉芽の形成はないか	●正常な皮膚の状態と，損傷，感染，肉芽形成がどのような状態かを説明し，異常の早期発見・対応ができるよう指導する
2	**日常的なスキンケアを行う：注入時のケア** 1）キャップや体外チューブの接触部の皮膚を観察する（➡❶） ・圧迫刺激の影響がないか 2）瘻孔周囲の滲出液や汚れの状態を観察する ・感染徴候がないか確認する	❶同一部位に圧迫刺激が加わると血流障害が起こるため，栄養剤注入ごとに接触部位をずらすよう指導する ●感染がなければ消毒薬は用いないよう伝える
3	**日常的なスキンケアを行う：シャワー・入浴・清拭時のケア** 1）シャワー・入浴時に，瘻孔部にびらん，発赤，出血などの異変がなければそのまま入浴する。皮膚の異変があった場合は，ビニールやフィルム材で瘻孔部を覆い入浴する 2）瘻孔周囲の皮膚は石けんを用いて温湯で洗い流す 3）洗浄後は乾いたタオルで水分を拭き取り，皮膚を乾燥させる	
4	**スキントラブルへの対処を行う：瘻孔周囲炎** 1）キャップや体外チューブの位置を変え，炎症に対する医師の指示による処置（消炎薬塗布など）を行う 2）栄養剤の漏れが多い場合は，注入時の体位や栄養剤の粘稠度を変更し，医師に相談のうえチューブの太さを変更する ・血流障害，栄養剤の漏れによる皮膚損傷の程度を確認する	
5	**スキントラブルへの対処を行う：瘻孔周囲の感染** 1）感染の程度により必要に応じて医師の指示に従い栄養剤の注入を中止する 2）局所症状に対しては，生理食塩水で洗浄後，医師の指示による消毒，抗菌薬含有軟膏を塗布する 3）感染の状況に応じて，医師の指示により抗菌薬を全身投与する ・皮膚の発赤，腫脹，疼痛，熱感，滲出液の状況など局所症状を確認する ・発熱など全身症状を確認する	●疼痛や出血を起こさないように，スキンケア時に強くこすらないよう指導する
6	**スキントラブルへの対処を行う：瘻孔周囲の肉芽形成** 1）肉芽の状況，注入時などへの影響を医師に伝える 2）肉芽の状況に応じて，医師の指示により切除処置を行う ・肉芽形成に至る慢性的な物理的刺激などの原因がないか確認する ・肉芽からの出血や疼痛を確認する	

文　献

1）嶋尾仁編著：胃瘻造設（PEG）患者のケア・マニュアル－合併症を防ぐためのケアの基本的な知識，改訂版，医学芸術社，2002.
2）田中雅夫・清水周次：最新PEG（胃瘻）ケア－基本的知識と看護の実際，照林社，2002.
3）馬場忠雄監，小山茂樹編著：経皮内視鏡的胃瘻造設術PEG－PEGによるメディカルケア・ヘルスケア・ライフケアを目指して，日総研出版，2001.
4）日本静脈経腸栄養学会編：静脈経腸栄養ガイドライン第3版，照林社，2015.
5）角田直枝編著：よくわかる在宅看護，学研メディカル秀潤社，2012.
6）足立香代子・小山広人編：NSTで使える栄養アセスメント＆ケア，学研メディカル秀潤社，2007.
7）西口幸雄・矢吹浩子編：胃瘻ケアと栄養剤投与法，照林社，2009.

7 腹膜透析

- 在宅における腹膜透析の概要を理解する。
- 在宅における腹膜透析管理の特徴と問題を理解する。
- 在宅における腹膜透析の実際として，バッグ交換およびカテーテル出口部のケアのポイントを理解する。
- 在宅における腹膜透析に必要な看護のポイントを理解する
- 腹膜透析療養者を支える社会資源を知り，活用できる。

1 在宅における腹膜透析の特徴

腹膜透析（peritoneal dialysis：PD）は，末期腎不全に対する腎代替療法の一つで，在宅で行う最も代表的な透析方法である。腹腔内に透析液を貯留し，腹膜を使用し24時間連続して透析を行う。腹腔内の透析液を１日に数回出し入れを行う連続携行式腹膜透析法（continuous ambulatory peritoneal dialysis：CAPD）と，就寝時間を利用して透析液の交換を自動的に行う自動腹膜透析（automated peritoneal dialysis：APD）がある。

日本透析医学会の統計調査（全国4,458施設を対象）によると，2018年末の慢性透析療法患者は，339,841人で，在宅でPDを行っている患者は8,953人（2.9％）と全体に占める割合はきわめて少ない。しかし，CAPDは，血液透析のように通院する必要がなく，１日４～５回のバッグ交換を行えば，ほぼ通常の日常生活を送ることが可能であり，職場や学校など社会復帰が可能でライフスタイルが保ちやすいことが特徴である。さらにAPDは，就寝時間を活用するため，日中の生活スタイルの変更がきわめて少なく療養者のQOLを維持することが期待できる。

PDの透析液交換，カテーテル出口部のケアを始めとした清潔操作などを日々実施するのは，療養者本人および家族である。血液透析（HD）と比較すれば日常生活において制約が少ないとはいえ，１日３～５回の透析液の交換は必ず行わなければならない。PDをしながら社会生活をスムーズに行うためには，職場や学校などの自宅以外でも，透析液が保管，透析液交換ができる清潔な場所の確保が必要となる。看護師は一人ひとり異なる療養者の生活動作を具体的に理解し，問題点および解決策を療養者および家族と考えていく必要がある。

また，PDは腹膜炎やトンネル出口部からの感染のリスクがあり，清潔操作が必要となる。腹膜炎を繰り返すと，腹膜の劣化によりPDの適応外となる。看護師は療養者および家族が清潔に透析液の交換ができるように，清潔操作について療養者の生活環境に応じた方法を指導・教育していくことが重要である。PDとHDの比較を表7-1に示す。看護師は，両者の

表7-1 HDとPDの比較

	HD	PD
場所	医療施設	自宅，学校，会社など
所要時間	4～5時間/回	24時間連続
拘束時間	通院時間＋4～5時間	透析液の交換時 CAPD:約30分/回　×3～5回/日 APD：7～8時間（就寝時間）
施行者	医療施設のスタッフ	療養者本人および家族
通院回数	2～3回/週	1～2回/月（定期外来受診のみ）
透析に必要な準備	シャント造設（入院）	腹腔内にカテーテルの植え込み（入院）
透析中の自覚症状	穿刺時の疼痛，血圧変動，気分不良，嘔気・嘔吐，頭痛など	腹部膨満感
合併症	不均衡症候群（※1）	腹膜炎 長期実施時，被囊性腹膜硬化症（EPS）のおそれ（※2）
社会復帰	可能であるが，制限あり	可能。HDに比べ学業，就業への影響は少ない
透析中の活動	制限される	バッグ交換以外は，制限なし
感染防止対策	必要 穿刺部位の汚染に注意する	特に必要 無菌操作の不徹底による腹膜炎のおそれがある
入浴の可否	入浴可 透析直後は，穿刺部の保護が必要	入浴可 カテーテル挿入部の保護が必要
運動制限	可能。 シャント部に負荷をかけない運動	腹圧がかかる運動やカテーテルの保護が必要な運動（水泳等）は避ける
食事制限	塩分，蛋白，カリウム，水分の制限が必要	塩分，水分，蛋白の制限は必要であるが，HDに比べ緩やかである
旅行などの活動	長期の場合，旅行先での透析施設の確保が必要	可能。透析液などの準備や緊急時に対応可能な施設の確保が必要
自己管理	シャント管理	カテーテルの管理 使用物品の在庫の管理
費用負担	医療保険＋高額療養費制度＋自立支援医療（更正医療）により，自己負担はほとんど発生しない ※自治体により，心身障害者医療助成制度による助成がある場合もある	医療保険＋高額療養費制度＋自立支援医療（更正医療） カテーテルの保護に必要な物品や滅菌物品などの自己負担が発生する場合がある

※1　不均衡症候群：透析によって血液から水，電解質，尿毒素などが除去されたときに，急激に身体のバランスが崩れること。症状は，頭痛，悪心・嘔吐，痙攣，振戦，脱力感，血圧の下降などがある。
※2　被囊性腹膜硬化症（EPS）：腹膜透析の最終合併症といわれ，腹膜透析の長期継続で腹膜劣化により変性した腸管壁が癒着し，表面が白色のフィブリン成分からなる被膜で覆われ，腸閉塞を起こすものである。

特徴を理解し，利点を最大限に活かせるように援助する必要がある。

1）PDの原理

PDは，腹腔にカテーテルを留置し（図7-1），そのカテーテルを介して透析液を注入し，腹膜を使って透析を行う。一定量の透析液を腹腔内に保留し，腹膜の半透膜の性質を利用して，体内の老廃物や余分な水分を浸透圧により濾過，拡散し，除去する。

透析液を1回に1.5～2.0L，これを1日4回～5回繰り返すCAPDと，同じ原理で就寝中など比較的長時間にわたり自動装置で透析液の交換を行うAPDがある。CAPDとAPDについてもそれぞれの特徴や適応を知り，療養者へ導入の検討をすることが重要である（表7-2）。

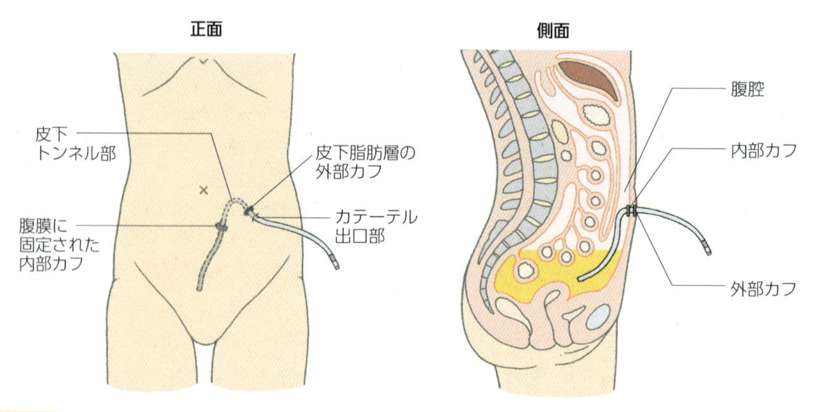

図7-1　カテーテル留置(イメージ)

表7-2　APDとCAPDの特徴

	APD	CAPD
場所	自宅（就寝中）	自宅，学校，会社など
所要時間	7～8時間	24時間連続
拘束時間	準備などに10～20分	透析液の交換時 約30分/回　×3～5回/日
施行者	療養者本人および家族	
通院回数	1～2回/月（定期外来受診のみ）	
透析に必要な準備	腹腔内にカテーテル留置（入院が必要）	
透析中の自覚症状	就寝中であるため，症状の自覚はほとんどない	腹部膨満感
合併症	腹膜炎 長期実施時，被嚢性腹膜硬化症(EPS)のおそれ バッグ交換の頻度はCAPDより低いため，発生頻度も低くなる	腹膜炎 長期実施時，被嚢性腹膜硬化症(EPS)のおそれ
社会復帰	可能。CAPDに比べ制限が少ない	可能。HDに比べ学業，就業への影響は少ない
透析中の活動	カテーテルの長さを超える移動の制限あり	バッグ交換時以外制限なし
感染防止対策	必要 無菌操作の不徹底による腹膜炎のおそれがある	
入浴の可否	入浴可。カテーテル挿入部の保護が必要	
運動制限	腹圧がかかる運動やカテーテルの保護が必要な運動（水泳など）は避ける	
食事制限	塩分，水分，タンパクの制限は必要であるが，HDに比べ緩やかである	
旅行などの活動	可能。透析液，自動腹膜灌流装置などの準備や緊急時に対応可能な施設の確保が必要	可能。透析液などの準備や緊急時に対応可能な施設の確保が必要
自己管理	PDカテーテルの管理，使用物品，装置の管理	
社会保障	1）医療保障 ①長期高額疾病（特定疾病にかかる特例） 健康保険を利用している場合は，「特定疾病療養受療証」を取得することにより1月の医療費自己負担額が1～2万円となる。 ②自立支援医療 身体障害者手帳を取得して申請する。医療費の自己負担額の一部が給付される。 ③障害者医療費助成制度 身体障害者手帳を取得することで，自治体の助成制度を受けることができる 2）障害年金 加入している年金制度からの年金受給前に一定の障害状態になった際，受給することができる制度。 3）障害者自立支援法・身体障害者福祉法によるサービス ①身体障害者手帳 身体の障害の程度により等級がある。PD患者は，CAPDバッグ加温器を「日常生活用具」で受給可能。 4）介護保険制度 要介護状態と認定された場合，介護保険を利用することができる。	

2）PDの適応

・腹膜透析が可能で良い透析効率が得られる場合。
・腎不全の合併症（臓器障害）の程度が少ない場合。
・日常生活においてPDのメリットが最大限に活かせる場合。
・積極的に社会復帰を希望する場合。
・療養者本人の強い希望がある場合。
・療養者および家族に十分な自己管理力がある場合（手技，食事療法，衛生観念，および理解力がある）。
・手指の重度の機能障害や重度の視力障害がなく，バッグ交換に支障がない場合など。

3）PDの禁忌

・腹膜機能が十分ではない場合。
・療養者および家族の自己管理能力が十分でない場合。
・腹部の手術などによる腹膜の癒着や腹膜の透析有効面積が少ないなどがある場合。
・横隔膜欠損がある場合。
・易感染状態にある場合。
・ヘルニアがある場合。
・人工肛門造設の場合など。

4）PDのメリットとデメリット

PDのメリット，デメリットを表7-3にまとめた。看護師はCAPDのメリット・デメリット，禁忌などの知識をもち，療養者の心身両面の安全，安楽に十分留意する。

2 PD の実施

1）使用物品

PDにおける使用物品は，滅菌や取り扱いを慎重に行わなければならないものが多い。また，透析液は1回約1～2L日，1日に約3～10L使用するため，数量の管理が必要である。物品の不足を防ぐために日頃から，残数の確認および補充の有無を，療養者・家族および

表7-3 腹膜透析のメリットとデメリット

メリット	デメリット
①体液の恒常性が維持しやすい ②透析後の不快症状がない ③食事制限がゆるやかである ④療養者の生活リズムに合わせて行え，拘束時間が短い ⑤自己管理が可能な場合は，介護者が不要	①腹膜機能が長期間維持できないことがある ②腹膜炎の危険性がある ③出口部・トンネル感染の危険性がある ④腹腔内に常に透析液を保留しておかなければならない ⑤1日複数回（1～5回程度）のバッグ交換が必要 ⑥④⑤などにより心理的なストレスがある ⑦ブドウ糖を吸収することで，肥満，脂質異常症（高脂血症）になりやすい ⑧入浴時，感染に留意する必要がある

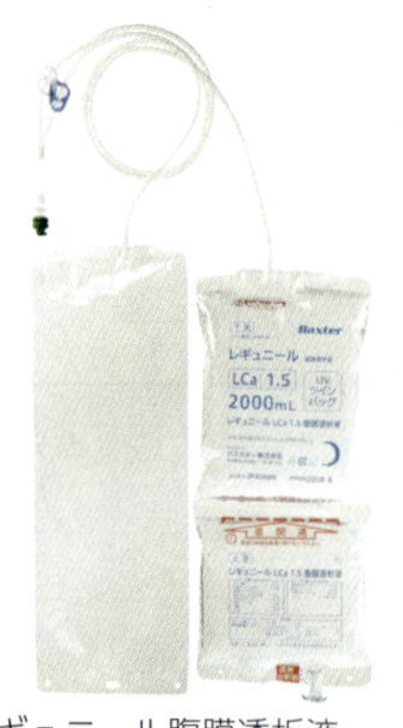

レギュニール腹膜透析液
写真提供：バクスター株式会社
図7-2 腹膜透析液

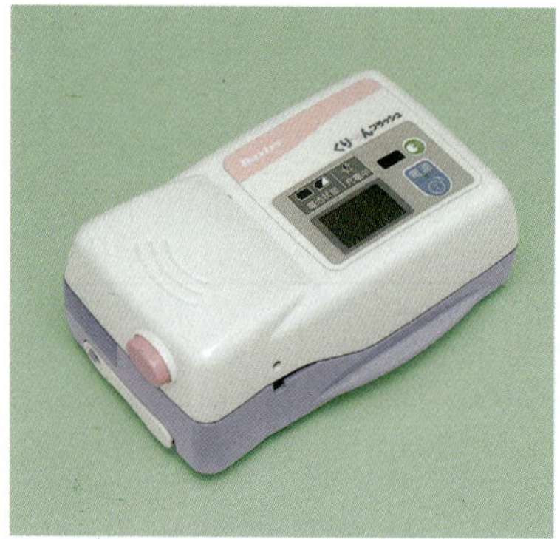

くり〜んフラッシュ
写真提供：バクスター株式会社

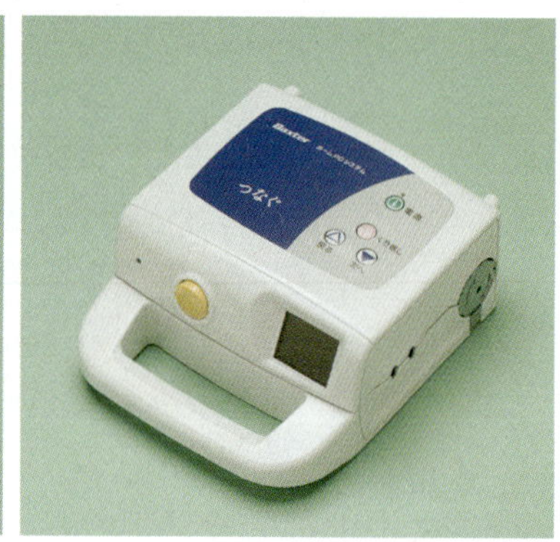

つなぐ
写真提供：バクスター株式会社
図7-3 腹膜灌流用紫外線照射器

看護師が確認し，必要時には助言や指導を行う。また，透析液交換時のPDカテーテルと透析液バッグ（図7-2）の接続と切離しは無菌操作が原則であり，現在では，腹膜灌流用紫外線照射器（図7-3）を用いて自動的に接続することが多い。これら機器のメンテナンスや災害などの緊急時の対応方法などは，日頃から療養者および家族と具体的に話し合い，体制を整えておくことも訪問看護師の重要な役割の一つである。

2）PDの手順と留意点

PDを実施する際の手順と留意点，指導のポイントは4「在宅での看護のポイント」(次頁)に示す。PDは無菌操作で施行することが原則であり，患者とその家族はPDカテーテルの腹腔内留置術後，無菌操作の指導を十分に受けたうえで退院となる。しかし，退院後在宅療養生活が安定してくると療養者や家族に慣れが生じ無菌操作が疎かになる場合がある。無菌操作が十分でないと腹膜炎やトンネル出口部の皮膚トラブルの原因になる。特にCAPDは，1日に数回行うため，療養者および家族が無理なく確実に継続できるように，CAPD手順のどの部分に確実な無菌操作が必要であるか，療養者および家族の理解力や環境を十分に考慮してわかりやすく指導する。

3 合併症

1）感染経路

PDの感染症により腹膜の劣化につながり，PDの継続が困難となる場合がある。そのため感染経路および感染の徴候について看護師自身が理解し，療養者と家族にわかりやすく説明し，予防，および早期発見・早期対応に努める必要がある。感染経路として①透析液の接続部，②接続チューブの先端，③アダプター部分，④出口部，⑤腸管などがあげられる。

2）腹膜炎

・症状：排液の混濁，腹痛，発熱，悪心・嘔吐，下痢，便秘など。
・原因：透析液（バッグ）交換時の無菌操作の不徹底，カテーテル破損，接続部の緩み，

カテーテル出口部，トンネル感染から，腸管からの感染，血行性感染など
・予防：バッグ交換前の手洗い，マスク装着，バッグ交換時の無菌操作の徹底，バッグ交換時の環境（部屋，物品を置く台など）整備。

3）出口部・トンネル感染

・症状：発赤，腫脹，疼痛，滲出液，不良肉芽，出血など。
・原因：出口部の汚染，カテーテルの屈曲・ねじれなど，出口部周囲の皮膚トラブル。
・予防：出口部周囲の観察，カテーテルの確実な固定，カテーテルの屈曲・ねじれ予防，療養者の皮膚状態に応じたテープ，消毒液の使用。

4 在宅での看護のポイント

PDを受ける療養者は，入院中に導入のための十分な指導・教育を受け，実施と管理が療養者自身および家族で実施可能になってから在宅療養生活へ移行する。しかし，十分な知識と技術をもっていても，在宅療養の場で初めて予期しなかった問題に直面することもある。また，ボディイメージの変化が受け入れられず，職場や学校への復帰がスムーズに進まないこともある。看護師は，心身両面にわたる経過観察と対応，また，入院中に習得している知識・技術に関しても必要時は適宜指導を行う。

1）観　察

看護師不在時は，以下の観察事項について，療養者本人および家族が確認できるよう指導する。

・バイタルサイン。
・水分出納。
・排液量，性状（血液混入，浮遊物・混濁の有無と程度）。
・体重の増減。
・頭痛，悪心・嘔吐，脱力感，振戦，けいれんなど。
・浮腫の有無と部位・程度。
・排便状態。
・血液検査データ（電解質バランス，貧血の有無など）。
・表情，顔色。
・療養者・家族の訴え。

2）腹膜透析液バッグ交換時の清潔ケア

・腹膜透析前後の流水・石けんを用いた衛生学的手洗い。
・バッグ交換時の無菌操作の手技の確認と指導。
・室内環境の確認と整理整頓の奨励。

3）カテーテルケア

療養者・家族がバッグ交換時に観察やケアを行い，異変があればすぐに外来または訪問看護師に連絡するよう伝える。カテーテル留置の仕組みや，感染しやすい部位，ケアの内容などを具体的に指導することに加え，療養者・家族が実施しているケア内容の確認と，修正・変更部分の指導を適宜行う。

（1）観　　察

・カテーテル挿入部（出口部）・周囲の皮膚の状態：発赤・腫脹・びらん・液漏れ・排膿・出血・疼痛の有無。
・トンネル部の異常：滲出液の有無，疼痛など。
・カテーテル接続部のゆるみ・損傷などの有無。

カテーテルは皮下をトンネル状に走行しているため，トンネル部を皮膚の上から軽く圧迫して異常がないか観察する。また，出口部は療養者本人からは見えにくい位置にあるため，療養者本人が観察する場合は，手鏡などを用いる。または家族に観察してもらう。

（2）ケアの手順

カテーテルケアは，感染防止のため必ず１日１回以上実施する。観察や処置がしやすい入浴後の実施が望ましい。また，運動後など汗をかいた場合に適宜実施する。

①衛生学的手洗いを行う。
②出口部を消毒する（図7-4）。消毒液を染み込ませた綿棒で，出口部の中心から外側に向かって円を描くように消毒する。一度消毒した部位にはその綿棒で触れない。消毒を２回繰り返し，自然乾燥させる。
③消毒液が乾いたら，清潔なガーゼを当て医療用テープで固定する（図7-5）。この場合，カテーテルが引っ張られても抜けないように，ゆるみをもたせて固定する（図7-6）。医療用テープで固定する位置は，かぶれなどの皮膚トラブルを避けるために，毎回少しずつずらして固定する。

入浴後にケアする場合は，入浴時に石けんをよく泡立てて出口部を洗浄し，石けん分を十分に洗い流す。乾かした後で消毒する。

4）記　　録

毎日の観察やケア時の状況を記録する（図7-7）。その際，療養者や家族の負担が増えな

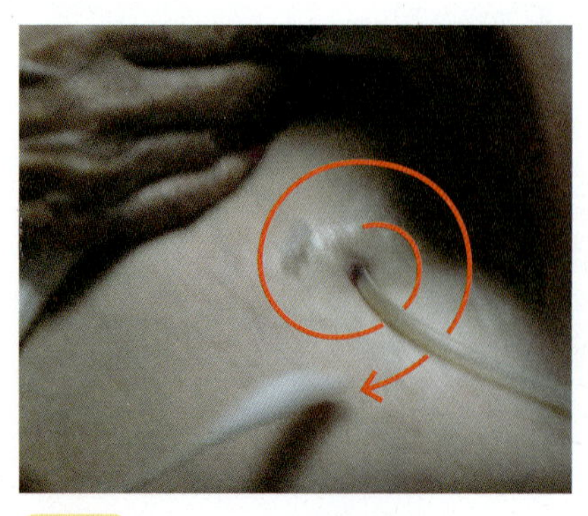

図7-4 カテーテル出口部の消毒

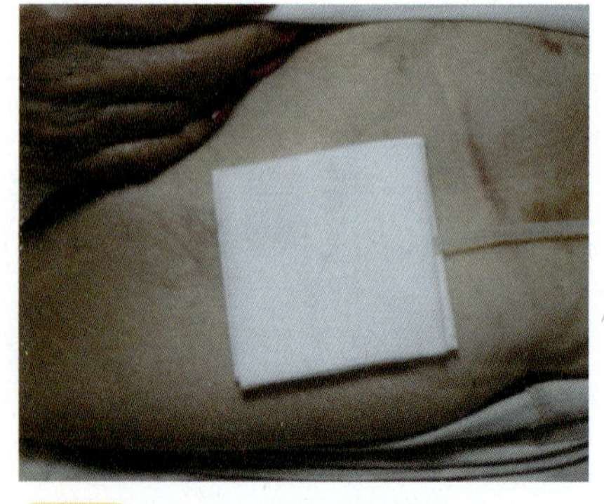

図7-5 カテーテル出口部に清潔なガーゼを当てる

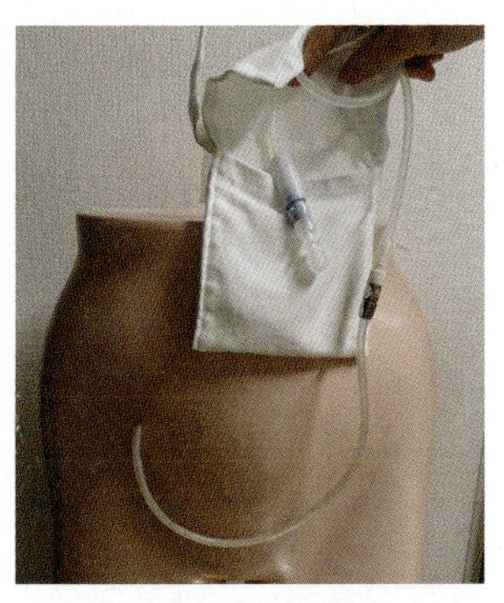

図7-6 カテーテル固定の一例（この上から腹帯などを巻く）

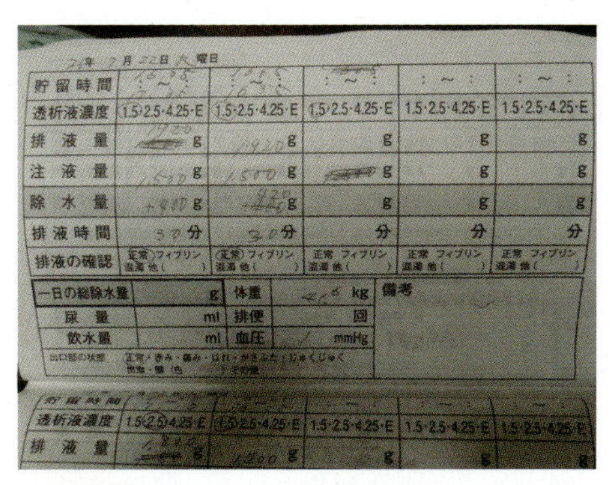

貯留時間	～	～	～	～	～
透析液濃度	1.5·2.5·4.25·E	1.5·2.5·4.25·E	1.5·2.5·4.25·E	1.5·2.5·4.25·E	1.5·2.5·4.25·E
排液量	g	g	g	g	g
注液量	g	g	g	g	g
除水量	g	g	g	g	g
排液時間	分	分	分	分	分
排液の確認	正常 フィブリン 混濁 他（ ）	正常 フィブリン 混濁 他（ ）	正常 フィブリン 混濁 他（ ）	正常 フィブリン 混濁 他（ ）	正常 フィブリン 混濁 他（ ）

一日の総除水量	g	体重	kg	備考
尿量	ml	排便	回	
飲水量	ml	血圧	/ mmHg	
出口部の状態				

図7-7 管理ノート

図7-8 排液の重量を測る

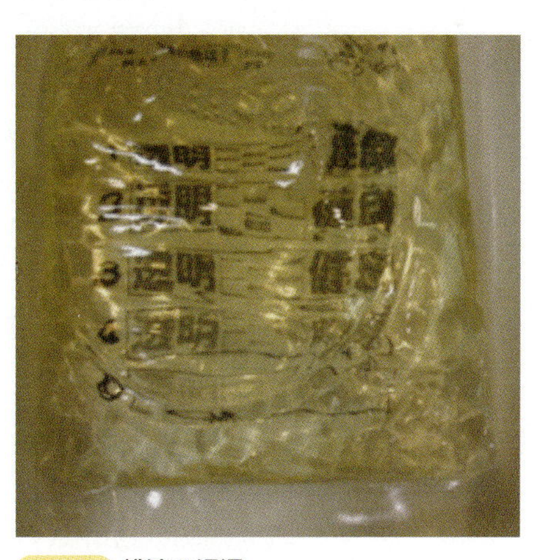

図7-9 排液の混濁

「透明」と書かれたチェック表の上にのせると混濁の度合いがわかる

いよう記録する内容を吟味し，継続できるように働きかける。また，習慣化するまで根気強く必要性の説明や記録内容の検討を行う。経過観察の記録が必要な項目は，以下のとおりである。

（1）バイタルサイン

毎日決まった時間，条件下で測定する。

（2）1日の水分出納

飲水量，尿量，除水量（排液量），排液開始・終了時間，排液の性状，排便の有無などを毎日決まった時間に記録する（図7-7）。

排液量（図7-8）も測り，性状とともに記録する。排液は透明が通常だが，混濁や血性の性状の場合は，腹膜炎の徴候となり早期対応が必要である。性状に異変がある場合は速やかに外来または訪問看護師に連絡するよう説明する。排液の性状の表現は療養者や家族と共有できるシート（図7-9）などを用いて異変時の連絡のタイミングについて説明するとよい。

（3）カテーテル出口部の皮膚状態

発赤や熱感，腫脹，滲出液，透析液の漏れなどの有無を観察し，感染の徴候がみられた場合はすぐに連絡するよう説明する。

5）日常生活上の指導

（1）入　浴

カテーテル出口部をぬらさないようフィルム材などでカテーテルと接続チューブをカバーするクローズド入浴法と，カバーなしのオープン入浴法がある。オープン入浴の場合は，出口部を泡立てた石けんできれいに洗浄し，石けん分を残さないよう十分に洗い流し，その後カテーテルケア（前述）を行う。入浴方法の決定は，医師と相談して決定する。

（2）食　事

腹膜透析は血液透析に比べ食事制限が比較的ゆるやかであるが，長期にわたり治療を継続するには，食事管理が必要である。腹膜透析の食事管理の特徴は，排液内のタンパク質喪失，腹膜からのブドウ糖吸収があるため，タンパク質およびブドウ糖の適正な摂取が必要であり，医師および栄養士に相談する。総カロリー，塩分，タンパク質摂取の目安は以下のとおりである。

・総カロリー：標準体重（kg）×29～34（kcal）
・塩分：除水量（L）×7.5（g）[＋残存腎尿量100mLにつき0.5 g]
・タンパク質：標準体重（kg）×1.1～1.3（g）

（3）内服薬

処方された薬剤は用法・用量を守り，確実に内服する。また，必ず腹膜透析中であることを医師および薬剤師に伝える。

（4）運　動

軽い運動は，体力維持やリフレッシュにつながるため，医師に相談のうえ毎日継続することが望ましい。腹圧がかかるもの，腰部をねじる運動は避け，カテーテルが引っ張られないように固定する。また，汗をかいた後は出口部のケアを行う。

（5）旅　行

腹膜透析に必要な物品，透析液，機器があれば国内外問わず旅行は可能である。旅行に行くことを医師に相談し，緊急時に備えて腹膜透析実施可能な医療機関の紹介や，物品をあらかじめ郵送などする。

（6）性生活

腹部に透析液の貯留があるため，カテーテルが引っ張られないよう固定し，出口部の清潔を保ち，腹部を圧迫しない，などに留意し，特に制限する必要はない。

6）緊急時の対応

腹膜透析にトラブルが生じると，透析療法が実施困難となる可能性が高い。緊急時には，速やかに訪問看護師や医師へ連絡し，応急処置を療養者・家族が行わなければならない。緊急事態でパニック状態になり対応が遅れることのないよう，日常的に在宅や職場，学校など社会生活のなかで起こりうる事態を想定した対応策や連絡体制を整え，必要時にはシミュレーションを行い，対応が可能か否かの確認も行う。

（1）カテーテルのトラブル

①感染：カテーテル出口部の発赤，腫脹，疼痛，出血，排膿などが出現した場合は，感染が考えられる。

②カテーテル閉塞：注液が困難，排液量が少ない場合は，カテーテルが閉塞していることが考えられる。また，カテーテルの位置に問題がある場合もある。
③カテーテルの損傷：薬液漏れを起こし，透析が継続できない。
④カテーテル接続部がはずれ，手で触れた：カテーテルが不潔となり感染，腹膜炎発症のおそれがある。

カテーテルの損傷や接続部がはずれた場合は，療養者・家族は，接続部を滅菌ガーゼで覆うなどの応急処置を行い，速やかに訪問看護師または医師へ連絡し，対応法を聞くよう指導する。

（2）合併症に関連する症状の出現

・尿毒症や心不全：頭痛，悪心・嘔吐，気分不良，浮腫などが出現。透析が不十分であるために生じる。透析量の検討が必要となるため，意識混濁がみられた場合は，救急車を申請する。
・腹膜炎：排液の混濁（図7-9），および排液量の減少，腹痛，発熱，悪心・嘔吐などが出現。速やかに訪問看護師，医師に連絡し，症状を伝える。腹痛の程度によっては，緊急対応が必要になるため救急車を要請する。

（3）災 害 時

・停電：自動接続機能付き機器が使用できない，バッテリー内蔵であるため，あわてず対応する。機器メーカーは24時間対応であることを伝え，安心するように説明する。
・地震，水害時の避難により日常用いている機器や薬液のない環境に置かれることがある。機器メーカーや医療機関で対応可能であるので，療養者宅の周辺で透析設備のある医療機関を把握しておく。また，療養者の了解を得て，消防署などに情報提供し，災害時に速やかに対応できるように地域で体制を整える。

7）医療費と社会保障制度

透析治療を受ける療養者には様々な社会保障が整備されている。条件を満たしていれば，申請を行い，活用できる。

（1）特定疾病療養受療証

透析治療を受ける療養者は，「長期高額疾病（特定疾病）にかかる特例」により，高額療養費の自己負担分が1か月当たり10,000円に軽減される。70歳未満で一定額以上の所得者は20,000円の自己負担となる。

（2）身体障害者手帳

腎機能が一定のレベルまで低下し，回復が見込めない場合は，透析治療の有無にかかわらず身体障害者手帳が交付される。障害の状況に応じて活用できるサービスが異なる。

（3）障害年金

腎疾患などにより生じる経済的負担を和らげるため，加入している公的年金制度から受給することができる。

看護技術の実際

A 透析バッグ交換

●目　　的：腹膜透析を実施するために清潔操作でカテーテルを介して腹腔内に貯留している透析液を排液し，その後新しい透析液を注入する

●必要物品：透析液，透析液バッグ，バッグ交換システム，輸液スタンド，マスク，加温器，記録ノート，時計，消毒用アルコール

	方法と観察の視点	療養者・家族支援と根拠
1	**環境を整える** 1）使用する部屋の整理整頓をする 2）使用物品が清潔に扱えるよう，物品を置く台などをアルコールできれいに拭く（➡❷）	●清潔で十分な広さがあり，人やペットの出入りのない部屋で行えるよう環境を整える（➡❶） ・必要物品が多いため清潔で十分な広さのスペースを確保する ・施行中に関連物品以外のものに触れない ・塵やほこりなどがたたないよう整理整頓する ❶施行中に人やペットの出入りがあると，ほこりが立つ，ペットの毛が落ちるなど，無菌操作の妨げになる ❷感染予防のため，清潔操作で行う必要がある
2	**身体状態を観察する** 1）健康状態を自己チェックする 2）バイタルサインを測定し，状態を記録ノートに記載する ・バイタルサイン，気分不良などが記載されているか確認する	●バイタルサインや体調の変化などを正確に記録できるよう指導する
3	**衛生学的手洗いを行い，マスクを装着する** ・衛生学的手洗いができているか	●衛生学的手洗いを指導する ・毎回流水と石けんを使用して手洗いをする ・手洗い後は，ペーパータオルか清潔なタオルでよく拭く ・手洗い時は腕時計や指輪などの装飾品をはずす ・速乾性擦り込み式手指消毒薬を使用してもよい ・マスクはそのつど替える
4	**必要物品を配置する** ・透析液の内容（種類，濃度，容量など），使用期限，透析液の漏れがないか確認する	●透析液の適切な保管方法を指導する ・透析液は，通常1か月分ずつ宅配業者から運搬されるため，1か月分の透析液を保管でき，直射日光が当たらず，湿度の低い場所を自宅内で確保する（図7-10） ●必要物品は療養者により異なるため（自動接続機能付き機器を使用する場合など），療養者に応じた具体的な指導を行う

	方法と観察の視点	療養者・家族支援と根拠
		図7-10 透析液の保管 加温器で１日分を保管
5	**透析液・バッグ交換システムを準備する** 1）排液バッグと排液ラインを広げる 2）注液・排液バッグに付いているクランプを使いやすい位置にずらす 3）透析液バッグの下室を圧迫し，上室と下室の隔壁を開通する（透析液の種類によって上下２室に分かれていないものもある） 4）透析液を適温にし，注液までに時間を要すため保温カバーに入れ，輸液スタンドにかけておく ・接続部などに破損・亀裂がないか確認する	●透析液の準備を指導する ・透析液はあらかじめ加温器で温めておく ・常時２～３パック準備しておき，一番下から使用する ●注液・排液用のクランプは色が違う場合が多いが，注液と排液を間違えないように準備の際から確認するよう習慣づける ●バッグの準備が清潔に確実に行えているか，できている部分とできていない部分，または曖昧な部分を明確にし指導する
6	**透析液をバッグ交換システムに接続する** 1）バッグのルートとカテーテルの接続部のコネクターを持ち，キャップを取る 2）バッグのコネクターを持ったままカテーテル側の接続チューブを持ち，カテーテル先端のミニキャップをはずす 3）ミニキャップを捨て，コネクターと接続チューブを接続する ・透析液と注液ライン，バッグ交換システムと出口部から出ているラインとの接続部に，手・衣服・机が接触していないか ・接続はゆるみがなくしっかりできているか ・確実にクランプが閉じているか	●機器を使用して接続する場合は，取り扱いが確実に行えるよう指導する ●バッグ側の準備が確実に行えるように指導する
7	**排液を行う** 1）排液バッグを輸液スタンドの下方にかける 2）接続チューブのツイストクランプを開け，落差で腹腔内の透析液の排液を行う 3）排液開始・終了時間を記録ノートに記録する 4）接続チューブのツイストクランプを確実に閉める ・ツイストクランプを両手（または介助で）操作できているか ・クランプが確実に閉まっているか	●排液量と性状の観察ポイントを伝え，適切に記録できるよう指導する

	方法と観察の視点	療養者・家族支援と根拠
8	**注液を準備する（プライミング）（➡❸）** 1）保温カバーから透析液を取り出し，輸液スタンドにかける 2）ツイストクランプが閉まっていることを確認したうえで透析液バッグのフランジブルテープを90度に折る 3）さらに反対側に180度曲げてフランジブルシールを完全に折り，切り離す 4）透析液が流れ始めたら，排液クランプを過ぎたことを確認し，排液クランプを閉める ・ツイストクランプ・排液クランプが確実に閉まっているか	❸注液ルートに透析液を満たし，ルート内の空気を抜く（プライミング）することで，腹腔内に空気が入らないようにする ●プライミングは重要な操作であり，清潔に行えるよう確実な手技が必要となるため，繰り返し指導する
9	**注液を行う** 1）ツイストクランプを開け，落差で透析液の注入を行う 2）注液開始・終了時間を記録する 3）注液の終了を確認し，ツイストクランプを閉める 4）注液クランプを閉める ・透析液の上室・下室間の隔壁が開通しているか再度確認する	●注液中の異常やトラブル（透析液の漏れ，腹痛などの症状）を観察できるよう指導する
10	**切り離し，後片づけをする** 1）カテーテルのコネクター部分に新しいキャップを装着する 2）排液，使用済みの物品は居住自治体や医療機関で決められた方法で扱う ・機器を使用して切り離す場合に操作ミスがないか ・接続部分が手・衣服・机などに触れていないか	

文 献

1）角田直枝編：スキルアップのための在宅看護マニュアル<Nursing Mook>，学研メディカル秀潤社，2005，p.134-141.
2）宮崎歌代子・鹿渡登史子編，堀間華世・森貴美・山田尚子著：在宅療養指導とナーシングケア　退院から在宅まで3　在宅自己腹膜灌流・人工膀胱・人工肛門，医歯薬出版，2002，p.1-78.
3）バクスターホームページ．http://www.baxter.co.jp/index.html
4）ハヤシデラホームページ．http://www.hayashidera.com

8 尿道留置カテーテルの管理

学習目標

- 尿道留置カテーテルに関する基礎的知識と適応基準を理解したうえで，在宅療養者に対して適切な援助ができる。
- 在宅での尿道留置カテーテルの管理の特徴と看護師の役割を理解できる。
- 尿道留置カテーテルの管理上生じる問題の予防と対応ができ，また必要な援助ができる。
- 療養者と家族（介護者）の尿道留置カテーテルのセルフケア能力に応じた尿道留置カテーテルの管理，自己導尿の援助ができる。

尿道留置カテーテルの呼称は様々あるが，本項では尿道を経て排尿を促す方法について説明するので，以後，「尿道留置カテーテル」とする。

尿道留置カテーテルの使用は，適応（表8-1）を十分吟味して，可能なかぎり避けることが望ましい。可能ならば清潔間欠導尿（clean intermittent catheterization：CIC）への移行を勧めるが，在宅医療の場では，主に介護的理由によってやむを得ず使用する場合もあり，カテーテル管理者の状態を正確に把握することが重要である。

1 在宅における尿道留置カテーテルの管理の特徴

自然排尿が困難な場合や人工的に膀胱を経由して排尿を促す方法として，侵襲的カテーテル（腎瘻，膀胱瘻，尿道留置カテーテル，導尿）と，非侵襲的カテーテル（コンドーム型カテーテル）の２種類がある。

表8-1 尿道カテーテル留置の主な適応

理由・目的	適　応
排尿障害	・尿閉や多量の残尿を認める場合 ・前立腺肥大症，神経因性膀胱など
全身管理	・周手術期，集中治療室での管理や排尿量を正確に把握したい場合 ・各種手術後，心不全，腎不全など
治療目的	・血尿，泌尿器科手術の術後 ・高度な血尿に対する膀胱洗浄，凝血塊の除去 ・経尿道的前立腺手術，経尿道的膀胱腫瘍切除術後 ・前立腺摘除術では膀胱尿道吻合があるため，術後はしばらく留置する

山辺史人・他：尿道カテーテル留置，URO-LO, 24(4)：36, 2019. より転載

腎瘻，膀胱瘻，尿道留置カテーテル，コンドーム型カテーテルは留置による行動制限を伴う方法である。一方，清潔間欠導尿は療養者・家族自らが，一時的にカテーテルを挿入することにより間欠的に尿を排出する方法であり，カテーテルを常時留置しないため，日常の行動制限が少ない。

尿路感染は最も頻繁に起こる医療関連感染で，その66～86％がカテーテルの留置に関連して発症する尿路感染である[1)]。カテーテル挿入によって様々な感染リスクが生じ，1日に5％ずつ尿路感染の発生リスクが増大し，閉鎖式尿路システムを用いても7日以上カテーテルを留置すれば，25％の患者に尿路感染が生じる[2)]。したがって，長期の留置は避けなければならない。すでにカテーテルが留置されている場合は，療養者・家族との十分なインフォームドコンセントを経て，抜去の可能性を検討する。尿閉がなく，男性であれば，尿道留置カテーテルに代わる方法として，コンドーム型カテーテル（図8-1）を検討する。尿閉がある場合は，間欠導尿，体内留置型の尿道ステントの挿入，尿路変更などについて，泌尿器科専門医への相談を勧める。

カテーテル留置による合併症として，尿路感染症のほかに，尿路結石，膀胱萎縮，膀胱刺激症状，尿道皮膚瘻，尿道損傷，尿道狭窄があげられる。膀胱洗浄は感染防止を目的として行う必要はない[3)-5)]が，沈殿物や浮遊物がカテーテル内腔に沈着し，尿路閉鎖（以下，尿閉）をきたすため，生理食塩水による膀胱洗浄を行う[3)]こともある。膀胱洗浄液に抗菌薬や消毒薬を用いることは，細菌の抗菌薬への耐性化を促すおそれがあるため有害である[4) 5)]。

永久的にカテーテルを介し尿を排出する場合，尿道皮膚瘻や尿道損傷を予防するための方法として，腎瘻，膀胱瘻の造設手術が必要である。そして，これらは，挿入部の清潔を保つことができる点で尿道留置カテーテルより優れている。しかし，療養者や家族が抱く「身体に穴を開ける」ことへの抵抗感も存在する。

膀胱留置カテーテルを長期に使用する場合，16～14Fr，2wayFoley型カテーテルが使用されることが多く，療養者に適した素材（表8-2）が選ばれる。

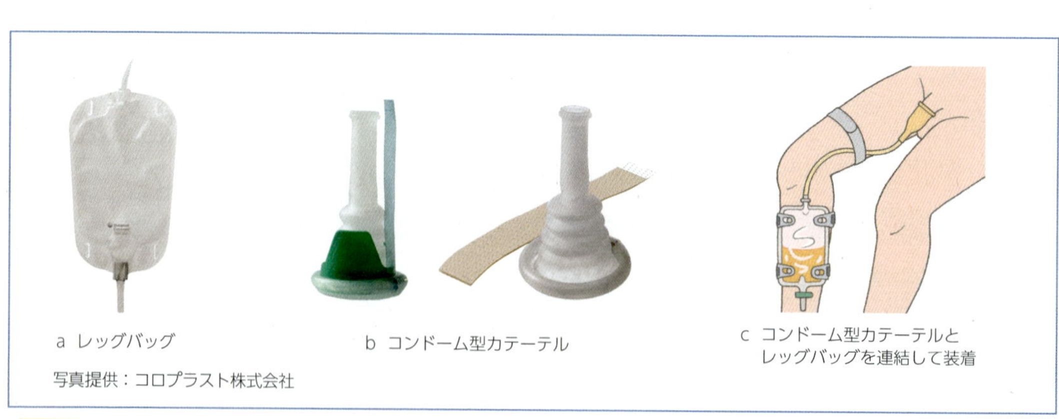

図8-1 コンドーム型カテーテルとレッグバッグ

表8-2 膀胱留置カテーテルの素材別特徴

素材	特徴
オールシリコン	内腔が広い・疎水性・尿成分の付着が少ない
親水性銀コーティング	シリコンより快適な使用感・細菌増殖抑制・高価

仲田浄治郎・他：親水性銀コーティングフォーリーカテーテル(ルブリキャス)の使用経験，泌尿器科紀要，42(6)：433-438，1996. より転載

2 尿道留置カテーテルに起因する問題の予防と対応

尿道留置カテーテルによって尿路感染症，尿路結石，膀胱萎縮，膀胱刺激症状などの合併症のリスクが高い。また，尿漏れやカテーテルの抜去困難などの問題も発生する。以下に主な合併症および問題点をあげ，その予防と対応策を示す。

1）尿路感染症

（1）接続部閉鎖の保持

・尿道留置カテーテル（以下，カテーテル），ドレナージチューブ（以下，チューブ），蓄尿バッグは，閉鎖式導尿回路の使用が望ましい。それぞれが別の包装品の場合は，それぞれの滅菌済み包装を開封後，直ちに接続する[6]。

・カテーテルとチューブの接続部を開放しない。

・採尿時は蓄尿バッグにある採尿ポートを使用し，接続部は開放しない。採尿時は手洗いをして手袋を着用する。採尿ポートを必ず消毒してから尿を採取する。

・閉鎖式尿道カテーテルシステムを用いる場合，接続部を閉鎖しているシールははずさない。

・入浴やシャワー浴の際も接続部ははずさない。

・定時で蓄尿バッグの尿を捨てる。このとき，排尿量と尿の性状（色，混濁，混入物など）を観察し，異常がみられた場合は捨てず，医師・看護師に連絡・相談し感染徴候を早期に発見する。

（2）適切な排尿処理

・水分制限がなければ，1日の尿量を1,500～2,000mL確保できるように，水分を十分に摂る。

・カテーテルとチューブが屈曲したり閉鎖したりしないよう注意し，尿の停滞を防ぐ。

・蓄尿バッグは常に膀胱より低い位置に置く。

・蓄尿バッグがいっぱいになるまで放置せず，余裕をもって排液する。

（3）蓄尿バッグの排液口の清潔操作

・蓄尿バッグから尿を排液する場合は，手洗いをして手袋を着用して取り扱う。

・蓄尿バッグの排液口が尿回収容器などに接触しないようにする。

・排液口が床などの不潔部位に触れないようにする。

（4）尿道留置カテーテルの管理

・カテーテルを挿入したまま，バッグを付けて入浴できる。

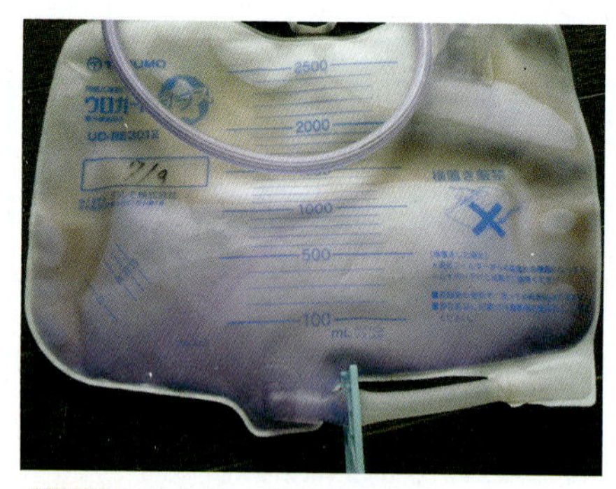

図8-2 紫色採尿バッグ症候群

・カテーテルの長期の固定では，医療用テープを貼る位置を少しずつ変え，皮膚への刺激を最小限にする。医療用テープを用いず，おむつや下着のひも，ゴムに挟むなど応用する。

(5) 尿道留置カテーテルの交換

・カテーテル内腔の閉塞のためドレナージができない場合は，膀胱洗浄を行うよりはカテーテルの交換を勧める。発熱，尿混濁，下腹部の違和感，下腹部痛など尿路感染の徴候がある場合は，速やかにカテーテルを抜去する[7)]。

・カテーテルを膀胱内で固定するバルーンには，必ず滅菌蒸留水を用いる。生理食塩水を用いるとバルーン内腔で食塩が結晶をつくり内腔を閉塞することがある[8)]。

(6) 紫色採尿バッグ症候群(purple urine bag syndrome：PUBS)

長期病臥中で尿道カテーテルを長期留置している患者にみられ，蓄尿バッグが紫色に染まることがある(図8-2)。尿中のインジカンが細菌によって色素(インジゴブルーとインディルビン)に分解され，その色素が採尿バッグを染める。カテーテルの長期留置，慢性便秘，尿路細菌感染が重なるとみられることが多いが，発症機序が不明である。尿が紫色というわけではなく，尿自体は黄色である。尿に含まれる色素が採尿バッグに付着して紫色になると考えられる。

PUBSにおいては，着色現象そのものでなく，その背景になりうる便通のコントロールや，寝たきり，カテーテル長期留置，細菌感染などへの対応が重要とされている[9)10)]。

2) 尿路結石

尿中に溶解している塩類が尿中の細菌によりアルカリ化すると結晶化しやすく，カテーテルの内腔やカテーテルの表面に付着する。この付着した結晶によりカテーテルが閉塞し，膀胱内に落下した結晶から結石が生じる[8)]。血尿や膀胱刺激症状，頻回なカテーテルの閉塞，バルーンの自然破裂などが結石を形成している可能性がある。

予防策としては，水分摂取を促して尿を濃縮せず尿流量を維持する。また，浮遊物の付着しにくいカテーテルを選択[8)]したり，体動を促したりする。また，尿がアルカリ性に傾くと結石を生じるため，尿の酸性化を図るためにクランベリージュースの飲用[8),11)-13)]を勧める。

3）膀胱萎縮

カテーテルの長期留置により膀胱の伸縮機能が低下し，萎縮する。また，カテーテルの膀胱粘膜刺激により慢性炎症的変化を引き起こし，膀胱の排尿筋の伸展性が減退し，膀胱容量が減少する。

予防は，カテーテルの早期抜去のみである[14]。

4）膀胱刺激症状

カテーテルによる膀胱や尿道の粘膜刺激，尿路感染症が原因である。これらの刺激によって，膀胱が無抑制収縮し尿漏れを引き起こす。

予防は，粘膜刺激を少なくするため，適切な太さのカテーテルを選択すること，親水性コーティングのカテーテルやバルーン先端部の短いカテーテルを選択する[14]。2020年より在宅自己導尿が必要な患者に対して，尿路感染リスクの低減効果が期待できる親水性コーティングカテーテルが診療報酬に追加された[15]。

5）カテーテル周囲からの尿漏れ

尿漏れの原因として，カテーテルあるいは導尿チューブの圧迫，屈曲，ねじれによる機械的閉塞，血尿中の血塊によるカテーテル内の閉塞，膀胱排尿筋の不随意収縮，尿道粘膜や周囲組織の萎縮などが考えられる。

予防は，ねじれや屈曲が生じないように排尿ルートを調整する，適切な太さのカテーテルを選択する，固定位置の調整などがあげられる。細いカテーテルを用いると，尿漏れのリスクが高まると考えがちだが，尿道括約筋の機能が正常であれば，尿漏れの心配はないといわれている[16]。

6）カテーテルの抜去困難

カテーテルの抜去が困難となる理由には，尿道内でバルーンを膨らませて留置する，カテーテルの品質に問題がある，バルーンに生理食塩水を入れて結晶ができる，カテーテルをクランプしているなどがある。バルーン内の固定水をシリンジで抜く際，過剰に陰圧をかけたことにより固定水注入管が閉鎖してしまうことがある。

固定水排出ができないことによるカテーテル抜去困難への対応策は，蒸留水を少量追加注入し軽く圧をかけるポンピング動作を繰り返すことがあげられる。それでも固定水が抜けないときには固定水のルートを切断して，排出する（図8-3）。

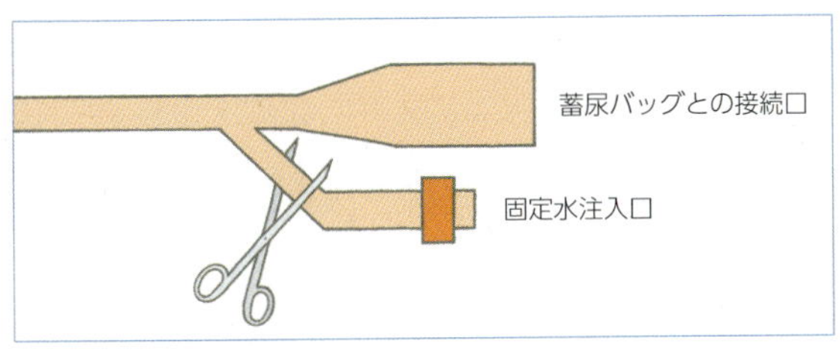

図8-3 固定水側のルートの切断

非侵襲的カテーテルおよび清潔間欠導尿

1）非侵襲的カテーテル

（1）レッグバッグ

レッグバッグ（図8-1a参照）は，ベッドサイドで使用する蓄尿バッグとは違い，大腿部にベルトで固定しバッグに尿が充満したらトイレで尿を排出する。尿道留置カテーテルやコンドーム型カテーテルに接続することが可能である。

（2）コンドーム型カテーテル

コンドーム型カテーテル（図8-1b参照）は，尿漏れ，頻尿，尿失禁などの尿閉以外の排尿障害の男性療養者に対して使用できる外付け導尿カテーテルである。海外では，エクスターナルカテーテル（external catheter）とよばれているが，日本では，コンドーム型カテーテルのほか，外付けカテーテル，尿道カテーテル，導尿カテーテルなどとよばれている（本項ではコンドーム型カテーテルとする）。

コンドーム型カテーテルとレッグバッグを連結して装着する（図8-1c参照）ことにより，前立腺がんの手術後における尿漏れや尿失禁，前立腺肥大，膀胱・腸の手術後の尿失禁，脊髄損傷・頸椎損傷の排尿をサポートでき，カテーテル挿入時の痛みから解放される。また，尿道損傷の心配がない。

2）清潔間欠導尿

清潔間欠導尿とは，神経因性膀胱や前立腺肥大などで排尿がうまくできず，膀胱内にたまった尿を，一定時間ごとに尿道から膀胱内にカテーテルを入れて排出する方法である[14)]。

（1）清潔間欠導尿の利点

・膀胱内の尿を完全に排出できるため，膀胱内の細菌が不活化され，感染の危険性が低くなり，感染防止になる。
・導尿することで膀胱括約筋が完全に弛緩・伸展するため，膀胱機能の回復と腎機能の保全につながる。
・外出するための調整・準備が簡便である。
・行動範囲の拡大，QOLの向上，社会生活における自立の可能性が広がる。

（2）清潔間欠導尿の欠点

・カテーテル挿入に伴うトラブル（痛み，尿道損傷，出血）
・時間的・空間的制約（定時導尿，外出時の導尿場所の確保）
・物品の携帯
・経済的な負担

（3）清潔間欠導尿の留意点

・1回の導尿における尿量が300mL以上であれば導尿の回数を増やし，1回の尿量が300mLより大幅に少ないようであれば導尿の回数を減らす。
・就寝前に導尿するが，夜間尿失禁が多い場合は，夜中にもう一度導尿する。
・1日の飲水量は，1,500～2,000mLを目安にする。

・自己導尿の評価と尿路感染の早期発見のために，導尿記録をつける。
・カテーテルの消毒には約30分必要である。
・自己導尿セットの外筒内の消毒薬は，最低週に1回交換する。消毒薬が混濁し汚染された場合は，交換する。
・自己導尿のカテーテルセットは，1～3か月に1回交換する。
・1回分個別包装の消毒綿を用い，消毒綿の作り置きをしない。

（4）自己導尿上のトラブル対応

・黄色ブドウ球菌が産生する酵素コアグラーゼの血液凝固作用により，血液の凝固塊が形成される。血尿がみられたときは，この作用を低下させるために水分を多く摂り尿量を増やすことが必要である。血尿が続くときには受診し，出血部位の確認および止血処置が必要となる。
・混濁尿や濃縮尿のときは，尿が細菌の温床になりやすいため，水分を多くとり，自己導尿の回数を増やす。混濁が長く続くときは受診する。
・発熱したときは尿路感染を疑い，受診する。
・カテーテルが挿入できなくなったときは，深呼吸をする，ベッドで横になるなどして緊張を和らげてから再挿入する。それでも挿入できないときは受診する。

看護技術の実際

A 清潔間欠導尿（CIC）

●目　　的：長期にわたり排尿障害（尿失禁，尿閉など）を抱えている療養者が，排尿を自己管理し，自立した社会生活を過ごしQOLを高める

●必要物品（図8-4）：自己導尿セット（セルフカテーテル，図8-5），消毒綿，排尿用容器（尿器など），鏡（女性の場合），潤滑剤（グリセリンやワセリン），ビニールシート（汚しやすいとき）

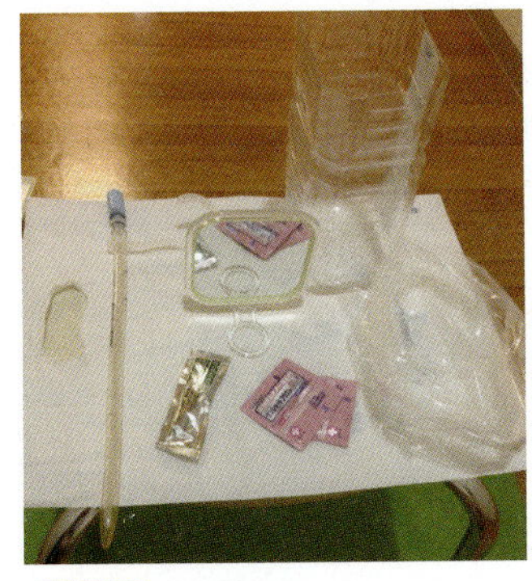

図8-4 必要物品

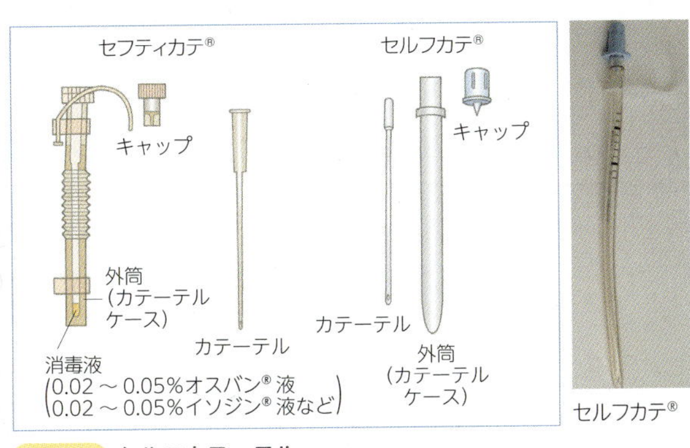

図8-5 セルフカテーテル

1）男　　性

	方法と観察の視点	療養者・家族支援と根拠
1	**必要物品を配置する** ・座った状態で手の届く範囲に置いてあるか確認する	●CICの有効性を説明する（➡❶） ❶尿路感染予防には，膀胱が過伸展しないよう頻回かつ完全に尿を排出し，膀胱内圧を下げることが重要である。導尿の際の清潔操作にこだわるよりも，定時排尿で膀胱内を常に低圧に保つほうが重要である[❶]
2	**自尿を促す** ・自尿の程度を確認する	●無理をしない程度にまず自力で排尿するよう促す
3	**自己導尿実施前の準備をする** 1）洋式トイレまたは椅子に深く腰かけ両足を開く 2）利き手でない手で陰茎を持ち，0.02％クロルヘキシジングルコン酸塩（マスキン®）消毒綿で陰茎亀頭部を拭く（➡❷） ・分泌物や汚れの程度を確認する	●椅子は背もたれがあって安定感があるものを勧める ❷消毒綿で拭くのは，殺菌ではなく，分泌物や汚れをとる意味であり，あまり神経質に考えなくてもよい
4	**自己導尿を実施する：カテーテルの挿入** 1）カテーテルを利き手に持ち，外尿道口から静かに挿入する 2）カテーテルのキャップか末端部を鉛筆を握るようにして持つ 3）口で呼吸しながら15～20cm挿入する ・清潔操作で行っているか ・無理な挿入はしていないか	●必要に応じてカテーテルの先端に潤滑剤を塗布して挿入するとよい
5	**自己導尿を実施する：尿の排出とカテーテルの抜去** 1）尿が出るまでカテーテルを挿入し，キャップをはずし，排尿用容器に排尿する ・カテーテルの排出側末端が流出した尿の中に入っていないか 2）尿が流出しなくなったら，カテーテルをゆっくりと少し抜き，再び尿が流れ出るところで止める ・膀胱が空になっているか 3）完全に排尿したらカテーテルをゆっくり抜く	●排尿用の容器は口が広く，排尿量より容量が大きいものを準備する ●尿が出なくなるまで膀胱部を手で圧迫するよう指導する ●自己導尿の1回量は300mL以下にする
6	**後片づけをする** 使用後のカテーテルは水道水の中でよく洗い，ケース（消毒薬入り）に入れ保管する ・カテーテルの水洗いが確実にできているか	●消毒薬の管理法を指導する ・消毒薬は10％ポビドンヨード液（イソジン®液など）を滅菌済みグリセリンで10倍に希釈したもの（または，塩化ベンザルコニウム液10％を滅菌済みグリセリンで200倍に希釈したもの）を用いる ・消毒薬は1週間に1回交換する[❷❸]

❶Lapides J, Diokno AC, Silber SJ, et al：Clean, intermittent self-catheterization in the treatment of urinary tract disease, The Journal of Urology, 107（3）：458-461, 1972.
❷宮川みどり・柳迫昌美：在宅医療とセルフマネジメント教育　在宅自己導尿，看護技術，49（8）：50-54，2003.
❸ICHG研究会編：在宅ケア感染予防対策マニュアル，改訂版，日本プランニングセンター，2005，p.98.

2）女　性

	方法と観察の視点	療養者・家族支援と根拠
1	**必要物品を配置する**（図8-6） ・座った状態で手の届く範囲に置いてあるか確認する 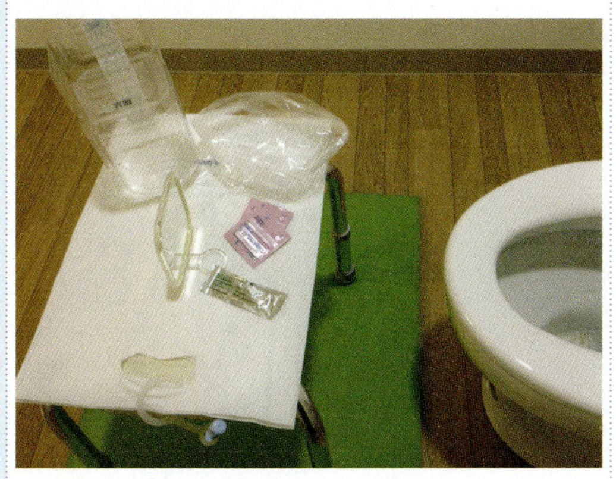 図8-6　**必要物品の配置** 低い台を用意し，必要な用具を実施者が操作しやすいように配置する。尿で汚染するようであれば，ビニールを敷く	・1，2は「Ⓐ清潔間欠導尿（CIC）1）男性」に準じる
2	**自尿を促す** ・自尿の程度を確認する	
3	**自己導尿実施前の準備をする** 1）椅子に浅く腰かけ，両足を開き尿道口が見えるように鏡を置く 2）腟前庭部を0.02％クロルヘキシジングルコン酸塩（マスキン®）消毒綿で拭く（➡❶）	●導尿を行いやすくする工夫を援助する ・尿道口が見えるように十分両足を開き，鏡は尿道口がよく見え，カテーテル操作の障害にならないように置く ・脱衣所や浴室で入浴用の椅子に腰かけてもよい ❶消毒綿で拭くのは，殺菌ではなく，分泌物や汚れをとる意味であり，あまり神経質に考えなくてもよい
4	**自己導尿を実施する：カテーテルの挿入** 1）カテーテルを利き手に持ち，外尿道口から静かに挿入する（図8-7） 2）カテーテルのキャップか末端部を鉛筆を握るようにして持つ 3）口で呼吸しながら4～6cm挿入する 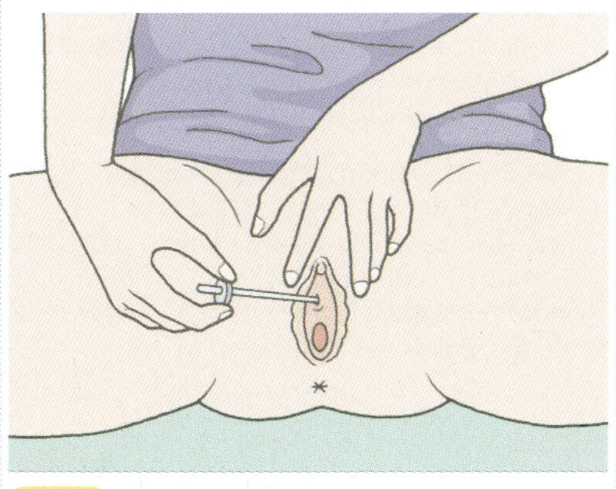 図8-7　**カテーテルの挿入**	

	方法と観察の視点	療養者・家族支援と根拠
5	**自己導尿を実施する：尿の排出とカテーテルの抜去** 1）尿が流れ出すまでカテーテルを挿入し，キャップをはずし，排尿用容器に排尿する 2）尿が流出しなくなったらカテーテルをゆっくりと少し抜き，再び尿が流れ出るところで止める 3）完全に排尿したらカテーテルをゆっくり抜く	●椅子は背もたれがあって安定感があるものを勧める ●尿が出なくなるまで，膀胱部を手で圧迫するよう指導する
6	**後片づけをする** ・使用後のカテーテルは水道水でよく洗い，ケースに入れ保管する	

B 尿道留置カテーテルの管理

●目　　的：留置カテーテルのつまりや汚染などによる合併症を予防する

	方法と観察の視点	療養者・家族支援と根拠
1	**療養者・家族に管理の概要を説明する** 1）起こりうる合併症について説明する ・感染症の原因と症状，対策 ・尿路閉塞の原因と症状，対策 2）自宅での管理体制について説明する ・必要となる処置・観察について ・異常時の連絡について	●感染対策を指導する ・カテーテルに触れるときは，石けんと流水による手洗い後，手袋を装着する ・カテーテル挿入口やチューブ接続部には触れない ・蓄尿バッグは膀胱より低い位置で保持し，上行感染を防ぐ ・蓄尿バッグを床に直接置かない ・陰部の清潔を保つ ・腹部や尿道の違和感および疼痛などの症状が出現した際は，医療機関を受診するよう伝える
2	**日常の観察** 1）尿の観察 ・1,000mL/日以上の排尿か ・混濁，浮遊物はないか ・色は黄色か，血尿ではないか 2）腹部や皮膚の観察 ・下腹部緊満はないか ・カテーテル固定部皮膚の発赤・腫脹はないか 3）尿の排出ルートの観察 ・カテーテルの圧迫・屈曲はないか ・蓄尿バッグは膀胱より下にあるか	●観察項目のチェックリストやガイドラインを作成して，療養者・家族に渡し，使用方法を説明する
3	**日常の陰部清潔ケア（➡❶）** ・温水洗浄便座などを利用して排便時ごとに洗浄する ・入浴およびおむつ交換時に温湯，石けんを用いて洗浄する	❶カテーテル留置中の日常的な陰部ケアは，石けんと微温湯による洗浄のみでよく[1]，外尿道口の消毒や抗菌薬塗布の予防効果は検証されていない[2]
4	**早期抜去を検討する** 1）現状を確認 ・カテーテル留置が必要な病状 ・療養者・家族が認識しているカテーテル留置理由 ・日常の療養者の排泄行動 ・療養者・家族それぞれの立場からみたカテーテル留置の効果 ・カテーテル留置に伴う合併症の有無 ・長期留置の影響に関する療養者・家族の理解 2）排尿状態について，療養者・家族に説明する	●カテーテル留置の理由について慎重に尋ね，誤解があれば，医師との共通理解のもと訂正する ●カテーテル留置による療養者・家族それぞれの利点を理解し，代用方法がないか検討する ●カテーテル抜去後の排泄ケアに関する療養者・家族の意思統一を図る

	方法と観察の視点	療養者・家族支援と根拠
	3）カテーテル挿入で困っていることがないか確認し対処する	

❶Lapides J, et al：Clean intermittent self-catheterization in the treatment of urinary tract disease. *J Urol*, 107(3)：458-461, 1972.
❷CDC：Guideline for Prevention of Catheter-associated Urinary Tract Infections. 1981.

文　献

1）Wong ES：Guideline for prevention of catheter-associated urinary tract infections, *American Journal of Infection Control*, 11（1）：28-36, 1983.
2）Maki DG, Tambyah PA：Engineering out the risk for infection with urinary catheters, *Emerging Infectious Diseases*, 7（2）：342-347, 2001.
3）小林寛伊編：在宅ケアと感染制御，メヂカルフレンド社，2005，p.55.
4）国立大学医学部附属病院感染対策協議会編：病院感染対策ガイドライン，じほう，2004，p.53-55.
5）坂木晴世：尿道留置カテーテル関連感染，Infection Control，16（9）：96-100，2007.
6）ICHG研究会編：在宅ケア感染予防対策マニュアル，改訂版，日本プランニングセンター，2005，p.98.
7）池上美保：カテーテル管理と感染予防②尿道カテーテルに関する感染予防，月刊ナーシング，28（2）：82-87，2008.
8）田中純子：排尿のコンチネンスケア　尿道カテーテル管理の指導，月刊ナーシング，26（10）：86-91，2006.
9）中嶋孝・木内弘道・熊巳一夫・他：紫色採尿バッグ症候群14症例の検討，臨床泌尿器科，61（2）：155-158，2007.
10）津村秀康・佐藤威文・黒坂眞二・他：Purple urine bag syndromeの臨床像に関する検討，泌尿器科紀要，54（3）：185-188，2008.
11）Barbosa-Cesnik C, Brown MB, Buxton M, et al：Cranberry juice fails to prevent recurrent urinary tract infection: results from a randomized placebo-controlled trial, *Clinical Infectious Diseases*, 52（1）：23-30, 2011.
12）Wang CH, Fang CC, Chen NC, et al：Cranberry-containing products for prevention of urinary tract infections in susceptible populations: a systematic review and meta-analysis of randomized controlled trials, *Archives of Internal Medicine*, 172（13）：988-996，2012.
13）Takahashi S, Hamasuna R, Yasuda M, et al：A randomized clinical trial to evaluate the preventive effect of cranberry juice（UR65）for patients with recurrent urinary tract infection, *Journal of Infection and Chemotherapy*, 19（1）：112-117，2013.
14）穴澤貞夫・後藤百万・高尾良彦・他編：排泄リハビリテーション—理論と臨床，中山書店，2009，p.315-317.
15）C163特殊カテーテル加算・令和２年度（2020）診療報酬点数.
16）新谷寧世：カテーテル管理についての疑問・質問（1）主に尿道カテーテルについて，泌尿器ケア，13（3）：25-32，2008.
17）Lapides J, et al：Clean intermittent self-catheterization in the treatment of urinary tract disease. *J Urol*, 107(3)：458-461, 1972.
18）CDC：Guideline for Prevention of Catheter-associated Urinary Tract Infections. 1981.

9 ストーマケア

学習目標

- 在宅におけるストーマケアの援助の特徴がわかる。
- ストーマ造設による身体的変化を理解し，オストメイトの個別性に適した支援が行える。
- オストメイト・家族の生活に応じた排泄調整の方法を援助できる。
- ストーマケアに関する社会資源を活用し，オストメイト・家族への支援体制を調整できる。

1 在宅におけるストーマケアの特徴

ストーマとは，消化管や尿路を人為的に体外に誘導して造設した開放口[1]である。消化管の排泄口を消化器ストーマ（人工肛門），尿路の排泄口を尿路ストーマ（人工膀胱）という。消化器ストーマは，悪性腫瘍や機能不全などにより肛門を切除する場合や，腸管の減圧や縫合不全などの予防などの目的で造設される。また，がんの終末期患者の場合，症状や生活の質（QOL）の改善などの緩和目的で造設させることもある[2]。尿路ストーマは尿路の一部を摘出する「尿路変更術」の結果，造設できる[3]。

ストーマの保有者をオストメイトとよび，結腸ストーマ保有者はコロストメイト，回腸ストーマ保有者はイレオストメイト，尿路ストーマ保有者はウロストメイトとよばれる。

オストメイトは，ストーマを造設することでこれまでの排泄習慣を変更し，新たに造設されたストーマとともに社会生活を営むという生活の再構築に直面する。造設直後にストーマ管理に関する指導が行われるものの，在宅移行後は食生活，生活スタイルの変化から，体格の変化や便の性状にも変化をきたし，管理方法やストーマ袋の再検討も必要になることがある。そのつど，療養者・家族と共に最善の方法を考え，施行することが求められる。

1）療養者・家族のセルフケア確立の支援

在宅療養においてストーマケアは，療養者本人によるセルフケアが基本である。しかし，病状の変化や高齢化によりオストメイトの日常生活動作（ADL）が低下し，セルフケアが困難になった場合，家族は療養者と共に生活の調整や異常事態への対処などに取り組まなければならない。このような状況で初めて訪問看護に相談に来る場合も少なくない。療養者本人だけでなく，家族によるケアの確立を尊重した支援が重要になってくる。

2）排泄経路の変更に伴う心理的影響への支援

ストーマの造設は著しいボディイメージの変化を伴い，また複雑なケア技術を必要とするため，継続的な精神的サポートや教育的支援が重要となる。身体的変化の受け入れのみならず，仕事や学業への悪影響が社会人としての自信を失わせ，不安や焦燥感を募らせることになる。家族にとっても，ストーマを受け入れることや療養者への対応など，複雑な悩みを抱える。看護師は，療養者・家族の気がかりなことや不安を丁寧に聴き取り，共に考え，必要であれば提案することが求められる。

3）ストーマとストーマ周囲の皮膚の管理

排泄物のにおいが漏れることや，装具によるかぶれを防ぐには，ストーマとストーマ周囲の皮膚を適切に管理する必要がある。排泄経路が変更された療養者の生活を再構築するために，皮膚管理は重要な援助技術となる。日本創傷・オストミー・失禁管理学会は，ストーマ周囲の皮膚障害の重症度を評価するアセスメントツール「ABCD-Stoma」® を作成している。このツールを用いることでケアにかかわる医療者が同じ視点で評価できることは好ましい。

4）排泄の管理

消化器ストーマから排泄される便は，ストーマの造設部位によって性状や排便回数に違いがあり，不定期で不随意的に排泄される。

様々な要因で便秘や下痢が起こる場合もあり，装具を装着しているとはいえ，ガスやにおいへの対応，外出時や宿泊を伴う旅行時の対応などは，QOLを維持するうえで重要である。便の性状の調整には，ガスやにおいの発生しにくい食品の摂取などの食習慣の調整，状態と目的に適した排便方法の選択と実施など，生活全般を整え直すよう指導していく。

5）日常生活行動への援助

排泄経路の変更により，場に応じた工夫が必要となる。看護師は，療養者と共に通勤や通学時の対応，入浴や排泄環境の工夫など，日常生活行動に関連して起こる問題の解決を図っていく。

6）社会資源の活用

身体障害者としての手続きや装具の交付など，福祉サービスの活用もストーマケアでは重要である。公的な福祉支援や専門医療の介入が必要な場合もあり，ソーシャルワーカーや医療機器メーカーなど様々な関係者との連携，あるいは患者会などの社会資源を有効に活用する。

2 ストーマの種類と特徴

消化器ストーマは，造設部位と臓器によって分類される。回腸ストーマ（イレオストミー），結腸ストーマ（コロストミー），粘液瘻（小腸皮膚瘻）などがある。回腸ストーマは，回腸に人工肛門を造設し，結腸ストーマは，上行結腸，横行結腸，下行結腸，S状結腸に人工肛門を造設する（図9-1）。また，形状は，ストーマ孔の数によって単孔式（エンドストーマ）と双孔式に分類される。単孔式はほぼ正円を呈し，双孔式は係蹄式（ループ）と離端式（二連銃式，完全分離式）に分けられる。（図9-2）。

消化器ストーマの特徴は，便のにおいがあり，ガスが排泄されること，造設部位や食事の内容・量，体調，環境変化，服用薬剤により便の性状や量が異なることである。

尿路ストーマ（ウロストミー）は，尿が誘導される臓器，腸管利用の有無，禁制（制御性）の有無などによって分類される。尿が誘導される臓器による分類として，回腸導管（腸管利用），尿管皮膚瘻，腎瘻，膀胱瘻がある。造設目的や期間により一時的ストーマと永久的ストーマに分類される。また，カテーテル挿入の有無でも分類でき，尿路ストーマのなかでは，カテーテルを挿入しないタイプのストーマは回腸導管だけである（図9-3）。カテーテルを留置するタイプには，腎瘻と膀胱瘻などがあり，尿管を腹壁に吻合して尿を体外に排泄する方法（尿管皮膚瘻）として，両側尿管皮膚瘻，一側吻合尿管皮膚瘻，同側並列尿管皮膚瘻がある（図9-4）。腸管に尿管を吻合し，腸管の一端を腹壁に吻合してストーマから尿を排泄する方法として，回腸導管と結腸導管がある。

尿路ストーマの特徴は，排泄物（尿）は水様で持続的に流出していることや，カテーテ

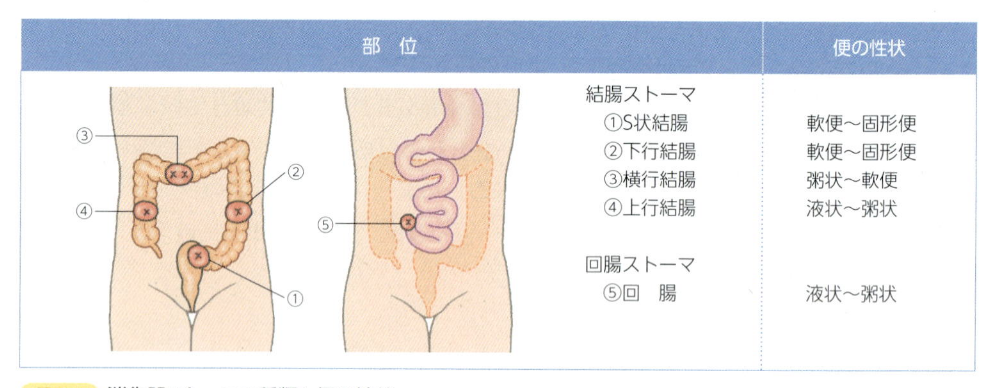

図9-1　消化器ストーマの種類と便の性状

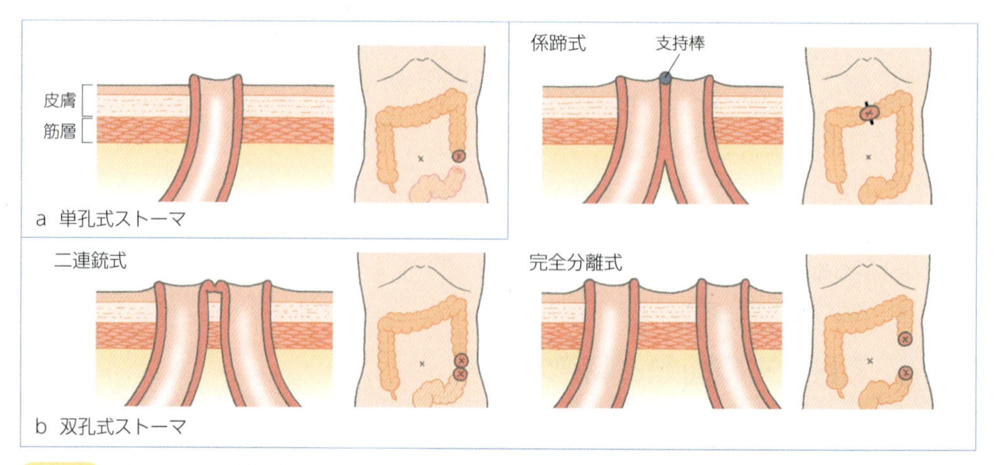

図9-2　ストーマの開口部の数による分類

<table>
<tr><td rowspan="3">消化器ストーマ</td><td>回腸ストーマ
小腸末端部（通常腹部の右側）につくられ，刺激性の強い消化酵素を含み，下痢のような便が排出される。排泄物が皮膚につくとただれを起こしやすい</td><td>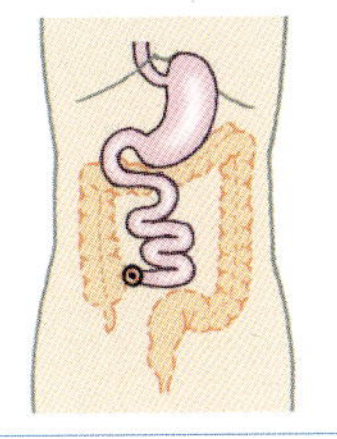</td></tr>
<tr><td>横行結腸ストーマ
腹部の中央につくられることが多く，半流動状～軟らかい便が排泄される</td><td>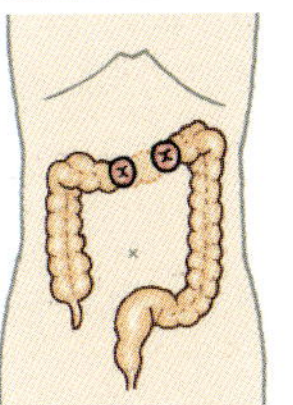 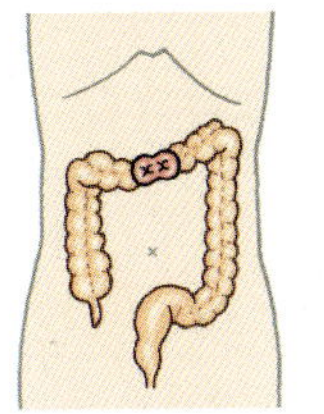</td></tr>
<tr><td>下行結腸，S状結腸ストーマ
腹部の左側につくられることが多く，便臭のある普通便が排泄される</td><td>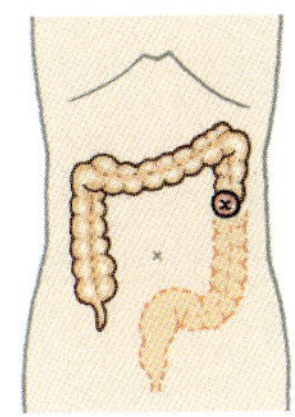 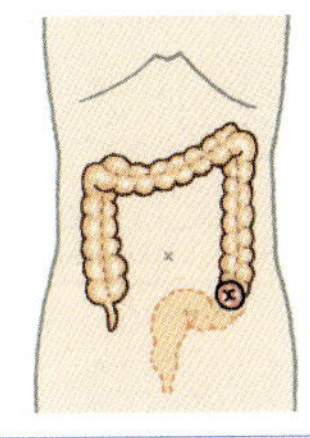</td></tr>
<tr><td rowspan="4">尿路ストーマ</td><td>回腸導管
回腸の一部を導管として利用したストーマ。ストーマから常時排泄される尿には粘液が含まれている</td><td>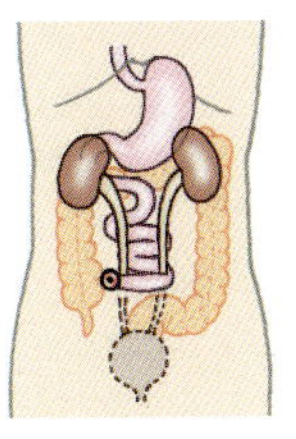</td></tr>
<tr><td>尿管皮膚瘻
尿管を体表面に直接導き，そこから尿が常時排泄される。尿管にカテーテルを挿入する場合もある</td><td>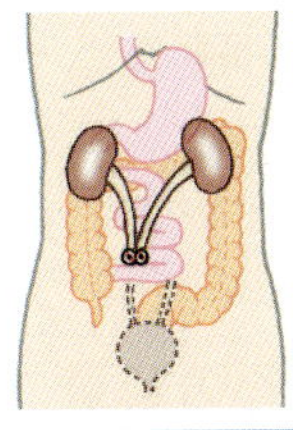 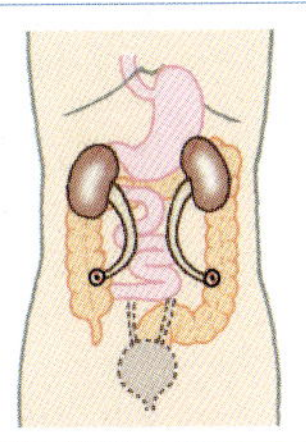</td></tr>
<tr><td>腎　瘻
直接腎盂にカテーテルを挿入し，尿を持続的に体外に排泄する</td><td>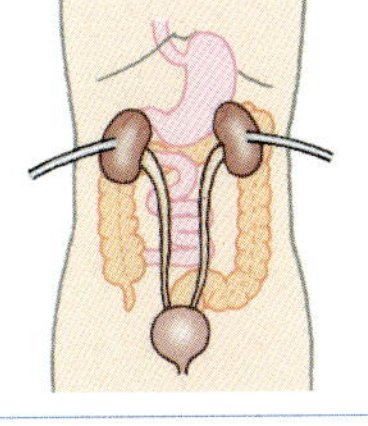</td></tr>
<tr><td>膀胱瘻
膀胱を恥骨上部に開口し，排泄する。ストーマにカテーテルを挿入する場合もある</td><td>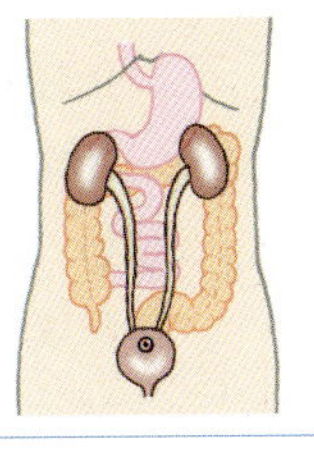</td></tr>
</table>

図9-3 消化器・尿路ストーマの種類と特徴

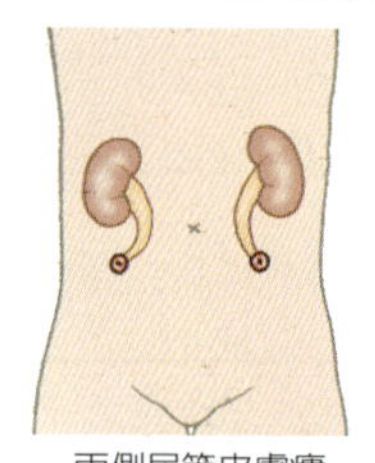

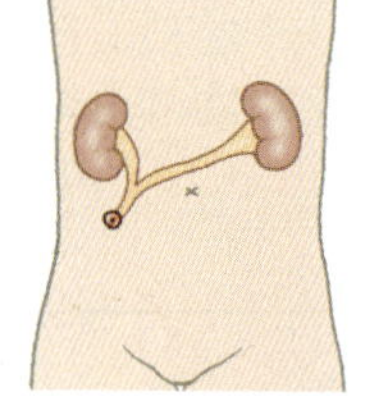
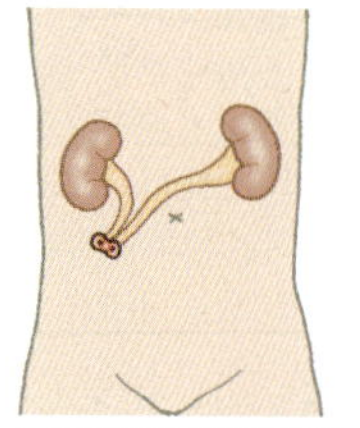

a　尿管皮膚瘻：尿管の断端を皮膚に導き，尿管が直接ストーマとなる

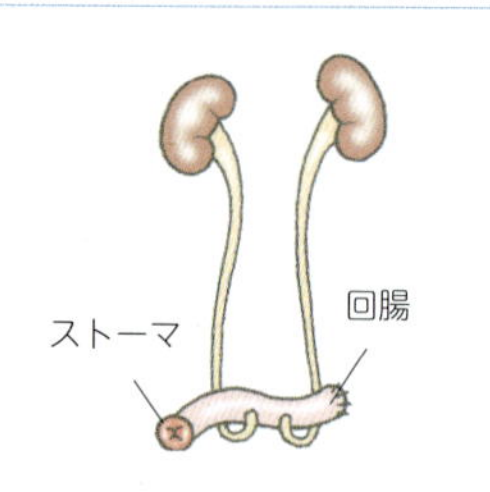

b　回腸導管：切離した回腸に尿管を吻合し，その回腸の肛門端が尿を排出するストーマとなる

図9-4　尿路ストーマの種類

表9-1　排泄物の特徴

	消化器ストーマ		尿路ストーマ
	結腸ストーマ	回腸ストーマ	
排泄物の性状	有形	泥状～水様	水様
排泄物の量	150～200g	1,000～2,500mL	1,500～2,500mL
pH	6.0～7.0	7.0～8.0	5.0～7.0
皮膚保護剤の安定性	安定	溶解しやすい	溶解しやすい
皮膚障害	少ない	可能性あり（びらん，潰瘍）	可能性あり（PEH*，浸軟，発赤，びらん）
その他の問題		脱水，電解質異常	尿路感染，アルカリ尿

*PEH（pseudoepitheliomatous hyperplasia）：偽上皮腫性肥厚

ル管理が必要なこと，飲水量，食事の内容，体調，環境の変化，薬剤服用の有無によって尿量が変化することである。さらに，尿路感染を起こす危険性を常にはらんでいることを念頭に置いて管理を行う。

1）排泄物の特徴

ストーマからの排泄物の性状によって管理方法が異なるため，個別性の高いケアが求められる。ストーマの形態による排泄物の特徴を表9-1に示す。

（1）消化器ストーマ

・結腸ストーマ：ストーマの部位が肛門に近づくほど便は有形となり，水分が少なくケアを行いやすい。逆に，小腸に近いほど水分・便量が多くなり，皮膚障害を起こしやすい。
・回腸ストーマ：便性が水様で多量（1,000～2,500mL/日）である。便はアルカリ性の消化酵素を多く含むので，ストーマ装具の皮膚保護剤が溶解しやすく，皮膚に排泄物が接触すると皮膚障害を起こしやすい。

（2）尿路ストーマ

・腎瘻および膀胱瘻はカテーテル管理が中心になるため，回腸導管と尿管皮膚瘻がストーマケアの対象になる。
・尿の性状は淡黄色透明，pHは5.0～7.0だが，ストーマから出てくるとアルカリ性に傾く。

アンモニア臭があり，1,500 ～ 2,500mL/日の尿の排出がある。
・アルカリ尿は細菌が繁殖しやすく，尿路結石が生じやすいため尿路感染の危険がある。
・尿路ストーマからは常に尿の流出があり，皮膚保護剤が溶解しやすいため，皮膚に尿が接触し皮膚障害を起こしやすい。

（3）排便方法

ストーマによる排便には，装具を装着し自然に排泄物が出てきたところを処理する方法（自然排便法）と，排便時間をコントロールする方法（強制排便法）がある。自然排便法ではセルフケアが重要であり，退院までにセルフケアが十分指導される必要がある。一方，強制排便法には，灌注排便法（洗腸）や，下剤を服用して腸の動きをよくする方法があり，「いつ便が出るかわからない」という不安を軽減する[4)]ことができる利点がある（表9-2）。灌注排便法の適応について，医師による判断がなされることから，医師の指示のもとに実施する。実施に際しては，専用の洗腸用具を使って微温湯を結腸に注入して排便させること[5)]が多い。

2）食事の工夫

医師からの特別な指示がなければ食事制限はない。バランスの良い食事を摂取しつつ，食を楽しめることを基本とする。

（1）消化器ストーマ

下痢になりやすいもの，ガスが発生しやすく，悪臭のもとになる食品を表9-3に示す。小腸ストーマでは，便を詰まらせないため，消化されにくい食物繊維の多い食べ物などを細かく刻むか，よく噛むことを勧める。

（2）尿路ストーマ

尿臭が心配とする声もあり，尿臭を抑える食品などを紹介（表9-3）するパンフレットなども見かけるが，ストーマ袋は防臭となっているので、尿漏れがなければ気にならないこ

表9-2 ストーマによる排便法

	自然排便法	灌注排便法
利　点	・自然の排泄習慣に任せた排泄 ・排便時間や場所にかかわらず対応できる ・本人のセルフケアで実施できる	・排便のコントロールができる：不随意に排便がないため，排便を気にせず生活できる ・経済的負担の軽減：ストーマ装具が不要または簡単な装具で済む ・皮膚障害が軽減する：排泄物が皮膚に付着しない。面板貼用による刺激がない
欠　点	・時間と場所を選ばず排泄されてしまうため，常時排便が気になる ・排泄のたびに中座しなくてはならない ・本人がセルフケアできなくなった場合，介護者の負担が大きい	・１時間程度の時間と占拠する場所の確保が難しい ・手技が複雑 ・洗腸を実施・継続できない状況がある（災害で水が使えない，場所が確保できないなど）
適　応	・消化器系疾患による腸管切除後の排泄口の変更 ・尿路系の疾患による排泄経路の変更 ・先天性疾患，外傷，その他による排泄口の変更が余儀なくされた状態	・医師の許可 ・下行結腸以下にストーマを造設 ・ストーマの位置不良などで皮膚障害が改善しない

表9-3 排泄物の性状に影響を与える食品

食品	食材の具体例
下痢のとき食べるとよいもの (消化吸収のよいもの)	米飯，パン，よく煮たうどん，ささみ，白身の煮魚，くずゆ，ヨーグルト　など
下痢のとき避けたほうがよいもの (便が柔らかくなりやすいもの)	生野菜，香辛料，油分の多い食事　など
便秘のとき食べるとよいもの (植物繊維を含み整腸作用があるもの)	りんご，ヨーグルト，繊維の多い野菜　など
ガスや臭いを抑えるもの	ヨーグルト，パセリ，セロリ，乳酸飲料　など
ガスを発生させやすいもの， 臭いの原因になりやすいもの	【ガスを発生させやすいもの】炭酸飲料，カリフラワー，ねぎ，ラーメン，さつまいも，魚介類，ビールなど 【臭いの原因になりやすいもの】カニ，たまねぎ，えび，にら，チーズ，にんにく，たまご　など
消化の悪いもの	とうもろこし，豆類，海草類，コンニャク，きのこ類，タケノコ，パイナップル
尿臭を強くするもの	たまねぎ，ねぎ，にんにく　など
尿臭を抑えるもの	オレンジジュース，アセロラジュース，グレープフルーツジュース，クランベリージュース，緑茶　など

(参考) 亀田総合病院看護部NCKC委員会；ストーマ造設された患者さまへ（消化管ストーマ用／尿路ストーマ用），医療法人鉄蕉会亀田総合病院発行パンフレット

とも多い。一方感染予防として，十分な水分摂取の他に，クランベリージュースの飲用を勧めることもあるが，禁忌もあるので使用の際は主治医に確認する[6]。

3 ストーマ用装具の種類と使用方法

1）皮膚保護剤（表9-4）

皮膚保護剤は，皮膚への粘着性および皮膚と同じpHの弱酸性の特性を有し，制菌作用（菌の増殖を抑制する作用）と緩衝作用（外部からの衝撃を和らげ，一定の状態に保つ働き）を併せもち，排泄物の刺激から皮膚を保護する。設定された貼付期間より長く使用し続けると，粘着力の低下から排泄物が漏れ，静菌作用や緩衝作用が低下して皮膚障害を起こす。逆に，粘着力が強いうちに剝離すると剝離刺激により皮膚障害を起こす。皮膚保護剤交換のタイミングは，メーカーが製品ごとに明記している貼付の有効日数を目安にして，療養者自身が決定できるよう指導する。

表9-4 皮膚保護剤の種類

種類	性状
板状皮膚保護剤	平板状に裁断された皮膚保護剤 形状としては，シート状，ディスク状，リング状，ロール状のものがある
練状皮膚保護剤	ペースト状の皮膚保護剤
粉状皮膚保護剤	粉末状の皮膚保護剤

(1) 板状（シート状，リング状，ディスク状，ロール状）

ツーピース（二品系）のストーマ袋の面板（図9-5）として使用する。また，切った小片をストーマ周囲の陥没部分に埋めたり重ねたりする。

(2) 練状，粉状

ストーマと装具との間やストーマ周囲の凹凸を埋め皮膚を保護する。

伸ばしたり丸めたりして必要な形にし皮膚を保護する。

2) ストーマ袋

(1) 選択の主な条件

・装着中に漏れたりはがれたりしない（適度な粘着力がある）。
・皮膚障害の発生が少ない。
・違和感がない。
・防臭効果がある。
・快適な生活が送れる。
・着脱が工夫され操作が簡単である。
・使用後にはがしやすい。

(2) ワンピース（単品系）装具とツーピース（二品系）装具の選択

療養者の使いやすさや好み，排便状態や皮膚障害の程度に応じて使い分ける。

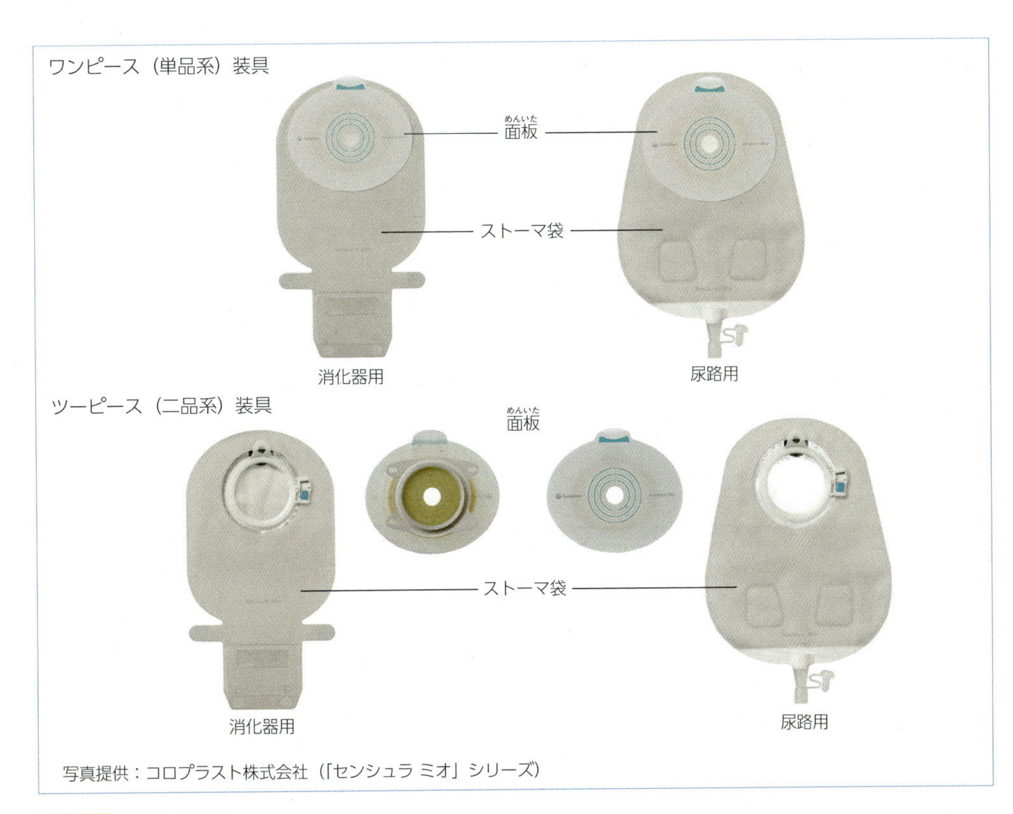

図9-5 装具の種類

面板の孔があらかじめ適度なサイズにカットされているタイプ，閉鎖型の装具（消化器用）など，様々な製品が販売されている

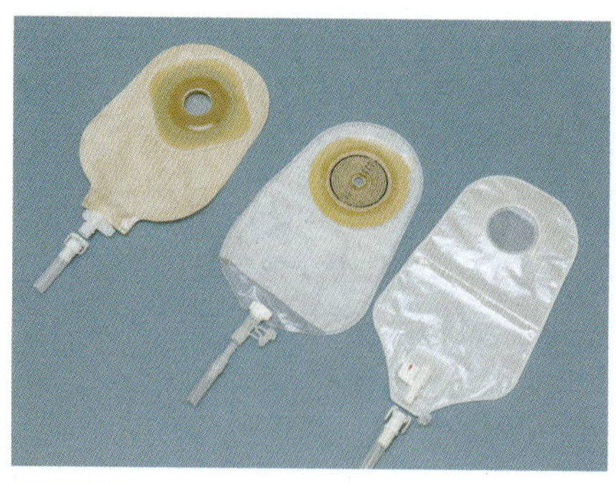 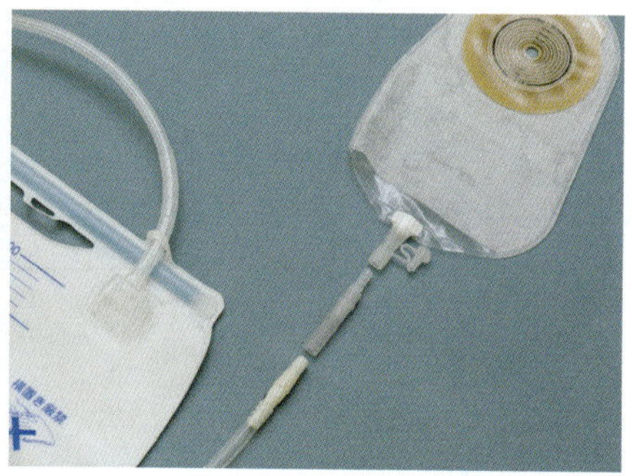

図9-6 尿路ストーマのストーマ袋

表9-5 脱臭剤の形状と使用方法

形　状	使用方法
液状（またはスプレー式）	ストーマ袋に入れて使用する
円形シールやはめ込み式	ストーマ袋に貼用し排ガスを消臭しながら出す
シート式	ストーマ袋の上や周囲に置く

（3）尿路ストーマのストーマ袋

尿の逆流防止機構があり，また尿が誘導できるよう開放口が管状になっている（図9-6）。

（4）付属品

粘着剝離剤や皮膚被膜剤は，皮膚への刺激があるため皮膚障害がある場合には皮膚への刺激が少ないノンアルコール製品を使用するなどの工夫が必要である。

・脱臭剤（表9-5）：社会生活を営むうえで，においへの対策は重要である。ストーマ袋には脱臭付きフィルターが標準装備されているが，排泄物のにおいは摂取している食べ物の種類や体調などによって変わり，個人差も大きいので，本人と家族の希望を最優先して選ぶことが望ましい。

・粘着剝離剤（リムーバー）：皮膚に付いた粘着剤を除去する。使用後，洗剤や温湯で洗い流す。

・皮膚被膜剤：皮膚に被膜をつくり，粘着剤や排泄物の皮膚への接触を防止する。

4 在宅におけるストーマケアへの支援

1）ストーマケアのモニタリング項目

ストーマの導入時は丁寧な観察が行われるが，一度セルフケアが確立すると，療養者本人や介護者からの相談がない限り，問題がないとして確認せずに済ませがちである。しかし，生活の場はストーマケアを中心に回っているわけではなく，療養者と家族の生活の一部としてストーマ管理が存在するのである。長期のセルフケア中には，管理が困難になることも十分に考えられるため，セルフケア確立後も定期的なモニタリングが必須である。

(1) 装具の調達方法

身体障害手帳が交付されると日常生活用具(ストーマ装具)の給付を受けることができる。この給付によって，販売業者からストーマ装具，ストーマ用品などを購入することができる。原則として，障害者自立支援法によって1割の定率負担で購入できるが，収入と負担額の関係や上限額などの運用が自治体により異なる場合があるため，療養者が在住する市区町村の窓口に問い合わせることを勧める。

(2) 装具の保管

災害時の備えとして，2週間分のストーマ装具と交換に必要な物品を防水・防臭効果のあるファスナー付き袋に入れ，持ち出せるように準備しておくことが望ましい。また，市民が，災害時用のストーマ装具の保管を希望する場合に，保管してくれるサービスを行っている自治体がある。保管期間や預け方などは，自治体により異なるので，一度問い合わせることを勧める。

(3) 装具交換場所

装具の交換場所として，介護者が交換する場合は療養者の居室のことが多いが，療養者のADLによっては，トイレで交換することもある。室内，トイレ内ともに，交換後のにおいや汚染には注意を払い，療養者の羞恥心に最大限配慮する。

(4) 排泄物処理の場所

装具をはがす前か，はがした後に必ずストーマ袋内の排泄物をトイレに処理するように指導する。

(5) 使用済み装具の廃棄方法

使用済みストーマ袋を新聞紙などに包み，透明のゴミ袋に入れる際には空気を抜き，ビニールの袋の口をしっかり結ぶことで，臭気漏れを防ぐ。使用済みストーマを入れた透明のゴミ袋は，一般ごみとして廃棄する。

2) 災害時の対策

阪神淡路大震災，東日本大震災の教訓を経て，日本オストミー協会や日本ストーマ用品協会から情報が配信されている[7)]。災害時には灌注排便法の実施が困難になるので，普段から自然排便法に慣れるよう勧め，装具の供給に2週間前後かかることを見越して準備する。

3) 社会資源の活用

(1) 医療費助成

①身体障害者手帳の交付

身体障害者手帳とは，身体障害者福祉法第15条に規定する身体障害者であることを確認し，各種の福祉措置の根拠となる証票である。これにより同法に規定されている更正援護が受けられる。都道府県知事の定める医師の診断書を添えた申請に基づき，障害程度などを認定し，居住地の都道府県知事が発行する。ただし，対象者の居住地が政令指定都市か中核市である場合は，その政令指定都市・中核市が発行する。

身体障害者手帳交付の対象は，永久造設のストーマに限り，造設後すぐに申請することが可能である。障害の等級は主に4級に該当するが，合併する障害の程度により等級が変化する。手帳の交付で装具など福祉用具の給付や更正援護施設の利用など身体障害者福祉法上の各種の支援が受けられるほか，税の減免・交通旅客運賃の割引などが利用できる[8)9)]。

②特定疾患治療研究事業の対象疾患に対する医療費助成

潰瘍性大腸炎やクローン病などの難病と診断された場合，特定疾患治療研究事業の対象疾患として申請手続きをし，認定されると医療費の公費負担制度がある。具体的な手続きは各都道府県および自治体ごとに異なるため，保健所に問い合わせる。

③補装具の交付

給付限度額は居住地域で異なるものの，一部自己負担して残りを地方自治体が負担する(所得制限の関係で給付が受けられない場合もある)。

(2) 税金の免除[10)]

障害者控除，医療費控除，自動車税の減免など，一定の要件を満たす場合に減免を受けられることがある。

(3) 年金の支給

国民年金加入者で，障害の程度や保険料の納付期間など一定の条件を満たしていれば障害基礎年金の支給を受けることができる。厚生年金加入者で障害基礎年金に該当する障害がある場合，障害厚生年金と障害基礎年金を併せて支給を受けることができる。該当しない場合でも，障害厚生年金独自の年金が支給される。

(4) 日常生活援助

①介護職との連携による日常生活援助

2011 (平成23) 年7月5日付の厚生労働省医政局医事課長の周知文書により，専門的な管理の必要がなければストーマ装具交換は違法行為とは見なされないことが明らかになった[11)]。これにより，安定したストーマ保有者の装具交換に関して，介護職との連携という役割が看護師に生じるようになった。

②日常生活用具の給付

2013 (平成25) 年4月1日から，障害者総合支援法が施行され，市町村の事業として給付品目，補助基準額，対象者などが異なるサービスが受けられる。

(5) その他

代表的な患者会に日本オストミー協会などがあり，詳細な情報を配信しているので，参照を勧める。また，ストーマケアやオストメイトの退院後の日常生活上の指導を行うストーマ外来を設置している医療機関もある。

看護技術の実際

A 消化器ストーマ装具の交換

●目　　的：ストーマからの排泄物を除去し，ストーマおよびストーマ周囲の皮膚の観察と皮膚保護

を行い，自己管理の方法を身につける

必要物品：新しい装具，消臭潤滑剤，粘着剥離剤，液状石けん，不織布（ストーマやストーマ周囲を洗うため），お湯をはった洗面器，固定用テープ，ビニール袋（使用済み装具入れ），手袋，ディスポーザブルエプロン

	方法と観察の視点	療養者・家族支援と根拠
1	**環境を整える** 1）室内の温度を調整する 2）必要物品が十分置けるスペースを確保し（➡❶），鏡を設置する（➡❷）	●療養者・家族の許可を得て，ストーマ袋交換に適する場所を検討する ・換気・温度調整が可能な室内を選択する ❶貼付行為がスムーズに行える十分なスペースを確保することで，ストーマを正確に装着することができる ❷ストーマとその周囲皮膚を観察する
2	**必要物品を準備する**（図9-7） ・交換を行う人が実施しやすいように配置する（➡❸） 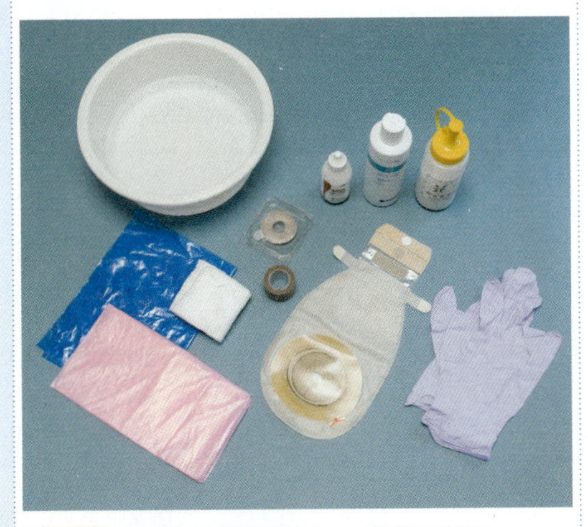 図9-7 必要物品（消化器ストーマ装具の交換）	❸交換中に物品が足りないと心理的負担感が増すので，確実に準備するためにリストをつくるとよい
3	**ストーマの型取りを行う**（図9-8） 1）ストーマゲージなどでストーマの大きさを測る（なければストーマの上に透明の型紙を置きストーマを型取る） 2）型取りの紙を切り抜き，面板にその形を書き写す 3）書き写したストーマの形よりも2mm大きく面板をカットする 4）型取りに沿って面板をカットする	●型取りのポイントを指導する ・面板のカット部分は，ストーマの全周より2～3mm大きくなるようにする ・ストーマの形が安定していれば，型紙を保管しておく ・ストーマ口が安定し，皮膚の状態に変化がなければ，事前に数回分を用意しておいてもよい ・肌に密着させるために，面板のふちに切り込みを入れることもある ・単品系装具を使用している場合，ストーマ袋をカットしないように注意する
	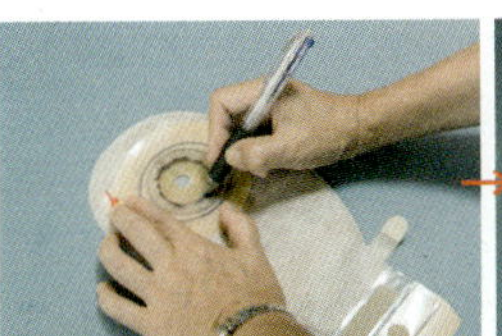 → 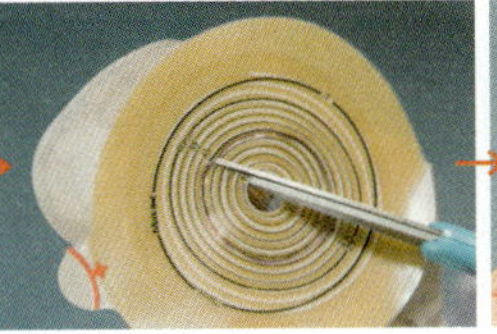 → 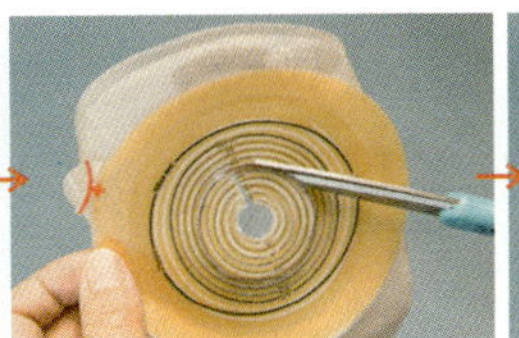 → 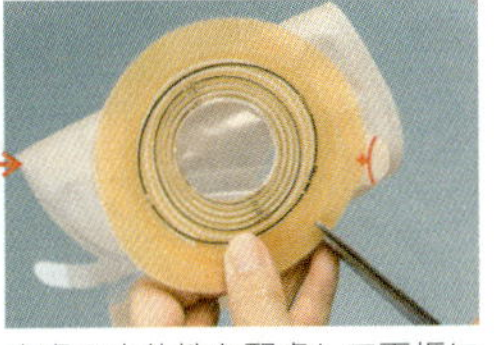 ストーマの型紙を利用して大きさを測って線をつけ，はさみでカットする　皮膚の立体性を配慮して面板に切り込みを入れる 図9-8 ストーマの型取りの手順	
4	**手を洗い，手袋を装着する**	

	方法と観察の視点	療養者・家族支援と根拠
5	**ストーマ袋交換の準備をする** 1）ストーマ袋の先端から排泄物が出ないようにする（図9-9） 2）ストーマ袋に消臭潤滑剤を注入する（図9-10） 3）体位を調整する 4）衣服の着脱を援助する 5）汚物による汚染が広がらないようにビニール袋を貼り付ける（➡❹）（図9-11）	●ストーマ袋の先端は，専用のクランプや，輪ゴム，ダブルクリップなどで止める形式のものと，止めないものがあるので，確認する ●上着が落ちてこないように洗濯ばさみで止めるなど工夫する ❹仰臥位での交換の場合，汚物による汚染が広がらないように敷いておくと安心して交換できる

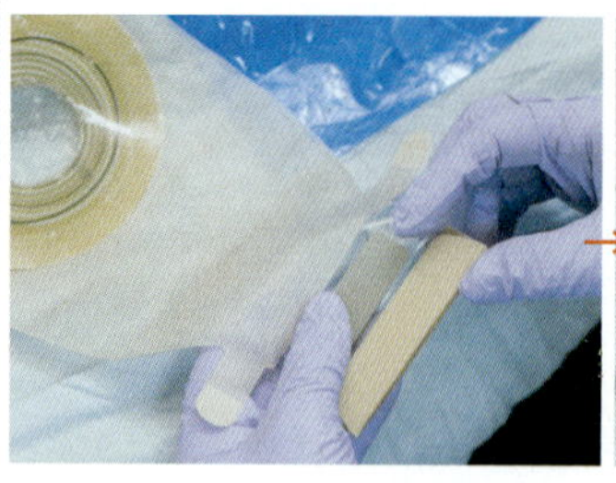
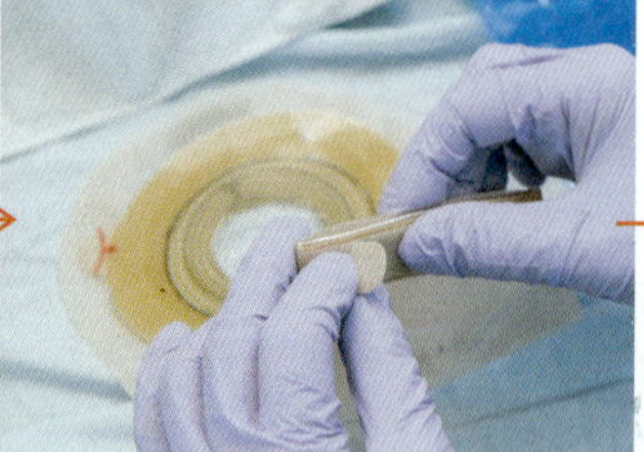
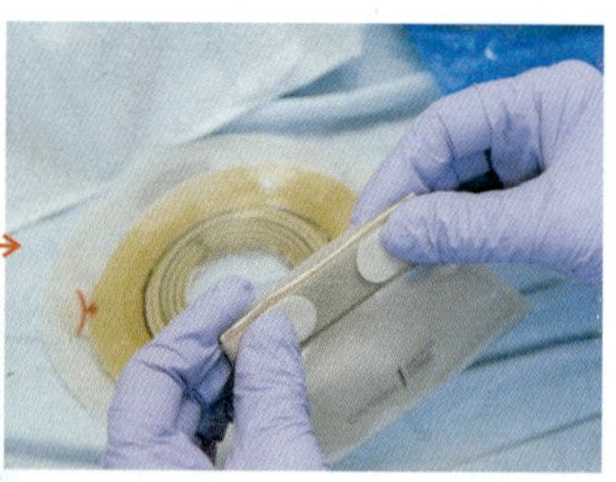

図9-9 **ストーマ袋の先端の処理**

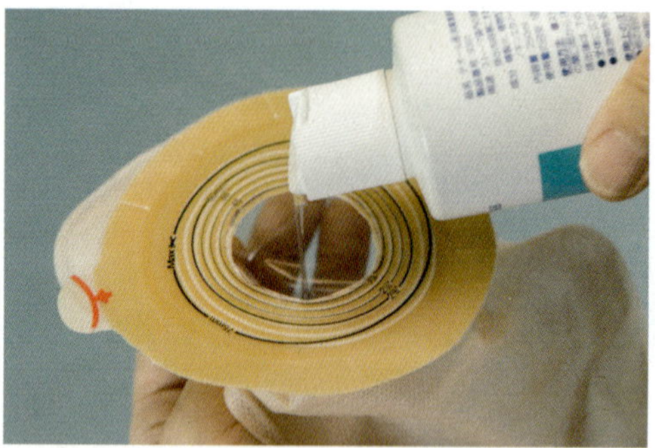

図9-10 **消臭潤滑剤の注入**

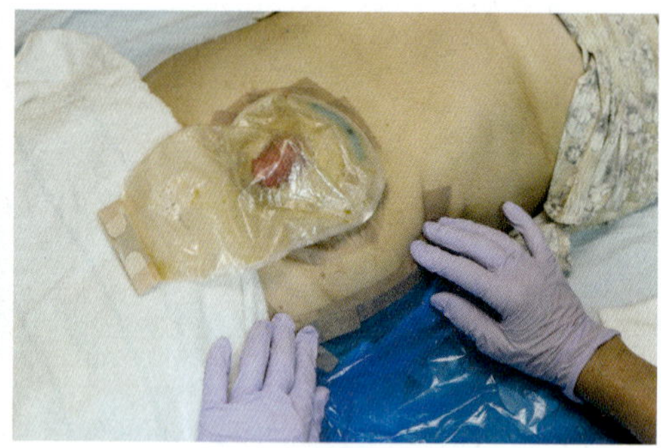

ビニール袋を貼って汚染の広がりを防ぐ

図9-11 **汚染防止の工夫**

	方法と観察の視点	療養者・家族支援と根拠
6	**ストーマ装具を除去する** 1）ストーマが十分観察できるように皮膚を露出する 2）皮膚を傷つけないように片手で腹部の面板近くを押さえながら，上から下へゆっくりやさしくはがす（図9-12） 3）面板が皮膚に密着しはがれないときは，粘着剥離剤で皮膚と面板をぬらしながらはがす	●ストーマを直視できない場合，受け入れができていないと考えて無理強いをせずにゆっくり慣れてもらう ●除去した面板の皮膚保護剤の溶解程度が1cm未満で交換する❶ ●ストーマ袋は一般ごみとして廃棄するため，ストーマ内の排泄物はトイレに流すよう指導する ●機械的刺激がストーマ周囲の皮膚障害の原因になることを説明し，痛みを感じるようなはがし方をしないよう指導する

	方法と観察の視点	療養者・家族支援と根拠
	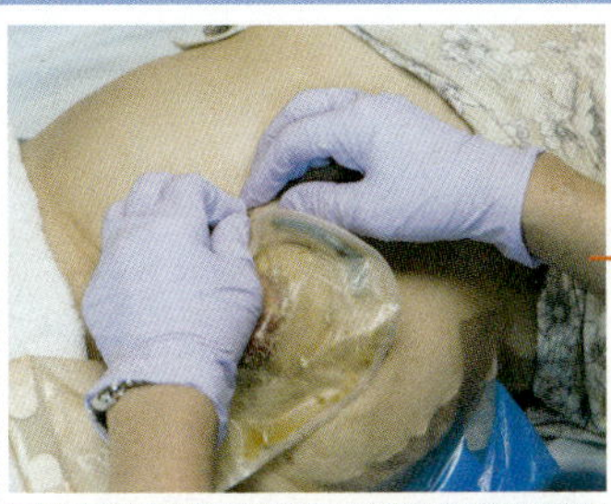 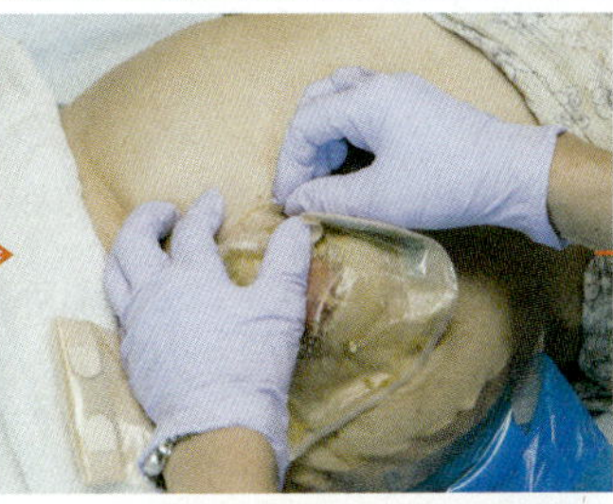 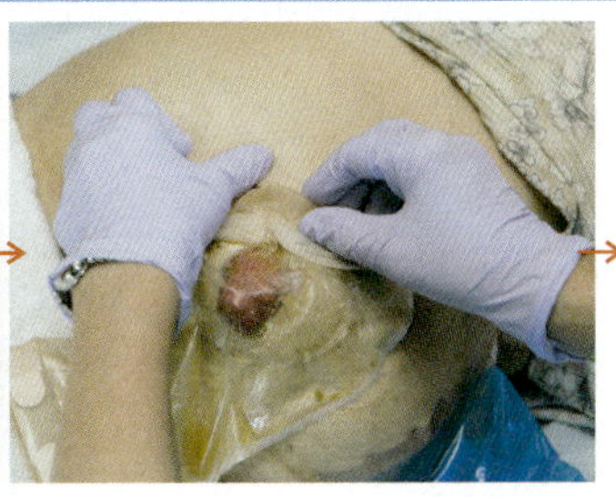 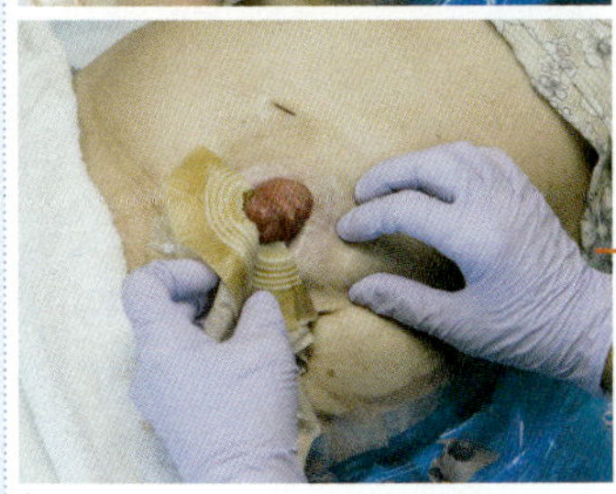 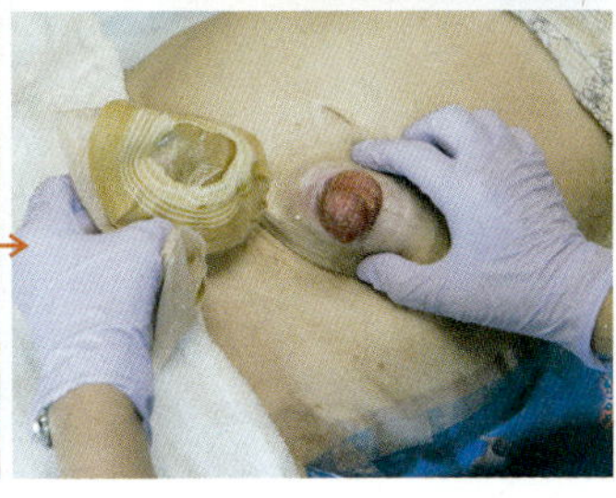 図9-12 ストーマ装具の除去	
7	**ストーマ周囲の皮膚を清拭する**（図9-13） 1）装具を装着する前に，ストーマとストーマ周囲に付着した便をトイレットペーパーで拭き取る（➡❺） 2）石けんとぬるま湯を染み込ませた不織布などでストーマ周囲をよく洗う（➡❻） 3）十分に皮膚を乾燥させる（➡❼）	❺粘着を悪くする皮膚表面の油分を十分に取り除く ❻石けん分は十分に洗い流さないと面板が貼りにくくなったり，皮膚障害の原因となる ❼ドライヤーは熱で粘膜を傷つけるので使用しない
	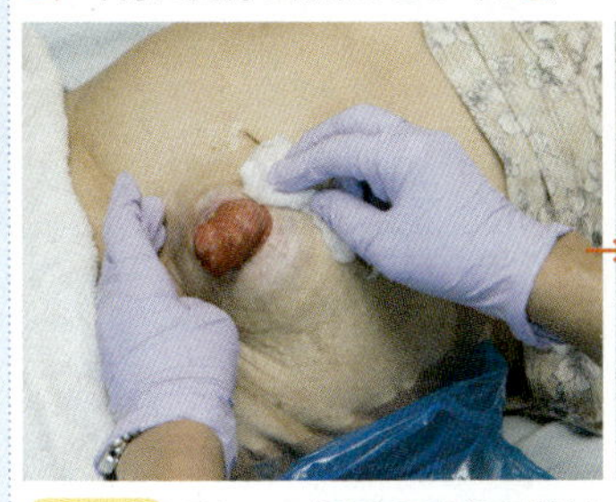 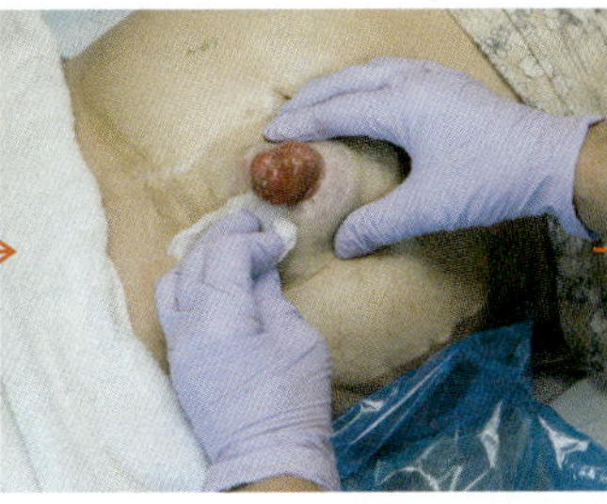 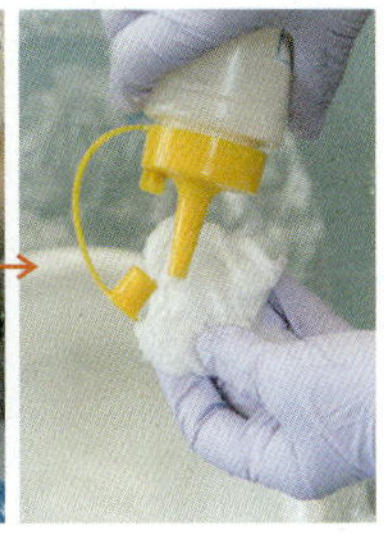 図9-13 ストーマ周囲の皮膚の清拭	
8	**ストーマとその周囲の皮膚を観察する** ・ストーマ：大きさや高さ，粘膜の色 ・ストーマ周囲の皮膚：発赤・腫脹・びらんの有無，皮膚とストーマ接合部に異常はないか	●はがした面板の溶解や膨潤の不均一，排泄物のもぐり込みがある場合は，使用装具やケア方法の妥当性を検討する ●回腸ストーマの場合，排泄物が水様であり，アルカリ性の消化液により皮膚障害を起こしやすいため，結腸ストーマの場合よりも溶解範囲を少なく（5mm程度）設定する ●「皮膚障害→軟膏塗布」と考える療養者や介護者がいるので，原因に応じた対応が必要であることを説明する

	方法と観察の視点	療養者・家族支援と根拠
9	**面板を貼付する** 1）面板を利き手で持ち，もう一方の手でストーマ周囲の皮膚を伸展させる 2）腹部を突き出すようにして面板を下から上に貼る 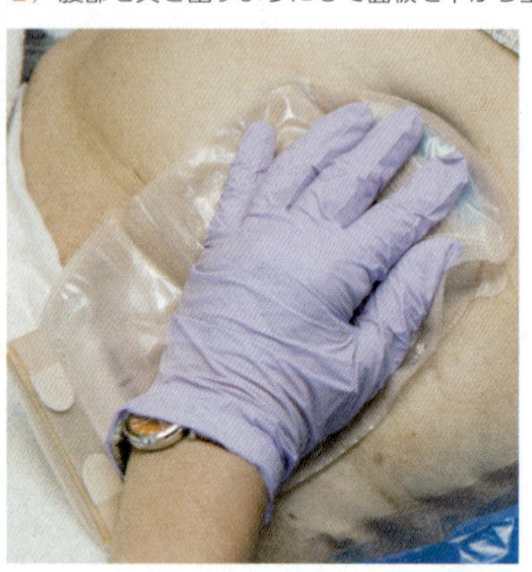 図9-14 面板の貼付	●臥位と座位，立位ではストーマ周辺のしわに違いがあることを念頭に置き，また腹部にできたしわを伸ばして交換するよう指導する（➡❽） ❽しわやたるみをきちんと伸ばして貼らないと便漏れの原因となる ●瘻孔が直接見えない場合は鏡を使うなど工夫する ●面板は気温が低いと固くなるので，冬場は手で暖めてから貼付する ●面板は体温で粘着強度が高まるので，貼った後，2～3分押さえるよう指導する（図9-14） ●汗をかいたまま面板を貼ると密着しなくなるので，身体のほてりが冷めるまで待ってから貼る❷
10	**ストーマ袋を貼付する**（図9-15） 1）ストーマ袋の口を下にして面板の穴の周囲に合わせる 2）カチッと音がするまで面板の溝に入れる ・ストーマ袋を軽く引っ張り，確実に面板にはめ込まれているか確認する 3）指を入れて面板のストーマ周囲を安定させる 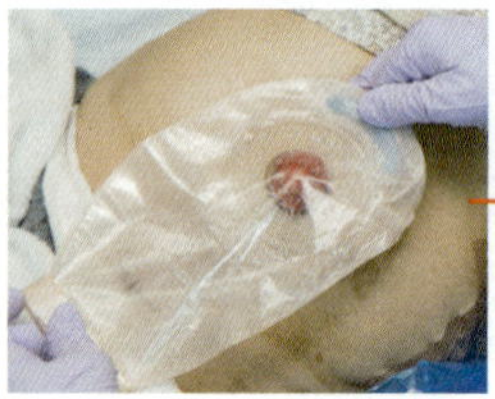 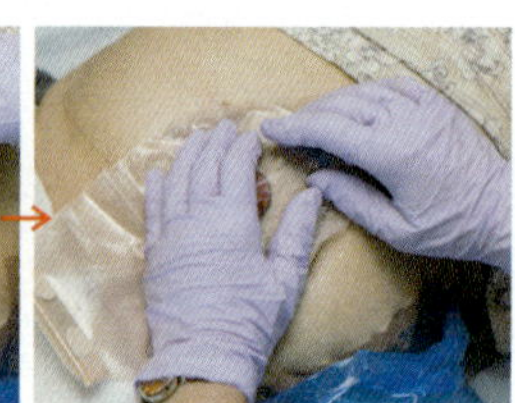 図9-15 ストーマ袋の貼付	●二品系装具の場合は，面板とストーマ袋を最初につなげた状態で準備しておいて，一体型（単品系装具）のように装着してもよい（図9-16） 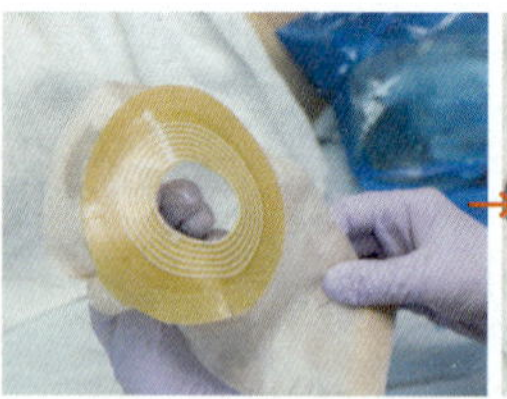 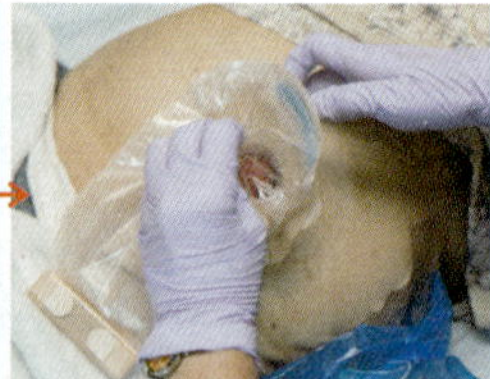 図9-16 面板とストーマ袋をつなげてから装着する方法
11	**後片づけをする** 1）排泄物を処理する 2）看護師が使用した物品は持ち帰る 3）記録する（ストーマおよび皮膚の状態，交換日時，面板の溶解の程度，使用した面板とストーマ袋）	●各地域のごみ分別方法に従った処理を指導する ・ストーマ袋内の排泄物は必ず便器に捨て，袋を空にする ・使用後のストーマ袋や面板は，新聞紙に包み，ビニール袋に入れる

❶大村裕子編：カラー写真で見てわかるストーマケア—基本手技・装具選択・合併症ケアをマスター，メディカ出版，2006，p.18-24.
❷がん研有明病院：ストーマ（人工肛門）について．
http://www.jfcr.or.jp/hospital/conference/cancer/woc/artificial_anus.html

B 尿路ストーマ装具の交換

● 目　　的：尿路変更術によって腹壁に回腸や結腸によるストーマを造設した療養者に対し，ストーマおよびストーマ周囲の皮膚を観察し感染を予防し，療養者・家族による尿路ストーマの自己管理を確立する

● 必要物品（図9-17）：尿路ストーマ用フランジとストーマ袋（ワンピース装具），汚染防止用ビニール，洗濯ばさみ，ティッシュペーパー，ロールガーゼ4～5個（ガーゼを丸めてテープで止めたもの，図9-18），洗面器，石けん，微温湯，キッチンペーパー，ストーマゲージ（または透明の型紙），はさみ，テープ，粘着剥離剤

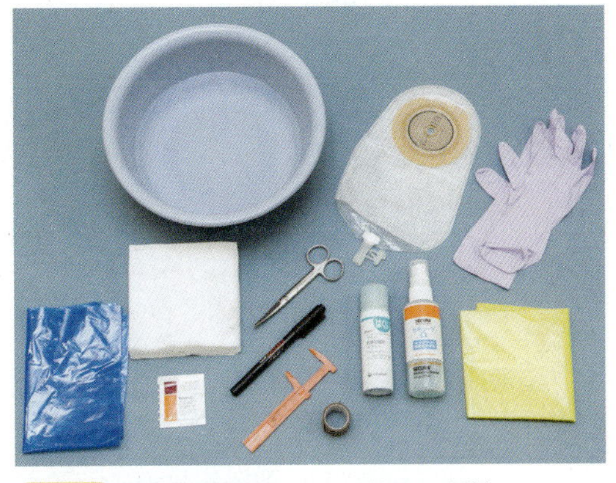

図9-17 必要物品（尿路ストーマ装具の交換）

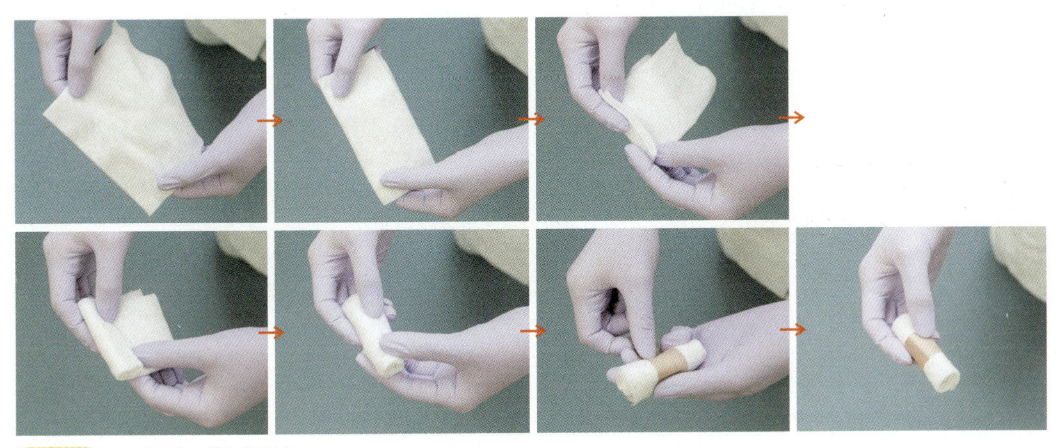

図9-18 ロールガーゼの作り方

	方法と観察の視点	療養者・家族支援と根拠
1	**手を洗う**	●交換時は感染防止に留意し，清潔な物品を使用し，必ず手洗いをして準備を始める
2	**環境を整える** 1）室内の温度を調整する 2）必要物品が十分置けるスペースを確保し，鏡を設置する	「A消化器ストーマ装具の交換」に準じる ●療養者・家族の許可を得て，ストーマ袋交換に適する場所を検討する
3	**ストーマを計測する** 1）ストーマの大きさを計測する（図9-19） 2）ストーマの大きさに応じた穴を開ける	●型取りのポイントを指導する ・ストーマの形が安定していれば，型紙を保管しておく ・ストーマ孔が安定していれば，作り置きしてもよい ・ストーマのタテ×ヨコ×高さのうち，高さの測定は，排泄口と腹壁までの距離

	方法と観察の視点	療養者・家族支援と根拠

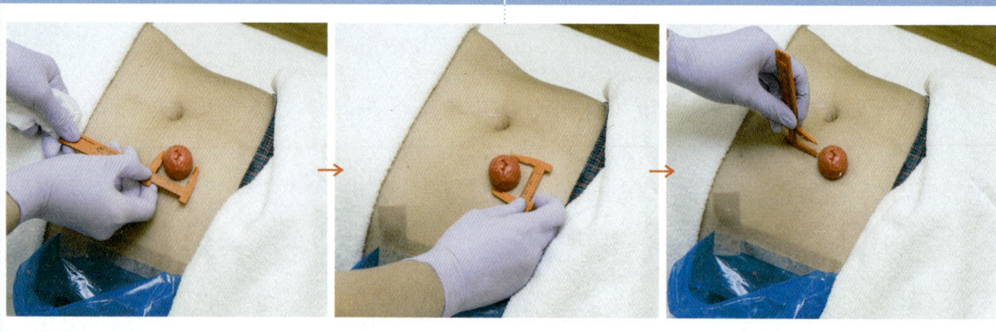

図9-19　ストーマの計測

4　ストーマ袋交換の準備をする（図9-20）

1）仰臥位に体位を整える（➡❶）
2）腰の部分に汚染防止のビニールを敷く
3）接続しているウロガード類をはずし，ストーマ袋開放口をキャップで止める
4）上着を上げて洗濯ばさみで止める
5）尿路ストーマよりも足側の部分は毛布などで覆う

●操作しやすい物品の配置を指導する
・尿が流出するため，トイレットペーパーなどをとりやすい位置に置く
・尿が常に出ているので，物品が不足しないように準備し，消耗品は多めに準備して交換を始める
❶立位・座位の場合，交換中に尿漏れしやすい。立位・座位の場合は尿漏れによる汚染を回避するように工夫する

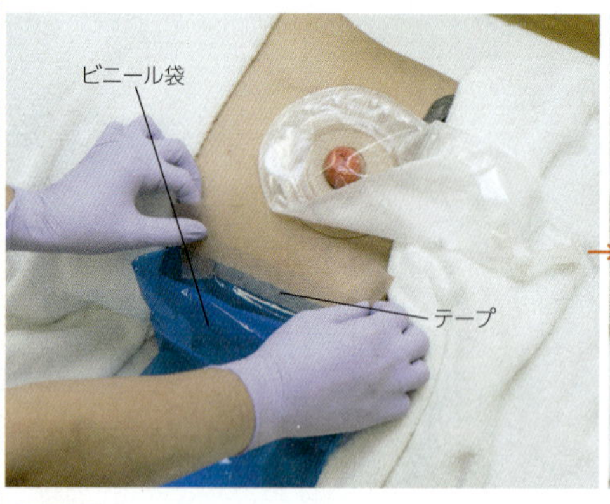

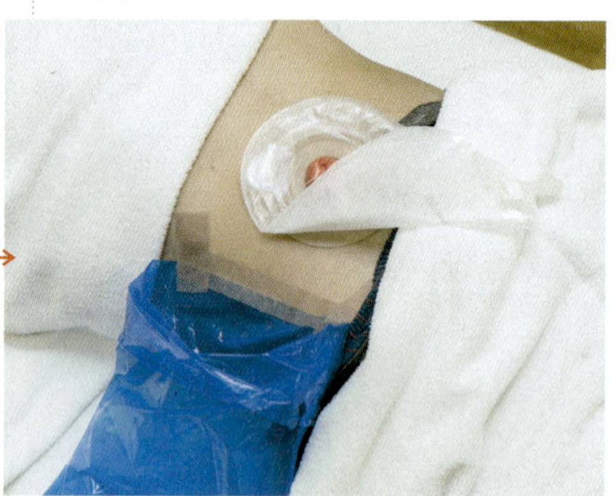

図9-20　ストーマ袋交換の準備

5　ストーマ装具を除去する（図9-21）

1）粘着剥離剤を使用してやさしくはがす
2）ストーマの尿はロールガーゼで，腹部に流出する尿はタオルで押さえて吸収させる
・除去した面板の皮膚保護剤の溶け具合や膨隆の程度を観察する

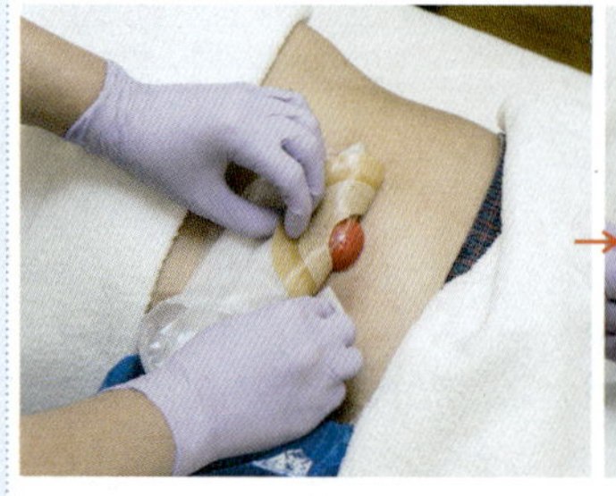

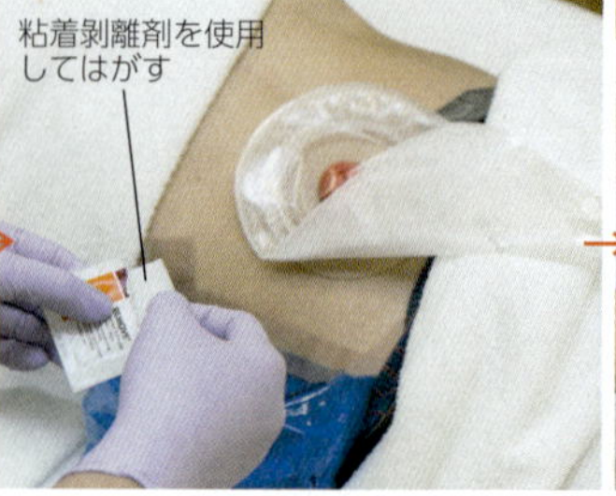

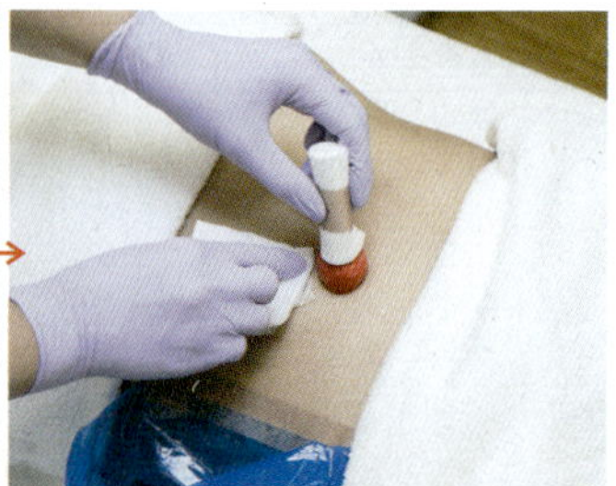

図9-21　ストーマ装具の除去

	方法と観察の視点	療養者・家族支援と根拠
6	**ストーマとその周囲の皮膚の状態を観察する** ・ストーマ：大きさや高さ，粘膜の色 ・ストーマ周囲の皮膚：発赤・腫脹・びらんの有無，皮膚のしわや凹みの有無，皮膚とストーマ接合部に異常はないか ・ストーマと皮膚の間の状態	
7	**ストーマ周囲の皮膚を清拭する** 1）ロールガーゼでストーマからの尿を吸い取る 2）ストーマ周囲の粘着剤を微温湯や粘着剝離剤を用いて除去する 3）皮膚を十分に乾燥させる	
8	**ストーマ袋を装着する**（図9-22） 1）ストーマ袋の裏紙をはがす 2）療養者か介護者の一方の手で皮膚を伸展させる 3）ロールガーゼを当てながらストーマの下部から貼る 4）軽くストーマ袋を押さえ，皮膚になじませる 図9-22 尿路ストーマ袋の装着	●回腸導管の場合，排出の間隔は20～30秒であるため，この間隔を見計らって貼付するよう指導する
9	**ウロガードや尿取り袋を取り付ける** ・接続が簡便であることを確認する	●接続部分に直接触れないよう注意する
10	**後片づけをする**	「Ⓐ消化器ストーマ装具の交換」に準じる

文献

1）日本ストーマ・排泄リハビリテーション学会編：ストーマ・排泄リハビリテーション学用語集，第４版，金原出版，2020, p.34.
2）日本訪問看護財団監修：訪問看護基本テキスト各論編．日本看護協会出版会，2018, p.270.
3）前掲書２），p.272.
4）松浦信子・山田陽子：快適！ストーマ生活　日常のお手入れから施行まで，第２版，医学書院，2019, p.62.
5）前掲書1），p.12.
6）襟川政代：クランベリーの効能とは，メディカルレビュー社，2007，p7.
7）日本オストミー協会HP：オストメイトの災害対策.
<http://www.joa-net.org/>（アクセス日：2020/07/11）
8）国税庁HP：ストマ用装具に係る費用の医療費控除の取り扱いについて，1989.
<http://www.nta.go.jp/shiraberu/zeiho-kaishaku/tsutatsu/kobetsu/shotoku/shinkoku/890713/01.htm.>（アクセス日：2020/07/11）
9）前掲７），主な福祉制度.（アクセス日：2020/07/11）
10）税務署：医療費控除関係研修資料，2018,
<http://zeirishi-omiya.jp/zeirishiomiyaadmin/wp-content/uploads/2019/01/c904f69bb3e33a92821e22ba7f1d101a.pdf>（アクセス日：2020/07/11）
11）前田耕太郎：医療者以外へのストーマケア指導　1．“医療行為から外れた”ストーマ装具交換，看護技術，58（11）：26, 2012.

薬物療法に伴う援助①

10 服薬管理

学習目標

- 在宅での服薬管理の特徴，アセスメントの視点について説明できる。
- 薬剤の特徴や服薬介助の留意点について説明できる。
- 在宅における服薬管理への支援について，安全適切な与薬および管理方法を理解し，療養者とその家族に説明できる。

1 在宅における薬物療法に伴う援助の特徴

1）診療補助行為としての薬物療法に伴う援助

薬物療法の実施で，医師は薬剤の種類，投与量と方法，投与期間を処方する。薬剤師は医師の処方をもとに調剤した薬剤を療養者に説明し，服薬指導を行う。看護師は訪問看護の際に，療養者の状態を観察し，服薬状況の確認を行う。看護師の業務は，保健師助産師看護師法（保助看法）第５条に「療養上の世話」と「診療の補助」が規定されている。「診療の補助」は，医師の指示により医療行為の補助を行うことである。また，医師と看護職等との間の役割分担として「患者に起こりうる病態の変化に応じた医師の事前の指示に基づき，患者の病態の変化に応じた適切な看護を行うことが可能な場合がある。例えば，在宅等で看護にあたる看護職員が行う，処方された薬剤の定期的，常態的な投与及び管理について，患者の病態を観察した上で，事前の指示に基づきその範囲内で投与量を調整することは，医師の指示の下で行う看護に含まれるものである」と厚生労働省医政局長通知（医政発第1228001号平成19年12月28日）に記されている。そして，服薬は診療の補助の範疇として扱うものとされた。

2）在宅での薬物療法に伴う援助の特徴

薬物療法は，医師の処方に従って，投薬による病気の治療を目的としている。子どもから高齢者まで幅広い年齢層の在宅療養者は複数の疾患をもち，長期にわたって日常生活をしながら薬物療法を継続している。また，薬物療法は医師に処方された薬のほかに，市販の薬やサプリメントなど療養者の自己判断で併用している場合は，薬の相互作用，注意点などについての支援が必要である。在宅看護において，適切な支援は薬剤療法の継続の一助となり，家庭，学校，職場など生活の場で疾病の症状や進展をコントロールできることで，生活の質（QOL）の向上につながる。

2 在宅での服薬管理の特徴

服薬は，病院など施設では看護職，薬剤師が観察および投与の管理を行うが，退院後は継続的に服薬が必要な場合に日常生活を営みながら療法者本人・家族などが継続的に行う。在宅での服薬管理には，以下の特徴がある。

1）療養者と家族が服薬管理にかかわる

入院期間中は看護師が服薬時間に合わせて配薬を行っていたため，退院後は療養者自身が服薬のタイミングに合わせて薬を準備しなければならない。

在宅での療養生活は，特に高齢者の場合は複数の疾患で複数の医療機関を受診していることがある。そのため，複数の処方で治療薬も重複する可能性がある。処方薬のほかに，心身の不調や薬物の副作用などに速やかな対応が困難な場合がある。また，薬剤の商品名や形状が異なり，療養者が気づかず重複したまま服用してしまうこともある。薬剤の重複使用は血中濃度が高くなり，副作用を引き起こすことにつながる。さらに，薬剤には併用することで拮抗作用が生じ，本来の治療薬効に影響を及ぼすこともある。以上のことから，特に高齢者，認知症状がある在宅療養者の服薬管理は家族などの協力が必要となる。しかし，日常生活に介護が必要な場合は，介護と生活を担うことになる。このようななかで，家族などの介護者は常に療養者の投薬時間に合わせて服薬管理をすることが困難である。

2）服薬を寝食や外出など日常生活との融合

自宅，職場，学校，外出先など社会生活のなかで，日常生活と並行しながら継続的に服薬する必要がある。また，社会活動のなかで，服薬の時間，場所の確保が難しい場合がある。そのため，療養者は日常生活のなかで適切な時間と環境で服薬できる管理が必要である。また，定期的に受診した薬剤処方を受けるために仕事や学校を休むことが必要な場合があり，受診を一日延ばすと，薬剤の一時的な中断につながる。

以上の特徴から，看護師は薬物療法に伴う適切な援助を安全に実施するために，限られた訪問看護の時間内で，観察と情報収集・アセスメント，療養者とその家族に対する指導が重要である。

3 薬物療法における薬剤の種類と特徴

薬剤の使用方法からみると内服薬と外用薬に分かれる。内服薬（表10-1）は錠剤，散剤・顆粒剤，カプセル剤，液剤・シロップ剤などがある。外用薬（表10-2）は点眼薬，点鼻薬，坐薬，湿布類貼付薬がある。薬剤は剤形，種類が多様であり，服薬管理は治療効果につながる。また，薬剤の性質によって，湿度や温度に影響される。そのため，薬剤の保管は重要である。通常は薬剤の保管方法について，薬剤師から医師の処方基づいた調剤，保管方法の説明と指導がある。

表10-1 内服薬の剤形と使用方法

剤 形	特徴・使用方法	介助時の留意点
錠剤	・胃で溶ける錠剤と腸で溶ける腸溶錠などがあるため，噛まず砕かずに服用する ・チュアブル錠剤は噛みながら口の中で溶かす	・アルミ箔の包装は押し出して中の錠剤を服用する ・瓶に乾燥剤が入っている場合は，誤飲しない ・誤嚥防止のため，仰臥位のままで服薬しない ・錠剤が大きい場合はほかの剤形に変えるなど薬剤師に相談する。また，医師に相談する
散剤・顆粒剤・漢方薬	・粉末状，顆粒剤は粒状 ・漢方薬は散剤が多く，匂いが強い	・飲みやすいようにオブラートに包む。オブラートにはフィルムのほかにゼリータイプもある ・漢方薬は，白湯で溶かして，服用する方法もある
カプセル剤	・顆粒を詰めたカプセル剤 ・液体を詰めた軟カプセル剤	・アルミ箔の包装は押し出して中の錠剤を服用する ・瓶に乾燥剤は入っていることがあるため，誤飲しない ・中の薬剤を出したりせずに服用する ・噛まずに，十分な水分で服用する
液剤・シロップ剤	・処方された服用量を正確に量って服用する	・使用後は容器についたシロップなどをきれいに拭き取り，キャップを閉める ・保管場所は薬剤師の説明を参考にする

表10-2 外用薬の剤形と使用方法

剤 形	特徴・使用方法	介助時の留意点
点眼薬	・液体である ・指示どおりに保管する ・菌の侵入を防止するため，容器が目の周囲の皮膚，まつげ，眼球などに触れないようにする	・薬液が涙嚢部に入らないように涙嚢部を軽く抑える ・点眼後，手が目を触れず，まばたきせず，しばらく目を閉じる ・感染防止のため，点眼薬は人と共用しない ・使い切りタイプの点眼薬は，防腐剤が入っていないため，1回分のみの使用で残った薬は破棄する
点鼻薬	・鼻の穴に容器の先端を直接入れ，薬剤を鼻粘膜に噴霧する剤形である ・指示の使用量を守る	・使用前に鼻腔内をきれいにするため，鼻をかむ ・点鼻後，薬液を粘膜に行きわたらせるように鼻をつまむ，また，頭を後ろにそらせ数秒間鼻で呼吸する ・点鼻薬の使用後は先端をきれいに拭いてからキャップを閉める ・感染防止のため，点鼻薬は人と共用しない
坐薬	・肛門から挿入し，肛門内で溶けて成分を放出する剤形である ・坐剤は患部に挿入しやすいように先端部が尖っていることが多い	・坐薬を開封前に先端部を手で温めてから取り出す ・指で薬の先端から肛門あるいは腟に挿入する ・温度が高い場所で保管すると薬が溶け，変形を防ぐため，冷所に保管することが多い
貼付薬	・痛みと炎症を抑える薬の成分を皮膚から体に浸透させ，患部の症状を緩和する	・貼付する前に汗などを拭き取る ・しわが寄らないよう患部に貼付する

表10-3 薬剤の保管方法

項 目	特 徴	保管時の留意点
場所	・湿気の少ない場所 ・直射日光を避け，必要な場合は遮光容器を用いて保管する ・坐薬など「冷所保管必要」と指示された薬は冷蔵庫などで保存する	・高温多湿の環境下では，分解しやすい薬もあるため，日光の当たる窓際，風呂場の周辺を避ける ・子どもの手の届かない場所に保管する ・冷蔵庫での保管や遮光が必要な場合は，食品と間違えがないように家族で情報共有する
保管期間	・パッケージに記載されている薬剤の使用期限，または有効期間にしたがう ・一度開封した薬は該当しない	・錠剤やカプセル剤のように密封包装されている場合は，温度・光・湿気にさえ注意すれば医薬品の効果は保持される ・シロップ剤は湿気に弱く，細菌も繁殖しやすいため，使用期限の関係なしに早く使用する

 在宅における服薬管理への支援

1）療養者の服薬状況の把握

在宅で療養者がどのように服薬しているのか，看護師は具体的な服薬場面に立ち会うことができないので，確認ができない。そのため，訪問看護の際に正確な服薬のタイミング（表10-4），薬の保管場所と方法などを情報収集し，状況に合わせて指導する必要がある。また，食事と服薬は療養生活のなかで日々継続していることである。薬と一緒に摂取する食品によって薬物の効能が増減と副作用が引き起こす場合がある（表10-5）。そこで，服薬

表10-4 服薬のタイミング

食直前	・食事のセッティングした状態で，服薬し，食事を開始するのが目安である ・糖尿病薬：食物より先に薬が腸に届くことで，食事による血糖値の急上昇を抑制することができる
食前	・食事の約30分前が目安である(例：制吐薬)
食後	・食事終了後，30分ほどが目安である。薬によって，食後の服用は胃への負担の減少や薬の吸収も高める効果がある
食直後	・食事が終わってただちに服薬する
就寝前	・就寝前に服薬する(睡眠薬，下剤)
頓服	・症状が出たときに服用する(鎮痛薬，鎮咳薬，解熱薬など)

表10-5 食品と薬剤の相互影響

食　品	薬剤名（商品名）	相互作用
カルシウム (牛乳，乳製品)	抗菌薬 テトラサイクリン系薬(テトラサイクリン) ニューキノロン系抗菌薬(ノルフロキサシン) セフェム系薬(セファクロル) 消化性潰瘍薬 制酸剤(酸化マグネシウム) 抗真菌薬(グリセオフルビン)	・薬の吸収が低下し，作用が弱まる ・服薬後，2～3時間程度牛乳の摂取を避ける ・副作用(高カルシウム血症など)を引き起こす ・薬剤の吸収を促進し，作用を増大させる
アルコール	抗不安薬(ジアゼパム) 睡眠薬(トリアゾラム) 抗精神病薬(クロルプロマジン) 狭心症治療薬(ニトログリセリン) セフェム系抗菌薬(セフォテタン) H_2ブロッカー系胃腸薬 シメチジン，タガメットを主成分とした胃薬	・中枢神経抑制作用の増強により薬効果が増し，呼吸困難や意識障害など重症に陥る ・血管の拡張により，低血圧症を引き起こす ・アルコールの分解を抑制しアルコール代謝に影響するため，頭痛，嘔吐など症状が現れる ・H_2ブロッカーが，胃壁内にあるアルコールを分解する酵素（ガストリックなど）の働きを阻害し，血液中のアルコール濃度が上昇し，酔いが強くなる
カフェイン含有飲料 (コーヒー，紅茶，緑茶)	テオフィリン系薬(テオドール)	・頭痛や動悸など中枢神経興奮作用が増大する
ビタミンK含有食品 (納豆，クロレラなど)	血液凝固阻止薬(ワーファリン)	・効果が減弱する
グレープフルーツ・ジュース	カルシウム拮抗薬 ニソルジピン(血管拡張薬) 高脂血症治療薬 アトルバスタチン(高脂血症用剤)	・薬物の分解を阻害し，薬物の血中濃度が上昇する ・薬の作用が増強により低血圧，頭痛，めまいなどの症状を引き起こす

開始の前に薬剤師による指導内容を共有し，正しい服薬方法のほかに食事内容を確認する。

服薬管理について，以下の点に留意し，療養者・家族に指導する。

・処方薬剤の服用方法，時間，容量を守る。
・臨時処方薬や頓服薬は，症状変化がある場合は医師に相談し，処方を検討してもらう。
・薬剤の副作用や緊急時の対応および連絡体制を医療ケアチームと家族が共有する。

2）在宅看護における服薬管理のアセスメントの視点

服薬は，包装から薬物を取り出し，薬物を口の中まで運び，噛まずに飲み込むという一連の動作が必要である。在宅療養者の療養環境，身体機能，認知機能を把握したうえ，必要な支援を行う。そのため，服薬の看護として，下記の項目を観察し，アセスメントを行う。

・処方された薬剤の量，服用回数，保管，残薬の有無。
・主治医の指示とおりにどの程度まで服薬できているか。
・療養者とその家族の服薬に対する理解状況。
・療養者の身体機能（嚥下，四肢の運動，微細動作）。
・療養者の認知機能（薬の量，服薬の時間，保管方法）。
・療養者の感覚機能（視覚，味覚，視覚）。

3）生活の場で生じやすい服薬管理のトラブル

在宅療養に伴う服薬の管理は，副作用と病状の悪化を避け，生命の安全を守るために医師，看護師，薬剤師，家族など一丸となって，きめ細やかな対応が必要である。しかし，以下のようなトラブルが生じやすい。

・服薬管理について，退院指導や薬剤師による指導を受けても，生活の場で実施できない。
・視機能・運動機能の低下や高齢のため，取り扱いができない。
・嚥下機能の低下で薬を飲み込めない。
・高齢，認知機能の低下で，薬を飲むタイミングを把握しきれずに忘れてしまう。
・介護する家族の高齢者や独居など，自宅で適切な服薬管理ができない。

5 在宅での服薬支援

在宅療養者の療養環境，身体機能，認知機能をアセスメントし，必要な服薬支援を行う。

（1）視機能・運動機能が低下した療養者

・錠剤の場合は介護者が内服薬をパッケージから取り出し療養者に手渡す。
・軟膏の場合はチューブからヘラやガーゼに必要量を出し手渡す。
・点眼・点鼻薬の場合は安全と感染予防の視点から介護者の介助にて行う。

（2）嚥下機能が低下した療養者

・医師や薬剤師に相談し，飲み込み可能な形態に変更してもらう。
・ゼリー状オブラートなど服薬補助製品を使用してもらう。
・ヨーグルトなどトロミ食品と一緒に服用してもらう。

「おくすりカレンダー」
写真提供：日本在宅薬学会

図10-1 服薬カレンダー

図10-2 服薬箱

・誤飲，誤嚥を防止するため，座位や半座位をとってもらう。

(3) 飲み間違いや飲み忘れ傾向がある療養者

・分包の依頼・薬のカレンダーなどを活用する。

「一包化」を薬局に依頼する。朝・昼・夕など，服用するタイミングが同じ薬を1包ずつパックにしてもらう。しかし，吸湿性が高く湿気に弱い薬や，特別な管理が必要の薬など，一包化に適していない場合がある。その際は，医師や薬剤師に相談し，医師の承認を得る。また，服薬カレンダー（図10-1）や服薬箱（図10-2）を利用する。それらに服薬の時間，日付を明記し，目の届く場所に設置することも有効である。

(4) 療養者と介護家族への支援

薬物療法について，医師，薬剤師の説明を受けた家族が，不明点や不安などを相談しやすいように説明しておく。また，副作用が発現した場合は速やかに訪問看護師，医師，かかりつけ薬局に連絡するよう指導しておく。さらに，介護負担のことを理解し，服薬介助が可能な時間帯など，家族のライフスタイルに配慮する。療養者の服薬タイミングのバランスをとれるように医師・薬剤師との連携を図る。

(5) 多職種間の協働

在宅での服薬管理を在宅療養者の疾病の治療の主要手段としてとらえ，療養者本人の心身機能，療養環境，介護資源などを中心に適切かつ迅速にアセスメントする。その後，正しい服薬管理を継続するためには，チームケアが重要となる。療養者・家族と服薬管理で目的・目標・方法を共有し，医師，看護師，薬剤師，介護職など，各自の専門性とチーム内での役割を明確にし，療養者の状態を記録し，共有する。また，治療方針，薬の変更なども含め，使用する薬剤に関する知識と情報の共有を工夫する。

看護技術の実際

A 内服薬の服用

● 目　　的：治療に必要な薬物療法として，医師に処方された薬を正しく服用することができる
● 必要物品：内服薬，水またはぬるま湯，吸い飲みまたはカップ，服薬補助品（薬用ゼリーやオブラートなど），スプーン，ティッシュペーパーまたはタオル，記録帳など（必要時）

	方法と観察の視点	療養者・家族支援と根拠
1	**安全に服薬できる環境となるように整える** ・清潔な環境が保てるスペースを確保する	●清潔な環境で薬を取り扱いができよう，家族の協力を得て環境を整える ●薬剤を落とさないため，ペットの出入り，窓の開閉などに留意するよう家族に伝える
2	**石けんを用いて流水で手を洗う**	●家族へ手洗いの必要性を説明する ●家族は服薬介助の際に，同様に実施することを示す
3	**服用する薬剤と必要な物品を準備する** ・ティッシュペーパーまたはタオルなど，使いやすいところに配置する	●療養者の状態に応じて物品を準備する ●お湯で服薬する場合は，温度と量について，療養者の好みに合わせて調整する ●咳などの対応ができるようにタオルを準備しておく
4	**療養者の状態に合わせて，体位を整える** ・座位またはファーラー位をとるようにする	●誤嚥防止のため，頸部はやや前屈するよう指導する ●麻痺がある場合は，顔を健側に向けてもらう ●介助者は療養者の健側から介助する
5	**服薬する** 1）少量の水またはぬるま湯を口に含ませ口腔内を湿らせる（➡❶） 2）もう一度水を含ませる 3）薬を舌の上に乗せ飲み込むよう声かける 4）もう一度水分をとってもらう 5）口腔内の残薬を確認する 6）次回の薬の服用時間を確認し，片づける	❶口腔内を十分に湿らせることで，薬剤やオブラート，カプセルが口腔内の粘膜に貼りつくことを防止する ●口を開けてもらい口の中に薬を残っているかを確認する ●家族に確実に内服できたか確認するよう指導する
6	**身体状況を観察し，訪問看護記録や多職種間の連絡帳などに記録する** ・実施内容，方法，時間，飲み込み状態，病状の変化，副作用の有無などについて，多職種もわかるように記載する	

文　献

1）医師及び医療関係職と事務職員等との間等での役割分担の推進について（通知），p.340.
<https://anshin.pref.tokushima.jp/med/experts/docs/2015042100012/>[アクセス日：2020.Feb.15)
2）島内節，亀井智子：これからの在宅看護論，ミネルヴァ書房，2014，p.100-108.
3）波川京子，三徳和子編：在宅看護学，第4刷増補版，クオリティケア，2014，p.281-290.
4）石垣和子，上野まり編：看護学テキスト在宅看護論─自分らしい生活の継続をめざして（看護学テキストNiCE），南江堂，2012.
5）在宅医療テキスト編集委員会編：在宅医療テキスト（第3版），在宅医療助成勇美財団，2015.

薬物療法に伴う援助②

11 化学療法に伴う看護

学習目標

- 外来がん化学療法の特徴について説明できる。
- 外来がん化学療法のアセスメントについて説明できる。
- 化学療法に伴う在宅看護のアセスメント，在宅療養者のセルフケアへの支援について説明ができる。

1 外来がん化学療法の特徴

外来がん化学療法は放射線療法，手術療法とともにがん治療の主要な方法である。化学療法は抗がん薬を投与して，がん細胞を攻撃することで死滅させ，増殖を抑制する全身治療方法である。治療方法にはカプセルや錠剤の「薬剤の内服」と「点滴，注射」がある。身体の全体に薬剤を行きわたらせることによって，全身に散ったがん細胞に作用させることができる。根治を目指すための治療方法として手術の前後などに用いられるほか，根治が望めない場合でも，生活の質（quality of life：QOL）を維持しながらがんとともにできるだけ長く生きることを目的として用いられる。

2007年，がん対策基本法の施行に伴い，がん対策推進基本計画が策定された。その後，５年ごとに見直しが行われ，がん対策が進められている。2018年３月９日にがん対策推進基本計画（第３期）が策定されており，自宅にいても，安心かつ納得できるがん医療や支援を受け，尊厳をもって安心して暮らせる社会の構築を目標としている。

1）化学療法について

がんの種類によって，化学療法の効果も異なる。主にがんの治癒（リンパ腫，白血病など），生命の延長（小細胞肺がん，乳がんなど），諸症状改善（非小細胞肺がん，食道がんなど）などを目的とする。具体的には，化学療法のみでの治療のほかに，手術範囲の縮小や重要臓器への浸潤の改善を目的にした手術の前に行う化学療法がある。また，手術後の化学療法として，がんの再発を抑制する治療がある。さらに，放射線療法と同じ時期に行う場合は，がん治療の相乗効果を得るために行う。がん治療については常に研究開発が進められていることにより，化学療法も新たな治療方法の実施など，最新な情報を取り入れることが必要である。

2）外来がん化学療法の流れ

・対象に事前オリエンテーションを行い，治療計画や外来環境の紹介を含めた説明。

表11-1　多職種がかかわる外来がん化学療法

職　種	役　割
医　師	・患者の診察，血液検査，治療計画(レジメンの申請) ・薬剤の指示，治療の開始または中止の決定
看護師	・薬剤前投薬の準備と介助・記録 ・ポート挿入患者の管理・記録 ・医師，検査，各部署，地域，在宅との調整 ・医師・薬剤師などと連携し，状態の観察とその情報の共有，対策 ・化学療法を受ける患者や家族への心理的支援 ・在宅・地域看護職との連携 **がん化学療法看護認定看護師は** ・レジメンのチェック(治療計画に基づく治療内容と処方薬剤の確認) ・患者への薬剤に関する情報提供と指導 ・患者の状態，副作用などの観察 ・患者・家族への精神的ケアの提供 ・スタッフへの教育を担う
薬剤師	・治療記録の登録と管理 ・患者の治療計画書(レジメン)の確認，薬歴記録の作成と管理 ・指示確認書（注射箋）の内容確認 ・関連職種への薬剤に関する情報提供

図11-1　外来化学療法室
写真提供：国際医療福祉大学成田病院

・治療日時の予約，調整を実施。
・治療を受ける前日に自宅生活の記録の提出，情報登録，関係部署にレジメン*を共有。
・当日は薬剤有害事象や治療中の看護に関する説明。
・薬剤の処方，投与の方法（順番，時間など）の確定，実施。

3）外来がん化学療法における関連職種の役割

近年，医療施設は通院しているがん患者の生活の質の向上を図っている。そのため，リクライニングチェアの配置，テレビなど安全と安楽・癒しがある環境，確実ながん治療が行えるように病院の外来がん化学療法体制が整備されている（表11-1，図11-1）。

2　外来がん化学療法看護の特徴

1）外来がん化学療法の患者の特徴

外来で化学療法をすることで，継続的に治療を受けながら学校や仕事など社会参加，または自分の生活環境を維持することができる。自宅から外来への通院治療は療養者の生活スタイルを保ちつつ，精神的な負担を軽減し，QOLを高めることにつながる。もちろん，自宅での化学療法による体調変化への不安や心配はある。そこで，在宅看護の対応が求められる。

※　レジメン登録票について：レジメンとは，使用する抗がん薬，輸液，支持療法の薬（制吐薬）の組み合わせ，薬の投与量およびスケジュールに関する時系列的な利用計画である。

表11-2 パフォーマンスステータス（performance status：PS）

PS 0：まったく問題なく活動できる。発症前と同じ日常生活が制限なく行える
PS 1：肉体的に激しい活動は制限されるが，歩行可能で，軽作業や座っての作業は行うことができる。例：軽い家事，事務作業
PS 2：歩行可能で，自分の身のまわりのことはすべて可能だが，作業はできない。日中の50％以上はベッド外で過ごす
PS 3：限られた自分の身のまわりのことしかできない。日中の50％以上をベッドか椅子で過ごす
PS 4：まったく動けない。自分の身のまわりのことはまったくできない。完全にベッドか椅子で過ごす

※米国の腫瘍学の団体の1つであるECOG（Eastern Cooperative Oncology Group）[1]が決めたperformance status（PS）の日本臨床腫瘍研究グループ（JCOG）による日本語訳である。この規準は全身状態の指標であり，病気による局所症状で活動性が制限されている場合には，臨床的に判断することになっている[2]。

出典：1）https://ecog-acrin.org/resources/ecog-performance-status
2）日本臨床腫瘍研究グループ（JCOG）hp.
<https://ganjoho.jp/public/qa_links/dictionary/dic01/Performance_Status.html>[2020. Mar.26]

そのため，全身状態の指標の一つである患者の日常生活の制限の程度をしめすパフォーマンスステータス（performance status：PS）（表11-2）を参考に，外来での化学療法を実施する条件とする。また，外来での化学療法においては，十分なインフォームドコンセントが必要であり，以下の手順を経ることが重要である。

・医療チームにより，十分な説明を行い，自宅での生活指導を受けた。
・疾病について，療養者本人と家族に告知され，疾病と治療も理解している。
・治療に関する同意について，同意書など文章にて示す。

2）がん化学療法に関連する副作用

薬剤の効果で得られることが期待される作用を主作用，それ以外の作用のことを副作用という。化学療法における主な副作用は生活の質を低下させるのみならず，精神的なストレスや情緒の不安定などにより，治療への失望や拒否を招く可能性も生ずる。食欲低下，悪心・嘔吐，下痢，便秘などの消化器症状のほかに，倦怠感，脱毛，口腔粘膜炎などもみられる。

3）外来がん化学療法看護の特徴

通院治療以外の時間は患者が自宅で過ごしているため，病棟患者とは異なり看護師がかかわる時間は限られている。そのため，直接治療開始前の準備や治療後状態の観察ができないことが多い。外来がん化学療法看護の主な特徴を以下に示す。

・患者のセルフケア支援と指導が重要な看護である。
・ケア対象のサポートには訪問看護など地域の看護師との連携が重要である。
・多様なレジメンの実施と管理のため，幅広い知識が必要である。
・抗がん薬投与での血管外漏出の予防など血管の保護が重要である。
・確実な血管確保のため，適切な器材の選択が重要である。

化学療法に伴う在宅看護

1）外来がん化学療法のアセスメント

がん化学療法を受ける在宅療養者は，外来通院や訪問看護または入退院を繰り返しながら療養生活を過ごしている。療養者が継続的に療養できるために，身体的側面，心理的側面に加えて，療養環境・生活側面およびその生活をサポートしている家族の支援状況のアセスメント（表11-3）が重要である。

2）在宅療養者のセルフケアへの支援

在宅療養者が化学療法の治療を継続していくために，看護師は在宅療養者と信頼関係を築

表11-3 在宅療養者のアセスメント

アセスメント項目	内　容
身体的状態	・がん化学療法による身体への影響(体力・ADLなど) ・副作用が起こる時期と症状の把握 ・がん以外の合併症など
心理的側面	・疾病や副作用への認識 ・化学療法を受けている期間の心身の変化 ・セルフケア能力
療養環境・生活の側面	・日常生活への影響 ・医療費の増大による経済面の問題 ・仕事と治療バランス
家族支援の側面	・一人暮らしや高齢者夫婦世帯の生活 ・若年層の学校と治療のバランス ・介護者の負担

表11-4 外来看護師と訪問看護師が行う在宅療養者のセルフケアへの支援

	外来看護師	訪問看護師
治療開始前	・ケア対象が治療開始の前に抱える不安に対して，聞く姿勢を伝える ・外来化学療法の手順，場所，設備の説明 ・スケジュールの説明 ・過ごし方の説明 ・支持療法薬の使用方法の説明	・ケア対象が治療開始の前に抱える不安に対して，聞く姿勢を伝える ・外来看護師に療養者の在宅での生活状況，家族の状況などを伝える ・自宅での服薬管理などセルフケア能力を伝える
セルフケア支援	・ケア対象の理解度を確認し，それに合わせて繰り返し内容の説明を行う。徐々に指導内容を広げる ・副作用が現れる時期や改善する時期を伝える ・化学療法の副作用の程度を伝え，ケア対象に合った対処法を説明する ・外来の相談体制，窓口，連絡方法を伝える	・ケア対象の理解度を確認し，それに合わせて繰り返し内容の説明を行う。徐々に指導内容を広げる ・副作用が現れる時期や改善する時期を伝え，自宅の対応法も一緒に考える ・化学療法の副作用の程度を伝え，対象に合った対処法を説明する ・外来の相談体制，窓口，連絡方法を伝える
治療後の支援	・外来の相談体制，窓口，連絡方法の確認 ・訪問看護師との情報共有 ・セルフケア能力のアセスメント	・外来の相談体制，窓口，連絡方法の確認 ・外来看護師との情報共有 ・家族以外の相談ルートの確認 ・セルフケア能力のアセスメント

き，身体的側面，心理的側面，療養環境・生活の側面，家族支援の側面の支援が重要である。また，療養者が化学療法の副作用を理解し，正しい対処ができる自己管理を目指す。訪問看護師は外来看護師と所属部署が異なるため，療養者のケア方針，体調の変化など情報の共有を図る（表11-4）。

4 外来がん化学療法中の在宅療養者への看護の実際

1）セルフケアの支援

がん外来化学療法に伴う副作用は，不安や苦痛を増す。療養者のQOLの維持や高めるためにセルフケア能力への支援が重要になる。在宅でのがん化学療法における副作用の観察とケア（表11-5）は療養者の理解を確認しながら，ケア内容を広げていく。また，治療内容の確認や外来での状況などについて，がん外来の看護師と連携を図ることもセルフケアへの支援に必要である。

2）家族への支援

療養者の生活と治療を支えている家族は，治療過程において療養者と同様に不安やストレスが生じる。在宅でのがん治療において家族のサポートは療養者にとって治療に向き合う力の源であり，家族への支援も重要である。

以下の支援項目（表11-6）について検討しておくことが重要である。

3）緊急対応

療養者は外来でがん化学療法を受ける時間が限られている。療養者とその家族が安心して自宅で過ごせるように，24時間および緊急対応できる体制を整備しておく。

・普段，緊急連絡・対応体制を整備し，電話番号などの連絡手段を目の届きやすい場所に掲示するように指導する。
・急激な出血，激しい悪心・嘔吐，下痢による脱水症状が現れたり，感染の徴候，感染症や間質肺炎の徴候などが起きたら，ただちに訪問看護師と救急隊に連絡するように指導する。
・医療機関へ搬送する際に，化学療法中であることを救急隊と医療機関に伝え，訪問看護師はできるだけ関連職種に情報提供する。
・看護師は，医師の指示で必要に応じて緊急訪問し，状況を把握して主治医との連絡，緊急受診の調整を行う。

4）インターネット上の社会資源へのサポート

医療情報の公開やインターネットの普及に伴い，がんの治療，ケアなど様々な情報が簡単に入手できるようになった。正確な医療情報は在宅療養者とその家族にとって参考になり，療養に役立つ。しかし，検索ランキング上位にあっても，必ずしも正確な知識を提供しているとは限らない。また，大量な情報による混乱を招くこともある。そこで，正しい情報の取り方の指導・支援も重要となっている。

表11-5 在宅でのがん化学療法における副作用の観察とケア

セルフケア内容	必要な観察項目	具体的ケア内容
悪心・嘔吐 経口摂取の減少とともに，脱水症状を起こすこともある	・程度，回数，時期，食事，水分の摂取量 ・不安，不眠などの精神症状	・家族に説明し，安心してもらう ・寝室ベッド周りの照明などリラックスできる療養環境を整える ・十分睡眠をとる ・食事は，回数や摂食の量を無理せずに食べやすいものをとることを本人と家族に説明する ・消化しやすい食品を選び，豆腐など口あたりの優しい食品をすすめる ・緊急時の対応や連絡方法について，指導する
骨髄抑制 抗がん薬の作用によって，造血細胞である骨髄細胞が影響を受け，正常な造血機能が抑制されるため，赤血球数，白血球数，血小板数が減少する	・発熱，悪寒，痛みなど全身症状 ・咳，痰，呼吸困難などの呼吸器症状 ・貧血症状	・療養者や家族に感染予防の指導を行う ・手洗いなど感染予防行動を促す ・十分休息をとるように指導する ・家族は服薬介助の際に，同様に実施することを示す ・出血予防のため，日常生活のなかで外傷や転倒，硬めの歯ブラシの使用，ひげそりなどの注意点について，指導をしておく
便秘 抗がん薬の有害事像として，便秘症状が現れる。また，慢性便秘症者は化学療法によって，さらに症状がひどくなる可能性がある	・がん化学療法前の排便習慣 ・排便の量，回数 ・食事の内容と量 ・自宅での生活リズム ・日中の活動量 ・ストレスの徴候	・1.5L/日程度の水分を摂取 ・排泄時間の設定など排便コントロールを行う ・腸管を刺激するため，食事の工夫 ・適宜運動し，腸の動きを活発化させる ・腹部マッサージ ・同じ時間帯に排便するなど排便習慣をつける
下痢 抗がん薬の有害事象として，下痢症状が現れる。主に早期性下痢，遅発性下痢，イリノテカン塩酸塩水和物の下痢である	・下痢の程度，回数，性状 ・皮膚，粘膜，水分摂取量など脱水症状 ・食事など栄養状態 ・肛門周辺のトラブル	・皮膚のトラブルの観察 ・皮膚に刺激がない下着の着用 ・脂質の過剰摂取や繊維が多い食品の摂取を避ける
口腔内炎症 口内炎の発生は，抗がん薬より粘膜の局所感染を起こす	・口腔内の症状（不快感，痛み，出血，味覚異常など） ・口腔セルフケアの状況（含嗽，歯磨き） ・全身症状の有無	・治療の前から，口腔内の保清，保湿 ・療養者に口腔ケアを指導する ・保湿と保清のため，含嗽7-8回/日 ・歯磨きは出血予防のため，刺激が少ない歯ブラシやスポンジを選ぶ ・食事は熱いものや刺激が強いものを避ける ・煙草は口腔内の汚染を誘発し，口内炎の症状の悪化につながるため，控えるように指導する
皮膚障害 抗がん薬の全身投与によって，瘙痒，発疹，疼痛，乾燥，知覚過敏などの症状がみられる	・皮膚の乾燥，かゆみの程度 ・皮膚のトラブルの状態(皮膚炎症状，蕁麻疹，発疹など)	・必要に応じて医師より薬物治療で対応する ・非薬物支援として，治療を受ける前に皮膚の保湿などセルフケアの支援 ・石けんは刺激が弱い泡石けんを使用する ・被覆材を使って，皮膚を保護する(市販のハイドロコロイド素材など)

表11-6 がん化学療法療養者家族の支援

項　目	家族支援の実際
自宅でのケアと介護	・副作用，対処法などの知識と技術を伝える ・ケア技術など，家族のできることを進めていく ・家族と一緒に緊急連絡体制の確認を行う
家族が抱える不安	・家族も努力していることをねぎらう ・感情，気持ちを表出できるように声がけなどコミュニケーションを図る ・多職種と連携を取り，正確な情報を伝える

・国立がん研究センターがん情報サービス：がんに関する信頼のおける情報をわかりやすく提供するサイトである。
・がん相談支援センター：全国のがん診療連携拠点病院に設置されている「がんの相談窓口」である。

5）医療ケアチームの整備

在宅療養者は外来でがん化学療法を行う場合は，治療面，生活面など様々なニーズが生ずる。円滑に外来がん化学療法を行うために，治療の場やサポートする各職種，家族を含め1つのチームとなる。生活面と治療面には家族，介護職，医師，外来看護師，訪問看護師，薬剤師，医療ソーシャルワーカーなど様々な職種が担っている。在宅療養はもちろん，がんの治療も人の望みとニーズで変わる。そのための医療チームは以下の点について検討しておく。

・治療方針と計画の統一。
・指示書・処方，看護計画を明確にし，チームで共有。
・療養者と家族への教育的な支援内容の共有や，継続的な情報交換や実践を振り返るなどケースカンファレンスの機会をもつ。

文　献

1）ECOG-ACRIN Cancer Research Group: ECOG Performance Status.
https://ecog-acrin.org/resources/ecog-performance-status（アクセス日：2020/3/26）
2）日本臨床腫瘍研究グループ（JCOG）．
<https://ganjoho.jp/public/qa_links/dictionary/dic01/Performance_Status.html>（アクセス日：2020/3/26）
3）国立がん研究センター がん情報サービス．https://ganjoho.jp（アクセス日：2020/3/30）
4）森文子，内山由美子責任編集：国立がん研究センターに学ぶがん薬物療法スキルアップ，南江堂，2018.
5）荒尾晴恵，田墨恵子編：患者をナビゲートする! スキルアップ がん化学療法看護―事例から学ぶセルフケア支援の実際，日本看護協会出版会，2010.

薬物療法に伴う援助③

12 インスリン自己注射と血糖自己測定(SMBG)

学習目標

- インスリン自己注射法と血糖自己測定（SMBG）の特徴を理解する。
- 在宅でのインスリン自己注射について看護技術を理解し，療養者・家族に説明できる。
- 療養者と家族が，インスリン自己注射・血糖自己測定を管理できるよう指導できる。
- 療養者のインスリン自己注射に関するニーズを把握し，日常生活の自立への支援ができる。

1 インスリン療法の特徴

1）インスリンとは

インスリンは膵臓の内分泌物質で，ランゲルハンス島から分泌され，身体のなかで唯一血糖値を下げる働きをもっている。常に一定量分泌されるインスリン（基礎分泌）と，食事のたびに分泌されるインスリン（追加分泌）がある。健常者は基礎分泌が多く，食後もすばやく追加分泌される。糖尿病患者には，足りないインスリンを補うためにインスリン療法を行う。

インスリン療法は，糖尿病の薬物療法で，不足しているインスリンを注射により体外から補う治療方法である。インスリンを体内へ取り入れるためのインスリン注射は，患者自身が行うことが多い。

2）在宅におけるインスリン自己注射の特徴

（1）在宅におけるインスリン自己注射の特徴

糖尿病の治療には，血糖値のコントロールを目的に食事療法，運動療法，薬物療法を用いる。血糖コントロールが不良な場合には，インスリン注射に切り替えることが多い。

（2）インスリン自己注射に関する法的取り扱い

注射は，医行為（医療行為；医師法第17条）であるため，原則として医師法に従い，医師または一部は看護師等のみが行う行為である。療養者が自己注射を実施する場合については，医師法第17条に抵触する。そこで，2005年３月，「医事法制における自己注射に係る取扱いについて」で厚生労働省は自己注射を患者自身が行う場合については，以下の①～⑤を満たしていれば違法性が阻却されると認識されている。したがって，違法性が阻却される場合には，患者やその家族が医師の適切な指導管理の下に在宅自己注射を行うことは，医師法に違反しないものと解される[1)]。

①目的が正当であること（患者の治療目的のために行うものであること）

②用いる手段が相当であること（医師が継続的な注射を必要と判断する患者に対し，十分な患者教育及び家族教育を行ったうえで，適切な指導及び管理下に行われるものであること）

③その行為によって引き起こされる法益侵害よりも得られる利益が大きいこと（相当な手段により注射が行われた場合の法益侵害（危険の発生）と，患者が注射のために医療機関に通院しなければならない負担の解消とを比較衡量）

④法益侵害の相対性軽微性（侵襲性が比較的低い行為であること，行為者は患者との関係において「家族」という特別な関係（自然的，所与的，原則として解消されない）にあるものに限られていること）

⑤必要性・緊急性（医師が自己注射を必要とすることを判断していること，患者が注射のため医療機関に通院する負担を軽減する必要があると認められること）

3）在宅でのインスリン自己注射における支援

（1）在宅での自己管理教育の重要性

病気の治療で注射を受ける場合は，病院にて医師や看護師により注射を受ける。しかし，インスリンは注射後，数時間で効果がなくなり，血糖値は食事などの影響を受けて変化しやすい。そのため，血糖値が高くならないように常時コントロールするには，毎日注射をする必要がある。

継続的にインスリンを体内へ取り入れるためのインスリン注射は，在宅では療養者およびその家族が行わなければならない。その多くは，生涯にわたりインスリン注射の継続が必要である。また，糖尿病は高血糖の病態だけでなく，網膜症や腎症，神経障害などの合併症も重大な問題であり，合併症を発症すると療養者のQOLが低下し，介護の必要度も高くなる。そのため，インスリン自己注射を継続することは，合併症発症のリスクを抑え，療養者が望む生活を実現するとともに，家族の負担軽減にもつながる。

治療開始時に自覚症状が少ない療養者は，インスリン療法継続の必要性の理解や意欲が欠けている場合がある。インスリン自己注射について十分に理解せず開始した場合，自己判断による治療中断は，糖尿病の症状が悪化し，糖尿病昏睡など生命の危機を招くこともある。医師，看護師の指導だけでは，在宅において長期にわたってインスリン注射を継続することは困難な点が多い。

（2）在宅でのインスリン自己注射のアセスメントの視点

在宅でのインスリン自己注射を正確に継続するには，高齢者や子ども，障害をもつ療養者などセルフケア能力の状況により家族などの協力が必要になる。特に，療養者の体調悪化に備えて，介護する家族の教育は必至である。

教育計画の立案では，対象者である療養者・家族の理解力，手技の習得力，精神・心理面の状況，療養環境などをアセスメントし，継続的に治療を受ける必要性への理解を促し，確実に手技を習得できるように支援する。また，療養者のライフスタイルを尊重し，個別性を重視した教育支援計画を立案し，療養者と家族の習得状況に合わせた指導を行う。在宅でのインスリン自己注射の量とタイミングを的確に把握して実施し，在宅で血糖コントロールを維持できることが望ましい。そのためには，療養者および介護する家族の認知・理解力，心身の状態などのセルフケア能力，療養環境を随時アセスメントし，支援を行う。

＜アセスメントの視点＞

・**身体的側面**：皮膚の状態，視力，手指機能，日常生活動作（ADL），血糖コントロールの状態，認知機能，合併症の有無。

・**心理的側面**：精神症状の有無，治療に対する理解と意欲，社会交流や仕事に対する意欲。

・**環境・生活の側面**：インスリン療法の管理（インスリンの保管・記録状況，廃棄物の保管と処理），日常生活（食事療法，運動・活動の内容）。

・**家族・介護の側面**：介護力，社会資源の利用，介護負担(協力者の有無)，経済状況。

（3）支援体制の確立

インスリン療法を自宅で行う場合には，療養者の体調変化を考え，確実に行うことができる介護者（家族）を療養者のほかに教育する必要がある。訪問看護師は，訪問看護導入の依頼があった際に，まず，インスリン療法についての教育がどのように行われているかなど，患者や家族の知識，技術のレベルを把握する。退院前に療養者の入院病棟を訪問し，療養者およびその家族とのコミュニケーションを図り，実際に注射している場面を見学させてもらう。そのうえで，継続して実施可能な在宅でのインスリン療法の計画を立案する。訪問看護師による自己管理教育への支援は，療養者と家族の生活状況を十分考慮した治療目標の設定と教育支援計画の立案がポイントとなる。

インスリン自己注射を生涯継続することは，療養者および家族にとって，身体状況や生活環境の変化への適応など非常に大きな負担がかかる。療養者と家族が自己注射の知識と手技を習得した後も，長期にわたってアセスメントし，適切な支援が必要である。在宅療養生活の過程において，療養者の身体的側面，心理的側面，環境・生活の側面，家族・介護状況の4つの側面からアセスメントし，ニーズや課題を早期に把握するとともに適切な支援策を継続的にとれるよう調整する。

また，家族やケアチームなど療養者にかかわるすべての人が低血糖の症状を理解し，低血糖時の対処方法を共有できるよう支援体制を確立する。

2 在宅におけるインスリン自己注射に伴う看護技術

1）インスリン製剤の特徴

現在日本で使用されているインスリン製剤には，ヒトインスリン製剤とインスリンアナログ製剤の2種類がある。ヒトインスリンは遺伝子組み換え技術により開発され，体内のインスリンと同じ構造をもった製剤である。インスリンアナログは，ヒトインスリンの構造を一部変えることで，作用時間の調節や副作用の軽減を可能にした製剤である。

インスリン製剤の種類は，効果が出るまでの時間や効果の持続時間によって，主にヒトインスリン製剤である速効型，中間型，混合型の3種類と，インスリンアナログ製剤である超速効型，持効型の2種類，の計5種類に分けられる（表12-1，12-2）。

表12-1 ヒトインスリン製剤の種類と特徴

分　類	特　徴
速効型	・追加分泌を補うインスリン製剤 ・注射後，約30分程度で作用が現れるため，必ず食事の30分前に投与する ・作用持続時間は約８時間である
中間型	・基礎分泌を補うインスリン製剤 ・注射後，約１時間半で作用が現れる ・作用持続時間は約18～24時間である
混合型	・速効型と中間型の混合タイプで，基礎分泌と追加分泌の両方を補足 ・注射後，約30分で作用が現れる ・作用持続時間は約18～24時間である

表12-2 インスリンアナログ製剤の種類と特徴

分　類	特　徴
超速効型	・追加分泌を補うインスリンアナログ製剤 ・速効型に比べて注射後，作用が現れるまでの時間が短いので，食事の開始15分前までに注射を行う
持効型	・基礎分泌を補足する ・注射後，約１～２時間で作用が現れる ・約24時間安定した作用が持続する

2）インスリン注入器の特徴

インスリン療法は，１型糖尿病と，インスリン分泌が少ない２型糖尿病の治療において重要な方法である。在宅でのインスリン療法は，療養者が自分で毎日行う自己注射が基本である。インスリン製剤と同じように，注入器の改良が進んでいる。国内ではペン型インスリン注入器とディスポーザブルシリンジ注入器が使用されている（表12-3）。ペン型インスリン注入器は，ディスポーザブルシリンジ注入器に比べて使いやすく，投与量設定においても注入精度にばらつきが生じにくい。携帯性の向上と場所を選ばず目立たずに投与することが可能になったことなどにより，広く普及している。

インスリン製剤には様々な種類があり，また注入器の品質，精度，操作の利便性も様々

表12-3 インスリン注入器の種類と特徴

種　類	特　徴
ペン型インスリン注入器	・操作が簡単である ・携帯に便利で，外出先での注射が容易である ・バイアルからの吸入の必要がないため，頻回の注射が容易である ・疼痛が少ない ・血管内への針の挿入が確認できない ・視覚障害や手指の機能障害がある人でも，障害の程度により使用できる可能性が高い
ディスポーザブルシリンジ注入器	・注射量を確認できる ・血管内への針の挿入が確認できる ・細かい操作が必要なため，視覚障害や手指の機能障害がある人は使用できないことが多い

である。療養者の血糖コントロールに最も適したインスリン製剤と，最も適した注入器を選択することが非常に重要である。高齢者や障害をもつ人のインスリン自己注射は，特に慎重に選択しなければならない。注入器は療養者が日常的に使用するものであるため，使いやすさを重視し，指導の際には各インスリン注入器の長所や短所をよく認識したうえで，療養者の個別性に合わせて選択し，効果的使用のための説明を行う。

3）持続的皮下インスリン注入療法

持続的皮下インスリン注入療法（continuous subcutaneous insulin infusion：CSII）は，携帯型ポンプを用いてインスリンを持続的に皮下に注入する治療法である。使用するインスリンは超速効型インスリンである。

CSIIは，安定した血糖コントロールを得ることができるため，従来のインスリン頻回投与法では十分な血糖コントロールが得られない不安定型糖尿病や，手術前後の血糖コントロールに適している。特に内因性インスリンの枯渇した1型糖尿病患者や2型糖尿病および高血糖患者の急性期に対してもその有効性が示されている。

（1）利　点

・インスリンを確実に補充できるため，血糖コントロールが安定する。
・食事の時間の遅れなどによる低血糖のリスクを軽減できる。
・夜間低血糖とそれに続く早朝の血糖上昇（暁現象）を抑制できる。
・インスリン注入量が0.1単位刻みのため，微量の調節ができる。

（2）欠　点

・ポンプの故障や注入ルートの閉鎖などのトラブルのリスクがあり，トラブルが発生してインスリン注入が中断した場合，1分間当たり1mg/dL程度の速度で血糖値が上昇し，数時間でケトアシドーシス注）をきたす可能性がある。
・長時間皮下にチューブを留置するため，皮膚感染のリスクがある。

注）ケトアシドーシスとは，インスリン不足のためエネルギー調達において血糖が取り込まれず，代わりに脂肪が取り込まれるため，その代謝物のケトン体が過剰となった状態。症状としては，呼気中のアセトン臭，悪心・嘔吐，腹痛があり，重症化すると意識障害を起こす。

4）インスリン注射部位

インスリン製剤の注射は，通常皮下注射で行う。

インスリンを吸収する速度は，皮下注射の部位によって異なる。インスリンの注射部位は，腹部，上腕の外側部分，殿部，大腿部の外側部分が選択されるが，インスリン吸収速度は腹部が最も速く，次に上腕の外側部分，殿部，大腿部の外側部分の順に遅くなる。そのなかで，吸収が速い，温度変化が少ない，運動による影響を受けにくいという理由から，腹部が最も適した注射部位として選択されている。ただし，臍部を中心に5cm以内は，インスリン吸収が一定ではないため，避ける。

注射部位による吸収速度の違いがあるため，同じ部位に注射することが望ましい。しかし，同一部位に毎回注射すると，皮膚に硬結や腫れが生じ，インスリンの吸収に影響する。よって，前回注射した箇所から3cm程度ずつずらして注射をする（図12-1）。

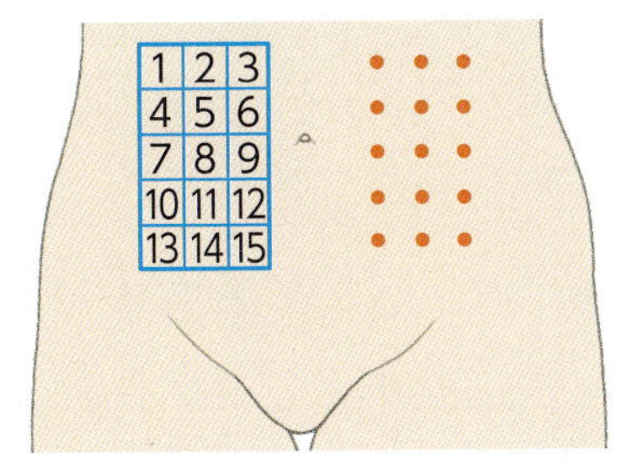

図12-1 インスリン注射部位

インスリンの吸収速度に影響する要因は様々である。注射をする深さが深いほど吸収速度は速くなる。また，注射後の注射部位のマッサージや運動をした後，入浴後の体温上昇時にも吸収は速くなる。

5）尿糖・血糖の測定

生活習慣への介入や薬物療法に加え，療養者が自分で行う尿糖自己測定（self monitoring of urine glucose：SMUG）と血糖自己測定（self monitoring of blood glucose：SMBG）は，良好な血糖コントロールを得るための効果が高い[2]。

（1）尿糖自己測定（SMUG）

SMUGは，SMBGより簡便に行え，非侵襲的であり，経済的な負担も小さいため，指導も簡単に行える利点がある。国際糖尿病連合のガイドラインでは，尿糖排泄閾値をおよそ180mg/dL（10.0mmol/L）としている。しかし，尿糖値は年齢・個人差があり，また尿糖測定では低血糖の状態を知ることができない点などが指摘されている。

（2）血糖自己測定（SMBG）

療養者には，穿刺器具や測定器の扱いなどの手技を学習し，測定値を記録し適切に評価できる能力が求められる。療養者にとって測定ごとの穿刺による採血が負担になる場合があり，熟練した医療者による指導・管理が必要となる。

6）低血糖症状への対応

（1）低血糖の原因

低血糖を起こす疾患・原因は様々で，偏った食事，過剰な運動，経口血糖降下薬，不適切なインスリン注射があげられる。

①偏った食事

食事を抜く，いつもより少量の食事しか摂取していない，食事時間の遅れ，下痢・嘔吐で食事が十分摂取・吸収されないなどが低血糖の誘因となる。速効型・超速効型・混合型インスリン注射後や，速効型インスリン分泌促進薬服用後，15分以内に食事がとれなかったときも低血糖を起こす可能性がある。

②過剰な運動

激しい運動や労働量が多い場合も低血糖が起こりうる。運動量が多くなる前に補食を摂ることや，空腹で血糖値が低いときの激しい運動は避けるよう指導する。

③経口血糖降下薬の影響

経口血糖降下薬は，他剤との併用や，多量に服用，ほかの薬と間違えて飲んだ場合に低血糖を誘発する可能性がある。解熱鎮痛薬やアルコールなどでインスリンの作用が増強することもある。

④不適切なインスリン注射

インスリンの量や種類を間違える，混濁製剤をよく混ぜない，注射部位をもむなど，不適切な注射手技は低血糖の誘因となる。

インスリン治療中の大量のアルコール摂取も，重篤な低血糖の原因になる。

注射針が血管内に刺さり血流に入ると，注射してすぐに低血糖が起こる。注射後20～30分間は低血糖症状の有無に十分注意して観察する。

（2）低血糖の症状

正常では健常者の血糖値は70mg/dL以上に維持されている。薬やインスリンの過剰摂取により血糖値が70mg/dL以下になると，強い空腹感や動悸，震えなどの症状が現れる。糖尿病で普段から高血糖状態にある場合や血糖値の下がるスピードが速いときは，比較的高い血糖値でもこうした症状が現れ始めることがある。

低血糖により拮抗ホルモンの分泌が増え，ソモジー効果（低血糖後に反動的に血糖値が上昇する現象）をきたすことで血糖コントロールが乱れ，心血管障害や脳障害を生じる。また一度低血糖を経験すると強い不安感に襲われ，低血糖を避けようと過食になったり，薬物療法を勝手に中断することがある。血糖値が50mg/dL以下になると中枢神経の働きが低下し，血糖値が30mg/dL以下になると意識レベルが低下し，昏睡状態から死に至ることもある。低血糖は生命を脅かす事態につながることもあるため，このような状況になる前に対処することが重要である。

（3）低血糖の対処法

①意識がある場合

低血糖の徴候があり，経口摂取可能な状況では，直ちにご飯や芋類などの炭水化物で糖分を摂取する。すぐ食事を摂れないときは，糖分を含んだジュースなどを200～350mL程度飲むか，砂糖10～20gを摂取する。10～15分で回復しない場合は，再度同量を摂取する。

糖尿病以外の薬を内服している場合は，あらかじめ自分の内服薬について，担当医に伝えておき，対処法を確認しておく。

②意識がない場合

昏睡や全身けいれんなど意識障害をきたしたときには，家族や周囲の協力が必要となる。速やかに緊急時の医療施設へ連絡する。薬物療法を受けているときは，糖尿病手帳やIDカードを常に携行することで，昏睡で医療機関に搬送されてもすぐに適切な処置が受けられる。

7）シックデイの対処

普段はコントロールが得られている糖尿病患者が，ほかの病気で血糖コントロールが乱れる状態をシックデイという。シックデイの原因は，かぜやインフルエンザなどの感染症，胃炎や下痢など消化器系の病気，骨折，外傷，手術，やけどなどあらゆる病気が含まれる。

人間の身体にとって，病気は大きなストレスである。このようなときには，病気を克服する手段として体は様々なホルモンを放出する。ストレスで増加するホルモンは血糖値を上昇させ，血糖値を下げる唯一のホルモンであるインスリンの分泌や働きを一時的に抑える。インスリンが慢性的に不足状態にある糖尿病患者の体内では，インスリンの作用不足がさらに大きくなり，血糖値が上昇する。

また，高齢者にしばしばみられるのは，食事がとれなくなったり，発熱や下痢が続き脱水になって血液が濃縮されて血糖値を上昇させることである。

糖尿病患者が病気になると，様々な要因が重なって代謝機能が破綻し，病気が重症化しやすくなる。さらに，通常量の薬剤使用でも低血糖を起こす場合がある。また，食欲不振であっても，ストレスにより血糖値が高くなっている場合もある。絶食は避け，口当たりのよい食べ物を摂取する[3)]。

シックデイ時の対応については，主治医の指導を受け，ケアチームにおいて情報や対処法を共有する。

8）視覚障害者のインスリン自己注射の事故

視覚障害を伴う療養者は，インスリンの注入単位の設定を間違える，刺入の失敗など，事故のリスクが高い。看護師などが身近にいない自宅でインスリン自己注射を実施する療養者には，視覚障害に応じた注射手技の工夫を身につけてもらい，安全に実施できるよう支援する。

看護技術の実際

A ペン型注入器によるインスリン自己注射

●目　　的：インスリン療法の自己管理ができ，良好な血糖コントロールができるとともに合併症を予防し，療養者のQOLを高める

●必要物品：インスリンペン型注入器（図12-2），消毒用アルコール綿，医療廃棄物用容器（図12-3）

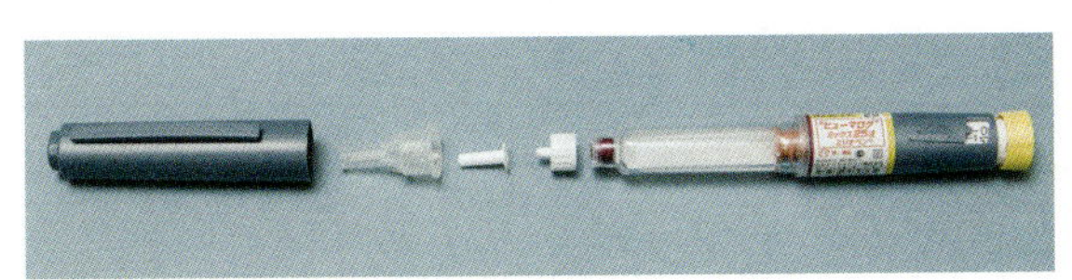

図12-2 インスリンペン型注入器

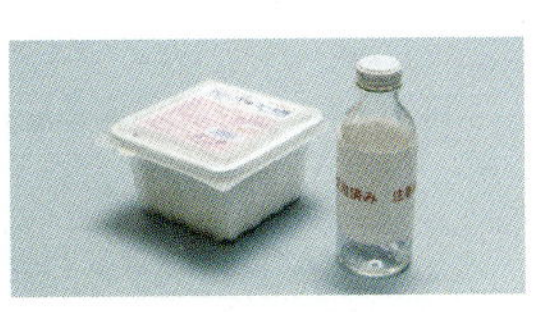

図12-3 医療廃棄物用容器

	方法と観察の視点	療養者・家族支援と根拠
1	**実施体制を整える** 1）療養者・家族が事前にどのように説明・指導を受けているか確認する 2）一連の手順を適切に実施できるか確認する 3）副作用について症状や頻度を理解しているか確認する 4）必要時，看護師による実施・指導を行う 5）医師・薬剤師など専門職がかかわれるような体制を整備する	
2	**環境を整備する**（図12-4） 1）居室を整理し，換気を行う 2）操作を清潔に行えるスペースを確保する 3）実施中は清潔が保持できるよう，窓や扉の開閉，机やベッドの移動などに留意する 4）視力障害がある療養者の場合，手の届く位置でかつ安定した場所に注射器が置いてあるか確認する（➡❶） 5）調剤のための清潔な場所を確保する 図12-4　**インスリン自己注射の環境整備**	●家族の協力を得て，インスリン自己注射を安全に実施できる環境を整備する ❶療養者が常に位置を確認でき，安全・清潔な保管ができる場所をあらかじめ療養者・家族および医療者で設定する
3	**手を洗う** 1）手洗いの必要性を療養者・家族に説明し，確実に実施していることを確認する 2）手洗いのため，洗面台を借りる場合は療養者・家族に説明し，同意を得てから使用する	
4	**注射器の準備をする** 1）種類（製剤名・色）・単位が主治医の指示と一致しているか確認する 2）薬剤，アルコール綿の使用期限を確認する 3）混濁タイプのインスリンは手で往復10回以上，上下に大きく振り，インスリン注射液を混合する（図12-5） ・薬剤全体が均等に混ざったか 4）キャップをはずし，ゴム栓を消毒後，針（ペンニードル®）を取り付ける（図12-6） 5）副針のシールをはがし，針を装着して，針のキャップをはずす（図12-7）	●注射前の確認の必要性を療養者・家族に説明し，確実に実施していることを確認する

	方法と観察の視点	療養者・家族支援と根拠

種類・単位を確認する

手で往復10回以上，上下に大きく振る

図12-5 **注射器の準備**

図12-6 **針の取り付け**

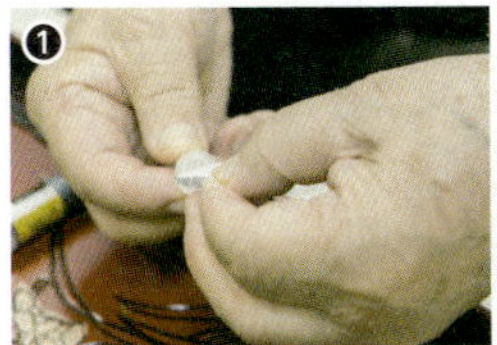
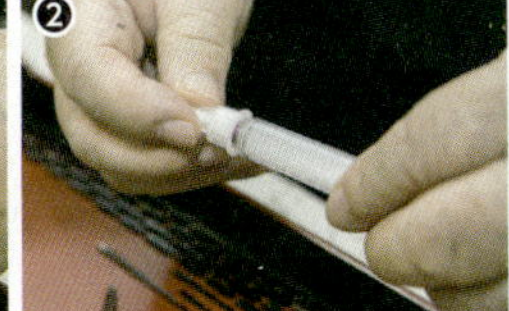
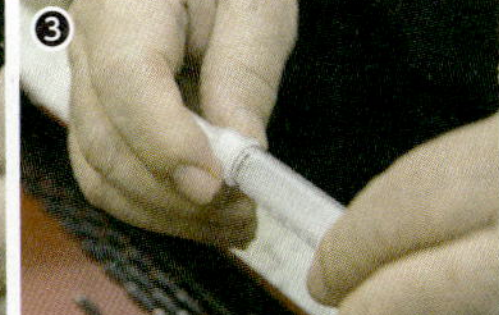
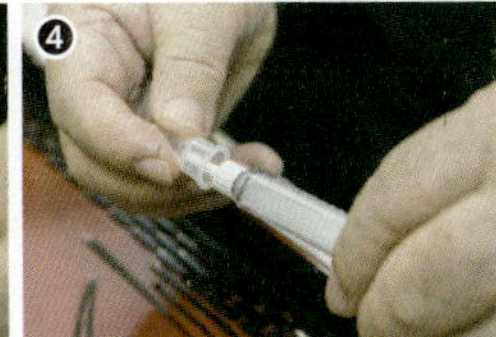

針のシールをはがす

針を装着してからキャップをはずす

図12-7 **針の準備**

5 試し打ちをする

1）カートリッジ（注射針）内の空気を抜く
- 針が詰まっていないか確認する
- 針が正常に装着されているか確認する
- 注入器が正常に作動するか確認する

2）針先を上に向け，気泡を押し出す（図12-8）
- インスリンが出ることを確認する
- 視覚障害者の場合，試し打ちは針先を下に向けて，押し出したインスリンを手で受けることで確認する（図12-9）

3）ダイヤル窓の表示が「0」になっているのを確認し，指示単位に合わせる

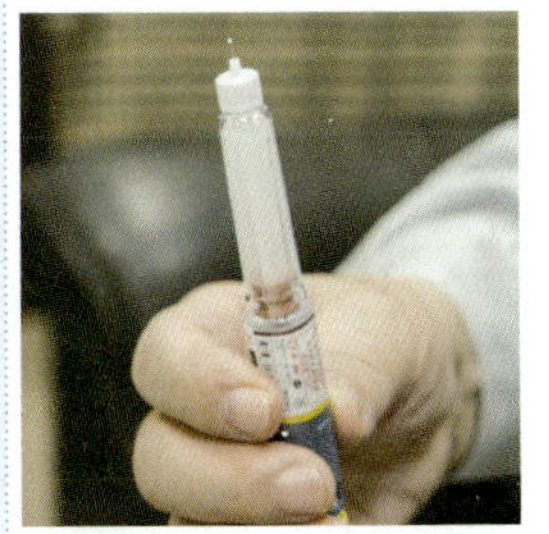

針先を上に向け気泡を押し出す

図12-8 **試し打ち**

● 試し打ちの目的を説明する（➡❷）

❷試し打ちによって，注射針の取り付け方や針の詰まりなど不具合が発見できるため，必ず毎回実行するように指導する

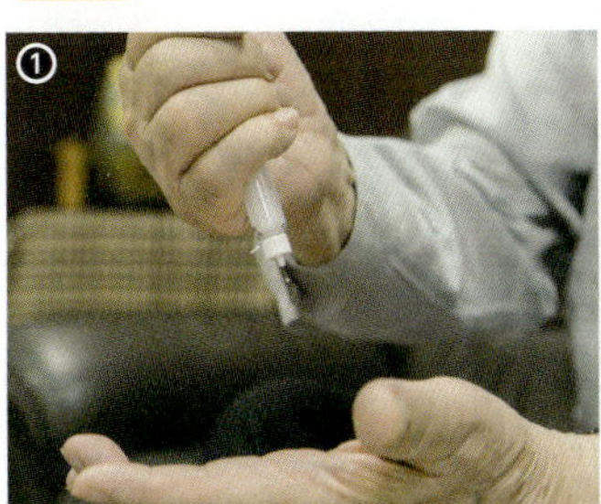
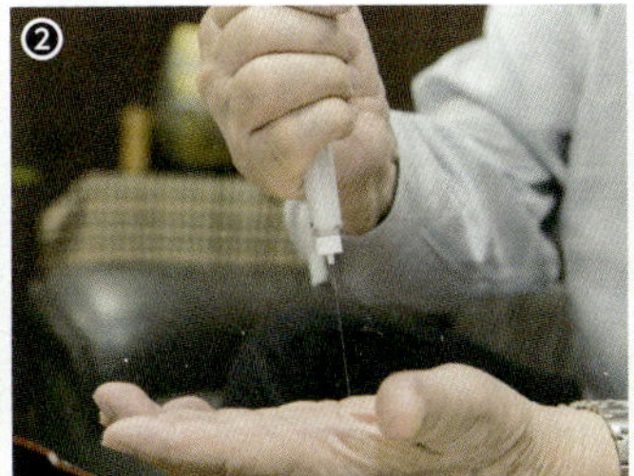
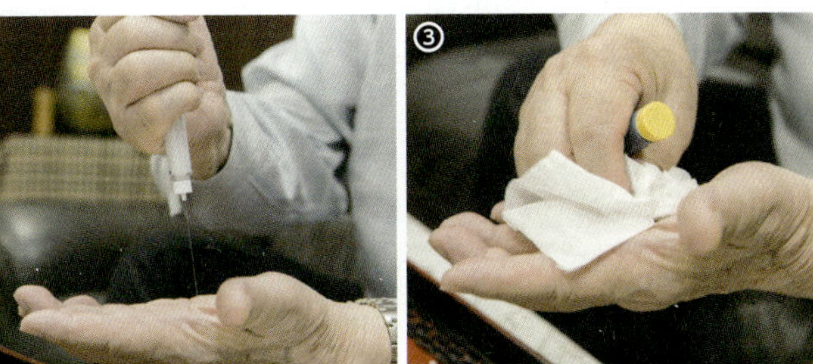

インスリンを押し出し，手で受ける

針先を下に向ける

図12-9 **視覚障害者の場合の試し打ち**

	方法と観察の視点	療養者・家族支援と根拠
6	**注射部位を選択する**（➡❸） ・皮膚の硬結・腫脹・発赤がないか観察する ・注射部位が適切か確認する	❸注射部位は皮膚の保護，インスリンの吸収への影響を考慮し，前回注射した箇所から3cm程度ずらして注射する
7	**アルコール綿で皮膚を消毒する**（図12-10） 1）注射部位の中心から周囲へ広く消毒する 2）アルコール綿は乾燥しないようにそのまま持っている 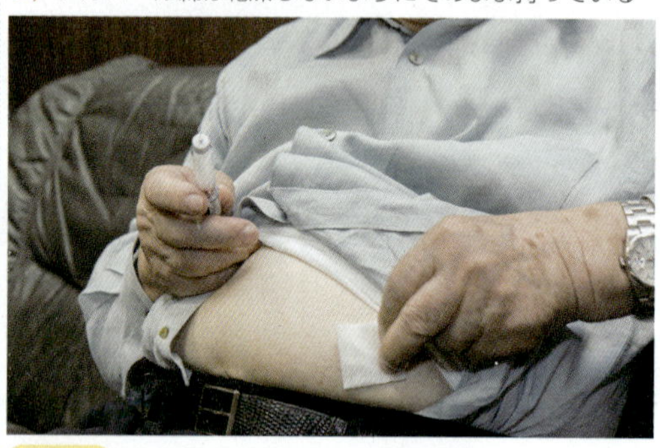 図12-10 アルコール綿による皮膚の消毒	●消毒した部位に衣服や手などが触れないように注意する
8	**皮下に注射針を刺す** 1）皮下に針を刺し，注入ボタンを真上から押し，インスリンを注入する（図12-11） 2）注入ボタンは最後まで押す 3）表示が「0」になってから，注入ボタンを押したまま6秒以上おいて針を抜く 4）針キャップをかぶせる 5）針を取りはずす（図12-12） 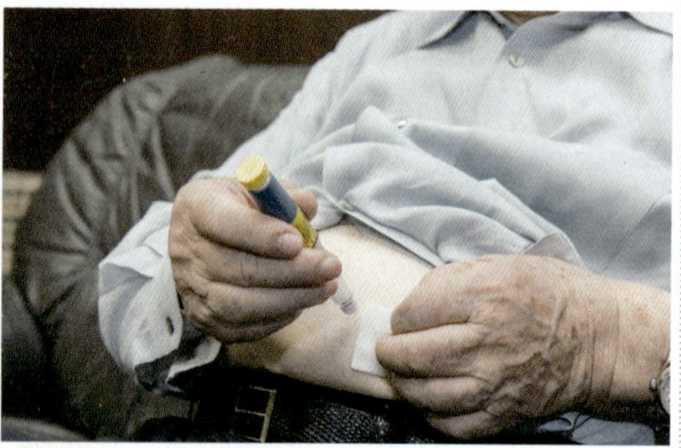 図12-11 インスリンの注入	●筋肉内に入らないように皮膚を軽くつまみ，針先を垂直に刺すように指導する ●主治医の指示量の注入ができるよう，注入ボタンを最後まで押すように指導する

	方法と観察の視点	療養者・家族支援と根拠

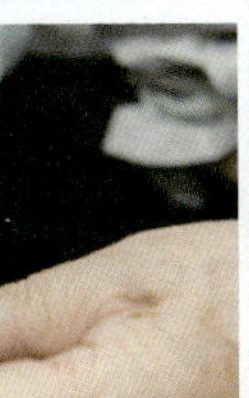

①針のキャップをかぶせる

②針のキャップをまっすぐにかぶせて回しながら針を取りはずす

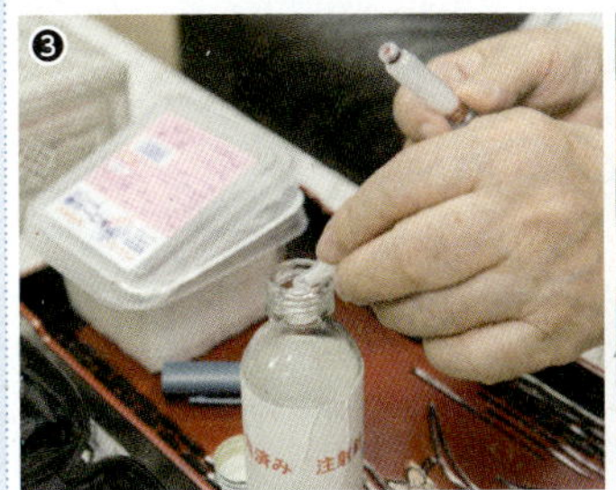
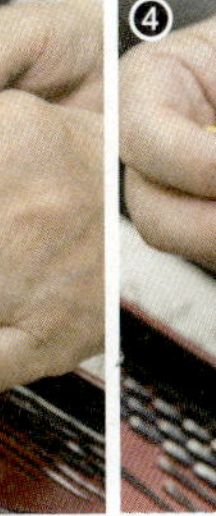

③取りはずした針を容器に廃棄する

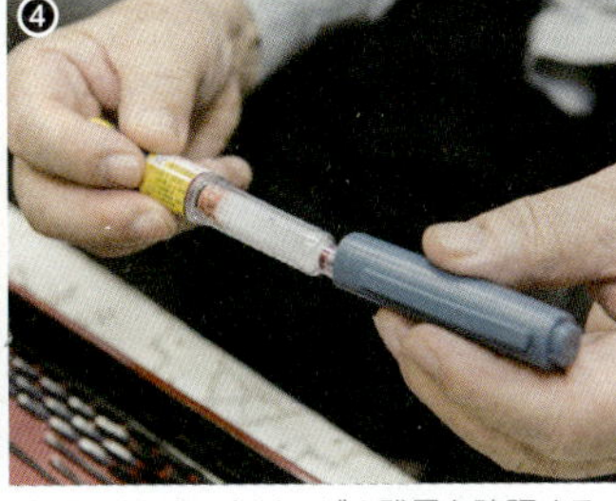

④インスリンカートリッジの残量を確認する

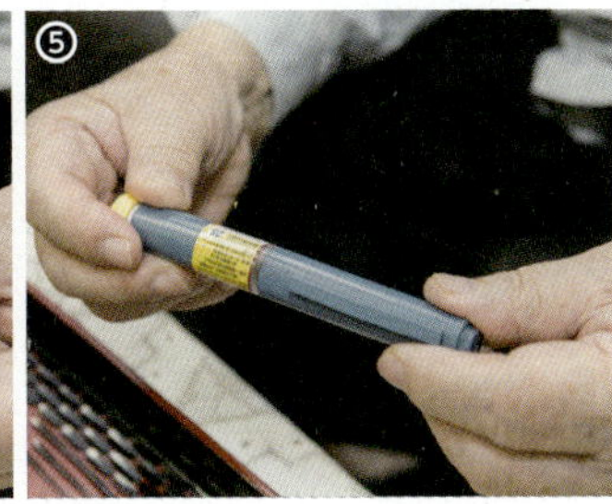

⑤使用後必ずキャップをしっかりと付ける

図12-12 **針の取りはずし**

	方法と観察の視点	療養者・家族支援と根拠
9	**注射中・注射後を観察し記録する** 1）実施した内容・方法・時間・部位・量・皮膚の状態などを糖尿病手帳に記録する 2）インスリン自己注射時の状態を観察する 3）バイタルサインなど健康状態全般を確認する	●療養者・家族にインスリン自己注射時の状態を確認・記録する意味を説明する ●家族に異常時の対応ができるように指導する
10	**インスリン製剤と注入器を保管する** ・保管場所を確認する ・保管温度・遮光保管に配慮しているか ・使用期限内であるか	●保管場所など，家族間で共有し，乳幼児などがいる場合は手の届かない場所に保管する ●使用中のインスリン製剤は，直射日光を避け，室温30℃以下で保管する。また，30℃以上の高温や凍結に注意する ●未使用のインスリン製剤は，冷蔵庫で保管する
11	**医療廃棄物などを処理する** ・使用済みの針は，針刺し事故がないように取り扱えたか	●針は，使用後に針ケースに収めるか，医療廃棄物として処理できる専用の容器あるいは硝子瓶などに入れる ●市町村によって医療廃棄物の取り扱い方法が異なるため，自治体に問合せるように説明する

B 血糖自己測定

●目　　的：血糖コントロールおよび低血糖の予防ができるよう血糖値を正確に測定し，状態の把握に生かし，治療の効果を感じることができる。

●必要物品：血糖測定器，センサーチップ（使い捨て電極），ジェントレット（採血用穿刺器具）（図12-13）と医療廃棄物用容器，消毒用アルコール綿

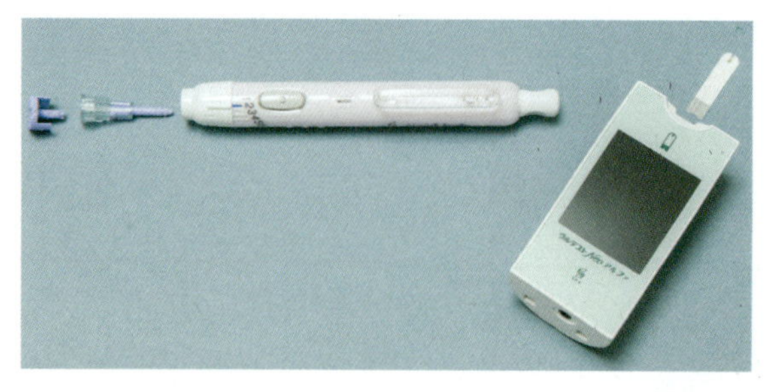

図12-13　採血用穿刺器具と血糖測定器

	方法と観察の視点	療養者・家族支援と根拠
1	**実施体制を整える** 1）療養者・家族が事前にどのように説明・指導を受けているか確認する 2）一連の手順を適切に実施できるか確認する 3）必要時，看護師による実施・指導を行う	●必要物品の調達方法を確認し，医師や薬剤師など専門職がかかわれるような体制を整備する
2	**環境を整備する** 1）居室を整理し，換気を行う 2）操作を清潔に行えるスペースを確保する	●SMBGの実施において，家族の協力を得て環境を整備する
3	**手を洗う**	
4	**針を採血用穿刺器具に装着する** ・採血針をジェントレット（採血用穿刺器具）の先端に挿入し，セットする（図12-14） ・正しく装着できているか ①②③ 採血針をジェントレットの先端に挿入しセットする 図12-14　採血針の装着	●療養者・家族が使用法を理解し，確実に実施できているか確認し，不十分であれば指導する
5	**血糖測定器にセンサーチップを装着する** 1）センサーチップを１枚取り出す（図12-15） 2）血糖測定器にしっかりと挿入し，電源を入れる（図12-16） ・正しく装着できているか ・機器の使用法を理解しているか ・確実に実施できているか	●様々な機種があるため，コストや使いやすさなど，療養者に合ったものが選択できるよう指導する

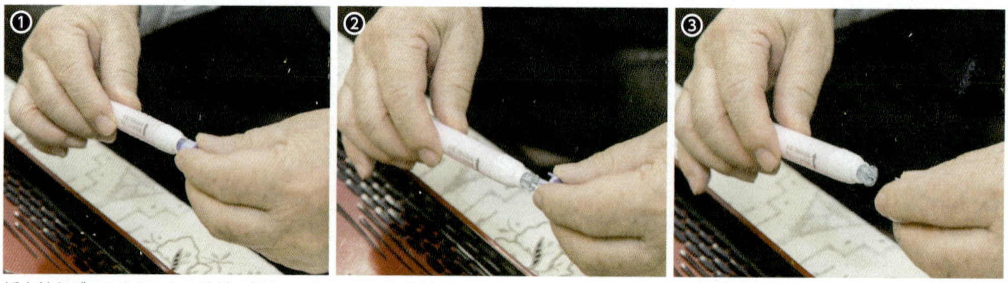

	方法と観察の視点	療養者・家族支援と根拠

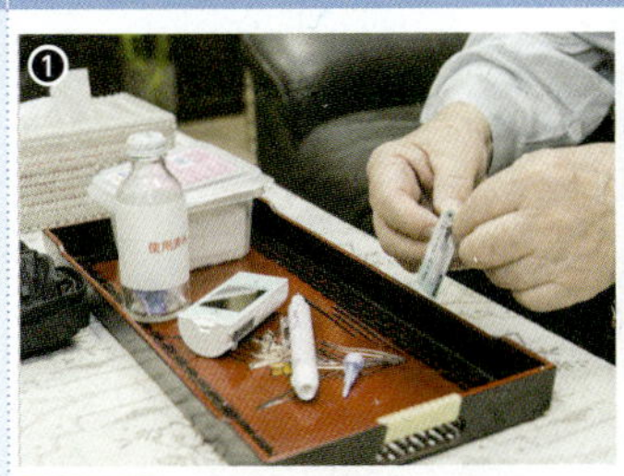

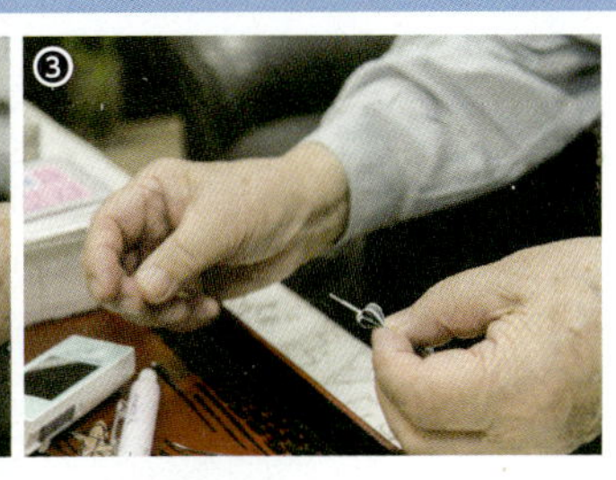

図12-15 センサーチップの取り出し

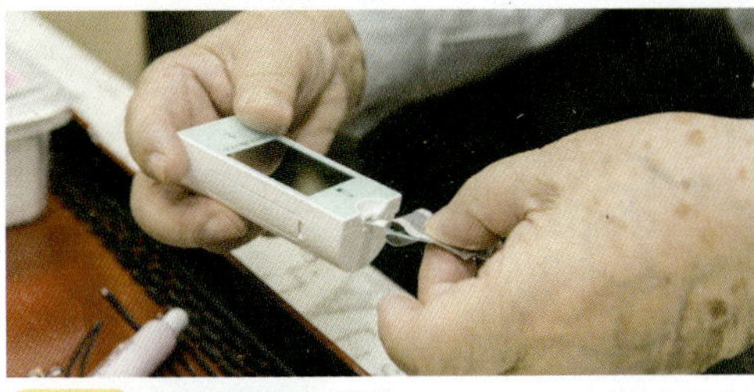

図12-16 血糖測定器に挿入

6 **採血用穿刺部位をアルコール綿で消毒する**

1）採血部位を中心から周囲へ消毒し乾燥させる（図12-17）
・穿刺部位の選択は適切か（➡❶）
・皮膚のトラブルがないか
・アルコールは揮発したか（➡❷）
2）アルコール綿は乾燥しないよう手に持つ

図12-17 採血部位の消毒

●消毒した部位に衣服や手などが触れないように注意する
❶血液の量が少量で痛みが少ない前腕部などで検査することが多いが，動静脈吻合の多い指尖部に比べ前腕部の皮静脈は血流速度が遅いため，低血糖や高血糖の発見が遅れる危険性がある。血糖が比較的安定しているときは前腕部と指尖部の血糖値の差はあまりない
❷アルコールが揮発しない状態で測定すると，血糖値に影響する

7 **針を刺す**

1）採血用穿刺器具のボタンを押す
2）穿刺部位を緊張させて直角に針を刺す（図12-18）
・穿刺器と皮膚の間が直角か

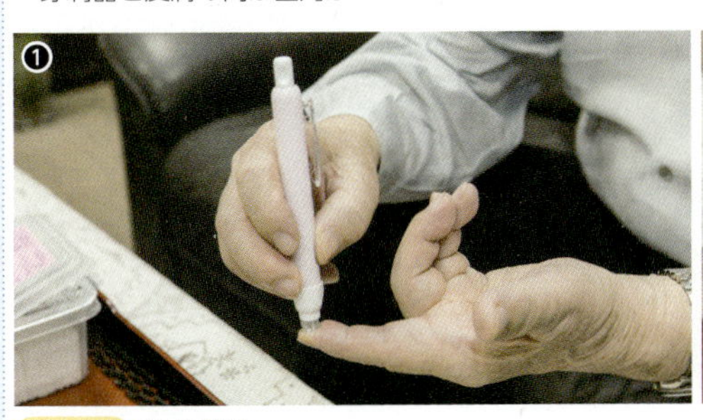
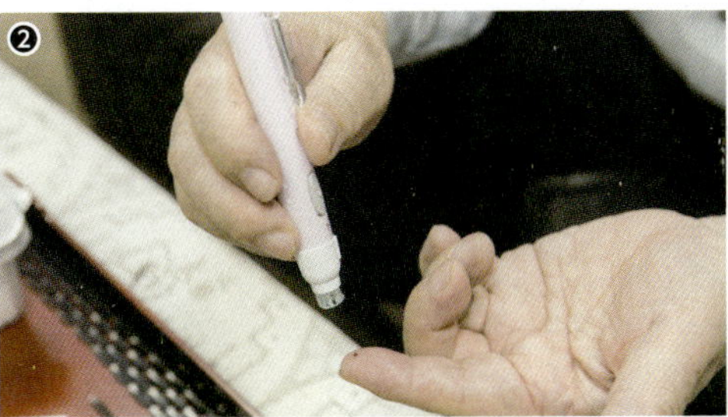

図12-18 針の刺入

	方法と観察の視点	療養者・家族支援と根拠
8	**センサーチップに血液をつける**（図12-19） 1）器械にチップを装着し，血液を吸引させると自動的に測定が開始される ・血液を吸引して，自動的に測定を開始しているか確認する 2）血糖値が表示される 3）採血針をはずし，廃棄する（図12-20） 4）チップをはずし，廃棄する（図12-21）	

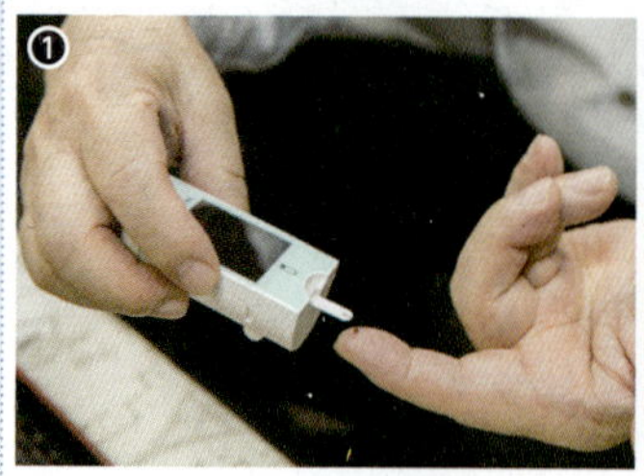

採血量は写真のように少量である

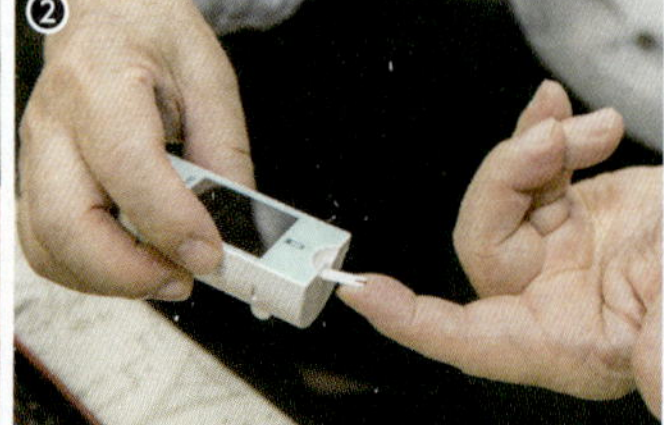

センサーチップに血液をつける

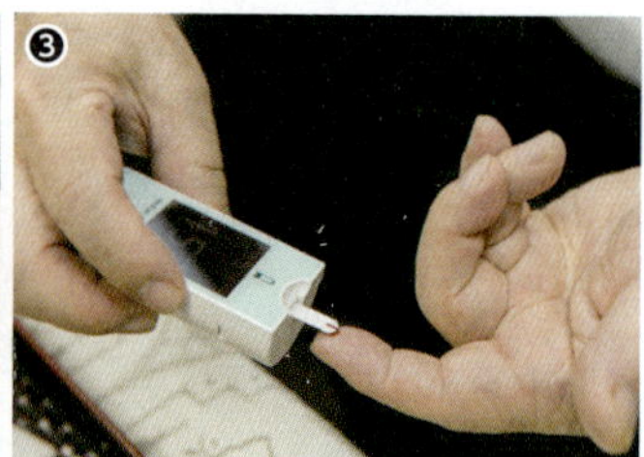

血液を吸引して測定が開始される

図12-19 **血液の吸引・測定**

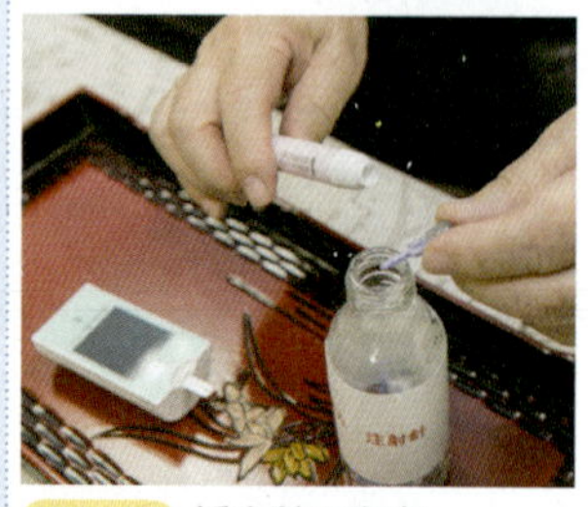

図12-20 **採血針の廃棄**

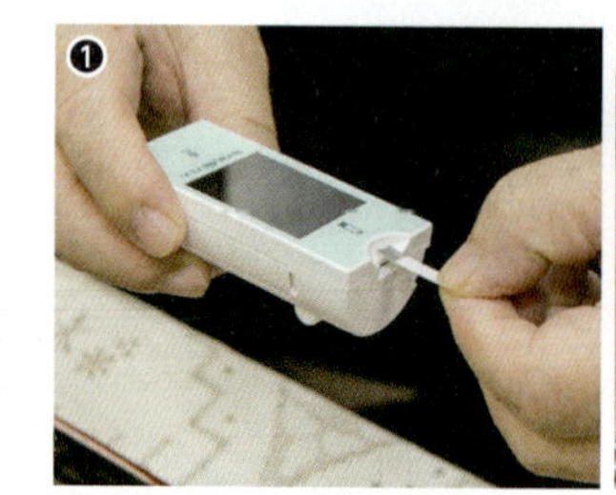

図12-21 **センサーチップの取りはずし❶と廃棄❷**

	方法と観察の視点	療養者・家族支援と根拠
9	**血糖値を記録する** 1）表示された血糖値を記録する ・正確に記録しているか 2）記録した数値を比べて，血糖のコントロール状態を確認する	

文　献

1）中医協：医事法制における自己注射に係る取扱いについて，診-1-2，2005.3.30.
2）松村美穂子，他：糖尿病患者における自動車運転中の低血糖発作の実態―低血糖発作による交通事故低減への啓発，糖尿病，57（5）：329～336，2014.
3）厚生労働省: 重篤副作用疾患別対応マニュアル.2011.
4）独立行政法人医薬品医療機器総合機構の医薬品医療機器情報提供ホームページ.
<http://www.info.pmda.go.jp/>（アクセス日：2020/1/6）
5）島内節，亀井智子：これからの在宅看護論，ミネルヴァ書房，2014.
6）在宅医療廃棄物の処理の在り方検討会：在宅医療廃棄物の処理に関する 取組推進のための手引き，環境省，2008.
7）朝倉俊成：インスリン自己注射手技の実際と注意点，月刊糖尿病，1（3）：46-48，2009.

13 褥瘡の予防とケア

学習目標

- 在宅での褥瘡ケアの特徴を理解する。
- 在宅での褥瘡の発生要因を理解し，リスクアセスメントスケールを使用してアセスメントできる。
- 在宅療養において，どのような支援が褥瘡の予防とケアにつながるかを理解し，実践できる。
- 在宅療養者や家族介護者に，褥瘡の予防とケアについて指導できる。

1 在宅における褥瘡ケアの特徴

1）褥瘡ケアの到達目標の設定

入院期間の短縮化が進むなか，褥瘡は治療に時間がかかることが多く，完治に至る前に退院となると，褥瘡ケアは在宅へ引き継がれる。あるいは，自宅での生活を優先したい場合や，緩和ケアを受ける時期の療養者が望んで在宅へ移行し，褥瘡ケアが継続される。

病院では褥瘡を治すことが優先されるが，生活の場である在宅でのケアにおいては，療養生活に沿った褥瘡ケアの到達目標を設定することが重要である。訪問看護師や在宅主治医，地域の病院などが協働し，療養者や家族の意向を十分に尊重した療養支援を進めていくなかで，褥瘡に対しても共通認識をもちケアを進めていくことが必要である。

2）在宅で褥瘡ケアを行ううえでのポイント

在宅療養では，家族介護者やヘルパーが生活支援の実施者であるため，褥瘡発生の第一発見者になり得る。したがって，療養者本人や家族，ヘルパーが，褥瘡ケアの必要性を理解し，在宅における褥瘡対策チームの一員として褥瘡の治癒促進，悪化予防，再発予防を実践できることが重要である。療養生活の主体は療養者および家族であるので，看護師が必要と考えたことを無理強いしても，その方法が取り入れられるとは限らない。その家庭の介護力（知識，体力，経済力）に応じて，段階的に，長期的にかかわっていくことの重要性を忘れてはならない。以下，指導のポイントをあげる。

・在宅でも実施できるように，安全で簡便な手順を介護者と共に工夫する。
・看護師が次回の訪問時までに起こることを予測して説明しておく。
・緊急連絡が必要な状態を伝え，緊急連絡先・方法について確認しておく。

2 褥瘡の発生要因と分類

1）発生要因

褥瘡は，日本褥瘡学会により「身体に加わった外力は骨と皮膚表層の間の軟部組織の血流を低下あるいは停止させる。この状況が一定時間持続されると，組織は不可逆的な阻血性障害に陥り褥瘡となる」[1)]と定義されている。

外力による褥瘡発生のメカニズムを図13-1に示す。身体は，床面や座面（身体の外側）から力を受けて，皮膚や皮下脂肪，筋肉などの軟らかい組織が骨格や靭帯などの硬い組織に挟まれて，変形しながら体重を支えている。外力に対して皮膚組織内に発生する力を応力といい，「応力×時間」が褥瘡発生につながる。応力は，圧縮応力，剪(せん)断応力（ずれ力），引張応力に分類されるが，身体に一定時間外力が加わると，これらの応力が軟部組織に複合的に働き，組織損傷を引き起こす。

褥瘡は，圧迫や疼痛を感じて自ら圧を回避する行動のとれる人には発生しない。知覚障害や麻痺，拘縮など何らかの理由で圧の回避行動がとれない場合に褥瘡発生リスクが高まる。体位変換時に身体を引きずったり，ベッドの頭側を挙上して身体が滑り落ちたりするようなときに剪断応力が生じる。ずれた状態で圧が持続的にかかると，褥瘡のポケット形成の危険因子となるので注意する。

看護の視点で褥瘡発生要因を考えると，図13-2の患者個別の個体要因と環境・ケア要因の重なる部分である「外力，栄養，湿潤，自立」が観察ポイントとなる。

栄養状態が褥瘡発生要因にあげられるのは，基礎代謝に必要なエネルギー量摂取が不足すると，タンパク質である筋組織が分解されエネルギーであるブドウ糖への変換が進行する（異化作用）こと，栄養摂取（特にタンパク質摂取）不良状態が続くと，異化作用が持

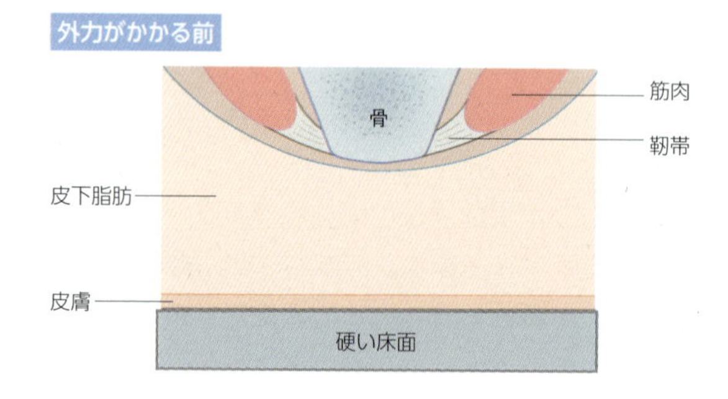

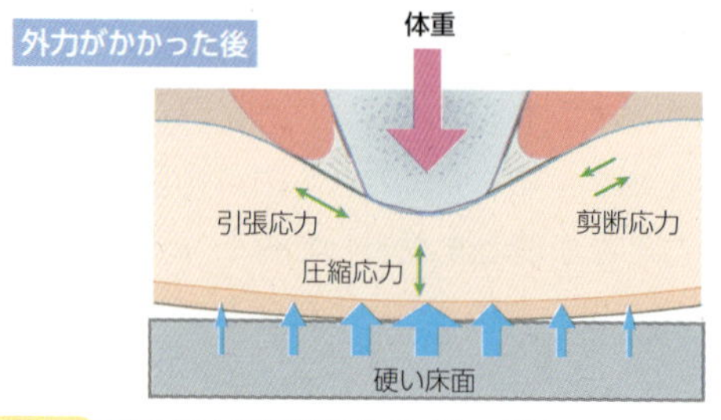

図13-1　外力による褥瘡発生のメカニズム

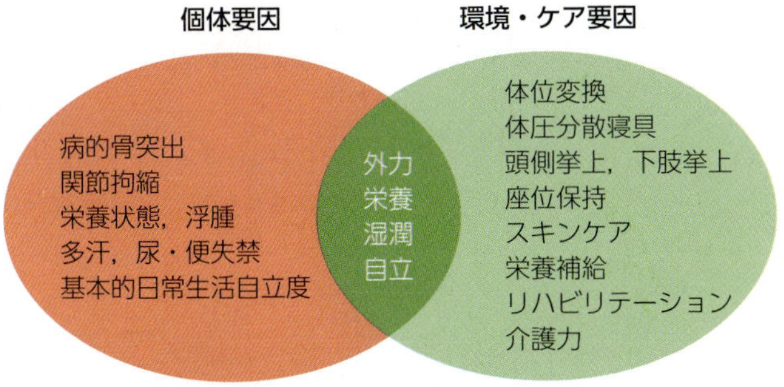

個体要因　環境・ケア要因

個体要因	共通	環境・ケア要因
病的骨突出 関節拘縮 栄養状態，浮腫 多汗，尿・便失禁 基本的日常生活自立度	外力 栄養 湿潤 自立	体位変換 体圧分散寝具 頭側挙上，下肢挙上 座位保持 スキンケア 栄養補給 リハビリテーション 介護力

図13-2 褥瘡発生の概念図

続し異化亢進状態（体の筋肉を壊して，エネルギーあるいはタンパク質の必要量を補充している状態）となり，タンパク質合成が行われなくなるためである。

また，失禁や発汗によって殿部や肛門周囲の皮膚が浸軟している場合（湿潤状態），健常な皮膚に比べて5倍も損傷を受けやすい[2]といわれている。おむつ内は湿潤していることが多く，皮膚のバリア機能が低下しているため外部からの異物が侵入しやすく，菌の繁殖の危険性が潜在する状況でもある。

2）褥瘡の深達度分類

褥瘡の深達度は，米国褥瘡諮問委員会（National Pressure Ulcer Advisory Panel：NPUAP）の提唱するステージングシステムに準じて，ステージⅠ（消退しない発赤）からステージⅣ（骨，腱，筋肉の露出を伴う全層組織欠損）に分類されてきた。しかし，ステージという言葉はⅠからⅣへと段階的に進んでいく印象や，治癒過程においてⅣからⅠへと軽快していく印象を与える。そこで，2009年に欧州褥瘡諮問委員会（European Pressure Ulcer Advisory Panel：EPUAP）と共同で新しい分類が提唱された（図13-3）[3][4]。現在はこのカテゴリ分類が国際的に使用されている。

この分類では，「分類不能」および「深部組織損傷疑い」の2つのカテゴリが追加されている。

「分類不能」は，壊死組織によって創面が覆われている場合に深達度が判定できない症例に対して記載されるカテゴリ名である。

「深部組織損傷」（deep tissue injury（DTI））は，皮膚に発赤がなくても深部に損傷がすでに起こっているという状態である。皮膚に外力が加わると，作用・反作用の法則に従い，同じだけの力（応力）が骨付近で発生する。その際，筋や脂肪などの軟部組織は皮膚よりも虚血に対する耐性が低いため深部組織に損傷が生じる。カテゴリ名に「疑い」とついているのは，深部組織損傷は皮膚表面から観察困難であるためである。深部組織損傷の判別には，超音波画像検査が有用である。

カテゴリ/ステージⅠ：消退しない発赤 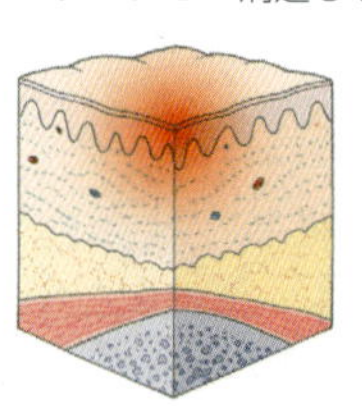	通常骨突出部に限局された領域に消退しない発赤を伴う損傷のない皮膚。色素の濃い皮膚には明白なる消退は起こらないが，周囲の皮膚と色が異なることがある。 周囲の組織と比較して疼痛を伴い，硬い，柔らかい，熱感や冷感があるなどの場合がある。カテゴリⅠは皮膚の色素が濃い患者では発見が困難なことがある。「リスクのある」患者とみなされる可能性がある
カテゴリ/ステージⅡ：部分欠損または水疱 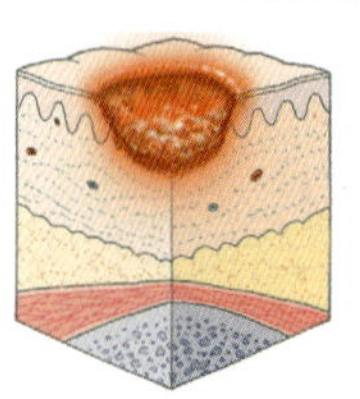	黄色壊死組織（スラフ）を伴わない，創底が薄赤色の浅い潰瘍として現れる真皮の部分層欠損。皮蓋が破れていないもしくは開放/破裂した，血清または漿液で満たされた水疱を呈することもある。 スラフまたは皮下出血*を伴わず，光沢や乾燥した浅い潰瘍を呈する。このカテゴリを，皮膚裂傷，テープによる皮膚炎，失禁関連皮膚炎，浸軟，表皮剥離の表現に用いるべきではない *皮下出血は深部組織損傷を示す
カテゴリ/ステージⅢ：全層皮膚欠損（脂肪層の露出） 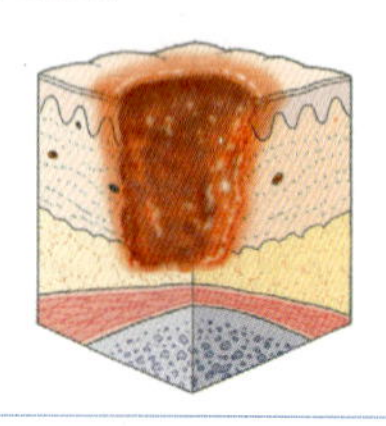	全層組織欠損。皮下脂肪は視認できるが，骨，腱，筋肉は露出していない。組織欠損の深度がわからなくなるほどではないがスラフが付着していることがある。ポケットや瘻孔が存在することもある。 カテゴリ/ステージⅢの褥瘡の深さは，解剖学的位置により様々である。鼻梁部，耳介部，後頭部，踝部には皮下（脂肪）組織がなく，カテゴリ/ステージⅢの褥瘡は浅くなる可能性がある。反対に脂肪層が厚い部位では，カテゴリ/ステージⅢの非常に深い褥瘡が生じる可能性がある。骨/腱は視認できず，直接触知できない
カテゴリ/ステージⅣ：全層組織欠損 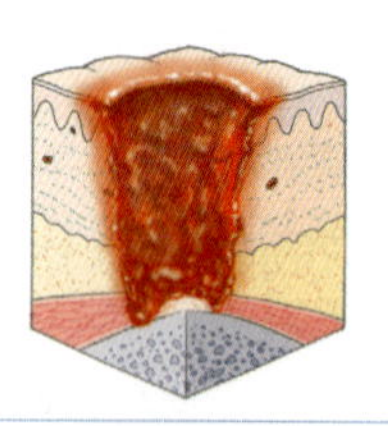	骨，腱，筋肉の露出を伴う全層組織欠損。スラフまたはエスカー（黒色壊死組織）が付着していることがある。ポケットや瘻孔を伴うことが多い。 カテゴリ/ステージⅣの褥瘡の深さは解剖学的位置により様々である。鼻梁部，耳介部，後頭部，踝部には皮下（脂肪）組織がなく，カテゴリ/ステージⅣの褥瘡は浅くなる可能性がある。反対に脂肪層が厚い部位では，カテゴリ/ステージⅣの非常に深い褥瘡が生じることがある。カテゴリ/ステージⅣの褥瘡は筋肉や支持組織（筋膜，腱，関節包など）に及び，骨髄炎や骨炎を生じやすくすることもある。骨/筋肉が露出し，視認することや直接触知することができる
分類不能：皮膚または組織の全層欠損－深さ不明 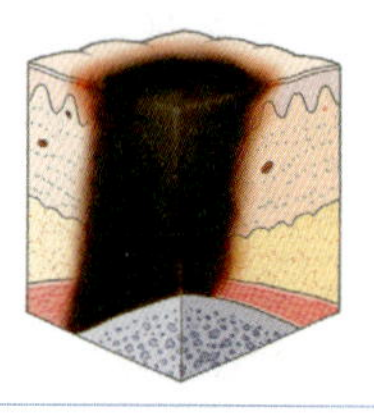	創底にスラフ（黄色，黄褐色，灰色，緑色または茶色）やエスカー（黄褐色，茶色または黒色）が付着し，潰瘍の実際の深さがまったくわからなくなっている全層組織欠損。 スラフやエスカーを十分に除去して創底を露出させない限り，正確な深達度は判定できないが，カテゴリ/ステージⅢもしくはⅣの創である。踵に付着した，安定した（発赤や波動がなく，乾燥し，固着し，損傷がない）エスカーは「天然の（生体の）創保護」の役割を果たすので除去すべきではない
深部組織損傷疑い－深さ不明 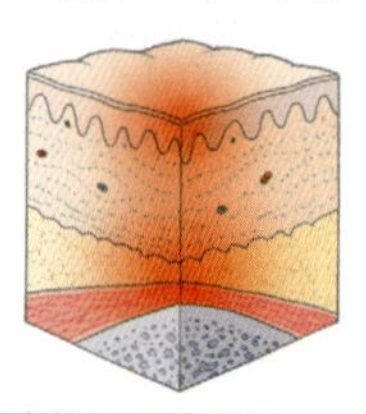	圧力や剪断力によって生じた皮下軟部組織が損傷に起因する，限局性の紫色または栗色の皮膚変色または血疱。 隣接する組織と比べ，疼痛，硬結，脆弱，浸潤性で熱感または冷感などの所見が先行して認められる場合がある。深部組織損傷は，皮膚の色素が濃い患者では発見が困難なことがある。進行すると暗色の創底に薄い水疱ができることがある。創がさらに進行すると，薄いエスカーで覆われることもある。適切な治療を行っても進行は速く，適切な治療を行ってもさらに深い組織が露出することもある

図13-3 NPUAP/EPUAPによる褥瘡の深達度分類

EPUAP/NPUAP著，宮地良樹・真田弘美監訳：褥瘡の予防＆治療クイックリファレンスガイド．株式会社ケープ，2009，p.8より引用したものにイラストを追加した

3 褥瘡予防のリスクアセスメント

1）ブレーデンスケール

褥瘡のリスクアセスメントスケールとしては，ブレーデンスケールがよく知られている（表13-1）。これは，日中のほとんどをベッドで過ごす寝たきり状態になったときに評価を開始するもので，知覚の認知，湿潤，活動性，可動性，栄養状態，摩擦とずれの6項目に関し，それぞれ最も悪い1点から最もよい4点（摩擦とずれの項目は1点から3点）で採点し，点数が低いほど褥瘡発生リスクが高いと判断される。

褥瘡発生の危険点（カットオフポイント）として，日本では病院は14点，在宅は介護力が低いために17点以下とされている。最終的な点数だけをみて評価するのではなく，点数の低い項目に対して優先的にケアを行っていくための判断の指標にするとよい。

2）在宅版K式スケール

在宅における療養者の褥瘡発生には，環境・ケア要因として介護力があげられていることから（図13-2参照），栄養補給および介護知識の2項目の介護力評価項目を加えた在宅版K式スケールが開発された（図13-4）[5]。

このスケールでは，前段階要因として日常生活上の固有要素（自力体位変換不可，骨突出，栄養状態が悪い，介護知識がない）に，引き金要因となる状況要因（体圧，湿潤，ずれ，栄養）が加わった場合，褥瘡発生危険性について「イエス」「ノー」で評価する。在宅療養においては，前段階要因は大きく変わらないと推測されるため，前段階要因のアセスメントは月に1回，引き金要因のみ週1回アセスメントし，「イエス」がついた項目についてケアが必要と判断し，介入していくとよい。

褥瘡の予防的ケアと発生後のケア

予防のために看護師が行うケアのポイントは，体位の調整，栄養の管理，排泄の管理である。これらについてアセスメントして，褥瘡発生を予防するための適切な看護支援を行っていく。褥瘡発生の予防に関するアセスメントでは，療養者にかかわるヘルパー，理学療法士，栄養士など多職種と情報共有し，チームとしての支援体制の構築を図っていく。

褥瘡が発生した場合に行うケアは，褥瘡予防のために行うケアと内容は重なる。生じてしまった創傷の処置に意識が集中しがちであるが，褥瘡発生に至った要因が何かを見きわめ，それを見直すようケアを行う。

1）アセスメント内容と方法

（1）褥瘡の危険因子の評価

「褥瘡対策に関する診療計画書（表13-2）」の上段に位置する危険因子の評価[6]は，医療機関内での使用を想定し作成されたアセスメントツールである。

平成26年度（2014年度）の診療報酬改定によって新設された「在宅患者訪問褥瘡管理指

表13-1　ブレーデンスケールおよび項目の定義

患者氏名：＿＿＿＿＿＿＿＿　評価者氏名：＿＿＿＿＿＿＿＿　評価年月日：＿＿＿＿＿＿＿＿

知覚の認知 圧迫による不快感に対して適切に反応できる能力	**1．全く知覚なし** 痛みに対する反応（うめく，避ける，つかむ等）なし。この反応は，意識レベルの低下や鎮静による。あるいは，体のおおよそ全体にわたり痛覚の障害がある。	**2．重度の障害あり** 痛みにのみ反応する。不快感を伝えるときには，うめくことや身の置き場なく動くことしかできない。あるいは，知覚障害があり，体の1/2以上にわたり痛みや不快感の感じ方が完全ではない。	**3．軽度の障害あり** 呼びかけに反応する。しかし，不快感や体位変換のニードを伝えることが，いつもできるとは限らない。あるいは，いくぶん知覚障害があり，四肢の1，2本において痛みや不快感の感じ方が完全ではない部位がある。	**4．障害なし** 呼びかけに反応する。知覚欠損はなく，痛みや不快感を訴えることができる。
湿　潤 皮膚が湿潤にさらされる程度	**1．常に湿っている** 皮膚は汗や尿などのために，ほとんどいつも湿っている。患者を移動したり，体位変換するごとに湿気が認められる。	**2．たいてい湿っている** 皮膚はいつもではないが，しばしば湿っている。各勤務時間中に少なくとも1回は寝衣寝具を交換しなければならない。	**3．時々湿っている** 皮膚は時々湿っている。定期的な交換以外に，1日1回程度，寝衣寝具を追加して交換する必要がある。	**4．めったに湿っていない** 皮膚は通常乾燥している。定期的に寝衣寝具を交換すればよい。
活動性 行動の範囲	**1．臥床** 寝たきりの状態である。	**2．坐位可能** ほとんど，または全く歩けない。自力で体重を支えられなかったり，椅子や車椅子に座るときは，介助が必要であったりする。	**3．時々歩行可能** 介助の有無にかかわらず，日中時々歩くが，非常に短い距離に限られる。各勤務時間中にほとんどの時間を床上で過ごす。	**4．歩行可能** 起きている間は少なくとも1日2回は部屋の外を歩く。そして少なくとも2時間に1回は室内を歩く。
可動性 体位を変えたり整えたりできる能力	**1．全く体動なし** 介助なしでは，体幹または四肢を少しも動かさない。	**2．非常に限られる** 時々体幹または四肢を少し動かす。しかし，しばしば自力で動かしたり，または有効な（圧迫を除去するような）体動はしない。	**3．やや限られる** 少しの動きではあるが，しばしば自力で体幹または四肢を動かす。	**4．自由に体動する** 介助なしで頻回にかつ適切な（体位を変えるような）体動をする。
栄養状態 普段の食事摂取状況	**1．不　良** 決して全量摂取しない。めったに出された食事の1/3以上を食べない。蛋白質・乳製品は1日2皿（カップ）分以下の摂取である。水分摂取が不足している。消化態栄養剤（半消化態，経腸栄養剤）の補充はない。あるいは，絶食であったり，透明な流動食（お茶，ジュース等）なら摂取したりする。または，末梢点滴を5日間以上続けている。	**2．やや不良** めったに全量摂取しない。普段は出された食事の約1/2しか食べない。蛋白質・乳製品は1日3皿（カップ）分の摂取である。時々消化態栄養剤（半消化態，経腸栄養剤）を摂取することもある。あるいは，流動食や経管栄養を受けているが，その量は1日必要摂取量以下である。	**3．良　好** たいていは1日3回以上食事をし，1食につき半分以上は食べる。蛋白質・乳製品を1日4皿（カップ）分摂取する。時々食事を拒否することもあるが，勧めれば通常補食する。あるいは，栄養的におおよそ整った経管栄養や高カロリー輸液を受けている。	**4．非常に良好** 毎食おおよそ食べる。通常は蛋白質・乳製品を1日4皿（カップ）分以上摂取する。時々間食（おやつ）を食べる。補食する必要はない。
摩擦とずれ	**1．問題あり** 移動のためには，中等度から最大限の介助を要する。シーツでこすれず体を動かすことは不可能である。しばしば床上や椅子の上でずり落ち，全面介助で何度も元の位置に戻すことが必要となる。痙攣，拘縮，振戦は持続的に摩擦を引き起こす。	**2．潜在的に問題あり** 弱々しく動く。または最小限の介助が必要である。移動時皮膚は，ある程度シーツや椅子，抑制帯，補助具等にこすれている可能性がある。たいがいの時間は，椅子や床上で比較的よい体位を保つことができる。	**3．問題なし** 自力で椅子や床上を動き，移動中十分に体を支える筋力を備えている。いつでも，椅子や床上でよい体位を保つことができる。	

Total：＿＿＿＿＿＿

訳：真田弘美（東京大学大学院医学系研究科）／大岡みち子（North West Community Hospital. IL. U.S.A.）

<項目の定義>

知覚の認知	圧迫による不快感に対して適切に反応できるかどうかをみる項目である。“あるいは”の表現で「意識レベル」と「皮膚の知覚」という2つの構成要素に分かれている。双方の得点が異なる場合は低いほうの得点を採点する。
湿　潤	皮膚が湿潤にさらされる頻度をみる項目である。発汗やドレーン排液による湿潤も含む。寝衣・寝具にはおむつも含む。
活動性	行動範囲を示し，圧迫が取り除かれる時間をみるだけではなく，動くことにより血流の回復をはかることをみる項目である。元来の活動能力の有無にかかわらず，現状の動くことができる範囲を判断する。
可動性	体位変換できる能力を示し，骨突起部の圧迫を取り除くために位置を変える力と本人の動機も含む。看護師・介護者が体位変換を行うことは含まない。完全に体の向きを変えることと同様に，局所を浮かせたり，位置を変えたりすることも含む。
栄養状態	普段の食事摂取状態をカロリーと蛋白の摂取量でみる項目である。他の項目と異なり1週間の食事摂取状態を評価する。“あるいは”の表現で「経口栄養」と「経管（経腸）栄養または静脈栄養」という2つの構成要素に分かれている。栄養摂取経路を併用し，得点が異なる場合は，主となる経路の得点を採点する。
摩擦とずれ	摩擦とは皮膚が寝衣・寝具にこすれることを，ずれとは筋肉と骨が外力によって引き伸ばされることをさす。両者を区別することは困難なため1つの項目として扱っている。

日本褥瘡学会編：在宅褥瘡予防・治療ガイドブック，第2版，2012，p.45より転載

前段階要因 YES 1点

日中(促さなければ)臥床・自力歩行不可

前段階スコア 点

[ ] 自力体位変換不可	[ ] 骨突出	[ ] 栄養状態悪い	[ ] 介護知識がない
・自力で体位変換できない ・体位変換の意思を伝えられない ・得手体位がある	・仙骨部体圧40mmHg※以上 ・測定できない場合は 骨突出(仙骨・尾骨・坐骨結節・大転子・腸骨稜) 上肢・下肢の拘縮,円背である	・まず測定Alb3.0g/dL↓ or TP6.0g/dL↓ Alb, TPが測定できない場合は 腸骨突出40mm以下 ・上記が測定できないときは浮腫・貧血 自分で食事を摂取しない 必要カロリーを摂取していない (摂取経路は問わない)	・褥瘡予防のポイント①除圧・減圧②栄養改善③皮膚の清潔保持の3点について述べることができない

引き金要因 YES 1点

引き金スコア 点

体　圧	[ ] 体位変換ケア不十分(血圧の低下80mmHg未満,抑制,痛みの増強,安静指示などの開始)
湿　潤	[ ] 下痢便失禁の開始,尿道バルン抜去後の尿失禁の開始,発熱38.0度以上などによる発汗(多汗)の開始
ず　れ	[ ] ギャッチアップ座位などのADL拡大による摩擦とずれの増加の開始
栄　養	[ ] 1日3食を提供できない。食事バランスに偏りがあるが,おやつや栄養補助食品などを提供できない

基礎疾患名

治療内容(健康障害の段階)
急性期・術後回復期・リハビリ期・終末期・高齢者

身長　　cm,体重　　kg,年齢　　性別　男　女

実際　　褥瘡　有　無
発生日　　部位　　深度
発生日　　部位　　深度
コメント
使用体圧分散寝具名

太枠（　）は，K式スケールに加えた介護力を評価する項目
※測定用具をパームQ®とした場合は50mmHg

村山志津子・北山幸枝・大桑麻由美・他：在宅版褥瘡発生リスクアセスメントスケールの開発，日本褥瘡学会誌，9（1）：28-37，2007．より転載

<項目の定義>

前段階要因：対象が普段からもっている要因のこと	
自力体位変換不可	・自力で体位変換できない，体位変換の意思を伝えられない，得手体位があるかをみる
骨突出	・仙骨部の体圧を測定し50mmHg以上（パームQ®を使用した場合）あるかでみる ・体圧が測定できない場合は，骨突出（仙骨・尾骨・坐骨結節・大転子・腸骨稜）の有無，上肢・下肢の関節拘縮，円背の有無でみる
栄養状態悪い	・Alb3.0g/dL，あるいはTP6.0g/dL未満かでみる ・Alb，またはTPが測定できないときは，腸骨突出度を測定する。40mm以下かをみる（イリアックスケールを使用すると簡便） ・いずれも測定できない状況であれば，浮腫，貧血，自分で食事を摂取しない，必要カロリーを摂取していないに該当するかでみる
介護知識がない	・褥瘡予防のポイント　①除圧・減圧，②栄養改善，③皮膚の清潔の保持の３点について述べることができるかでみる
引き金要因：前回採点したときから（1週間以内に）変化が生じていた（加わった）項目のこと	
体圧	・どのような理由であろうとも体位変換ケアが不十分になったかをみる
湿潤	・下痢便失禁の開始，膀胱内留置バルーン抜去後の尿失禁の開始，発熱38.0℃以上などによる発汗（多汗）のいずれかが該当するかをみる
ずれ	・ギャッチアップ座位（頭側挙上）などのADL拡大による摩擦とずれの増加があったかをみる
栄養	・１日３食を提供できない，あるいは食事のバランスに偏りがあるか，おやつや栄養補助食品などを提供できないかが該当するかをみる

日本褥瘡学会編：在宅褥瘡予防・治療ガイドブック，第２版，照林社，2012，p.50より転載

図13-4 在宅版K式スケールおよび項目の定義

表13-2 褥瘡対策に関する診療計画書

褥瘡対策に関する診療計画書

氏名＿＿＿＿＿＿＿＿ 殿　男　女　　計画作成日＿＿・＿・＿

明・大・昭・平　年　月　日 生(　歳)

褥瘡の有無	1. 現在 なし あり（仙骨部，坐骨部，尾骨部，腸骨部，大転子部，踵部，その他（　））	褥瘡発生日＿＿・＿・＿
	2. 過去 なし あり（仙骨部，坐骨部，尾骨部，腸骨部，大転子部，踵部，その他（　））	

〈日常生活自立度の低い入院患者〉

	日常生活自立度 J（1，2） A（1，2） B（1，2） C（1，2）			対処
危険因子の評価	・基本的動作能力（ベッド上 自力体位変換）	できる	できない	「あり」もしくは「できない」が1つ以上の場合，看護計画を立案し実施する
	（イス上 坐位姿勢の保持，除圧）	できる	できない	
	・病的骨突出	なし	あり	
	・関節拘縮	なし	あり	
	・栄養状態低下	なし	あり	
	・皮膚湿潤（多汗，尿失禁，便失禁）	なし	あり	
	・皮膚の脆弱性（浮腫）	なし	あり	
	・皮膚の脆弱性（スキン－テアの保有，既往）	なし	あり	

〈褥瘡に関する危険因子のある患者及びすでに褥瘡を有する患者〉　※両括弧内は点数

			合計点
褥瘡の状態の評価（DESIGN-R）	深さ	(0) 皮膚損傷・発赤なし　(1) 持続する発赤　(2) 真皮までの損傷　(3) 皮下組織までの損傷　(4) 皮下組織をこえる損傷　(5) 関節腔，体腔に至る損傷　(U) 深さ判定が不能の場合	
	滲出液	(0) なし　(1) 少量：毎日の交換を要しない　(3) 中等量：1日1回の交換　(6) 多量：1日2回以上の交換	
	大きさ（cm²）長径×長径に直交する最大径（持続する発赤の範囲も含む）	(0) 皮膚損傷なし　(3) 4未満　(6) 4以上16未満　(8) 16以上36未満　(9) 36以上64未満　(12) 64以上100未満　(15) 100以上	
	炎症・感染	(0) 局所の炎症徴候なし　(1) 局所の炎症徴候あり（創周辺の発赤，腫脹，熱感，疼痛）　(3) 局所の明らかな感染徴候あり（炎症徴候，膿，悪臭）　(9) 全身的影響あり	
	肉芽形成 良性肉芽が占める割合	(0) 創閉鎖又は創が浅い為評価不可能　(1) 創面の90%以上を占める　(3) 創面の50%以上90%未満を占める　(4) 創面の10%以上50%未満を占める　(5) 創面の10%未満を占める　(6) 全く形成されていない	
	壊死組織	(0) なし　(3) 柔らかい壊死組織あり　(6) 硬く厚い密着した壊死組織あり	
	ポケット（cm²）潰瘍面も含めたポケット全周（ポケットの長径×長径に直行する最大径）－潰瘍面積	(0) なし　(6) 4未満　(9) 4以上16未満　(12) 16以上36未満　(24) 36以上	

※該当する状態について，両括弧内の点数を合計し，「合格点」に記載すること。ただし，深さの点数は加えないこと。

継続的な管理が必要な理由

計画

実施した内容（初回及び評価カンファレンスの記録及び月1回以上の構成員の訪問結果の情報共有の結果について記載）

カンファレンス実施日	開催場所	参加した構成員の署名	議事概要
初回　月　日			
評価　月　日			
評価　月　日			

評価

説明日　年　月　日

本人又は家族（続柄）の署名＿＿＿＿

在宅褥瘡対策チーム構成員の署名

医師＿＿＿＿

看護師＿＿＿＿

管理栄養士＿＿＿＿

在宅褥瘡管理者＿＿＿＿

［記載上の注意］

1 日常生活自立度の判定に当たっては「「障害老人の日常生活自立度（寝たきり度）判定基準」の活用について」（平成3年11月18日 厚生省大臣官房老人保健福祉部長通知 老健第102-2号）を参照のこと。

2 日常生活自立度がJ1～A2である患者については，当該評価票の作成を要しないものであること。

厚生労働省ホームページ．別紙様式43 より転載

http://kouseikyoku.mhlw.go.jp/kinki/iryo_shido/documents/43.xls

導料」[7]の算定においては，在宅褥瘡対策チームで褥瘡対策に関する診療計画書またはこれに準じた在宅褥瘡診療計画を作成し，その内容を療養者および家族に説明するとともに診療録などに添付することが求められている。訪問看護において，下記にあげる項目のアセスメントを行い，褥瘡ケアにつなげていく。

・日常生活自立度：在宅療養者の援助計画で用いられる日常生活自立度と同様の判定基準である。したがって在宅療養者が入院から在宅へ，あるいはその逆へ移行した場合のいずれにおいても共有すべき情報として重要である。
・基本的動作能力：「ベッド上自力体位変換」とは，本人の意思を問うものではなく，自力で体の向きを変えることができるか否かである。自力で体位変換ができても，得手体位（患者の好む体位）や痛みのために同一体位を長時間続けるようであれば，自力体位変換は「できない」とする。「イス上座位姿勢の保持」は車椅子を含む座位姿勢において，特に姿勢が崩れたりせず座ることができるか否かを，「除圧」は自分で座り心地をよくするために姿勢を変えることができるか否かを評価する。
・病的骨突出：骨が突出している状態を指す。仙骨部の場合は，両殿部の高さで突出を評価する。
・関節拘縮：関節の屈曲可動制限（関節の屈曲拘縮，伸展拘縮，変形など）があることを指す。
・栄養状態低下：褥瘡発生を予防するために必要な栄養が適切に供給されていないことを指し，アルブミン値3.5g/dLを目安とする。在宅療養者においてこのようなデータがない場合は，体重減少や摂食量も重要な要素となる。
・皮膚湿潤：「多汗」は多量の汗をかくこと，「尿失禁」は殿部皮膚が尿で濡れていること，「便失禁」は便が殿部皮膚についている時間があることを指し，いずれか1つでも該当すれば皮膚湿潤「あり」と評価する。
・皮膚の脆弱性（浮腫）：褥瘡部以外の部位で皮下組織内に組織間液が異常にたまった状態を指し，下腿前面脛骨部，足背，背部などで，指で押すと圧痕を残すか否かで判断する。
・皮膚の脆弱性（スキン－テアの保有，既往）※：スキン－テアの発生，あるいは再発しやすい状態を指す。スキン－テアとは，摩擦・ずれによって生じる，皮膚が裂けて生じる真皮深層までの損傷（部分層損傷）のことであり，上下肢に発生する場合が多い。既往に関しては，療養者・家族に確認することもできるが，困難な場合には，スキン－テアの治癒後に残る白い線状や星状の瘢痕の有無で判断する。

（2）褥瘡の状態の評価

褥瘡対策に関する診療計画書の中段に位置する褥瘡の状態の評価（DESIGN-R）[8]は，日本褥瘡学会が経過評価用に作成したスケールであるDESIGNを改訂したものである。深さ（Depth），滲出液（Exudate），大きさ（Size），炎症・感染（Inflammation/Infection），肉芽形成（Granulation），壊死組織（Necrotic tissue），ポケット（Pocket）の7項目で構成されており，褥瘡が発生した際にはその状態を正確に評価し，状態に応じた適切なケア選

※平成30（2018）年度診療報酬改定の際に褥瘡の危険因子にスキン－テアが加わったため，この項目は2018年度に加えられた。

択を行うために，1～2週間に1回採点する。深さ以外の6項目を合計し，深さの点数は合計点に含めない。

DESIGN-Rは，褥瘡の重症度に，影響度（滲出液：6，大きさ：15，炎症・感染：9，肉芽形成：6，壊死組織：6，ポケット：24）を点数付加し，合計点が高いほど重症と判断される。合計点の推移により褥瘡の治癒経過を評価できるので，適切なケア選択に反映させることができる。

2）体位の調整（ポジショニング）

身体に加わった外力が一定時間以上持続すると褥瘡発生につながるため，外力の大きさをできるだけ0に近づけ，外力負荷の持続時間を短くする。これは，すでに褥瘡がみられる療養者にとっても同様である。さらに，局所にずれや摩擦が生じると褥瘡の拡大やポケットの形成につながるため，これらの外力が生じないよう工夫することが特に求められる。

（1）体位変換

体位変換とは，ベッドや椅子などと接触しているために体重がかかって圧迫されている身体の部位を，身体が向いている方向，頭の角度，姿勢などを変えることによって移動させることをいい，ポジショニングという大きな枠に含まれる。

ポジショニング[9)]は，運動機能障害を有する者に，クッションなどを活用して体位を調整し，目的に適した姿勢に保持することをいう。その結果として，褥瘡の予防のみならず，拘縮や変形の予防，筋緊張の緩和，呼吸や浮腫の改善，姿勢の安定による活動の促進，座位や立位の準備，安楽な姿勢づくりという効果が期待できる。在宅療養者においては，目的に合った体位の調整が重要であり，生活の一部である体位の調整や保持の仕方が，二次

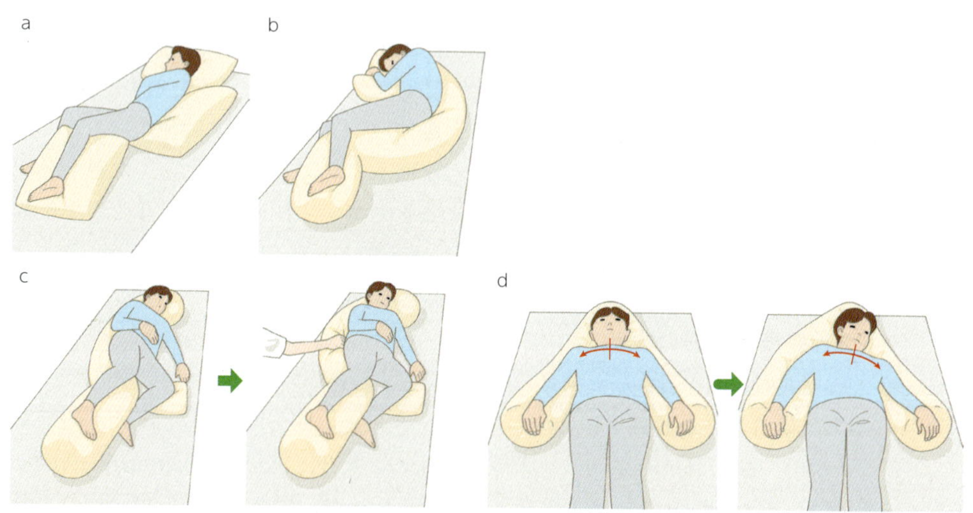

図13-5 体位変換：側臥位時のクッションの使用例（a, b）と小さな体位変換（スモールシフト）の例（c, d）

a 骨盤と胸郭にねじれが生じないように，上半身は骨盤と胸郭を同時に支えられる十分な大きさのクッションを使用する。下肢は，上側になる脚の重さを受けるクッションを用意し，床面に接地した踵部のみで体重を支えないように，クッションで下肢全体を支える
b 円背の人には，1本で全身を支えられる長いクッションを使用するか，クッションを2つ使用する
c 側臥位の保持に使用している長いクッションの一部を少し引くことで，スモールシフトが行える
d クッションの中身を移動させ厚みを変えることでスモールシフトが行える

的な問題の予防や改善につながっていることを忘れてはならない。

①クッションの使用（図13-5a，b）

一般的に褥瘡の好発部位は仙骨部，大転子部，尾骨部，踵骨部であるが，るいそうの具合，殿部皮膚のたるみ，拘縮や円背など，個人の体形によっても圧迫される箇所は異なるため，望ましい体位は個人で異なる。原則的には，同じ姿勢で骨突起部のみに長時間にわたり圧がかからないよう，広い接触面で身体を支えるようにマットレスやクッションを使用する。

②小さな体位変換（スモールシフト，図13-5c，d）

身体の位置や姿勢を変えるほどの大きな体位変換ができない場合，頭や胸郭，片足の角度を少しだけ変える，腕の位置を少しだけずらすなど部分的で小さな体位変換（スモールシフト）を行うことで，圧がかかる部位を変化させる。これらの動きを本人が行えればよいが，知覚的あるいは動作的に無理であれば他動的に行い，訪問看護師やヘルパーが体をみる機会につなげていく。

スモールシフトは，家族介護者の負担が少なく安易にできる場合もある。ただし，家族

図13-6 介助手袋とスライディングシートの商品例

の「してあげたい」気持ちを尊重し，負担のないスケジュールで体位変換を行ってもらうのはよいが，その気持ちに乗じて無理な介護を依頼してはいけない。

③介助手袋・スライディングシートの使用（図13-6）

人手が少ない場合には，介助手袋やスライディングシートの使用も有効である。ベッドから車椅子への移動時や，寝たきりの療養者であればベッド上のある体位から次の体位への移動時，おむつ交換の際など，これらの補助用具を使用し，創部に当たらず，ずれや摩擦を起こさない動作介助を行う。

（2）体圧分散寝具・用具の使用

臥床時には，同一部位に外力負荷が持続しないよう，体を沈め，マットレスと体の接触面積を拡大させる体圧分散寝具（表13-3）を用いることが推奨されている。

体圧分散寝具は，体との接触面積を広くすることで単位面積当たりに加わる圧の大きさを減少させる（減圧）。また，圧切替え型エアマットレスを使用することで，1か所に加わる圧の持続時間を少なくできる。使用する際には，療養者の身体状況に合ったものを選択することと圧の管理が重要である。体圧分散寝具の選択や管理方法が不適切であると褥瘡を発生・悪化させる場合がある。選択の際には，医師，看護師，理学療法士，在宅療養者・家族などのアセスメントが反映されるように，ケアマネジャーがそれぞれの意見を収集・調整する。

表13-3 体圧分散寝具の種類

分類	長所	短所
エア	・マット内圧調整により個々に応じた体圧調整ができる ・セル構造が多層のマットレスは低圧保持できる（現在，二層と三層がある）	・自力体位変換時に必要な支持力，つまり安定感が得にくい ・鋭利なものでパンクしやすい ・付属ポンプのモーター音が騒音になる場合がある ・付属ポンプフィルターの定期的な保守点検が必要である ・付属ポンプ稼働に動力を要する ・圧切替え型の場合，不快感を与える場合がある
ウォーター	・水の量により，個々に応じた体圧調整ができる ・頭側挙上時のずれ力が少ない	・患者の体温維持のために，水温管理が必要である ・水が時間とともに蒸発する ・マットレスが重く，移動に労力を要する ・水の浮遊感のため，不快感を与える場合がある
ウレタンフォーム	・低反発のものほど圧分散効果がある ・反発力の異なるウレタンフォームを組み合わせることで圧分散と自力体位変換に必要な支持力，つまり安定感を得ることができる ・動力を要しない	・個々に応じた体圧調整はできない ・低反発ウレタンフォーム上に体が沈み込みすぎ，自力体位変換に支障をきたす場合がある。特に，可動性が低下している対象者には注意が必要である ・水に弱い ・年月が経つとへたりが起こり，圧分散力が低下する
ゲルまたはゴム	・動力を要しない ・表面を拭くことができ，清潔保持できる	・十分な体圧分散効果を得るには厚みが必要であるが，それに伴って重量が増す ・マットレス表面温度が低いため，患者の体熱を奪う
ハイブリッド	・２種類以上の素材の長所を組み合わせることができる ・エアとウレタンフォームの組み合わせがある	・体圧分散効果を評価するための十分なデータが不足している

①選択基準

体圧分散寝具の選択のアルゴリズムを図13-7 [10] に示す。

まずは自力で体位変換が可能かどうかで体圧分散寝具の素材を決定する。自力体位変換能力「あり」の場合，可動性を妨げない素材（ウレタンフォームなど）を選択し，「なし」の場合，体圧分散を優先した素材（エア，ウォーターなど）を選択する。次に，骨突出が「あり」の場合，二層式セルのエアマットレスが有効である（図13-8）。45度以上の角度で頭側挙上が「あり」の場合，底付き防止と姿勢保持機能があり，厚み10cm以上の体圧分散マットレスを選択する。

②使用時の注意点

在宅で体圧分散寝具を導入したら，正常に作動しているかどうかを最低1日に1回は訪問看護師やヘルパー，家族が点検する。また，携帯型接触圧力測定器（図13-9）を用いて体圧を測定し，50mmHg以下を目標に適切な圧管理ができているか確認する。測定器を用いない場合は，マットレスの下（骨突出部の下にあたる部位がよい）に手掌を差し込み，底付きしていないか確認する。

ベッド上，あるいは車椅子などでの座位時も，腰部や殿部などの同一部位に外力が集中しないよう，クッションなどの体圧分散用具を使用して除圧に配慮し，滑り落ちたり傾いたりしないように体位を整える。座位能力の評価や車椅子の選定などは，これらに詳しい理学療法士や作業療法士に意見を求めるとよい。

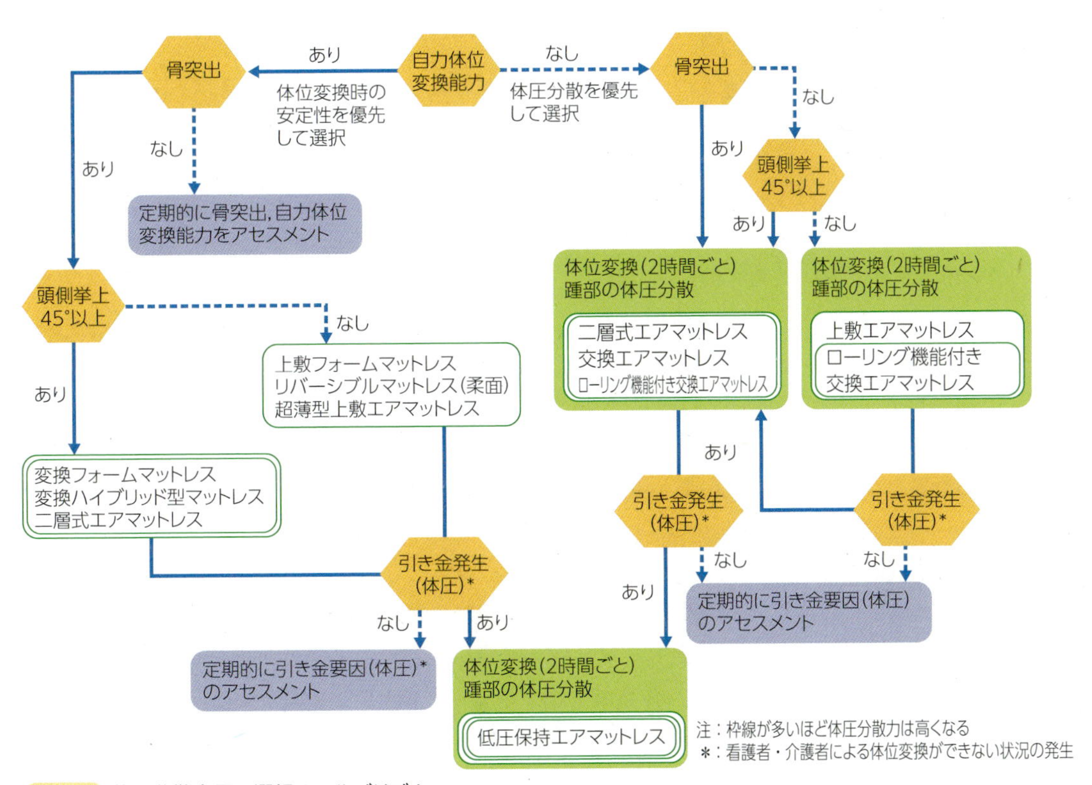

図13-7 体圧分散寝具の選択のアルゴリズム

日本褥瘡学会編：在宅褥瘡予防・治療ガイドブック，第2版，照林社，2012，p.58．より転載

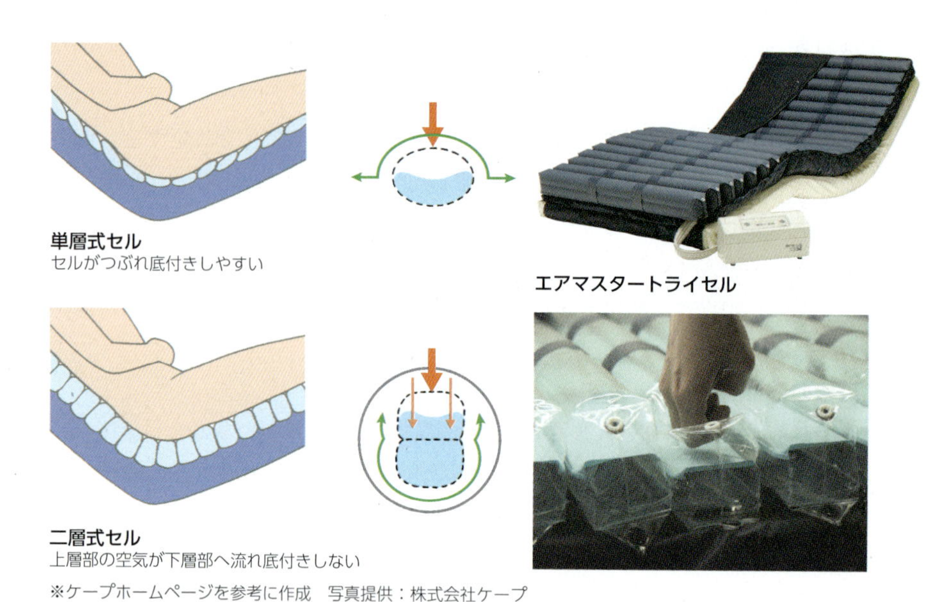

※ケープホームページを参考に作成　写真提供：株式会社ケープ

図13-8　二層式エアマットレスの特徴

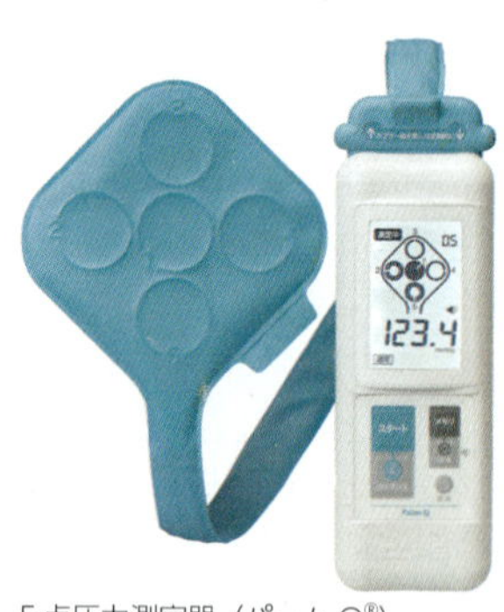

５点圧力測定器（パームQ®）
写真提供：株式会社ケープ

図13-9　携帯型接触圧力測定器の商品例

従来よく使用されていた円座タイプの用具は，座位姿勢を不安定にし，局所への圧迫が阻血を増悪させる危険を伴うので使用しない。また，外力排除という観点において，発赤部や褥瘡好発部位のマッサージは，皮膚および軟部組織に圧迫やずれ力を人為的に負荷する行為となるので行わないよう注意する。

3）栄養の管理

褥瘡ケアにおいて，栄養状態は皮膚組織の耐久性と褥瘡が生じた際の治癒状況に影響する。

栄養状態のアセスメントとしては，体重測定は在宅でも可能であり，BMI（body mass index）や健常時との体重比，体重減少率が栄養障害の重要な指標となる。摂食量および内容，病的骨突出の有無，皮膚の状態，浮腫なども栄養評価の項目になる。採血データがあるならば，血清アルブミン値は半減期が長いため在宅療養者の栄養状態評価指標として用いやすく，一般的に3.5g/dL，高齢者では3.0g/dL以下で褥瘡発生のリスクとされる。低栄養状態の改善は，褥瘡予防のためだけでなく，生体を維持するために必要である。担当者会議（ケアカンファレンス）を定期的に行い，その際は管理栄養士にも出席してもらい，適切な栄養管理計画を立案する。

栄養投与の方法（図13-10）としては，経口摂取している場合はそれが第一選択である[11]。口腔機能の維持，認知機能への刺激，「おいしい」という感情が在宅生活に対する意欲を高め，QOLの向上につながる。嚥下障害などで経口摂取が不十分，あるいは不可能な場合に経腸栄養法の選択となる。褥瘡発生リスクとならないよう，できるだけ短時間に，そして体圧分散に配慮した座位などの姿勢で投与する。

食事は在宅療養生活のうえで最も重要な要素の一つなので，口腔ケアをとおして誤嚥性肺炎を予防し，義歯を調整し，顔や口の筋肉トレーニングで嚥下機能を保ちながら，できるだけ口から食べる努力を介護者と共に続けていく。

4）排泄の管理

褥瘡ケアにおいては，排泄の管理も予防と治療に大きく影響する。排泄物が褥瘡を汚染することにより，治癒を阻害する要因となるからである。排泄物と褥瘡の接触をできる限り回避することを目的に，褥瘡周囲のスキンケアを行う。また，排泄物，汗，滲出液などで創縁皮膚が浸軟すると上皮化の妨げとなるので，創周囲皮膚の清潔と湿潤を適切に管理し，創傷治癒を促進する。

方法としては，排泄物により褥瘡が汚染される危険性がある場合，創傷被覆材の交換時に皮膚洗浄剤を用いて洗浄し，十分洗い流した後，撥水性皮膚保護剤を塗布する（図13-11）。褥瘡に対しては，カバードレッシングをポリウレタンフィルムにする。

便秘傾向であってもあまり軟便にせず，訪問看護利用時に合わせて浣腸や摘便を実施で

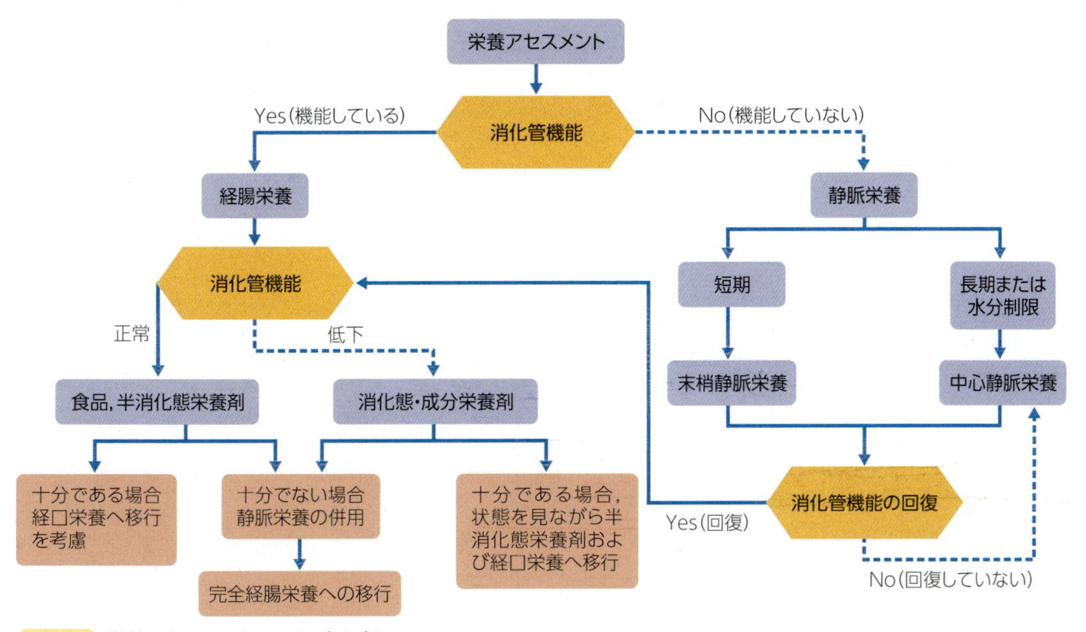

図13-10 栄養アセスメントのアルゴリズム

日本褥瘡学会編：在宅褥瘡予防・治療ガイドブック，第3版，照林社，2015，p.127．より転載

クリームタイプ　　　　　　　　スプレータイプ

セキューラ®PO
写真提供：スミス・アンド・ネフュー ウンド マネジメント株式会社

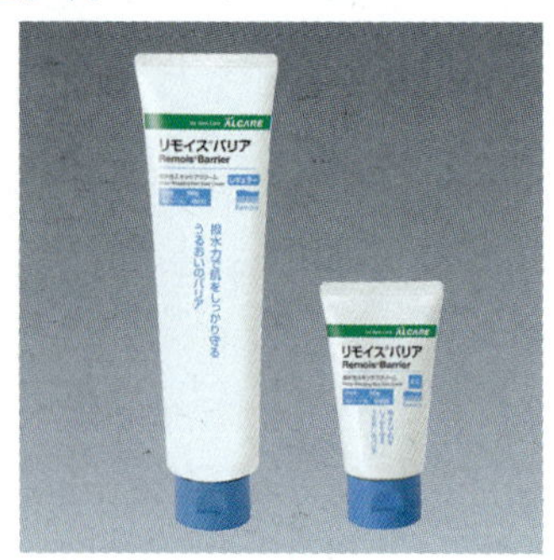

リモイス®バリア
写真提供：アルケア株式会社

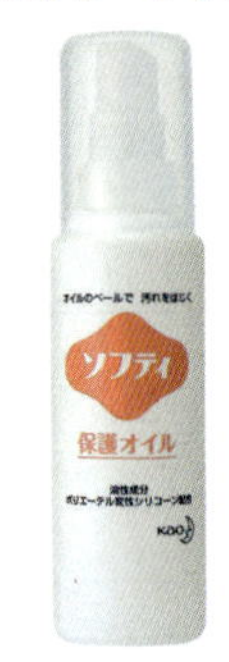

ソフティ保護オイル
写真提供：花王プロフェッショナル・サービス株式会社

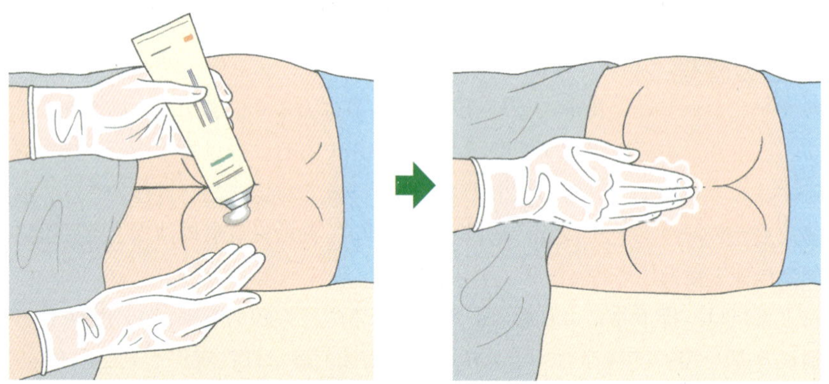

使用例：皮膚を清潔にした後に，撥水性皮膚保護剤を排泄物が付着する殿裂，肛門周囲，両殿部に塗布する

図13-11　撥水性皮膚保護剤の商品例と使用例

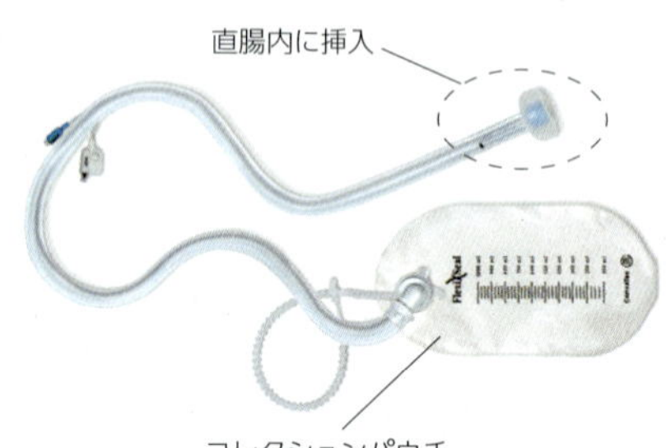

便失禁管理システム（フレキシシール®SIGNAL）
写真提供：コンバテックジャパン株式会社

肛門パウチ（フレックステンドフィーカル・肛門用）
写真提供：株式会社ホリスター

図13-12　便失禁用装具の商品例

きるよう排便コントロールを行うことも，褥瘡の便汚染を防ぐ一つの方法である。排泄物による褥瘡への汚染が長期間持続する場合は，療養者の状況や介護力を見きわめながら尿道留置カテーテルや便失禁用装具（図13-12）の使用を考慮するのも一案である。

5）褥瘡の局所ケア

褥瘡の局所ケアは，「創傷被覆材の除去→創周囲皮膚と創の洗浄→褥瘡のアセスメント→

局所管理法の選択→創傷被覆材の貼付」の順に行う。

(1) 創周囲皮膚と創の洗浄

創周囲皮膚の洗浄の目的は，滲出液，汗，創傷被覆材，排泄物などの汚れを除去することにより創感染のリスクを少なくするとともに，上皮化を促進することである。

創の洗浄の目的は，創表面やポケット内に付着している細菌や壊死組織を除去して治癒環境を整え，治癒促進状態におくことである。

創の洗浄には生理食塩水，蒸留水，水道水を用いる。洗浄液はたっぷり使用し，排液が清明になるまでしっかり洗い流す。肉芽組織に対して，消毒薬などの細胞毒性のある製品の使用は避ける。

洗浄圧は，創部に黄色の軟らかい壊死組織が付着している場合，30mLの注射器に18Gの注射針を付けて洗浄すると適度な圧が得られるといわれているが，在宅では洗浄ボトルなどを利用し工夫して行う。創面が赤色の健康な肉芽組織で充満している肉芽形成期には，あまり圧をかけず愛護的に洗浄する。また，洗浄液の温度が低いと組織が活性を取り戻すまでに時間がかかるので，体温程度に温めて使用する。以下の点が重要である。

- 創傷被覆材が排泄物で汚染された場合，速やかに洗浄・交換ができるプランを整えておく。
- 被覆する範囲よりやや広い範囲まで洗浄する。
- 洗浄剤の成分や汚染物質を残さないようによく洗い流す。

(2) 褥瘡のアセスメント・局所管理法の選択

褥瘡の治癒経過はDESIGN-R（表13-2参照）を用いて定期的にアセスメント（表13-4参照）し，外用薬や創傷被覆材の選択・使用量・交換時期が適切かどうかを評価し（表13-5参照），計画を再検討する。

なお，創部における細菌の定着の仕方は，①コンタミネーション（汚染），②コロナイゼーション（コロニー形成，保菌），③クリティカルコロナイゼーション（臨界的定着：保

表13-4 褥瘡の局所ケア

要因（状態）	観　察	処　置
感　染	・局所的：発赤，熱感，腫脹，疼痛 ・全身的：発熱，白血球数増加	・局所あるいは全身的に抗菌薬使用による改善（医師の指示）
壊死組織 異物の存在	・性状，量，創内に占める割合	・十分に洗浄する ・黒色壊死組織の場合，外科的除去（デブリードマン） ・黄色壊死組織の場合，外科的・化学的除去 ・黄色で軟らかく少量の場合，化学的除去・自己融解
滲出液	・量，色，におい，周囲皮膚の状態	・吸収性の高いドレッシング材の使用 ・1日2～3回のドレッシング交換 ・創周囲の健常皮膚を保護する
肉芽形成	・性状（顆粒状がよい） ・色（牛肉色がよい） ・弾力性があるか ・創内に占める割合	・ハイドロコロイドドレッシングやフィルムを用いて閉鎖式に創を管理する ・乾燥を防ぐ ・排泄物などによる汚染に注意する
上皮化	・創縁	・薄型ハイドロコロイドドレッシングによる被覆 ・油性軟膏塗布 ・ポリウレタンフィルムドレッシング貼付

表13-5 臨床症状に適した局所管理法

治癒過程・症状	目的	適切な外用薬	創傷被覆材	禁忌
初期 （壊死組織が硬いとき）	壊死組織を軟らかくする 乾燥させない	ワセリン リフラップ軟膏	・ポリウレタンフィルム ・デュオアクティブET	・カデックス軟膏 ・ユーパスタ軟膏 ・ガーゼ→乾燥させる
感染期 **壊死組織融解期** （壊死組織が大量に残っている。混在期）	融解促進させる 滲出液を十分排出させながら壊死組織を除去する	ゲーベンクリーム カデックス軟膏 ユーパスタ軟膏 ブロメライン軟膏＋ゲーベンクリーム	1日に2～3回交換が必要なので，オムツパッドが望ましい	・フィブラストスプレー ・高価なドレッシング材は無駄である 大量の壊死組織や滲出液のとき，銀（アクアセルAg・ハイドロサイト銀）は効果なし
肉芽組織増殖期 （壊死組織が少し残っている）	肉芽形成を促進，創を縮小させる	フィブラストスプレー オルセノン軟膏 カデックス軟膏 ユーパスタ軟膏	・アクアセルAg ・デュオアクティブ ・ソーブサン ・ハイドロサイト銀 ・スキンキュアパッド ・ハイドロサイトジェントル銀 ・メピレックスボーダー	・ガーゼ 肉芽に入り込み，これに外力（ずれ）が負荷すると“ずれ”て出血する
表皮形成期	周辺組織から新生してくる表皮を破壊しない ①物理的に傷つけない ②乾燥させない ③創面に固着しない	オルセノン軟膏 アクトシン軟膏	・ハイドロサイトジェントル ・デュオアクティブET ・スキンキュアパッド ・エスアイエイド ・メロリン ・穴開き粘着フィルム	・ユーパスタ軟膏 ・カデックス軟膏 ・創面に固着する創傷被覆剤 ・ガーゼ→固着し表皮破壊が起きる

日本褥瘡学会・在宅ケア推進協会：床ずれケアナビ全面改訂版．在宅・介護施設における褥瘡対策実践ガイド，中央法規出版，2017，p.63. より転載（一部改変）

菌状態から感染に移行しつつあり，もう少しで感染になりそうな状態），④インフェクション（創感染）の4段階であり，コロナイゼーションとクリティカルコロナイゼーションは臨床的に見分けることはできない。悪臭や滲出液の増加，それに伴う浮腫状の肉芽形成がみられ治癒遅延となっている場合は，クリティカルコロナイゼーションを疑い，医師の指示のもと，感染と同様の抗菌薬の使用が有用である。

（3）創傷被覆材の交換と貼付

創傷被覆材や固定している医療用テープの除去時にスキン－テアが発生しやすい。脆弱な皮膚（乾燥，浮腫，菲薄，易出血）の場合やテープと皮膚との固着が強い場合は剝離剤を用い，愛護的に除去する。

創傷被覆材の貼付時は，創を十分に覆うようにし，ずれないように貼付角度や固定法を工夫する。固定のための医療用テープは，皮膚への物理的・化学的刺激を少なくするため皮膚にテンションをかけないように貼り，可能であれば毎回貼付場所をずらす。

殿部にある褥瘡のカバードレッシングにはポリウレタンフィルムを使用し，尿や便が入り込むのを防止する。

家族介護者が局所ケアを担う場合，在宅サービスが導入されていても家族へ処置の手順を説明しておく。局所ケアの指導は，できるところから段階的に進めていく。滲出液の増加，排膿，異臭，褥瘡周囲の発赤・腫脹・熱感・疼痛など，感染が疑われる徴候が認められたら速やかに訪問看護師か在宅主治医に報告できるよう，日頃から体制を整えておく。

看護技術の実際

A 褥瘡予防のための援助（体圧測定，エアマットレスの底付きの確認）

● 目的：褥瘡の発生を予防するために，適切な体圧分散寝具・用具を選択し体位を整える（携帯型接触圧力測定器を使用して，その時点の体位における最高接触圧を測定し，底付きを確認する）

● 必要物品：携帯型接触圧力測定器（図13-9参照）（パームQ®使用の場合）

	方法と観察の視点	療養者・家族支援と根拠
1	**体圧を測定する** 1）センサーパッドをモニター部に装着する。センサー部はディスポーザブルのビニール袋で覆う（➡❶） 2）測定器の電源を入れ，ガイダンスボタンを押す 3）療養者に体圧測定の必要性を説明し，測定したい体位に整え，中央部センサーを測定したい骨突出部に当てる 4）モニター正面の中央のパッドの接触圧が一番高くなるように，パッドの位置を調整し，スタートボタンを押す 5）約12秒後に最高圧力測定値が表示されるので，測定値を記録する	❶感染・汚染予防のため，そのつどディスポーザブル製品に入れて使用する ●その体位における最高接触圧を測定するには，パッドの位置が骨突出部の真下にいくようにずらすことを指導する ●50mmHg以下（➡❷）を目標に，体圧分散用具や体位を整える ❷人間の毛細血管内圧は通常32mmHg❶で，これ以上の圧が加わると毛細血管が閉塞状態になり皮膚組織が阻血に陥る。褥瘡予防にはこの数値以下に保持するが，実際には32mmHgをクリアすることは困難であり，最近の臨床研究によって褥瘡予防においては40～50mmHgが安全といわれている ●適切な体圧分散寝具・用具が使用できるよう，公的な貸与の手続きを行う
2	**体圧分散寝具の底付きを確認する** 1）手掌を上にし，指を真っすぐにしてマットレスの下に差し込む 2）中指か示指を曲げ，骨突出部への触れを確認する（➡❸） 3）指を曲げられない場合やすぐに骨突出部に触れる場合は底付き状態なので，エアセル内圧を高くするか，マットレスを交換する 4）曲げても骨突出部に触れない場合は圧が高すぎるので，空気を抜きエアセル内圧を低くする	●骨突出部の真下に手を入れるよう指導する ❸立てた指が骨突出部に触れる程度（約2.5cm）の余裕があれば，適切なエアセル内圧である

❶Landis EM：Micro-injection studies of capillary blood pressure in human skin, *Heart*, 15：209-228, 1930.

B 創周囲皮膚と創洗浄のケア

●目　　的：感染・汚染防止と褥瘡の治癒促進のために創周囲皮膚および創を洗浄する

●必要物品：フォームタイプ（泡状）の弱酸性洗浄剤，微温湯，微温湯を入れる容器，（褥瘡にポケットが生じている場合はカテーテル，シリンジ），ディスポーザブル手袋，ごみ袋，洗浄液を受けるための吸水性パッド（おむつなど）

	方法と観察の視点	療養者・家族支援と根拠
1	**創周囲皮膚を洗浄する**	
	1）手を洗う	
	2）必要物品を使用する順番に並べて準備する	
	3）療養者に創傷被覆材の交換および創の洗浄の必要性を説明し，側臥位の体位を保持する	●クッションなどを利用して，苦痛のない安楽な体位で創の洗浄および創傷被覆材の交換ができるよう援助する
	・呼吸状態・脈拍・血圧の変動がないことを確認する	
	4）患部を露出し，はいていたおむつなどを下側に敷き，洗浄液を受けられるように整える	●必要最小限の患部の露出とするよう配慮する
	5）貼付中の創傷被覆材を愛護的に剥離する	●剥離の工夫・ポイントを伝える
	・除去したガーゼに付着している滲出液の色・におい・量・汚染状況を観察する	・ビニール袋を手袋代わりにして手を入れ，創傷被覆材を直接剥離してもよい
	・交換頻度を確認する	・剥離刺激で皮膚にダメージを与えないよう，皮膚を押さえながら，外側四隅から中央へゆっくりと剥離する
	6）創周囲の皮膚を，泡立てた洗浄剤でこすらないよう洗浄する。洗浄剤使用は1日1回であるが，失禁などによって汚染された場合は，速やかに微温湯で洗浄する	●創傷被覆材が接触していた範囲より広めに洗浄するよう伝える
	・皮膚の色，創周囲皮膚の異常（痛み・かゆみ・びらん）の有無を観察する	
	7）洗浄剤の成分を微温湯で洗い流す	
	・洗浄後は，洗浄液やテープなどの粘着材の残存がないか確認する	
	8）清潔な布あるいはガーゼなどで押さえ拭きして水分を除去する（➡❶）	❶皮膚をこすると圧迫やずれ力を人為的に負荷することになるので，こすらず，押さえるように拭く
2	**創内を洗浄する**	
	1）生理食塩水または蒸留水，水道水を用い，体温程度に温めてから洗浄する。洗浄液は排液が清明になるまで十分使用する	●肉芽組織に対して消毒薬などの細胞毒性のある製品の使用は避けるよう伝える
	・洗浄後，出血の有無，肉芽の色・性状・深さ・大きさ，創縁の上皮化など，褥瘡の治癒経過を観察する	●圧をかけて洗浄しても治癒には影響せず，むしろ創部に接触した洗浄液が飛散し周囲を汚染するデメリットがあるので，愛護的に洗浄する
	2）ポケットがある場合，シリンジに洗浄液を充填し，接続したカテーテルをポケット内に挿入しくまなく洗浄する。洗浄後はポケット内に洗浄液が残らないようにする	●カテーテルを奥まで無理に挿入しポケット内を損傷しないように留意する
	・ポケットの深さ・範囲など，治癒経過を観察する	
	3）創内の洗浄液を拭き取る。清潔な布あるいはガーゼなどで押さえ拭きする（➡❷）	❷水分の残存があると貼付する創傷被覆材が密着しにくいので，完全に水分を除去する

C 創傷被覆材の貼付

●目　　的：創面を外的影響から保護し，治癒を促進させる

●必要物品：交換用ドレッシング材または外用剤とガーゼ，へら，医療用テープ，ポリウレタンフィルムドレッシング

	方法と観察の視点	療養者・家族支援と根拠
1	**カテゴリ／ステージⅢ（図13-3参照）以上の褥瘡の処置** 1）新しいガーゼにへらを使って外用剤を塗布する。外用剤の塗布範囲は創サイズより大きな面積にならないようにし，塗布厚は2～3mmにする（➡❶） 2）創周囲皮膚への刺激が最小限となるようにガーゼを固定する。医療用テープは中央部を先に押さえ，その後外側へ押さえていく 3）ガーゼの上に，滲出液吸収用のパッド（おむつで代替してもよい）を当てる	❶健常な皮膚の損傷予防のため，健常な皮膚にまで外用剤がはみ出さないよう，また使用量が過剰にならないように注意する。反対に，滲出液の少ない創をガーゼのみで被覆したり，外用剤を薄くのばし塗布したガーゼで創を覆ったりすると，滲出液がガーゼに吸収され創の湿潤環境を保持できず乾燥するので，塗布量が少なすぎないよう注意する ●テープを引っ張りながら貼ると皮膚にテンションがかかるため注意する ●テープ貼付部位は，可能であれば毎回変更するよう伝える ●創部の洗浄から交換までの処置は1日1回でよい。ガーゼの上に当てた滲出液吸収用パッドが濡れていたらそれのみ交換する
2	**カテゴリ／ステージⅡ（図13-3参照）の褥瘡の処置** 1）創サイズより片側3cm程度の余裕ある大きさのハイドロコロイドドレッシングなど（➡❷）を準備する（例：10×10cmのドレッシング材は，4cm程度の創に適切である） 2）創の中央から，創内の空気を排除しながら外側方向に向かって密閉する（中にエアを残さない）ように貼付する	●外縁から滲出液の漏れが発生していない間は交換の必要はないことを伝える ●外縁がめくれている場合はテープで補強してもよい。このとき，身体にずれが加わっていると考えられるので体位を再考する ❷創部を適切な湿潤環境に保つため ●発赤・腫脹・熱感・疼痛など感染徴候がみられたらすぐに看護師に連絡するよう指導する
3	**カテゴリ／ステージⅠ（図13-3参照）の褥瘡の処置** 1）発赤部位は，摩擦・ずれから創面を保護し，創面の観察が可能なポリウレタンフィルムドレッシングを貼付する 2）体位変換のたびに皮膚の状態を観察し，表皮が破れ滲出液が出てきたら，状況に応じた処置に変更する ・発赤が拡大していないか，熱感はないかなどを観察する	●悪化傾向がなければ，最長1週間の持続貼付が可能であることを伝える ●「ラップ療法」（食品用ラップなど，非医療機器の非粘着性プラスチックシートを用いて創傷の処置をすること）の危険性について説明する（➡❸） ・褥瘡の治療について十分な知識と経験をもった医師の責任のもとで療養者・家族に十分な説明をして同意を得たうえで実施すべきである ・安価である，処置が簡便であるなどの理由で安易に使用してはいけない ❸創部を閉鎖環境におくと，常に感染の危険性が伴う。感染を見逃すと全身感染を引き起こし，四肢の切断，死亡といった重大な結末に至る危険性がある

文　献

1）日本褥瘡学会：褥瘡ガイドブック－第2版（褥瘡予防・管理ガイドライン（第4版）準拠），照林社，2015，p.8.
2）Maklebust J，Sieggreen M：Pressure Ulcers：Guidelines for Prevention and Management，2nd ed，Springhouse Pub，1996，p.19-28.
3）National Pressure Ulcer Advisory Panel（NPUAP）：NPUAP Pressure Ulcer Stages/Categories.
http://www.npuap.org/resources/educational-and-clinical-resources/npuap-pressure-ulcer-stagescategories/
4）日本褥瘡学会編：在宅褥瘡予防・治療ガイドブック－第3版（褥瘡予防・管理ガイドライン（第4版）準拠），照林社，2015，p.22-23.
5）村山志津子・北山幸枝・大桑麻由美・他：在宅版褥瘡発生リスクアセスメントスケールの開発，日本褥瘡学会誌，9（1）：28-37，2007.
6）前掲書4），p.42-43.
7）日本褥瘡学会編：平成26年度（2014年度）診療報酬改定　褥瘡関連項目に関する指針，照林社，2014，p.39-49.
8）前掲書1），p.23-26.
9）日本褥瘡学会用語集検討委員会：日本褥瘡学会で使用する用語の定義・解説—用語集検討委員会報告3，日本褥瘡学会誌，11（4）：554-556，2009.
10）前掲書4），p.58.
11）前掲書4），p.85.

14 在宅リハビリテーション

学習目標
- 療養者・家族の生活の再構築について，目標を確認し共有する。
- 在宅リハビリテーションチームにおける看護師の役割と他職種と連携について理解する。
- 生活環境・介護力・障害の個別性を考慮した在宅リハビリテーションを理解する。
- 主な疾患と在宅リハビリを理解する。

1 在宅リハビリテーションにおける看護技術の特徴

1）在宅リハビリテーションの特徴

本節では，在宅リハビリテーション（以下，在宅リハビリ）の特徴と支援および主な疾患の在宅リハビリテーションを中心に述べる。

1942年の全米リハビリテーション評議会におけるリハビリテーションの定義以降，リハビリテーションの概念は，時代とともに変化してきた。わが国では，地域に視点を置いたリハビリテーションの定義として，「疾病や障害のある人が最良の心身の状況を獲得し，年齢や障害の程度に応じて，その地域に住む人々とあらゆる面で同水準の生活がなされることである」[1] としているものがある。

図14-1[2] は，厚生労働省が脳卒中を例にした，「医療保険」と「介護保険」によるリハビリテーションの役割分担を示したものである。

在宅リハビリは，病院などの治療やリハビリを経て，「家に帰りたい，社会に復帰したい」という療養者・家族の意思によりスタートする。本人の意思はもとより，家族や友人など周囲の人たちの適切なサポートと同時に，介護保険などの社会資源を利用し，医療や介護の専門スタッフによるサービスを受けることも，在宅リハビリを継続していくポイントとなる。

在宅で安全に過ごすためには，病気の再発や症状の悪化を防ぐと同時に，手すりをつける・段差を解消するといった「転ばないこと・身体の機能を維持する」住環境の工夫により，身体バランスや体力を高める運動を取り入れることを可能とする。

在宅リハビリでは，心身の状態や生活環境が様々であることから，その人に必要な環境の工夫や運動の取り入れ方を，家族やリハビリ専門職・介護職と相談して進めることが重要である。在宅では，焦らず，気負わず，長い目で，療養者のペースで在宅リハビリを進めていく。本人の実生活における活動と望む生活を目指すQOLの課題を評価し，住環境に合わせて日常生活の具体的な支援を行うことが重要となる。

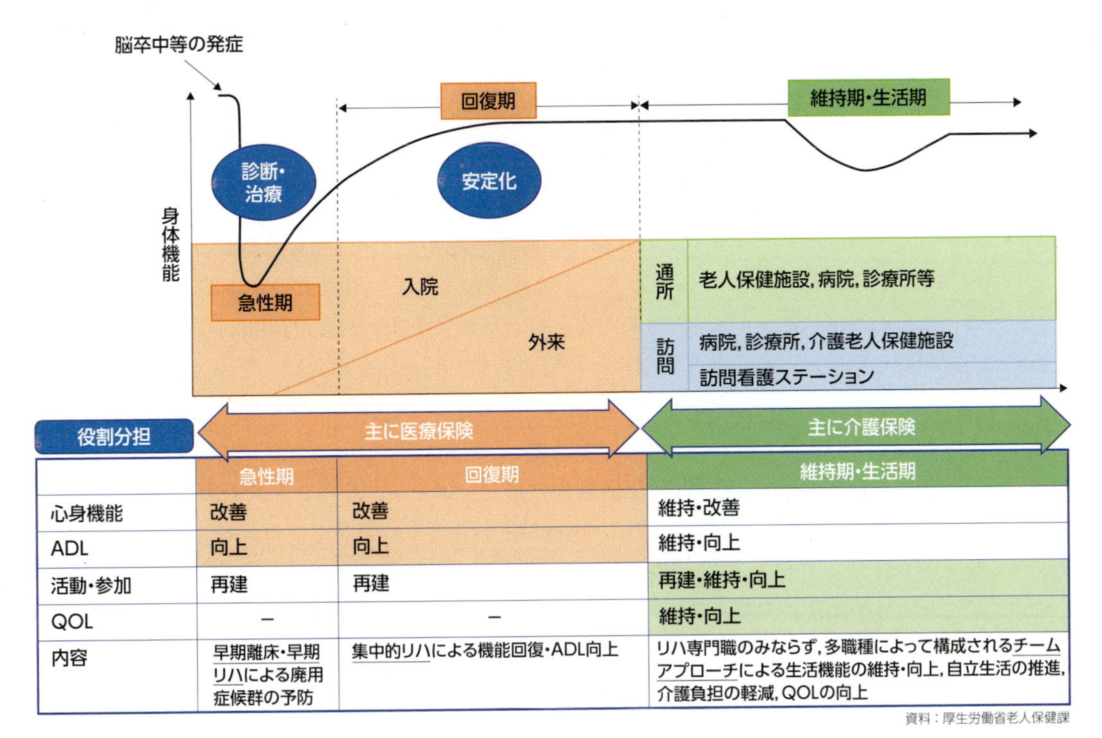

	急性期	回復期	維持期・生活期
心身機能	改善	改善	維持・改善
ADL	向上	向上	維持・向上
活動・参加	再建	再建	再建・維持・向上
QOL	－	－	維持・向上
内容	早期離床・早期リハによる廃用症候群の予防	集中的リハによる機能回復・ADL向上	リハ専門職のみならず，多職種によって構成されるチームアプローチによる生活機能の維持・向上，自立生活の推進，介護負担の軽減，QOLの向上

資料：厚生労働省老人保健課

図14-1 リハビリテーションの役割分担

2）在宅リハビリテーションの制度とチームケア

（1）在宅リハビリテーションの主な対象疾患

循環器疾患，呼吸器疾患，ALSやパーキンソンなどの神経難病，運動器疾患，認知症，精神疾患，小児慢性疾患や終末期など。

（2）訪問看護として利用できる訪問リハビリ制度

- **介護保険**：要介護認定者の要介護1～5または要支援1・2で，訪問リハビリの必要性があると主治医が認めた人。
- **医療保険**：要介護認定を受けてない人で，訪問リハビリの必要性があると主治医が認めた人。要介護認定者で，厚生労働大臣が定める疾病などの患者や急性増悪などの場合は，医療保険での訪問リハビリの利用が可能。

（3）訪問看護以外の訪問リハビリの種類

訪問リハビリは，提供する事業所，保険制度によって種類が異なる。理学療法士などによる訪問看護も介護保険のサービスのなかでは「訪問看護」として位置づけられている。

【訪問看護ステーションが提供する訪問リハビリ】

①介護保険：訪問看護費（1回20分以上）　※1日3回，週に6回まで利用可能

②医療保険：訪問看護基本療養費＋訪問看護管理療養費（30～90分）。医療機関（病院・診察所，介護医療院・介護老人保健施設）が提供する訪問リハビリ

③介護保険：訪問リハビリテーション費

④医療保険：在宅患者訪問リハビリテーション指導管理料

医療チームは,「医療に従事する多種多様な専門職が, それぞれの高い専門性を前提に, 目的・到達目標・手段に関する情報を共有し, 業務を分担しつつも互いに連携・補完し合い, 患者の状況に的確に対応した医療を提供する」[2] である。

在宅リハビリにかかわる医療専門職は, 医師, 歯科医師, 理学療法士, 作業療法士, 言語聴覚士, 保健師, 看護師, 介護支援専門員, 介護職, 栄養士, 心理士, ソーシャルワーカーなどである。そのなかで, 看護職（保健師, 看護師）は, 療養者とその家族から悩みや相談を受ける最も身近な存在であり, チームの要として, 療養者の身体的苦痛, 精神的苦痛, 社会的（経済的）, 心理的な問題をとらえる機会が多い。また医師からの説明に十分な理解が得られているのかなど確認する必要があり, 不十分な場合は, その説明を補足する。

3）在宅リハビリテーションの目標

在宅リハビリの目標は,「日常生活動作の自立, コミュニケーション手段の獲得, 安全な動作の意識づけ, 生活リズムの確保と再構築というように生活をどのようにするか」という個々の具体的な目標となる。在宅では, 日常生活動作の自立がQOLに影響することから, 本人と家族の生活の目標を共有していくことが重要となる。

4）在宅看護の在宅リハビリテーションの目標と機能

在宅看護では, 対象の主体性と家族の負担や希望を尊重し, 多職種と連携して, 療養者が新たな生活様式を獲得し, 継続することを支援することが目標となる。在宅リハビリにおける看護の主な内容は以下のようになる。

①直接的ケアによる機能障害の進行を防ぎ, 二次合併症の予防を行う。ADLのなかで,「できること」「できるがやっていないこと」「できないがやろうとすること」「家族の支援のバランス」などを明らかにする。
②日々の在宅リハビリに関連するスケジュールやチーム活動および生活環境の調整の評価
③療養者・家族への在宅リハビリに関する教育的な支援
④療養者・家族への心理的なサポートや代弁者としての支援

5）在宅リハビリテーションの事例紹介

（1）循環器疾患の事例

デイサービスに週2回行く以外は, 終日ソファーで横になって過ごすことの多い70歳代後半の男性である。

過去3か月で2回, 外食中に急性心不全で病院に救急搬送される状況があった。主疾患は高血圧で, 訪問看護と訪問リハビリを各1回利用し, 本人は現在の生活に満足している。70歳代後半の妻は,「今の生活で特に困ることはない」と言う。訪問理学療法士のリハビリ記録を見ると,「関節可動域の他動運動」と「マッサージ」中心の内容であった。しかし, 日常生活動作は室内の杖歩行で, 1か月の間に体力の低下（フレイル）が進んでいた。

高齢の男性では, 家事を行うこともなく, 終日テレビを見る生活が中心となっていることが少なくない。現在は平穏に過ごしているが, 廃用症候群が進んでいくことは否めない。そこで, 訪問看護では, 循環器疾患の状況を見つつ, 屋外に出ることや, ソファーからの立ち上がり，トイレまでの移動を観察し，座位姿勢で筋力を維持するリハビリを実施した。また，1週間の運動量をデイサービスでの機能訓練の記録から総合的にとらえ，心機能の維持による急変の予防を看護目標にした。在宅看護では，心臓リハビリによる心不全の悪化を予防することも重要である。

(2) 認知症と腰椎圧迫骨折後の単身者の事例

腰椎圧迫骨折後から訪問看護を利用する，戸建てに一人で暮らす80歳代半ばの認知症の女性である。近隣に娘2人がいて，交代で週2～3日訪れる。訪問看護がスタートした段階で，主治医の許可のもと，まず，本人の希望する「トイレまで一人で行きたいという」願いをかなえる訪問看護計画を立てた。生活継続の意欲と安全を確保し，「トイレまで移動することができる」と「トイレを使うことができる」というリハビリの目標を設定した。

一人暮らしのなか，居室から3m這って行くトイレ手前に“天井つっぱりポール”を導入することを本人と家族に提案し，介護支援専門員と話し合い，トイレに安全に移動ができるようにした。

初回の訪問看護時には，実際のトイレまで這って行く際の腰部への負担や疼痛の有無，一連の動作を確認していった。

認知症のため，訪問看護が週1回来ていることも翌日忘れる状況であったが，本人の生活に対する意欲を重視した看護目標とし，腰椎圧迫骨折と認知症の服薬および病状の観察を実施した。

一人暮らしの認知症者の情緒的安定を図り，疼痛の状況も考慮し，徐々に活動量を増やし，立位練習や筋力・バランス力の訓練を続け，室内の杖歩行から，1か月半後には，戸外に散歩ができるまで骨折部位も改善した。このように，訪問看護の利用で，単身者であっても認知症の症状は進まず，安定した生活が継続できるケースも多い。

在宅看護において，「家族との思い出のつまった自宅で，自分のペースで過ごしたい」という療養者の思いを受け止め，別居する家族も安心できるように看護を提供することは，「日常生活そのものが，リハビリテーションである」ということに通ずる。

(3) 神経難病の事例

パーキンソン病で，自宅でのトイレや浴室，食堂への移動を継続したいという70歳代前半の男性で，妻と2人暮らしである。本人の希望を中心に，介護者の妻の負担の軽減も考えて，訪問看護計画を立てた。

通所リハビリを勧めるが，本人は，自宅で音楽を聴くことや，映画を見る趣味に時間を使いたいと希望した。また，妻も，天気の良い日は毎日一緒に自宅近くの公園に散歩に行く日課を続けたいと言う。

徐々に病状が進行し日内変動が大きいため，週1回の訪問看護では筋力トレーニングと移動動作の練習をしながら，最近のパーキンソン病の治療に関する情報などを話すなかで，本人と妻の思いや不安をアセスメントした。また，別の日には，市のリハビリスポーツセンターの利用を提案するなどして，在宅リハビリをとおしての支援が大きな比重を占めた。

事例からもわかるように，在宅リハビリは，日常生活のなかで個別性を重視しながら実施する。療養者とその家族の「病気や障害により以前の生活とは異なる状況を受け止める苦悩」「自分らしく生きたい」「家族に迷惑をかけたくない」などの思いをもとに，個々に合った支援を提供する柔軟な対応が求められる。看護師は，在宅リハビリを実施するなかで，療養者や家族からの思いをキャッチして，必要な専門職への橋渡しと調整役を担う。そして，今後の病状の経過の見通しや他のリハビリ専門職の介入目標の共有および家族の負担や思いを受け止めて調整力や連携力などの看護の専門性を発揮する。

6）在宅リハビリテーションにおける情報と看護師の役割

（1）情報・アセスメント

療養者の全身状態に関する情報をより正確に集めるところから始まる。たとえばどこが苦痛なのか，いつ，どのようなときに，どのように苦痛なのか，その苦痛はどれくらい続いているのかなど，療養者自身の訴えを正確に把握し，記録する。さらに，療養者の家族からもこれまでの経緯を詳しく聞き取り，情報の内容をより明確にすることが大切になる。

看護アセスメントは，現在の状況を表す課題，課題が起こっている原因，現状から今後考えられる成り行き，という3つのステップに基づいて行う。

（2）看護師の役割

在宅リハビリの目標に関するチームアプローチとして，運動機能では，理学療法士は関節可動域の拡大や筋力の増強，姿勢の改善を図り，看護職は，「褥瘡予防とベッドから車椅子への移乗を容易にするため，体位変換が自力で可能となる動作法の獲得と筋力の増強」を理学療法士と目標を共有する。コミュニケーション手段の獲得では，言語聴覚士のトレーニングと対象者の生活上必要とする意思表示の具体的な内容を共有する。作業療法士とは，たとえば食事の際に麻痺側に手を使う動作を取り入れ，食事動作の自立支援を共有するなどがある。

以上のように，目標設定と評価は，対象者にかかわっている職種と本人および家族がチームとして実施することが望ましい。

2　在宅リハビリテーション導入支援

1）在宅リハビリテーションの内容

（1）看護師による病状の観察・助言・支援

病状の観察やバイタルサインのチェック，清潔・排泄などの日常生活の支援，医師の指示による医療的処置，服薬に関する指導および療養生活への助言など在宅生活で必要なフォローを行う。

（2）基礎となる身体機能訓練

柔軟性，筋力，バランス力などの身体の基礎を強化することで日常生活動作を維持する訓練を支援する。

（3）生活に合わせた日常生活動作訓練

在宅での日常生活の課題は，対象者個々に異なる。対象者に合った日常生活動作を獲得できるように訓練を支援する。

(4) 活動範囲を拡げるための外出訓練

一緒に外出訓練を行うことで,「自宅から出ることの楽しさ」を体験できるように進め,屋内での生活にとどまらず,屋外へ活動の範囲を拡げられるように導く。

(5) 福祉用具選定導入への介入

日常生活を補助する福祉用具は在宅生活に欠かせない。対象者個々の状態やニーズに応じて,福祉用具の導入に対するアドバイスを行い,福祉用具専門担当者と連携して,最も適する福祉用具の導入を支援する。

2) 在宅と通所でのサービスの調整

在宅リハビリの特徴は,本人の生活環境のなかでの日常生活動作の安全確保と活動の拡大のトレーニングができるが,デメリットは,ICF(国際生活機能分類)の視点での社会とのつながりや活動の範囲に制限が生じることがある。そのため,在宅療養者には通所によるサービス利用を組み入れた支援も重要となる。

3) チームの連携とコミュニケーション

リハビリテ—ション関連職種の情報共有は,個々のスタッフがもつ情報を蓄積,共有,活用することをいう。在宅リハビリでは,ホウ・レン・ソウ(報告・連絡・相談)の「コミュニケーション」が特に重要となる。職場内の同職種・多職種のみにとどまらず,他機関との適切な情報共有が必須である。

そのために,多職種の業務や役割を知り,「誰に,いつ,何を,どのように相談すればよいのか」について日頃から意識することが課題となる。

チームメンバーは,組織の種類によって異なるが,①同一組織における同一職種の連携,②同一組織における多職種の連携,③複数組織における同一職種の連携,④複数組織における多職種の連携がある。

4) 在宅リハビリテーション計画と評価カンファレンス

一人の療養者の生活について,在宅リハビリ計画と評価カンファレンスは重要となる。利用開始時カンファレンスでは,関係者により療養者と家族を含め,現状分析による「療養者の望み」から目標設定を行い,在宅リハビリ計画を作成し,実施し,評価を行う。

在宅リハビリ計画では,以下のチームアプローチの評価を行う。

①共通の目標がある
②各自の専門性が明確にできる
③円滑なコミュニケーションができる
④アプローチの場が共有される
⑤モチベーションを高めることにつながるシステムである
⑥チームアプローチの要件

3 主な疾患と在宅リハビリテーションの実際

1）呼吸リハビリテーション

（1）呼吸リハビリテーションの対象

・重い肺炎などによって生じた肺損傷
・COPD（慢性閉塞性肺疾患），肺線維症，間質性肺炎などの慢性的な疾患
・慢性的な呼吸器疾患が急に悪化したとき
・気管切開や人工呼吸管理を受けているとき
・脳血管障害や筋ジストロフィーなどの神経筋疾患により，呼吸がうまくできない
・肺がんなどの手術後
・消化器系の疾患や頭頸部の手術前後

（2）呼吸リハビリテーションの効果

胸郭や呼吸に必要な筋肉を柔らかくすると，まずは息苦しさが改善され，呼吸が楽になる。また，呼吸にかかわる筋力を向上させることで，自力で痰を出せるようになる。自力排痰は，高齢者共通に必要な訓練といえる。さらに，呼吸リハビリテーションを通じて正しい呼吸方法やセルフケア，セルフトレーニングの方法を身につけると，呼吸が楽になるだけでなく，息苦しさを感じたときも自分自身でコントロールし，改善できるようになる。

楽に呼吸をできるようになれば，積極的に外出をしたり，活動範囲を広げたりするようになり，QOLの向上につながる。結果として，うつ病などの精神疾患の予防効果も期待できる。

（3）呼吸リハビリテーションの方法

①正しい呼吸法の取得

常に質の良い呼吸を行い，体内の換気能力の向上を目的とした正しい呼吸法を習得する。1つ目は腹式呼吸である。横隔膜を使い腹部から呼吸することで，一度の換気量（呼吸によって得られる空気の量）が増加し，効率的に無駄なく呼吸できるようになる。腹部を軽く押さえながら息を吐く。2つ目は口すぼめ呼吸である。口すぼめ呼吸を繰り返すことで気道を拡張し，息を吐きやすくする。2つの呼吸方法を図14-2に示す。これらを毎日訓練しながら，正しい呼吸法を身につける。

②排痰法

痰は，吸い込んだ空気中の細菌や体内の分泌物などが気道の粘膜に付着することで発生し，通常時はほとんど吐き出すようなことはないが，体調不良時に分泌物が増加したり，また呼吸機能が弱まって気道内の気流低下が発生したりすると，痰の量が増加する。痰がたまりやすくなると，気道が狭くなり息切れを起こしやすくなるので，排痰法を身につけておく。

排痰の方法として，ハフィングがある。その手順は，①数回深呼吸をした後，勢いよく「ハッ！ハッ！」と声を出さずに息を吐き出し，胸部を圧迫する。②その後，軽く「コホン」と咳をする。そのときに痰が出てくれば成功である。

腹式呼吸

❶ 仰向けに寝て，片手を腹部，もう一方の手を胸部の上に置く

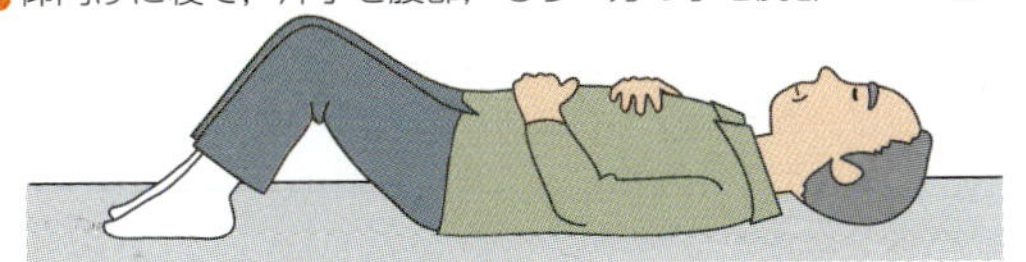

❷「1，2」とゆっくり数を数えながら鼻から息を吸う。そのとき，腹部が吸った空気で持ち上がるのを意識する

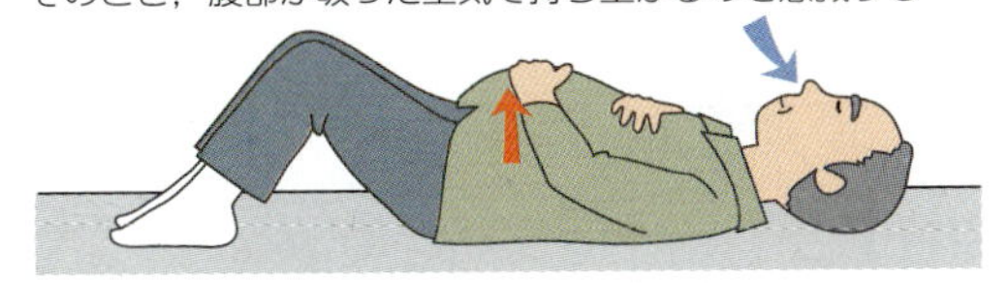

❸「3，4，5」とゆっくり数を数えながら，今度は口から息を吐く。そのとき，腹部を軽く押さえながら息を吐く

口すぼめ呼吸

❶ 腹式呼吸と同様，「1，2」とゆっくり数を数えながら，鼻から息を吸う

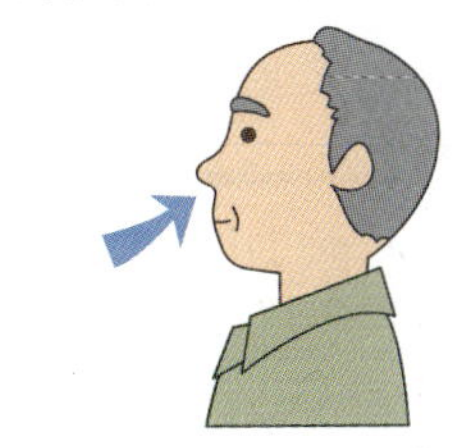

❷「3，4，5，6」とゆっくり数を数えながら，吸ったときの倍の時間をかけて，ゆっくりと息を吐いていく。その際，ロウソクなどの火を消すときのように口をすぼめる

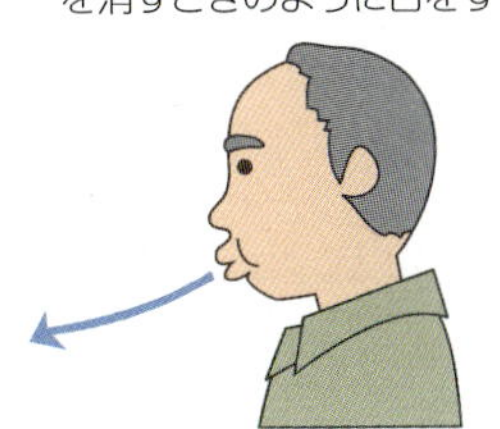

図14-2 **腹式呼吸と口すぼめ呼吸の方法**

③運動療法

運動療法は，身体の筋力を維持し，有酸素運動を取り入れることで呼吸機能の維持や改善を目的とする。具体的には，以下のような運動療法がある。

・歩行トレーニング：ウォーキングは，安全かつ比較的楽に続けられる運動の一つである。足腰をはじめとする身体全体の筋肉を鍛え，心肺機能の改善，息苦しさや息切れなどの症状の改善を目指す。

・筋力トレーニング：特に足腰の筋肉を重点的に鍛えることで筋力の維持・改善を図り，外出時などの息苦しさや息切れ，疲労感の軽減と改善を目指す。対象者の状態に合わせ，無理のない範囲でトレーニングを行う。

・ストレッチ：呼吸器疾患をもつ人は，胸部の筋肉が硬くなり十分に作動していない場合が多く，呼吸をするだけでも必要以上のエネルギーを消費している。そのまま運動などをしても，息苦しさや疲労感を増幅させ，非効率的であるため，呼吸筋をしっかりとストレッチして胸郭が広がりやすい状態をつくり，効率的で楽な呼吸運動ができるように促す。

2）心臓リハビリテーション

心臓リハビリテーションは，心臓病の発症後も活動や運動を制限してしまうことがないよう運動療法を続け，以前と同等の体力やQOL（生活の質）を維持し，さらに心臓病が再発しないよう予防法を学び，実践していくための治療プログラム（図14-3）である。在宅リハビリでは，入院中からのプログラムを継続するための主治医との連携により，運動療

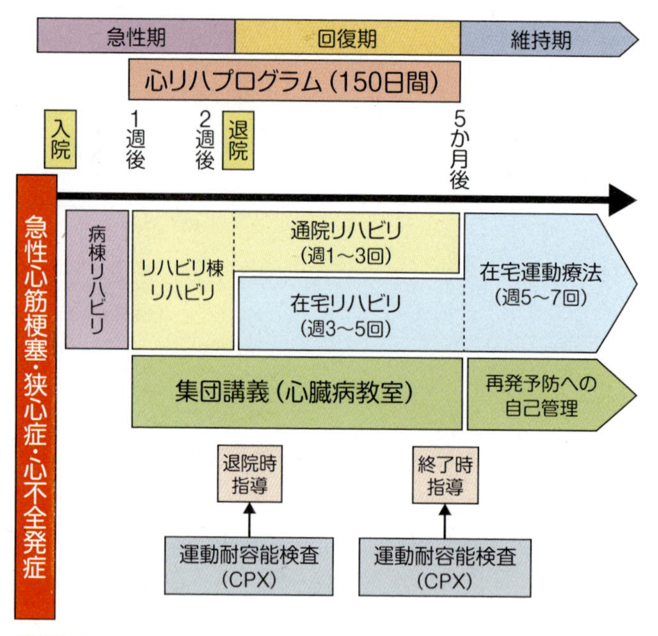

図14-3 心臓リハビリテーションのプログラム

法と再発予防に向けた自己管理の継続を支援することが重要となる。

（1）心臓リハビリと在宅看護の役割

①急性増悪の予防

慢性心不全は，心臓病によって息切れや動悸が生じる状態で，普段の状態では日常生活に大きな支障はない。しかし，暴飲暴食，薬の飲み忘れ，感冒など何らかのきっかけで身体のバランスが崩れると，急に肺に水がたまって呼吸困難になり，救急車で搬送され緊急入院となる。この急性増悪を防ぐ自己管理をめざした支援が訪問看護の役割としてある。

急性増悪による入院を繰り返すと，徐々に治療後の経過や見通しが悪くなっていく。急性増悪時は全身に水がたまった状態なので，多くの場合，たまった水の分だけ体重が増える。そのため，予防に向けた自己管理として大切なのは，身体に水がたまらないよう普段から塩分や水分の摂取を控えめにすること，水がたまってきたらすぐに発見できるよう体重を毎日測定することである。

②生活の質（QOL）の改善

持久力（運動耐容能）がアップし，行動範囲が広がる，自覚症状が出にくくなることがある。また，療養者ごとに最適な運動処方が行われるので，自分はどの範囲まで運動や活動をしてよいかが体得でき，その範囲までは安心して身体を動かせるという精神的効果をもたらすことがある。

植込み型除細動器（ICD）を装着した療養者では，恐怖心にかられ，抑うつ傾向になり外出や運動を極力控え，自宅に引きこもりになりがちであるが，在宅リハビリプログラムの運動療法を受ければ，一定の強度まで運動をしても問題はないことが実感でき，抑うつやQOLが改善する。

(2) 在宅リハビリで行う心臓リハビリの実際

①実施前の問診やバイタルサインの変化に注意し，異常の早期発見に努める

・リスクファクターがある療養者の場合は，管理状況も含めて情報収集を行う
・運動療法を安全に行えるよう，多職種と連携を取りながらサポート体制を整える
・療養者の心理状態について理解を深め，適切なコミュニケーションを行い，不安の解消に努める
・疾患，運動療法，食事療法，心臓に関する検査，薬の知識，日常生活の注意点，ストレス解消法などについて，適宜，患者教育を行う
・心電図上1mm以上の虚血性ST低下，またはST上昇がないか（最新の心電図データ）
・日本循環器学会による，「心血管疾患におけるリハビリテーションに関するガイドライン」（2012年改訂版）を参照する

②留意事項として，運動療法中は以下の点に注意して行う

・胸痛，呼吸困難，動悸などの自覚症状が出現していないか
・心拍数が120回/分以上，または安静時よりも40回/分以上増加していないか
・危険な不整脈が出現していないか

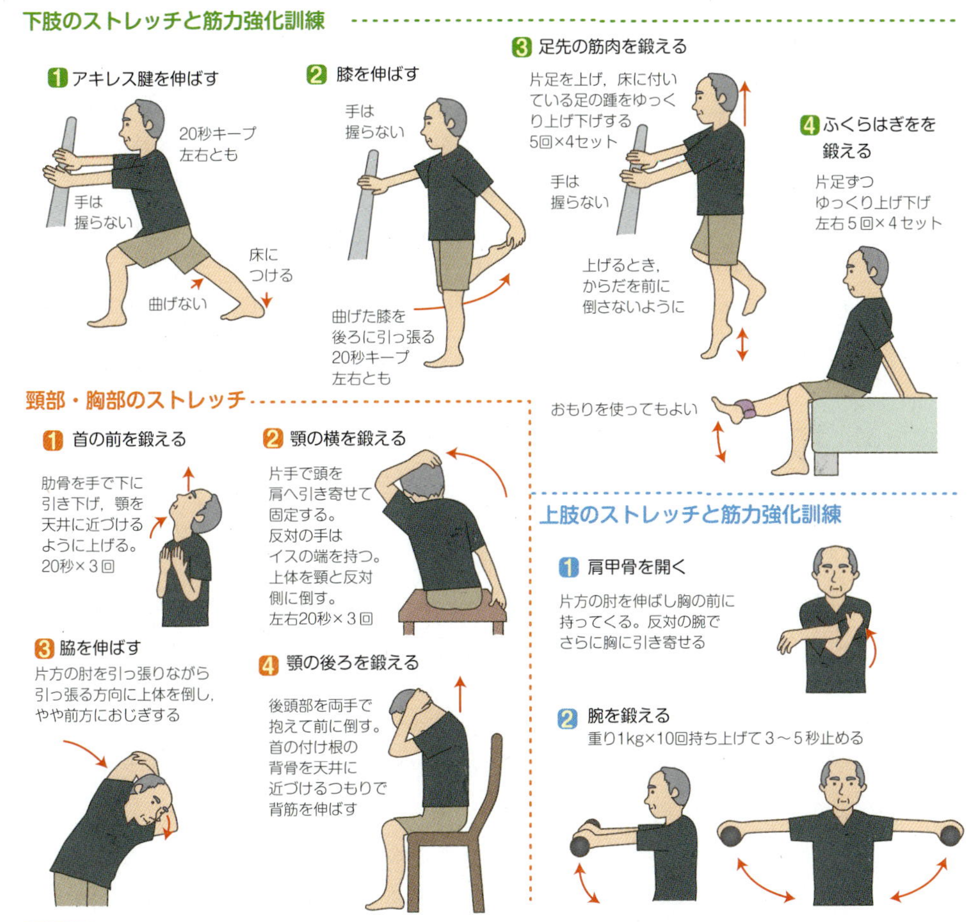

図14-4 ストレッチの例(下肢，頸部・胸部，上肢のストレッチと筋力強化運動)

表14-1 Borgの自覚的運動強度

指数(Scale)	自覚的運動強度	運動強度(%)
20		100
19	非常にきつい　very very hard	95
18		
17	かなりきつい　very hard	85
16		
15	きつい　hard	70
14		
13	ややきつい　fairy hard	55（ATに相当）
12		
11	楽である　light	40
10		
9	かなり楽である　very light	20
8		
7	非常に楽である　very very light	5
6		

③在宅でできる心臓リハビリの運動療法の種類

ストレッチ（図14-4），体操，室内歩行，屋外歩行などがある。

（3）リスク管理

守るべきことは，通常のペース［Borg 指数12～14（一般的な強度設定であり，心血管疾患患者の強度とは異なる）］（表14-1）で運動し，環境条件によりペースを下げることである。気温が27℃を超える場合は，暑さを避けるために早朝または夕方に運動する。逆に，寒冷環境時の注意点は体温の喪失である。これに関しては，十分なウォームアップと衣服による防寒である。

特に，発汗の透湿性を保てる衣服がよい。また，屋外に出たときに冷却された空気を吸わないように適宜マスクを使用する。ここでも有用な指針は，通常の運動トレーニングと同様に同一の自覚的労作強度を維持することである。

3）エンド・オブ・ライフケアと在宅リハビリテーション

エンド･オブ･ライフケアにおける在宅リハビリとしては，「加齢や傷病および障害のため，身の保全が難しく，かつ生命の存続が危ぶまれる人々に対して，最後まで人間らしくあるように支え，尊厳ある最期を迎える権利を担保する包括的なリハビリテーション活動」という終末期リハビリテーションの定義がある（全国介護・終末期リハ・ケア研究会 2018）。

末期がんであっても，在宅でリハビリそのものが生きる支えになったという報告[3]もある。 エンド・オブ・ライフの時期においても療養者の機能障害を改善あるいは代償し，生活機能を可能な限り高く維持し，社会参加を保つために運動機能低下の維持，改善が必要であり，生活機能を保つことで，個人の自律性と人間の尊厳を保つことができる。そのために 在宅リハビリの果たす役割は大きい。

運動療法による身体機能・倦怠感の改善，抵抗運動による転移がん患者の筋力増強効果，呼吸法指導による呼吸困難・身体活動性の改善・患者教育プログラムによる呼吸困難感の改善・疼痛の軽減，多専門職治療セッションによるQOLの改善，呼吸困難を有する肺がん患者に対する患者教育プログラムによる呼吸困難感，身体活動性，抑うつ，ADL困難度の改善が，がんのリハビリガイドラインとして報告され，推奨されている[3)]。

 在宅看護の在宅リハビリテーションに関する役割の拡大

訪問リハビリテーション，通所リハビリテーション，短時間通所リハビリテーション，通所介護，外来リハビリテーションなどの役割分担が明確にされている。

近年，IT技術を用いて，看護を提供するテレナーシングといった領域も進んでおり，今後は在宅リハビリへの応用も期待される。

AIの進展は，リアルタイムで問診・指導を行うことができ，遠隔で医療者が運動負荷量を適切に調整することが可能となり，在宅リハビリの運用において安全性や確実性の保証に期待ができる。

文　献

1）澤村誠志監修，日本リハビリテーション病院・施設協会編：これからのリハビリテーションのあり方，青海社，2004，p.4.
2）厚生労働省：「チーム医療の推進について」（チーム医療の推進に関 する検討会 報告書）（平成22年3月19日）<https://www.mhlw.go.jp/shingi/2010/03/dl/s0319-9a.pdf>(アクセス日：2020/11/11)
3）水落和也：エンドオブライフケアにおけるリハビリテーション，The Japanese Journal of Rehabilitation Medicine, 53 (2)：137-138，2016.
4）吉原亀久雄：在宅訪問リハビリテーション制度の再構築―介護保険サービスにおける地域展開と課題，社会関係研究，13 (2)：91-119，2008.
5）石垣和子・金川克子監，山本則子編：高齢者訪問看護の質指標―ベストプラクティスを目指して，日本看護協会出版会，2008，p.82-88.
6）訪問リハビリテーションセンター清雅苑編：図説 訪問リハビリテーション―生活再建とQOL，三輪書店，2013.
7）上野桂子・河本のぞみ・柴本千晶編：訪問看護のための在宅リハビリテーションガイドブック，東京法令出版，2000.
8）川越博美・山崎麻耶・佐藤美穂子総編集，石鍋圭子責任編集：最新　訪問看護研修テキストステップ2　5リハビリテーション看護，日本介護協会出版会，2005.
9）石鍋圭子・野々村典子・奥宮暁子・宮腰由紀子編著：リハビリテーション専門看護　フレームワーク/ビューポイント/ステップアップ，医歯薬出版，2001.
10）全国老人デイ・ケア連絡協議会監：通所リハビリテーション様態別プログラム実践ガイド，中央法規出版，2010.
11）落合芙美子監修，粟生田友子編：新体系看護学全書〈別巻〉リハビリテーション看護，第2版，メヂカルフレンド社，2015.
12）押川真貴子監：写真でわかる訪問看護アドバンス，インターメディカ，2016.
13）ARN（アメリカリハビリテーション看護師協会）編，奥宮暁子監訳：リハビリテーション看護の実践，日本訪問看護協会出版会，2006.
14）川島みどり・杉野元子：看護カンファレンス，第3版，医学書院，2013.

15 在宅緩和ケア

学習目標
- 在宅における緩和ケアの特徴が説明できる。
- 在宅緩和ケアにおける訪問看護の基本姿勢について説明できる。
- 在宅における症状緩和のためのアセスメントについて説明できる。
- 在宅緩和ケアに必要な薬物療法とその管理方法を理解できる。
- 薬物療法以外の症状マネジメントのポイントを理解できる。

1 在宅緩和ケアとは

緩和ケアとは，生命を脅かす病に関連する問題に直面している患者・家族のQOL（quality of life）を，痛みやその他の身体的・心理社会的・スピリチュアルな問題を早期に見出し的確に評価を行い対応することで，苦痛を予防し和らげることをとおして向上させるアプローチである[1)]。つまり緩和ケアの対象はがん患者だけではなく，心不全や呼吸器疾患，神経難病，認知症などすべての疾患において，また小児から高齢者まですべての世代において必要とされる。そして患者だけでなく家族も含めて，その疾患の治癒が困難ななかで，身体的な苦痛だけでなく，不安やいらだち，恐れ，抑うつなどの精神的な苦痛，人間関係や仕事，経済的な課題といった社会的な苦痛，「なぜ病気になったのか」「何のために生まれてきたのか」といった問いや死への恐れ，罪の意識などのスピリチュアルな苦痛も含めた全人的苦痛（トータルペイン）としてとらえ，その苦痛の緩和に多職種で取り組み，療養者のQOLの維持向上を目指すことが求められる（図15-1）[2)]。

在宅緩和ケアでは，自宅や介護施設など患者や家族が生活している住み慣れた場で，医療職や介護職などの多職種によるチームで緩和ケアが提供される。また看取りが近くなり「最期は自宅で過ごしたい」という終末期の患者だけでなく，外来通院で治療や経過観察，症状緩和を行っているケースも含まれる。治癒が困難となり，予後が限られたなかでも，様々な苦痛の緩和だけでなく，住み慣れた場で心地よさや安心・安楽が感じられるケアを提供し，その人らしく最期まで生き切ることを地域で支える。

訪問看護の場合，多くは看護師が一人で訪問し対応しなければならない。そのため在宅での症状緩和においては，症状に関する基本的な知識を理解していること（定義，原因，治療方法など），薬物療法として使用する薬剤についての知識および使用方法や副作用管理，薬物療法以外の治療法やケア方法を十分に理解していることが前提である。そのうえで療養者や家族に対して，苦痛症状がなく，あるいは苦痛症状をなくすことが難しい場合

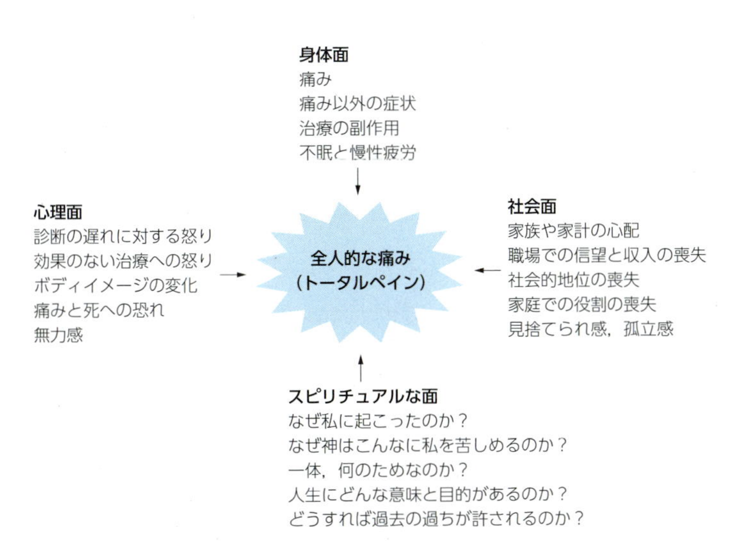

図15-1 全人的苦痛(痛みを構成する4つの因子)
武田文和，的場元弘監訳，トワイクロス先生の緩和ケア，医学書院，2010，p.2.より転載

でも，安心して住み慣れた場所での日常生活が継続できるように，症状をアセスメントし，療養生活のマネジメントを行う[3)]。

2 在宅緩和ケアにおける看護師の基本的態度

1）療養者・家族とのコミュニケーションへの配慮

緩和ケアを必要としている患者や家族とのかかわりでは，予後不良や看取りなどの悪い知らせを伝えなければならない場合や，病状が厳しいなかでの意思決定を支援しなければならない場合も多い。相手の苦痛体験や価値観を理解し，適切に支援していくためには，療養者・家族との信頼関係の構築が必須であり，コミュニケーションには十分配慮することが求められる。たとえば療養者の主観的な症状が言葉などで表現しやすいように，医療者側の態度や表情など非言語にも気を配り，共感的に傾聴を行う。症状緩和を行うための生活上の工夫を伝える場合には，「指導する」「指示する」といった「上から目線」の態度ではなく，アセスメントやケアの根拠をもとに，具体的にわかりやすく「提案」し，療養者や家族と「一緒に考える」姿勢でかかわることが望ましい。療養者や家族が症状緩和に対して工夫や努力しているところを少しでも見出し，「とてもよく頑張っていますね」などのねぎらいを言葉にして伝え，努力を評価することで，相手の自己のコントロール感を高め，継続的に取り組んでいけるように支援する。家族も様々なストレスや不安を抱えながら介護を行っていることが多いため，緊急時の連絡方法などを確認し，わかりやすいところに表示しておき，いつでも連絡してよいことなどを伝えておくと安心感につながる。苦痛を抱えながら在宅で療養する本人や家族の思いに丁寧に寄り添う姿勢が大切である。

2）アセスメントの重要性

在宅の場合，周りに他の医療者がいないことが多く，療養者に直接かかわる医療者が責任をもって状態をアセスメントし評価することが求められる。そして療養者の症状や様子の変化から，療養者自身に何が起こっているのかをアセスメントをもとに推測する。特に緩和ケアを必要としてる人の場合，急変のリスクもあり，病状の変化に合わせて迅速に対応することが求められる。そのため，単に客観的に療養者の様子を見るだけではなく，緩和ケアの必要な人に起こりうる症状や病状変化，またその本人の病態を理解したうえで，「今，療養者の体の中で何が起こっているのだろうか？」と推測しながら，次にどのような行動をするべきなのかを判断するためにも，意図的に，また多方面から多角的にアセスメントを行う必要がある。たとえば発熱や頻脈があった場合，この発熱は何が原因なのか，感染なのか，腫瘍熱なのか，環境によるものなのか，頻脈の原因は高熱の影響か，病歴からもしかしたら心不全を起こしているかもしれない，看取りが近いかもしれない…など，常に次の判断を意識しながら，情報収集を行う。そのうえで，緊急を要する状態か，様子を見ることができる状態か，様子を見るならどのくらいの時期に再評価するのか？　1日後か，1週間後かなど，アセスメントし予測した病状について評価のタイミングを判断し，対応することが大切である。たとえば疼痛コントロールが不良な人に薬の使い方を提案した後，その効果について翌日に電話でフォローするなどの対応を行う。

3）生活状況の観察

訪問時には，療養者の生活状況や部屋の状況などを観察し，症状による日常生活への影響を必ずアセスメントする。薬があちこちに散乱していないか，薬などの管理が煩雑になっていないか，部屋の片づけなどが十分にできているか，以前の訪問時と比べて変わった様子がないか，家族の表情や態度などから疲労感やストレスが蓄積していないかどうかなど，訪問した際に五感を使って観察を行う。またトイレや浴室などの生活動線を確認し，症状や病状進行によってトイレ歩行や入浴などに支障をきたしていないかどうかをアセスメントする。

4）症状体験の把握

症状のとらえ方は療養者によって異なる。同じ症状でも人によっては，症状が強くなることで自分の予後があまり長くないと感じたり，気持ちが落ち込んで恐怖や不安にさいなまれる療養者もあれば，症状よりも仕事や家庭のことのほうが気がかりになる療養者もいる。療養者の症状を単に身体面だけでなく，トータルペインとしてとらえ，療養者が症状をどのように体験しているか，どのように認識しているのかを把握し，症状によるQOLへの影響を理解することで，より個別的できめ細かい援助につなげる。

5）療養者や家族のセルフケア行動の確認

療養者や家族が病気や症状に対して行っている対処行動のアセスメントを行う。セルフケアとして，薬の飲み方などの工夫や姿勢・体位の工夫などをどのようにしているのか，生活行動の調整や他者の援助・支援の活用ができているか，薬の管理が可能かどうかなどを確認する。そして，工夫や自立して適切に行えているようであれば見守り，自己管理が難しいようであれば医療職や介護職との連携で支援するなど，療養者や家族のセルフケア能力を見きわめ，より安全・安楽に過ごすために看護師や他の職種がどのようにかかわっていけばよいのかを検討する。

6）今後の経過の予測と対応

訪問時に，現在の状況と今後起こりうる可能性のある症状や病状変化を予測し，事前に療養者や家族に伝えておくことは，在宅療養を継続するための安心につながる。特にがんの場合，病状進行の経過がほかの疾患よりも早いため，病状変化に適切に対応するのに重要なポイントである。たとえば，病状の進行に伴う判断能力の低下により薬剤管理がいつまでできるか，経口投与がいつごろまで可能か，意識レベルの低下によって苦痛の評価がどの程度までできるかなどを見きわめ，家族が急変や看取りにも対応できるように，わかりやすく説明し，その際の対処方法や連絡方法などを伝えておく。またチーム内でも情報を共有し，症状の出現や病状変化が起こった場合の対策を事前に検討しておくのが望ましい。

7）医療者が不在時の状況把握

病院や施設とは異なり，在宅療養の場合，医療者が療養者のそばいることが少なくなるため，療養者や家族のセルフケアをサポートするとともに，苦痛に対して適切に対処できているかどうかをモニタリングできるように工夫しておく。たとえば，薬を定期的に飲んでいるか，いつどのようなときにレスキュードーズを使用したか，どのような時期に副作用が出現したかなどを，症状マネジメントのパンフレットや，メモやノートなどを利用し，記録をつけてもらうと把握しやすい。日中独居の療養者の場合は，家族と連絡の取りやすい時間帯や曜日を事前に確認しておくとよい。

可能な限り24時間いつでも連絡・相談ができる体制を提供し，訪問日以外には電話などで状況を確認する。さらに往診医やヘルパー，ケアマネジャーと必要に応じて電話，メール，ファックスなどで連絡を取り合い，調整や相談が行いやすいようにしておくことで，症状コントロールの状況を把握し，問題が生じている場合には早期に対応する。

8）在宅での服薬管理の支援

症状緩和や副作用管理を効果的に行うためには，薬剤が適切に投与され，評価できなければ，より良い効果を導き出すことはできない。療養者のなかには，独居または日中独居や，介護者が高齢者であるため服薬管理が困難な場合もある。療養者や家族のセルフケア能力やライフスタイルをもとに，薬物管理や投与に関するコンプライアンスを見きわめ，ケアプランを立てることが重要になる（表15-1）。たとえば薬の管理を行いやすいように，

表15-1 与薬時に確認しておくこと

- 患者が自分で薬が飲めるか？ 飲みやすいように用意してあれば飲めるか？ 介助が必要か？
- 貼付剤の場合，患者が貼ることができるか？ いつ誰が貼るか？
- 坐剤は嫌がらないか？ 挿入は自分でできるか？ 家族ができるか？
- 定期的に内服できているか？ 飲み忘れはないか？ 手もちの薬は足りているか？
- いつ，どのようにレスキューを使用しているか？ 薬はすぐに使いやすい場所にあるか？
- 副作用に対する定期薬，頓用薬は用意されているか？ どのように使用しているか？ 効果はあるか？

チェック表を作成し，服薬箱や服薬カレンダーなどを活用する。訪問看護の際には必ず内服状況や残数などを確認しておく。また薬の選択においても，経口薬がよいのか，貼付剤や坐薬のほうがよいのか，一日３回でも内服が可能か，一日１回にまとめたほうがよいのかなど，介護状況も踏まえてチーム内で検討することが望ましい。処方された薬剤が安全かつ適切に投与され，効果的な症状緩和が行えるように具体的に支援することが求められる。

9）多職種との連携

療養者のつらさを全人的苦痛（図15-1）としてとらえ，在宅においても丁寧にかつ適切，迅速に療養者や家族の苦痛に関するアセスメントや，その後のマネジメントを行っていくためには，多職種によるチームアプローチが重要である。患者の症状マネジメントの目標を共有し，改善に向けた取り組みについて，医師，看護師，薬剤師，介護職などそれぞれの専門性による役割を明確にしておく。また療養者の症状の状態や治療への反応などを記録に残し，治療方針の変更など，必要に応じて電話，Eメール，FAXなどで連絡を取り合うことで，常にチーム内で情報共有，情報交換ができるように工夫する。

3 身体的苦痛の緩和

身体的苦痛はその疾患や原因にかかわらず，心身ともに療養者や家族の日常生活のあらゆるところに影響し，QOLを大きく低下させる。症状緩和が十分に行えないと，日常生活行動に支障をきたすと同時に，様々な不安や心理的な負担が増し，在宅療養の継続を妨げる場合がある。たとえば症状があることで家族に負担をかけていると感じたり，病状の進行への不安や一人で過ごす不安が強くなったり，これまで行えていた生活動作ができないことを実感し，「こんな状況で生きていても仕方がない」と感じることもある。そのため身体的な苦痛の緩和は，精神的な症状や社会的な苦痛，スピリチュアルな苦痛の緩和にもつながる。一方では，自分の住み慣れた自宅でリラックスでき，自分のペースで生活できることや，家族に囲まれて過ごせる安心感から，病院や施設で過ごしていたときよりも，症状の訴えが軽減する場合もある。

以下に在宅緩和ケアにおける主な症状と対応について述べる。

1）疼　痛

（1）痛みの定義

痛みは，「不快な感覚的および感情的体験であり，組織損傷が起こったとき，または組織損傷が差し迫ったときに起こり，あるいは損傷を表現するときに使われる言葉である」と定義されている[4)]。「痛み」は主観であり，療養者が「痛い」「つらい」と訴えているときには，それをありのまま受け止め，本人の体験として理解することが大切である。

（2）痛みの原因

表15-2 [4)] 参照。

表15-2 痛みの神経学的分類

分　類		障害部位	痛みの特徴	治療における特徴
侵害受容性疼痛	体性痛	皮膚，骨，関節，筋肉，結合組織などの体性組織	・骨転移など，痛みの部位が明瞭な持続痛が体動に伴って増悪する ・ズキッとする	突出痛に対するレスキュードーズの使用が重要になる
	内臓痛	食道，胃，小腸，大腸などの管腔組織 肝臓，腎臓などの被膜をもつ固形臓器	・深く絞られるような，押されるような痛み ・痛みの部位が不明瞭 ・ズーンと重い	オピオイドが効きやすい
神経障害性疼痛		末梢神経，脊髄神経，大脳などに痛みの伝達路	・障害神経支配領域のしびれ感を伴う痛み ・電気が走るような痛み ・ジンジンする痛み	難治性で鎮痛補助薬が必要になることが多い

日本緩和医療学会緩和医療ガイドライン作成委員会編：がん疼痛の薬物療法に関するガイドライン2014年版，金原出版，2014，p.18. より転載（一部改変）

（3）痛みのアセスメント

①日常生活への影響

痛みによって，睡眠，排泄，清潔ケア，食事，移動，社会的な活動など日常生活にどの程度支障をきたしているのかを確認する。

痛みがあって夜間に十分な睡眠がとれなかったり，痛みがあることでトイレまでの歩行など室内での移動が思うようにできなかったり，ゆっくり食事が摂れないなど，痛みが患者の普段の生活にどのような影響を与えているのか，それによって療養者はどんな体験をしているのかありのまま理解する（表15-3）。

②痛みのパターン

痛みの出現するパターンとして，安静時や体動時など，どんなときでも続いている「持続痛」なのか，身体を動かしたときや食事の後，あるいは予測できないときに，一時的に出現する「突出痛」なのかを確認する。持続痛の場合は鎮痛薬の定期投与や増量を検討し，突出痛の場合はレスキュードーズ（頓服薬）による対応を検討する。

③痛みの部位と性状

身体のどのあたりがどのように痛むのかを患者の言葉で表現してもらう。痛みを感じる場所が複数ある場合には，それぞれの痛みの感じ方の違いを伝えてもらう。また，安静時なのか，姿勢を変えたり移動したりしようとしたときに痛むのかなど，痛みが出るタイミングも尋ねる。痛みの部位は「何となくこのあたりが痛い」などはっきりしない場合もある。「ズキズキする」「重苦しい」「突き刺されたような」「締め付けられるような」「ビリビリする」

表15-3 コミュニケーション例

「痛みがあることで食事や移動，睡眠などで，何か困ることはありませんか？」
「痛みを感じると，どんなことが心配ですか？」
「痛みがあることで，イライラしたり，不安になったりすることはありませんか？」
「○○はできていますか？」
「△△は大丈夫ですか？」

など，痛みの場所と表現から痛みのタイプをアセスメントする（表15-2）[4]。

④痛みの強さ

療養者や医療者間で痛みの強さや程度を把握しやすいように，痛みの評価ツールなどを利用する。本人の主観で痛みをどの程度に感じているのか，以前と比べて強くなっているのか軽減しているのかがわかりやすい。

- **数値的評価スケール（Numerical Rating Scale：NRS）**：痛みを0～10の11段階に分け，痛みがまったくない状態を0，これまで考えられるなかで最悪の痛みを10とし，痛みの程度がどれくらいかを数値で示してもらう。
- **視覚アナログ尺度（Visual Analogue Scale：VAS）**：10cmの線の左端をまったく痛みがない状態とし，右端を最悪の痛みとしたときに，どれくらいの痛みの程度であるかを指し示してもらう。
- **フェイススケール（Faces Pain Scale：FPS）**：数値での評価が難しい小児や高齢者などでも，今の痛みに最も近い表情を選んでもらうことで痛みの程度を把握する（図15-2）[2]。
- **客観的な痛みのアセスメント**：療養者が認知症を伴っていたり，意識障害などで自分の体験している痛みを訴えることが難しい場合には，家族や介護者が療養者の表情や身体の動き，以前との比較などから不快な体験をしているかどうかをアセスメントする（表15-4）[5]。

⑤痛みの経過

痛みが以前からある痛みなのか，いつ頃から続いているのか，最近新たに発生した痛みなのかなど，痛みを感じている経過を確認し，それがどのような痛みからきているものなのかを評価する。突然の痛みは，原疾患以外に骨折や感染症，心筋梗塞，出血などの病態の出現を示す場合があるため，必要に応じて早期に対処を検討する。

⑥痛みの増強因子と軽減因子

療養者にとって，どのようなときに痛みを強く感じ，どのようなときに痛みが緩和される

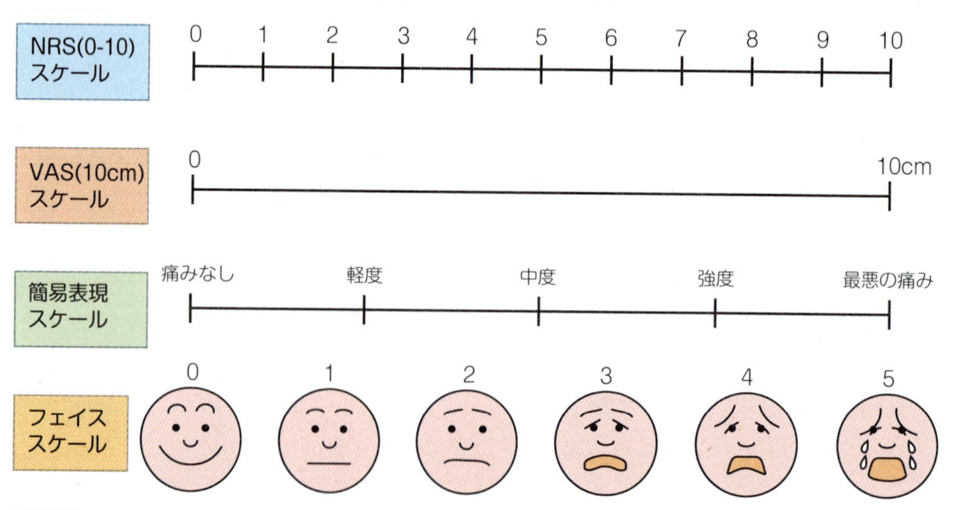

図15-2 痛みの評価スケール
日本緩和医療学会 緩和医療ガイドライン作成委員会編：がん疼痛の薬物療法に関するガイドライン2014年版，金原出版，2014，p.32.より転載（一部改変）

表15-4 客観的な痛みのアセスメント

痛みがあるときの様子
・「痛い」「ずきずきする」「重たい感じがする」「しんどい」「つらい」など，痛みや不快な症状を感じていることを言葉にする
・普段より話をせず，眉間にしわを寄せるなど，厳しい表情をする
・悲しくつらそうな表情をする
・痛む場所を手で押さえたり，さすったり，かばうような姿勢をとる
・同じ姿勢を保持できない（立っていられない，座っていられない，横になっていられないなど）
・食欲がない，眠れない，じっとして動かない
・イライラしている，怒りっぽいなど，普段より機嫌が悪い

痛みの程度のみかた
0＝痛みがない状態
1＝軽い痛み
時折，または時々長続きしない痛みがある様子だが，患者本人が今以上に痛み止めなどの治療を必要としない状態
2＝中程度の痛み
痛みのため，時に調子の悪い日もある。痛みのため，いつもできているはずの日常生活動作（食事をとる，トイレに行く，室内を歩く，お風呂に入る，眠るなど）に影響が出ている状態
3＝強い痛み
しばしばひどい痛みがあり，日常生活動作や物事への集中力（人と話をする，テレビを見る，物事を考えるなど）に大きく影響が出ている状態
4＝強く激しい痛み
持続的な耐えられない激しい痛みがあり，ほかのことを考えることができない状態

「宇野さつき：訪問看護師が行う疼痛緩和のコツ，がん看護，15（2）p.250，2010」より許諾を得て改変し転載

のかを尋ねる。また，家族や介護者からも様子を聞いてみる。痛みの増強因子や軽減因子（表15-5）[2] を確認することで，どのようなケアを行うことで痛みの緩和が図れるのかのヒントが得られ，それぞれの療養者に合った看護ケアを工夫することができる。

⑦現在の痛みの治療への反応

現在の痛みの治療によって効果的に疼痛緩和が行われているか，頓服薬の使用頻度が多過ぎないか，適切な服用ができているかなど，見直しや調整の必要性を評価する。また，特にオピオイドを使用している場合には，悪心や便秘，眠気などの副作用の程度についても確認する。痛みが軽減していても副作用が強い場合は，鎮痛薬の変更などを検討する。

⑧レスキュードーズの効果と副作用

レスキュードーズとは，「レスキュー」や「頓服」ともいわれ，定期薬を使っていても一

表15-5 痛みの感じ方に影響を与える因子

痛みの感じ方を増強する因子	痛みの感じ方を軽減する因子
・怒り ・不安 ・倦怠 ・抑うつ ・不快感 ・深い悲しみ ・不眠→疲労感 ・痛みについての理解不足 ・孤独感，社会的地位の喪失	・受容 ・不安の減退，緊張感の緩和 ・創造的な活動 ・気分の高揚 ・ほかの症状の緩和 ・感情の発散，同情的な支援（カウンセリング） ・睡眠 ・説明 ・人とのふれあい

武田文和，的場元弘監訳：トワイクロス先生の緩和ケア，医学書院，2010，p.82. より転載

時的に痛みが強くなる場合などに用いられる臨時に服用する鎮痛薬である。レスキュードーズが処方されている場合には，痛みの状況に合わせて，療養者や家族が適切に利用できているかどうか，その使用回数や効果（レスキュードーズを使って痛みが軽減するかどうか）を確認する。レスキュードーズを頻回に使用していたり，使用しても痛みが軽減されないならば，定期薬の増量や変更を検討する。

（4）在宅における痛みの目標設定

WHOでは，痛みの第1目標を「痛みに妨げられずに，夜は良眠できる状態」とし，第2目標を「安静時に痛みがない状態」，第3目標を「体動時にも痛みがない状態」としている[6)]。痛みのコントロールで大切なことは，痛みを軽減させることで，具体的にどのような日常生活行動やQOLの改善に期待するかを，療養者や家族のニーズを踏まえ，現実的で段階的な目標を患者・家族と共に設定することである。

長期間続く慢性疼痛やがん性疼痛は，痛みの原因が完全に治癒することは難しく，療養者は痛みを抱えながらの療養生活を余儀なくされる。そのため，疼痛緩和の目標は，単に「痛みをなくす」ことではなく，療養者・家族と共に日常生活やQOLへの痛みによる影響を最小限にすることを目指す。「痛みがなく眠れる」「痛みを感じずに食事が楽しめる」など，痛みが軽減することでどうなれば安心・安楽に生活を送ることができるのかを話し合い，目標を共有することが大切になる。また，その目標を主治医やチームメンバー間で共通理解し，それぞれの立場での役割を明確にし，継続的に評価していけるよう，きめ細かな情報交換，情報共有を行う。

また，疼痛管理の評価については，訪問スケジュールなどを確認し，いつ，誰が，どのように評価するのか，訪問時の報告や情報交換の方法など（電話，ファックス，メールなど）を事前に話し合っておく。

（5）痛みの治療

①痛みに対する主な治療法

痛みの主な治療法を表15-6に，WHO 3段階除痛ラダーと薬物療法の5原則を図15-3，表15-7に示す。

②在宅でのオピオイドによる疼痛管理

オピオイドは，脊髄後角などの中枢に存在するオピオイド受容体に作用して鎮痛効果を

表15-6 疼痛の治療

薬物療法	非オピオイド鎮痛薬(NSAIDs，アセトアミノフェン) オピオイド鎮痛薬 鎮痛補助薬(ステロイド，抗うつ薬，抗けいれん薬，ビスフォスフォネートなど)
神経ブロック	内臓神経ブロック，トリガーポイントブロック，硬膜外・くも膜下カテーテル留置法など
放射線照射	骨転移への単回照射・分割照射，脳転移へのガンマナイフなど
IVR：interventional radiology	経皮的椎体形成術，ラジオ波凝固，ステント留置など
リハビリテーション	ポジショニングの工夫，物理療法の活用(マッサージ，温熱，冷却など)，関節可動域訓練など
心理社会的・行動学的アプローチ	がん疼痛教育，支持的精神療法，認知行動療法など

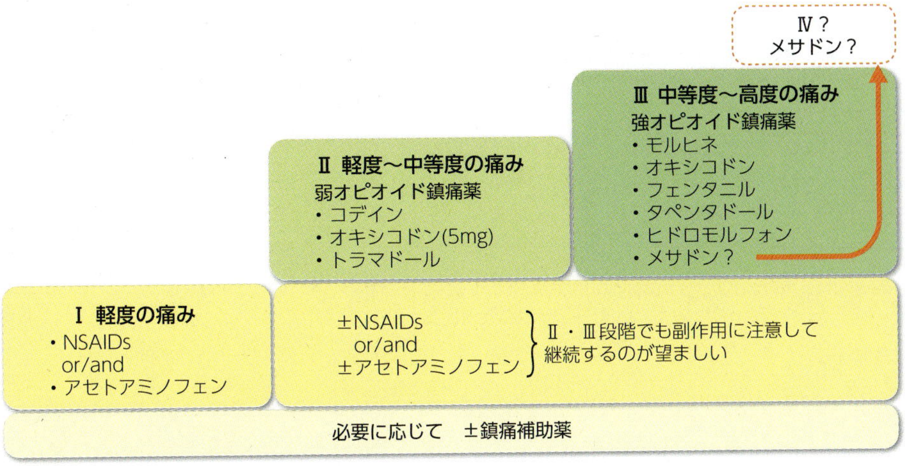

Ⅳ？
メサドン？

Ⅲ 中等度～高度の痛み
強オピオイド鎮痛薬
・モルヒネ
・オキシコドン
・フェンタニル
・タペンタドール
・ヒドロモルフォン
・メサドン？

Ⅱ 軽度～中等度の痛み
弱オピオイド鎮痛薬
・コデイン
・オキシコドン(5mg)
・トラマドール

Ⅰ 軽度の痛み
・NSAIDs
or/and
・アセトアミノフェン

±NSAIDs
or/and
±アセトアミノフェン
Ⅱ・Ⅲ段階でも副作用に注意して継続するのが望ましい

必要に応じて　±鎮痛補助薬

図15-3 WHO3段階除痛ラダー

表15-7 WHO方式によるがん疼痛に対する薬物療法の5原則

経口的に(by mouth)	経口摂取が可能な場合は，経口投与を基本とする
時刻を決めて規則正しく(by the clock)	持続痛に対しては，時間を決めて定期的に鎮痛薬を使用する
除痛ラダーに沿って効力の順に(by the ladder)	3段階除痛ラダーに沿って鎮痛薬を選択し，効果が得られない場合は，次の段階の鎮痛薬へ変更する。また，痛みの原因に応じて非オピオイド鎮痛薬や鎮痛補助薬を併用する
患者ごとの個別な量で(for the individual)	痛みの感じ方や強さ，鎮痛薬の効果には個人差があるため，適切な投与量はその人の痛みを緩和できる量になるように調整する
そのうえで細かい配慮を(with attention to detail)	副作用対策や鎮痛薬の使用方法の説明，オピオイド鎮痛薬の誤解を解くための説明などを行う。薬物療法以外の治療やケアも取り入れる

林ゑり子編：緩和ケアはじめの一歩，照林社，2018，p.59.より転載（一部改変）

発揮する薬剤で，痛みの治療に用いられるオピオイドは医療用麻薬ともよばれる。オピオイドは「がん疼痛」に使用するものといったイメージがいまだ強いが，以前からコデインが鎮咳薬として使用されたり，慢性疼痛などのがん以外の疾患の痛みについても，トラマドール，ブプレノルフィン貼付薬，医療用麻薬のコデイン，モルヒネ，フェンタニル貼付薬が保険適用となっている（表15-8）。

強オピオイドは，療養者の痛みに合わせて個別で投与量を増やすことができるが，悪心や便秘などの副作用のコントロールも併せて行うことが重要である。また，オピオイドの投与経路は多様で，経口投与のほか直腸内投与（坐薬），経皮投与（貼付薬），持続皮下注，持続静注などがある。療養者の病状や服薬管理の能力を踏まえて，どの経路から投与するかを検討する。

③オピオイドに関する療養者・家族の理解への支援

療養者や家族の認識として，「モルヒネは中毒になる」「モルヒネは寿命を縮める」「モルヒネは最後の手段」「副作用が強い」など，医療用麻薬に対する様々な誤解や不安を抱いていることが多い。医療用麻薬に対する誤解があると，適切に薬を使うことができず症状緩

表15-8 国内で利用可能な代表的なオピオイドとその特徴

一般名	商品名	剤　形	投与経路	投与間隔	放出機構
モルヒネ硫酸塩	MSコンチン	錠剤	経口	12時間毎	徐放性
	MSツワイスロン	カプセル	経口	12時間毎	徐放性
	モルペス	細粒	経口	12時間毎	徐放性
モルヒネ塩酸塩	モルヒネ塩酸塩	粉末 錠剤	経口	4時間毎 レスキューは1時間	速放性
	オプソ	内服液	経口	1時間	速放性
	パシーフ	カプセル	経口	24時間毎	徐放性
	アンペック	坐剤	直腸内	6～12時間毎 レスキューは2時間	—
	アンペック プレペノン	注射液	皮下 静脈内 硬膜外 くも膜下	単回・持続	—
オキシコドン	オキシコンチン, オキシコドン	錠剤	経口	12時間毎	徐放性
	オキノーム	散剤	経口	1時間	速放性
	オキファスト	注射液	皮下	単回・持続	—
フェンタニル	デュロテップMT, フェンタニル	貼付剤	経皮	72時間毎	徐放性
	フェントス ワンデュロ	貼付剤	経皮	24時間毎	徐放性
	フェンタニル	注射液	静脈内 硬膜外 くも膜下	単回・持続	—
	イーフェン	錠剤	口腔粘膜 (バッカル錠)	追加30分(1回のみ), 4時間開けて 一日4回まで	速放性
	アブストラル	錠剤	口腔粘膜(舌下)	追加30分(1回のみ), 2時間開けて 一日4回まで	速放性
メサドン	メサペイン	錠剤	経口	8時間毎	徐放性
タペンタドール	タペンタ	錠剤	経口	12時間毎	徐放性
ヒドロモルフォン	ナルサス	錠剤	経口	24時間毎	徐放性
	ナルラピド	錠剤	経口	1時間	速放性
	ナルペイン	注射液	静脈内 皮下	持続	—
コデイン	コデインリン酸塩	散剤 錠剤	経口	4～6時間毎 レスキューは1時間	速放性
トラマドール	トラマール	OD錠	経口	6時間毎	徐放性
		注射液	筋肉内	4～5時間毎	
	ワントラム	錠剤	経口	24時間	徐放性
	トラムセット	錠剤	経口	6時間毎	徐放性
ブプレノルフィン	レペタン	坐剤	直腸内	8～12時間毎	—
		注射液	筋肉内	6～8時間毎	
	ノルスパン	貼付剤	経皮	7日毎	徐放性

表15-9 医療用麻薬に対する誤解への対処

- 医療用麻薬に対する誤解・偏見をもつに至った療養者や家族の個々の背景などを十分に傾聴し，理解する
  例：昔，肉親がモルヒネを使ってすぐに亡くなった，今から使うと悪くなったときに効かなくなるなど
- 疼痛管理の目的が療養者の痛みを軽減し，生活しやすくするためであることを伝える
- 疼痛管理や医療用麻薬について，わかりやすく説明する
- 副作用への心配について，具体的に対処方法などを伝える
- 「最後の手段」など，死を連想させるような認識がある場合には，死の不安に対する精神的なサポートを十分に行ったうえで，痛みの軽減により今できないことができる可能性があることや，薬を使い始めてもいつでもやめられることを伝える

和が十分に行えないことにもなる。

療養者や家族が適切に薬剤を使用できるように，医師や薬剤師とも協働し，これらの誤解や戸惑い，不安について丁寧に説明し，対応することが大切である（表15-9）。

④オピオイドによる主な副作用とそのマネジメント

副作用のコントロールが十分でないと，療養者は痛みがあっても継続して適切な服薬を行わなくなることも少なくない。そのため，在宅でオピオイドを使用するには，療養者の生活行動や排泄パターンなどを把握したうえで，できるだけ副作用が出ないように予防する。

a．悪心・嘔吐

オピオイドの導入初期や増量時，オピオイドの種類を変えたときなどに出現しやすいため，導入時や増量時に予防的に制吐薬を投与する。療養者には，導入時や増量した際の副作用対策として必要な投薬であること，症状が出なければ，飲み続けなくてもよいことなどを説明する。

b．眠　　気

オピオイドの導入初期や増量時に出現しやすいが，慣れてくると数日で治まることが多い。それまで痛みのコントロールが不十分で不眠や倦怠感が続いていた場合にも，眠気が出やすい。そのため，導入時は夕方や眠前から内服を開始し，療養者や家族に使い始めは眠気が出やすいが徐々に慣れて消失することを説明しておく。ただし，病状の変化などによりオピオイドの影響が強くなった場合や，眠気が療養者のQOLに著しく影響がある場合には，早期に主治医に報告し，薬剤の変更などの対処を検討する。

c．便　　秘

オピオイドの神経学的作用により便秘が高頻度に生じやすく，耐性も起こらないため継続的な管理が必要になる。療養者や家族には，オピオイドを内服している期間は，継続的な排便コントロールが必要であることを伝える。療養者の水分摂取量や食事量，排便状況を必ず確認する。また，療養者の生活や体調に合わせて，水分の摂り方や生活上の工夫，緩下剤の服用方法など具体的な対策を一緒に検討する。

（6）在宅での痛みに対する看護ケア

療養者や家族にとって，痛みの体験は単なる身体的な苦痛だけでなく，生活面や心理面など様々に影響する。疼痛のマネジメントを行ううえでは，薬物療法とともに，多方面からアプローチしてきめ細やかな看護ケアを行う。日常生活のなかで痛みの感じ方を増強する「不快感」を減らし，一方では痛みの感じ方を軽減させる「心地よさ」や「安心感」を強化するようなケアの提供，工夫が大切になる（表15-10）。

表15-10 疼痛緩和に活かす看護ケア

・ポジショニング（安楽な体位の保持） ・冷罨法または温罨法（療養者が心地よいと感じるもの） ・マッサージ ・入浴，手浴，足浴 ・アロマテラピー ・散歩，音楽などのリラクセーション ・友人や家族，ペットとの交流など

療養者や家族のセルフケア能力を見きわめ，疼痛緩和に対して療養者や家族が行っているケアを継続して行えるように支援し，具体的な方法を一緒に相談しながら実施する。

2）悪心・嘔吐

（1）悪心・嘔吐の定義

悪心とは「消化管の内容物を口から吐き出したいという切迫した不快な感覚」であり，嘔吐とは「消化管の内容物が強制的に排出されること」である。がん患者における悪心・嘔吐の頻度は40～70％とされている[7]。嘔吐は，何らかの原因により大脳皮質や化学受容体引金帯（chemoreceptor trigger zone：CTZ），前庭器，末梢の機械的受容体あるいは化学受容体などから嘔吐中枢（vomiting center）が刺激され，迷走神経，交感神経，体性運動神経を介して起こる（図15-4）[8]。

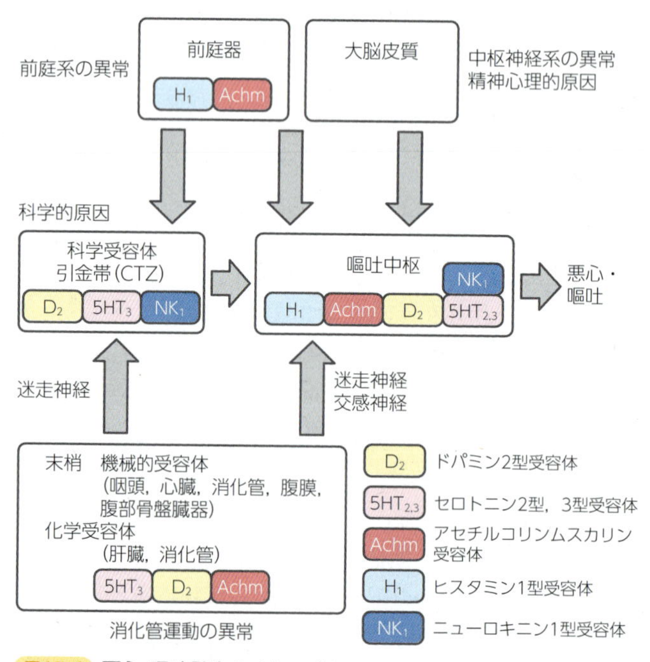

図15-4 悪心・嘔吐発生のメカニズム

久永貴之：症状の緩和/さまざまな身体症状の緩和，森田達也，木澤義之監修，緩和ケアレジデントマニュアル，医学書院，2016，p.129．より転載

(2) 悪心・嘔吐の原因

悪心・嘔吐の原因には，主に化学的原因，消化器系の原因，前庭系を含む中枢神経系の原因，精神心理的原因の4つに分類される（表15-11）[7]。

(3) 悪心・嘔吐のアセスメント

①悪心・嘔吐の頻度，程度，持続時間，発症するタイミング（食前や食後，食事に関係なく，特にオピオイドを内服した後など）
②吐物の性状（食物残渣，便汁様，胆汁様，血液の混入，臭い），量。場合によっては，訪問時に性状が確認できるように吐物を処分せずに保管してもらう
③増減因子：どんなときに吐き気が強くなるか，和らぐか
④制吐薬の使用の有無と効果
⑤バイタルサイン，便秘や下痢，疼痛などの有無
⑥悪心・嘔吐による身体状況への影響：脱水，電解質異常，皮膚乾燥，血圧低下，尿量減少など
⑦日常生活への影響：食欲不振，不眠，コミュニケーション，安静が保てないなど
⑧悪心・嘔吐による精神面への影響：強い不快感，気持ちのつらさ，食べられないことへの不安感など
⑨家族の対応状況：嘔吐時の対応や環境調整，服薬の支援はできているか

表15-11 がん患者における悪心・嘔吐の原因

	原因	
化学的	薬物	オピオイド，ジゴキシン，抗けいれん薬，抗菌薬，抗真菌薬，抗うつ薬(SSRI，三環系抗うつ薬)，化学療法
	悪心・嘔吐の誘発物質	感染(エンドトキシン)，腫瘍からの誘発物質
	代謝異常(電解質異常)	腎不全，肝不全，高カルシウム血症，低ナトリウム血症，ケトアシドーシス
消化器系	消化管運動の異常	腹水，肝腫大，腫瘍による圧迫，腹部膨満，がん性腹膜炎，肝皮膜の伸展，尿閉，後腹膜腫瘍，放射線治療，早期満腹感
	消化管運動の低下	便秘，消化管閉塞
	消化管運動の亢進	下痢，消化管閉塞
	薬物による消化管への影響	消化管を刺激する薬物（アスピリン，NSAIDs），抗菌薬，アルコール，鉄剤，去痰薬
	内臓刺激	腹部・骨盤臓器の機械的受容体刺激，肝・消化管の化学受容体刺激
中枢神経(前庭系を含む)，心理的	頭蓋内圧亢進	脳腫瘍，脳浮腫
	中枢神経系の異常	細菌性髄膜炎，がん性髄膜炎，放射線治療，脳幹の疾患
	心理的な原因	不安，恐怖
	薬物による前庭系への影響	オピオイド，アスピリン
	前庭系の異常	頭位変換による誘発(メニエール症候群，前庭炎)，頭蓋底への骨転移，聴神経腫瘍
その他	原因不明	

日本緩和医療学会 緩和医療ガイドライン作成委員会編：がん患者の消化器症状の緩和に関するガイドライン2017年版，金原出版，2017，p.17より転載

（4）悪心・嘔吐の治療

制吐剤の使用と原因や病態に応じた治療を行う。

①制吐薬

・消化管運動の低下：メトクロプラミド（プリンペラン®），ドンペリドン（ナウゼリン®）など。

・薬物（オピオイドなど）や代謝異常：ハロペリドール（セレネース®），プロクロルペラジン（ノバミン®），クロルプロマジン（コントミン®）など。

・中枢神経系の異常：ジフェンヒドラミン（トラベルミン®），ヒドロキシジン（アタラックス®P）。

・心理的原因：ロラゼパム（ワイパックス®）など。

・原因が複雑もしくは不明：オランザピン（ジプレキサ®），レボメプロマジン（ヒルナミン®）など。

②原因に応じた治療

・腸閉塞：胃管の留置，外科手術，消化管ステント留置。

・高カルシウム血症：ビスフォスフォネート製剤の投与，補液。

・電解質の異常：電解質の補正，薬物の見直し。

・頭蓋内圧亢進：コルチコステロイド，グリセオールの投与ルなど。

（5）看護ケア

・環境調整：換気，臭いへの対処，洗面器やガーグルベースン，ティッシュ，ごみ袋などを手の届くところに置いておく。

・口腔内の清潔：氷水やレモン水によるうがい，口腔ケア。

・安楽な体位の工夫：胃部や腹部の圧迫を避ける。

・食べ物や食べ方の工夫：においの強くないもの，さっぱりしたもの，冷たいもの。

・排便コントロール。

・不安の軽減。

3）便秘，下痢

（1）便秘・下痢の定義

便秘は「腸管内容物の通過が遅延・停滞し，排便に困難が伴う状態」，下痢は「1日の便中の水分量が200mL以上」と定義され，便中の水分が過剰になり，液状～泥状の排便を頻回にきたす状態である[1]。

便秘は，腹部膨満感，腹痛，悪心・嘔吐，食欲不振，尿閉などが引き起こされ，せん妄の増悪因子となりやすい。

（2）便秘・下痢の原因

便秘や下痢の原因は一つではなく複雑に絡み合っていることが多いため（表15-12, 13），総合的に検討する必要がある[3]。また高齢や体力低下が著しい場合は，排便時にいきむことが難しくなることで便秘になりやすく，また下痢の場合は脱水によって重症化しやすい。

表15-12 便秘の原因

がんの直接の影響	腸管の機械的閉塞・狭窄，中枢神経系や末梢神経系の神経障害，高カルシウム血症
がんの二次的な影響	活動性の低下，水分や食事摂取量の低下，嘔吐，発熱，不安や緊張などの精神的ストレス，なじみのないトイレ環境，抑うつ，虚弱
薬剤性	オピオイド，抗がん薬，ブチルスコポラミン（ブスコパン），抗うつ薬，利尿薬，抗けいれん薬，鉄剤，降圧薬
併存疾患	糖尿病，甲状腺機能低下症，低カリウム血症，ヘルニア，憩室症，直腸脱，裂肛，肛門狭窄，脱肛，痔瘻，腸炎

表15-13 下痢の原因

がんとその治療の影響	腸管の狭窄，放射線治療，手術
がんの二次的な影響	高脂肪食や経管栄養剤などの食事，不安や緊張などの精神的ストレス
薬剤性	緩下薬，抗菌薬，抗がん薬，分子標的治療薬，免疫チェックポイント阻害薬，鉄剤など
感染症	クロストリジウム・ディフィシル，MRSA，ノロウイルス，カンジダなど

（3）アセスメント

・正常なときの排便習慣：正常な排便習慣は患者によってばらつきがある。
・排便の状態：最終排便の時期，回数，形状，色，血便，残便感，便失禁など。
・経過：急性か慢性か。
・排便時に伴う苦痛：痛み，努責の有無。
・聴診：腸蠕動音の有無。
・触診・打診：ガスの貯留，便塊，圧痛の有無。
・陰部・肛門周囲の皮膚障害，褥瘡の形成の有無。
・排便障害による影響の有無：脱水，電解質異常，栄養障害，免疫能の低下。
・腹部単純X線撮影。
・トイレの環境：トイレまで移動することが億劫に感じる場合，我慢すると便秘になりやすい。また頻回の排便によりトイレまでの往復で体力を消耗する場合がある。臭いや周りへの影響を気にしてポータブルトイレの利用を嫌がる場合もある。

（4）便秘・下痢の治療

①便秘の治療

・浸透圧性下剤:便を柔らかくする。酸化マグネシウム，ルビプロストン（アミティーザ®）。
・大腸刺激性下剤：腸の動きを刺激する。センノシド（プルゼニド®），ピコスルファートナトリウム（ラキソベロン®）。
・オピオイド誘発性便秘治療薬：ナルデメジン（スインプロイク®）。
・坐薬：レシカルボン®，テレミンソフト®坐薬。
・浣腸：グリセリン浣腸液。

②下痢の治療

・腸管運動抑制剤：ロペラミド（ロペミン®）。
・吸着剤：アドソルビン。

・乳酸菌製剤：ラクトミン製剤，ビフィズス菌など。
・抗コリン剤：ブチルスコポラミン（ブスコパン®）。
・オクトレオチド（サンドスタチン®）。
・原因薬剤の減量，中止。
・補液。

（5）看護ケア

・予防：薬の副作用対策，水分摂取，食事の工夫，マッサージや運動など。
・食事の工夫：便秘のときは食物繊維の多いもの，十分な水分摂取。下痢のときは消化の良いもの，脱水予防のため経口補水液，スポーツドリンクなど。
・生活上の工夫：安楽な体位，保温，休息の確保。
・肛門周囲の皮膚障害の予防：清潔の保持，保湿剤や軟膏の塗布。
・環境調整：プライバシーの保護，移動しやすさ，臭い対策。
・排便時の姿勢，：前かがみの姿勢は腹圧がかかりやすく，最適な直腸角度を保持することができるため，たとえば足台を置いていきみやすくする。
・セルフケア支援：排便の状況を日誌などに記録して一緒に症状を評価し，薬を飲むタイミングや食事の工夫などができるように支援する。

4）食欲不振

（1）食欲不振の定義

食欲不振は主観的な症状で「食事を摂取したい欲望が喪失している状態」をいう。食欲不振は進行がん患者の70％，緩和ケアが必要となった段階で80％以上とほとんどの患者に認められる[7)]。食欲がなくなることで自分自身の衰弱を実感し不安感が増し，日常生活における楽しみが減少するなど，QOLへの影響も大きい。

（2）食欲不振の原因

表15-14参照。

（3）食欲不振のアセスメント

・食事量，食事内容。
・食べやすいもの，食べにくいもの，食べやすい時間帯。
・食欲の増減因子：見た目，におい，環境，声かけの有無など。

表15-14 がん患者における悪心・嘔吐の原因

医学的要因	消化器系	胃炎，逆流性食道炎，消化管閉塞，悪心・嘔吐，便秘，下痢，胃内容物の停滞，腹水など
	ほかの身体症状	疼痛，呼吸困難，がん悪液質，嚥下障害，頭蓋内圧亢進，感染症，など
	代謝異常	高カルシウム血症，低ナトリウム血症，高血糖，肝不全，腎不全など
	口腔内の問題	味覚障害，口内乾燥，口内炎，う歯，義歯不適合，歯牙欠損など
	治療関連	オピオイド，抗がん薬，放射線治療，高カロリー輸液など
状況的要因	におい，食事内容や量の不都合，食事のタイミングの不都合，周囲の環境など	
精神的要因	不安，抑うつ，せん妄など	

・食欲不振の主観的な体験：「食べたくない」「食べたいと思うが少し食べると欲しくなくなる」「食べたいのに食べられない」など。
・食欲不振による心理面への影響：不安，気持ちの落ち込みなど。
・食事の準備や片づけは誰がどのようにしているのか，お弁当の利用など。
・食欲不振に対する家族の反応や対応：「食べなければ弱るのではないか」という不安，苛立ち，食事準備などへのストレス。

（4）食欲不振への治療

・医学的要因に対する治療。
・薬物療法：コルチコステロイド，消化管運動改善薬（メトクロプラミド：プリンペラン®），六君子湯，EPA，プロゲステロン製剤。
・栄養剤などによる栄養補給，補液。

（5）食欲不振への看護ケア

・無理に食事摂取を勧めず，食欲不振によるつらさや不安に共感的に寄り添い，食事は「食べやすいものを食べたいときに，食べたいだけ」でよいことを伝える。
・食事の工夫：口当たりの良いもの，冷たいもの，さっぱりしたものなど，食べやすいものを少量ずつ試してみることを提案する。
・口腔ケア，口渇への対応，氷水でのうがいなど。
・家族への説明と支援：食欲不振は病状進行や看取りに向けた自然の経過として現れる症状の一つであり，患者にとってもつらい体験であることを伝える。また家族自身の「食べないと弱ってしまうのではないか」「死んでしまうのではないか」という不安感に共感的に寄り添う。食事の提供の仕方や工夫を一緒に考える。

5）呼吸困難

（1）呼吸困難の定義

呼吸困難とは，「呼吸時の不快な感覚」であり，患者が「息苦しい」と感じている状態で主観的なものである[9]。呼吸不全は，動脈血酸素分圧（$PaO_2 \leqq 60$Torr）と定義される客観的な病態で，必ずしも呼吸困難とは一致しない。たとえば，慢性呼吸不全患者のように血液中の酸素が不足していても呼吸困難を感じない場合や，逆に過換気症候群などのように血液中の酸素が十分であっても「息苦しい」と訴えることがある。

呼吸困難はがん患者の29～74％で発生し，頻度の高い症状の一つである。特に肺がん患者では70～80％の頻度で生じる[10]。

（2）呼吸困難の原因

呼吸困難の原因とその治療を表15-15，15-16に示す。

（3）呼吸困難のアセスメント

・バイタルサイン，酸素飽和度。
・検査データ：貧血，X線画像など。
・症状：呼吸状態，咳，痰の量や回数・性状，チアノーゼなど。
・増減因子（どんなときに強くなるか・軽減するか）：体位，安静時・労作時。
・日常生活への影響：日中の姿勢，就寝時の体位，会話中の息切れ，労作時の息切れ，食

表15-15 呼吸困難の原因

呼吸機能の低下	換気機能の低下（閉塞性障害，拘束性障害，肺の容量低下），ガス交換能の異常，肺循環の異常，呼吸数の低感度の症状がみられることが多く，この場合，結果として呼吸困難を伴う	多くの場合，呼吸困難＝呼吸不全として考えられる
全身状態の変化	全身衰弱，呼吸筋麻痺，腹部病変による横隔膜運動の制限(腹水，便秘などの横隔膜挙上)，貧血，水分出納のアンバランス，発熱，疼痛などで低酸素血症を伴わなくても，呼吸運動の負担が増強することによって呼吸困難を感じることが多い	呼吸不全の病態が認められなくとも呼吸困難の原因となる
精神的要因	不安，恐怖，環境(部屋の広さ，密閉感，空調，流気，室温，湿度)，過換気症候群などで，呼吸困難を引き起こすことがある	
肺病変	原発性・転移性肺腫瘍の増大，胸水，心嚢水，がん性リンパ管症，気道狭窄・閉塞，肺炎，上大静脈閉塞，喘息，肺気腫，左心不全	腫瘍に関連した原因により，呼吸機能の低下を招くことがある
抗がん治療の影響	放射線治療後の肺線維化（放射線肺炎），気胸，肺切除，がん化学療法後の肺線維化，抗がん剤の骨髄抑制による貧血や感染，抗がん剤の心毒性による心不全，肺線維症	
不十分な症状コントロール	がん性疼痛，全身倦怠感，悪心・嘔吐など，進行がんに伴う症状コントロールが不十分な場合に伴う	痛みが緩和されずにがまんしていることや，終末期に多くみられる全身倦怠感によって，楽に呼吸できないことで生じることがある

林ゑり子編：緩和ケアはじめの一歩，照林社，2018，p.71.より転載

表15-16 呼吸困難をもたらす主な原因疾患とその治療

腫瘍による気道狭窄	放射線治療，レーザー治療，ステント挿入，コルチコステロイド投与
胸水/心嚢水貯留	ドレナージ，胸膜癒着術
がん性リンパ管症	コルチコステロイド投与
上大静脈症候群	感受性があれば化学療法や放射線療法，コルチコステロイド投与
腹水	ドレナージ，利尿薬
心不全	利尿薬，強心薬
肺炎	抗菌薬，理学療法
貧血	輸血
発熱	解熱薬

林ゑり子編：緩和ケアはじめの一歩，照林社，2018，p.72.より転載

事に時間がかかる，途中で休みながら歩いている，咳き込みで夜眠れない，昼間にウトウトしていることが多いなど。

・心理面への影響：不安，恐怖感，抑うつ。

（4）呼吸困難の治療

・薬物療法：

〈モルヒネ〉呼吸困難に対する第一選択薬であり，がん，COPD，慢性呼吸不全，神経筋疾患患者に対する呼吸困難への有効性が示されている。呼吸回数や1回換気量を減らすこと

で，呼吸困難を緩和する。疼痛に対する投与量より少量で効果があるとされる。

〈ステロイド〉ステロイドの抗炎症作用による呼吸状態の改善：がん性リンパ管症，上大静脈症候群，ウイルス性の肺炎，がん性胸膜炎など[8]。

〈抗不安薬〉呼吸困難による不安の軽減を図る。ベンゾジアゼピン系の抗不安薬：ロラゼパム（ワイパックス®），アルプラゾラム（ソラナックス®），エチゾラム（デパス®），ジアゼパム（ダイアップ®）など。

- 酸素投与。
- 去痰薬：呼吸困難にかかわる他の症状：咳，痰に対する対応。
- 胸水穿刺，ドレナージなど。

（5）呼吸困難の看護ケア

- 安楽な姿勢の工夫：起座位，ギャッチアップの角度，背もたれなど。
- 環境調整：温度管理，気流（外気，うちわ，扇風機），臭い，水や薬などを手元に置く。大きな声を出さなくても家族を呼ぶことができるように工夫する。
- 食事の摂り方の工夫：少量ずつ，食べやすいもの。
- 呼吸法，呼吸リハビリテーション：口すぼめ呼吸，喀痰方法。
- 不安への対応：十分な説明，付き添い，リラクセーション，マッサージ。

6）倦怠感

（1）倦怠感の定義

倦怠感は健常者においても一般的な症状である。がんに伴う倦怠感の場合，「がんやがん治療に関連した，最近の活動とは不釣り合いな日常生活を妨げるような苦痛を伴う持続性の主観的感覚で，身体的，感情的および認知的倦怠感または消耗感」と定義されている[1)]。

倦怠感は「身体がだるい」「疲れた」「動きにくい」「身の置き所がない」などと表現される。進行がん患者で32～90％，死亡1，2週間前には90％近くに起こるといわれている，頻度の高い症状の一つである。ところが患者の多くが倦怠感を「仕方ないこと」と考え医療者に訴えないため，見過ごされやすい[8)]。

（2）倦怠感の原因

表15-17に示す。

（3）倦怠感のアセスメント

- 主観的データ：体力の減退感や苦痛の具体的な症状，倦怠感に対する考えや思いなど，主観として患者の表現をありのまま理解する。

表15-17 倦怠感の原因

一次的	腫瘍産生物質，サイトカイン，炎症，代謝異常(糖質，たんぱく質，脂質の異化亢進)	
二次的	身体的要因	がん悪液質，がん治療による体力の低下，感染，栄養障害とビタミン不足，薬物，循環不全，水・電解質異常，貧血
	精神的要因	不安，うつ状態，不穏，睡眠不足，過剰なストレス
	社会的要因	将来への不確かさ，不適切な休息と睡眠周期，ステータスの喪失，社会的な孤立，対人関係，ボディイメージの変化や体力の喪失感，不十分なソーシャルサポート

林ゑり子編：緩和ケアはじめの一歩，照林社，2018，p.100.より転載（一部改変）

・客観的なデータ：全身状態，検査データ，日常生活動作，経口摂取状態表情，睡眠状態，家族からの情報など。

（4）倦怠感の治療

・治療可能な倦怠感の原因への対応：輸血，補液，感染コントロール，疼痛などの症状緩和。
・ステロイド投与：リンデロン®，デカドロン®。
・エネルギー温存療法：休息と活動とのバランスを保つ。
・良質な睡眠の確保。
・環境調整：安楽な体位の確保，明るさ，室温，音，必要なものを手元に置くなど。
・マッサージ，アロマ，リラクセーション，軽い運動，気分転換など。
・心理的支援：患者の倦怠感による体験を共感的に丁寧に聴く。

4　精神的苦痛の緩和

1）不安，抑うつ

多くの人にとって，自分の病気や障害が治らず命に限りがあると知ることはショックなことであり，様々な心理的な反応を引き起こす。不安や抑うつはある程度は誰にでも起こる反応として扱うことができるが，そのことによって日常生活に支障をきたすような場合には，対応する必要がある。在宅緩和ケアを必要としている療養者や家族の不安のなかには，情報不足や経験不足からくる「心配事」が含まれていることも多い。そのため，療養者や家族の気がかりを丁寧に傾聴し，必要に応じて情報提供や介護支援など具体的な対応につなげる。

（1）不安・抑うつのアセスメント

・患者の主観的な訴え。
・不安や気持ちの落ち込みの程度や内容，希死念慮。
・客観的観察：活気のなさ，意欲の低下，無反応，悲観的，苛立ち，怒り，多弁，パニックなど。
・日常生活への支障の程度：食事が摂れない，眠れない，他者とのかかわりを避ける，など。

（2）不安・抑うつへの治療

日常生活に支障がある場合は，医療者が積極的に介入し，場合によっては専門家につなぐ。

・薬物療法：抗うつ薬，抗不安薬。
・心理療法，支持的カウンセリング。

（3）不安・抑うつへの看護ケア

・患者や家族の不安や気がかりを丁寧に，共感的に傾聴する。
　「どんなことがご心配ですか？」
・不安や気がかりのなかで解決可能なものには，適切に対応する：情報提供，症状緩和，環境調整。
　「在宅療養では，○○のようなサービスを受けることができます」
　「自宅にいても，痛みや息苦しさへの治療やケアを受けることができますよ」

「夜間や休日などに急な痛みが出たときには，いつでも○○までご連絡いただいたらよいですよ」
・心理面も含め，継続的に支援していくことを伝える。
「不安なことなどあれば，いつでも相談してくださいね」
「これからどのように過ごしていけるとよいか，一緒に考えていきましょう」
・自殺の予防。

2）せん妄

（1）せん妄の定義

せん妄とは，身体疾患や環境的な負荷が加わったことにより脳が機能不全に陥った病態であり，意識障害である[8]。せん妄は感染症などの原因によって起こりやすく，原因への対応によって可逆的に改善する場合もあるが，予後数日から数時間では80％以上に出現する終末期のせん妄は不可逆性であり，耐え難い苦痛の場合は鎮静も考慮する。

（2）せん妄の原因

表15-18に示す。

（3）せん妄のアセスメント

・せん妄発症リスクの有無：①高齢，認知機能障害，重篤な身体疾患，頭部疾患の既往，せん妄の既往，アルコール多飲，抑うつ。②環境の変化。③身体的要因：疼痛，便秘，尿閉，脱水，不眠など。④予後。
・せん妄の発症時期，発症状況。
・せん妄による日常生活への影響：不眠，体力消耗。
・家族の介護負担。

（4）せん妄の治療と看護ケア

・予防する：せん妄出現のリスクを予測し，環境を整え，促進因子となる症状の早期発見や緩和に努める。
・せん妄の促進因子の除去：症状緩和，抗菌薬投与，補液，酸素投与，薬剤の変更など。
・薬物療法：ハロペリドール（セレネース®），オランザピン（ジプレキサ®），リスペリドン（リスパダール®），ダイアップ®坐薬など。
・夜間の睡眠確保。
・環境調整　安全確保。
・家族への支援：特に終末期が近い場合には，家族にも事前にせん妄を起こす可能性があること，その場合の対処方法などを説明しておく。

表15-18 せん妄の症状

注意の障害	注意を向ける・集中・維持ができない，注意を別のものに向けることができない
認知障害	特に知覚障害が多い（幻視；存在しないものが見える，幻聴），記憶障害，失見当識
活動量の変化	動作が遅い，行動量が減る，傾眠傾向（低活動性の場合），睡眠覚醒リズムが乱れる（夜間不眠，昼夜逆転）
社会的な行動(コミュニケーション)の変化	指示に従って行動ができない，ひきこもり，感情・態度の変化

小川朝生：せん妄，森田達也，木澤義之監修，緩和ケアレジデントマニュアル，医学書院，2016, p.262. より転載

文 献

1）日本緩和医療学会編：専門家をめざす人のための緩和医療学，改訂第2版，南江堂，2019.
2）武田文和・的場元弘監訳：トワイクロス先生の緩和ケア，医学書院，2010.
3）林ゑり子編：緩和ケアはじめの一歩，照林社，2018.
4）日本緩和医療学会 緩和医療ガイドライン作成委員会編：がん疼痛の薬物療法に関するガイドライン，2014年版，金原出版，2014.
5）宇野さつき：訪問看護師が行う疼痛緩和のコツ，がん看護，15(2)：249-251，2010.
6）武田文和翻訳，世界保健機構：がんの痛みからの解放—WHO方式がん疼痛治療法，第2版，金原出版，1996.
7）日本緩和医療学会 緩和医療ガイドライン作成委員会編：がん患者の消化器症状の緩和に関するガイドライン，2017年版，金原出版，2017.
8）森田達也・木澤義之監修：緩和ケアレジデントマニュアル，医学書院，2016.
9）日本緩和医療学会 緩和医療ガイドライン作成委員会編：がん患者の呼吸器症状の緩和に関するガイドライン，2016年版，金原出版，2016.
10）森田達也・白土明美：死亡直前と看取りのエビデンス，医学書院，2015.

第V章

在宅終末期ケア

1 在宅看取りとエンゼルケア

学習目標
- 在宅での看取りに関する基本的な考え方がわかる。
- 在宅で看取る療養者の身体的・心理的特徴と経過がわかる。
- 在宅看取りに必要な援助と技術がわかる。
- 在宅でのエンゼルケアの必要性と方法がわかる。

1 在宅での看取りの背景と考え方

超高齢多死社会を迎えている日本において，看取りを支える体制の整備が急務となっている。そこで，「住み慣れた地域で自分らしい暮らしを人生の最期まで続けることができるようにすること」を目指し，「住まい」「医療」「介護」「介護予防」「生活支援」が一体的に提供される「地域包括ケアシステム」の構築がすすめられている。これは，人生の最期を迎える人の急増に対応するため，これまでの病院完結型から地域完結型の看取りへ転換する流れを意味する。そのため，看取りのケアの質は病院だけでなく，在宅や施設でも充実させていくことが重要となる。

そこで，本節では，在宅での看取りのケアを「死亡前の数か月前から死亡までの時期のケア」として，基本的な考え方や援助の方法について学習する。

2 看取りのケアに関連する様々な用語

看取りのケアに関連する用語は，終末期ケア，緩和ケア，支持的ケア，エンド・オブ・ライフケアと様々ある。また厚生労働省は，従来用いられてきた「ターミナルケア」「終末期医療」という言葉に代わり「人生の最終段階における医療・ケア」という言葉を用いている。表1-1は，看取りのケアに関連する用語を整理した。

3 病の軌跡

在宅での看取りのケアのタイミングを計る目安として，疾患ごとに死に至る軌跡のパターンを図1-1に示す。がんは，最期の1～2か月で急速に全般的機能が低下することが最大の特徴である。一方，心・肺疾患では，年・月単位で急性増悪と改善を繰り返しながら，徐々に悪化する軌道をたどり，最期の時は比較的突然に訪れることが多い。また，認知症・老衰では，年・月単位でゆるやかに機能が下降していくという特徴がある。

表1-1 看取りのケアに関連する様々な用語

用語	内容
終末期ケア（ターミナルケア）	全日本病院協会による定義[1]は，以下の満たすべき3条件が示されている。 ①医師が客観的な情報をもとに，治療により病気の回復が期待できないと判断すること ②患者が意識や判断力を失った場合を除き，患者・家族・医師・看護師等の関係者が納得すること ③患者・家族・医師・看護師等の関係者が死を予測し対応を考えること
緩和ケア	2002年の世界保健機関（WHO）による定義[2]は，「生命を脅かす疾患による問題に直面している患者とその家族に対して，痛みやその他の身体的問題，心理社会的問題，スピリチュアルな問題を早期に発見し，的確なアセスメントと対処を行うことによって，苦しみを予防し，和らげることで，クオリティ・オブ・ライフを改善するアプローチ」である。
支持的ケア（支持療法）	「がんとその治療の有害事象に対する予防と管理」のことを示す。診断から治療や治療後のケアまで，がんの体験中に生じる身体的・心理社会的症状が含まれる[3]。
エンド･オブ･ライフケア（end of life care）	診断名，健康状態，年齢にかかわらず，差し迫った死，あるいはいつかは来る死について考える人が，生が終わるときまで，最善の生を生きることができるように支援すること[4]。

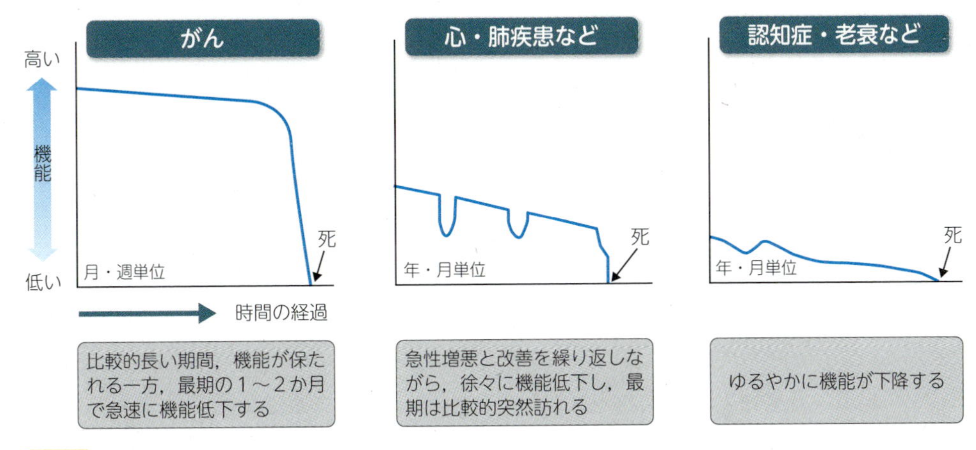

図1-1 病の軌跡

Lynn J : Serving patients who may die soon and their families. JAMA, 285 : 925-932, 2001.より著者ら訳および一部加筆

このように，それぞれの疾患の病の軌跡の特徴を踏まえたなかで看取りのケアを検討することが必要である。さらに，いずれも“最期の瞬間”を予測すること（予後予測）が困難である。したがって，次項で述べるように，正確な予後予測が困難な状態をどのように家族が理解を深めることができるのか，療養者本人の意思をどのように反映すればよいかなどを踏まえたなかでの意思決定支援が重要である。

4 意思決定支援

1）ACP（アドバンス・ケア・プランニング）とは

人は誰でも命にかかわる大きな病気やケガをする可能性がある。命の危険が迫った状態になると約70％の人は医療やケアなどを自分で決めたり望みを人に伝えたりすることができなくなるといわれている[5]。そこで，昨今，「本人が家族等や医療・ケアチームと事前に繰り返し話し合うプロセス」を意味する，ACP（アドバンス・ケア・プランニング）が諸外国で普及しつつある。

まだ日本では馴染みのない言葉であるが，ACPを広く国民に知ってもらうために「人生会議」と称し，その普及に努め，2018年3月には，「人生の最終段階における医療の決定プロセスに関するガイドライン」が策定された[6]。このガイドラインの特徴は，以下のとおりである。

①本人の意思は変化しうるものであり，医療・ケアの方針についての話し合いは繰り返すことが重要であること
②本人が自らの意思を伝えられない状態になる可能性があることから，その場合に本人の意思を推定しうる者となる家族等の信頼できる者も含めて，事前に繰り返し話し合っておくことが重要であること
③病院だけでなく介護施設・在宅の現場も想定していること

このガイドラインでは，「延命や蘇生処置」「看取りを含めた療養場所」の選択などの「終末期の治療の目標や過ごし方に関する話し合い」を早期から繰り返し実施することの重要性が説かれ，年齢や心身の状態にかかわらず，看取りの場として需要の高い在宅の現場における「終末期の話し合い」の実施に期待が寄せられている。

2）訪問看護における意思決定支援の実際

訪問看護師による意思決定支援は，在宅療養開始前の退院支援の段階から始まる。たとえば，入院中の療養者と家族などが，自宅退院を決めた後，「こんな状態で家に帰れるだろうか」とその決定に揺らぐケースは少なくない。そのようなとき，訪問看護師は，病棟に出向き，多職種で実施する「退院前カンファレンス」の場を活用し，今後予測される病状の変化に伴う日常生活への影響に関する正確な情報の提供，退院後の生活について「共に考える」支援が求められる。ここで，訪問看護師は，個々の生活様式，療養への思いを十分に理解する姿勢が重要である。

そして，在宅療養が開始すると，療養者・家族の生活の場で看護を提供する訪問看護師は，日常の看護ケアを通じて個々の療養への思いに触れる場面に多く遭遇する。そのなかで，訪問看護師は，療養者とその家族が次に考えるべきことを「問いかけ，一緒に考える」という“終末期の治療や過ごし方に関する話し合い”における主要な役割を果たすこと多い。そのため“終末期の治療や過ごし方に関する話し合い”の場面では，療養者自身が十分な情報を得ることが必要であり，医療専門職である訪問看護師は，療養者・家族が必要とする情報を正しく理解できるよう支援する役割が求められる。その際，訪問看護師は，部屋に置いてあるものや飾ってあるものなどから，療養者・家族のそれまでの歴史を理解し，思い・考えを尊重することが重要である。

このように，療養者とその家族の人生に深くかかわる訪問看護師は，高い倫理観のもと，療養者と家族が納得して自己決定できるよう援助する視点が必要である。

 在宅での看取りのケアの考え方

在宅での看護は，治療の場である病院での看護と比較すると，療養者と家族の「生活を支える視点」がより重要となる。ここでの生活を支える視点とは，日々の症状（痛み・呼吸苦・倦怠感など）緩和に努め，療養者・家族の思いを尊重しながら，生活の営みである食事・排泄・清潔・移動が療養者のペースで満たされることである（図1-2）。

具体的には，終末期にある療養者の食事を例にとると，食事摂取量が徐々に減少していくことは，療養者本人にとっては自然なことであり，苦痛に感じていないことのほうが多い一方，そばにいる家族が食事摂取量の減少による不安を抱えることがある。このような場合，訪問看護師は，誤嚥に注意しながら食事形態を工夫し，療養者本人の食欲に合わせて食べたいものを食べられる分だけ摂取できるよう援助することが求められる。また過度な食事は療養者本人にとって苦痛となること（たとえば，浮腫や痰の増加につながるなど）を家族に伝えることも重要である。また終末期における排泄については，死を間近にした療養者は尿量が減少し，死の直前には無尿になることも少なくない。そのような死に向かうなかでの身体的な経過について家族の不安や理解状況に合わせた丁寧な説明が大切である。

また在宅での看取りのケアの舞台は，療養者・家族の自宅であることが多い。この場合，地域のどの訪問看護サービスを選択・活用するかの最終決定は，サービスを迎え入れる療養者・家族にある。特に終末期は，療養者の状態が刻一刻と変化し家族の不安や動揺が少なくないため，訪問看護師の力量が問われる時期である。そのため地域において選ばれる看護サービス提供者であることが求められる。

 在宅での看取りのケアにおいて求められる訪問看護師の技術・能力

訪問看護は，健康問題をもちながら在宅で生活する療養者とその家族を対象として行わ

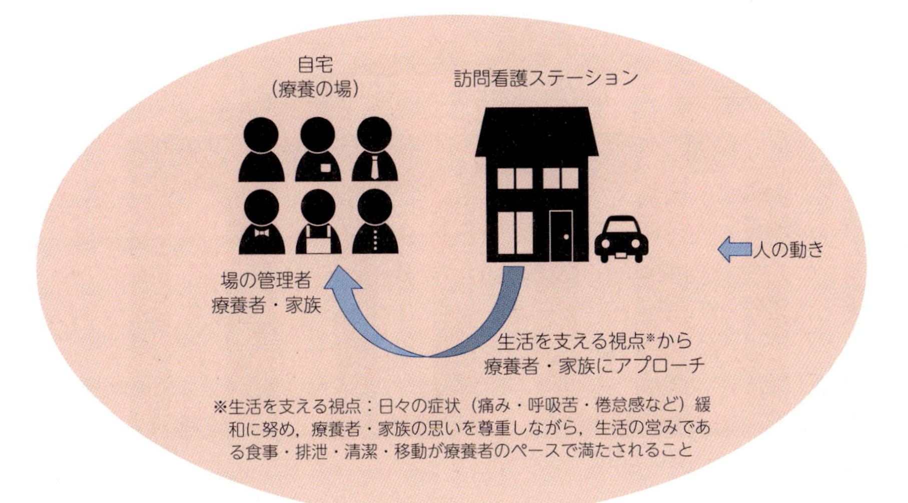

図1-2 在宅での看取りのケアの考え方

れ，対象者の「生活の場」に訪問して看護提供するため，治療を中心とした病院などの施設内看護と異なる。このことから，在宅での看取りのケアにおいて求められる看護師の技術・能力は4つの柱で考えらえる（図1-3）。

「信頼関係の構築」では，訪問看護の提供の場は，生活の場であり，訪問看護師が入ることにより生活のリズムを乱すことがないこと，特に訪問先で知り得たプライバシーや個人情報を他に漏らさないようにすることなど守秘義務については細心の注意をはらう。また，情報収集の際は，療養者や家族にとっては触れられたくないこともあることを意識し，不用意にプライバシーに踏み込まないように注意する。そのため，病院以上に療養者・家族とのコミュニケーションをとおして信頼関係を築いていく技術が求められる。したがって，看護師としての技術や能力と同様に人としてのマナーや態度が大切である。

次に「緊急性の判断」では，訪問看護は基本的に1人で訪問することが多いため，病院以上に即自的な臨床判断が求められることが多い。たとえば，訪問すると，療養者の病状が悪化しており，その場で携帯電話などを活用し，同僚の看護師や主治医に相談するという判断を伴う場合などである。あるいは，状況に応じて，次回の訪問まで経過観察することもあり，そのような判断をその場で行うことになる。

3つ目の「マネジメント能力」には，「症状マネジメント」「多職種・多施設連携」「時間のマネジメント」が含まれる。まず，身体的苦痛のなかでも痛み・呼吸苦は，在宅療養が継続できるかどうかに影響する症状であり，そのマネジメントは非常に大切となる。そして病院は1つ屋根の下で多職種がチームで動き，連絡をとりやすい環境であるが，在宅は各サービス事業所が物理的に離れていることも少なくないため多職種・多施設での連携は病院以上に求められる。さらに訪問看護は，決められた訪問時間のなかで何を優先してケアをするのかを瞬時にアセスメントする能力が求められる。

4つ目の「継続的モニタリング」には，訪問看護の頻度は，療養者・家族の状態や希望に応じて決定されるため，次の訪問まで療養者・家族が安全・安心に暮らせるように，訪問時に「今，どんな直接ケアが必要であるか，またどこまで療養者・家族の理解力・介護

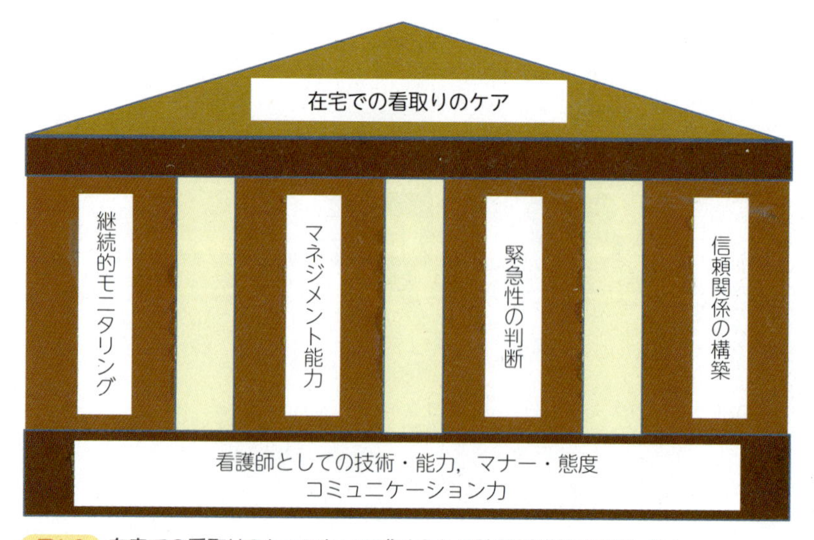

図1-3 在宅での看取りのケアにおいて求められる訪問看護師の技術・能力

力に合わせて説明・指導するか」を考えることが求められる。そして次の訪問時には，療養者・家族の前回訪問時からの変化に着目するため，継続的なモニタリングが必要である。

7 在宅での看取りにおける症状（廃用症候群）緩和

終末期は徐々に臥床時間が長くなり，非活動の時間が増えることからも廃用症候群（表1-2）を予防する視点は大切である。たとえば廃用症候群の1つに筋骨格系に含まれる関節拘縮があるが，関節拘縮が進むと療養者本人の苦痛だけでなく，身近な介護者である家族の介護負担につながるおそれがある。つまり関節拘縮は日常生活動作（ADL）にかかわってくるため，具体的には日々の排泄介助や衣服の着脱，体位変換など，すべての介護に影響するため，訪問看護だけでなく多職種との連携による拘縮予防が重要である。また廃用症候群には褥瘡も含まれる。特に終末期においては，褥瘡発生のリスクが高いため（表1-3），褥瘡予防を意識したかかわりが必要となる。やむを得ず褥瘡が発生してしまい完治が難しい場合には，当初の目標を変更し（褥瘡予防→悪化させない，感染させないなど），最大限の苦痛の緩和を図る姿勢が求められる。

8 在宅での看取りにおけるトータルペイン（全人的苦痛）および援助

トータルペイン（全人的苦痛）は，身体的苦痛，社会的苦痛，精神的苦痛，スピリチュアルな苦痛が相互に影響し，全人的苦痛を生み出しているという考え方である（図1-4）。たとえば在宅での看取りにおいて身体的苦痛に含まれる痛みや呼吸苦は，療養者やそばにいる家族にとって精神的な負担も大きく，最も取り除くべき症状の1つであるが，社会的苦痛（例：療養者が家族に迷惑をかけているのではないかなどと感じること），スピリチュアルな苦痛（例：療養者が死は本当に怖い，一方で私は生きていてよいのだろうかなどと

表1-2 長期臥床・非活動による廃用症候群

体系	影響
筋骨格系	筋力低下，筋萎縮，関節拘縮，骨粗鬆症
心血管系	心血管系デコンディショニング 起立性低血圧，静脈血栓症
呼吸器系	換気障害，嚥下性肺炎
代謝障害	副甲状腺ホルモン，インスリン，電解質，蛋白質
泌尿器系	尿路感染症，尿路結石，尿閉
消化器系	便秘，食欲低下，体重減少
神経系	感覚障害，うつ状態，せん妄，知的機能低下 協調運動障害
皮膚	褥瘡

出典：日本医師会　高齢者の身体と疾病の特徴
https://www.tokyo.med.or.jp/docs/chiiki_care_guidebook/035_072_chapter02.pdf

表1-3 終末期における褥瘡発生の要因

低栄養による皮下脂肪の減少（骨隆起が生じやすい）
貧血傾向になる
体力低下に伴い臥床時間が長くなる
好みの姿勢で長時間を過ごす
おむつ（下着）内での排泄による皮膚の湿潤
おむつ（下着）による摩擦
ADLの低下に伴い介護力によっては体位変換が頻回に行えない
痛みや転移による下半身麻痺など（がんの場合）

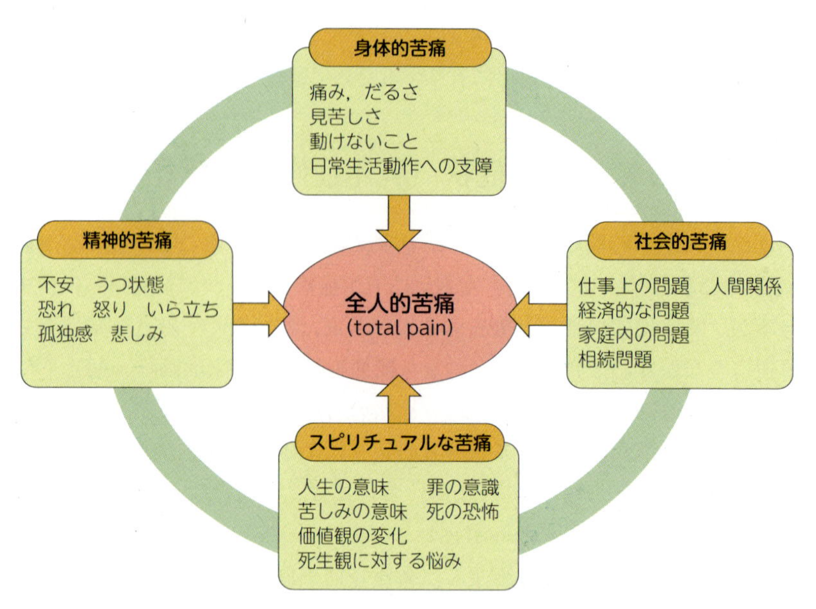

図1-4　在宅での看取りにおけるトータルペイン（全人的苦痛）

感じること），精神的苦痛（例：療養者が孤独感などを感じること，特にうつ状態は終末期療養者に出現しやすい症状の1つである）によって，身体的苦痛を増大させるという懸念である。そのため在宅での看取りにおいては，身体的苦痛に対し直接症状にアプローチするだけでなく（第Ⅳ章15参照），家族看護の視点から社会的苦痛に含まれる家族の人間関係にアプローチする視点や，極度の不安や焦りなどがみられる場合には，医師との連携により抗不安薬など（鎮痛補助薬）を選択することで精神的苦痛にアプローチする視点から身体的苦痛を緩和する視点が大切である。

在宅での看取りは，今までの療養生活の延長線上にあることを考えると，何も特別なケアを必要とするわけではない。日々の症状（痛み，呼吸苦，倦怠感など）緩和に努め，生活の営みである食事・排泄・清潔が療養者のペースで満たされることは，間接的ではあるが，スピリチュアルな苦痛をはじめとする全人的苦痛を緩和し，在宅終末期における療養者・家族に安寧をもたらす効果があると考えられる。

9　訪問看護師が実施する「死の準備教育」

死の準備教育とは，その提唱者のアルフォンス・デーケン氏によると「自分に与えられた死までの時間をどう生きるかと考えるための教育」と定義されている[7]。訪問看護師が実施する「死の準備教育」は，死にゆく療養者と家族などが死を受容できるプロセスを成し遂げられるよう支援することである。島内[8]は，在宅での看取り経験のある訪問看護師156人を対象とした調査から，在宅療養の開始から臨死期のすべての期間に共通して，①病気の進行状況や変化の説明，②在宅生活をどう過ごすかの思いを引き出す，③悪化や死への気持ちが語れる場や人，④延命処置の希望や告知の相談と対処，⑤看取りの場所や準備に関する説明，⑥本人が伝達できるタイミングと場面づくりが必要であると述べている。これらの支援は，在宅医療チームとしてかかわることが重要であることは言うまでもないが，日常の看護ケアを通じて個々の療養への思いに触れる場面が多々ある訪問看護師が主導して実施することが求められる。具体的な支援内容については，次頁の表1-5に示す。

10 終末期の時期別の訪問看護の目的と具体的内容

在宅移行から死別に至るまでの時期は，以下のとおりである。

（1）移行期（準備期・開始期）

以下に述べる準備期と開始期によって成り立つ。

①準 備 期

訪問看護ステーションに病院・施設などから利用依頼があった時点から訪問看護師が在宅終末期ケアを開始するまでの期間であり，円滑なケアの開始を目指す。なお，よりよい在宅終末期ケアを実現するために10項目の視点が重要である（表1-4）。

②開 始 期

在宅終末期ケアの開始後７～10日間であり，療養者と家族が安心・安全に生活できる在宅ケア体制を構築することを目指す。

（2）小 康 期

療養者の急変に対応し，残された時間を充実し，療養者がやり残したことをできるようにすること，家族の健康を保持し，できる限り快適に過ごせることを目指す。

（3）臨 死 期

死の直前７～10日間であり，療養者ができる限り安寧に過ごし，家族がそれぞれの役割を果たし，看取りができるようにすることを目指す。

（4）死 別 後

グリーフケアとして尊厳ある死を確認できるように遺族を慰め，健康管理，悲嘆からの立ち直りへの支援を目指す。

表1-5のとおり，終末期の時期別の訪問看護師のケア目的と具体的内容を示す。

表1-4 よりよい在宅終末期ケアのための条件

①療養者本人が在宅ケアを望むこと
②家族が在宅ケアを望むこと
③看取る家族がいること
④症状がコントロールされていること
⑤往診するかかりつけ医がいること
⑥訪問する訪問看護師がいること
⑦訪問可能な薬剤師がいること
⑧介護のマンパワーや通所施設などが確保されていること
⑨積極的な延命治療を希望していないこと
⑩緊急時の入院先が確保されていること

表1-5 終末期の時期別の訪問看護師のケア目的と具体的内容

時期	目的	対象	必要な項目	具体的内容
移行期（準備期，開始期）	終末期に向けて療養者・家族の方針が立てられるように援助する	療養者，家族など	1. 在宅で終末期を過ごす場合の利点・起こり得る課題について説明する	＜利点＞ ・規則に縛られないでその人らしい生活を実現できる ・住み慣れた環境で生活できる（家族などと同居できる，身近な友人と交流しやすいなど） ＜起こり得る問題＞ ・在宅で行える医療処置には限界がある 「※1 専門性の高い看護師による訪問看護」参照 ・症状悪化時の対応がすぐにはできない ・入院を希望してもすぐにバックベッドが得られない可能性がある
			2. 在宅での看取りのプロセスがイメージできるよう説明する	①在宅での看取りのプロセスを一般的な例をあげながら説明し，予測されること（苦痛症状：痛み・呼吸苦・倦怠感などの出現の可能性，ADLの低下に伴うサポート体制など)を説明する（疾病，病期，治療経過により異なる） ②在宅で看取りをする場合の利点と起こり得る問題について説明する ＜利点＞ ・療養者が望むその人らしい看取りができる ・家族に見守られながら死を迎えられる ・療養者の希望を実現できたという家族の満足感や達成感が得られやすい ・家族員に死の準備教育の機会となる ＜起こり得る問題＞ ・急変時の対応が迅速にできない可能性がある ・家族への気遣いから，療養者が十分な訴えができないことがある（あるいは，遠慮がないため，死の不安や苦痛による攻撃を受けることがある） ・家族介護者に，症状の悪化に対する罪悪感や迷いが生じることがある ・24時間の介護となり家族介護者の負担が大きい ・死を看取るなかで，不安感が生じやすい
			3. 在宅で看取る場合に必要な調整について説明・準備する	①24時間連絡可能で，往診できるかかりつけ医を確保する（自宅での看取りに必要な死亡確認に関与） ②終末期ケアができる体制をもつ訪問看護ステーションを確保する（24時間体制，終末期ケアの実績がある，30分以内に訪問可能）「※2 緊急時の対応」参照 ③交代可能な介護者を確保し体制をつくる（家族介護者，ホームヘルパー，看取りの可能な自宅近隣の援助者，ボランティアなど介護の交代が可能な人を確保し，介護ローテーションを組む） ④療養に必要な物品とその確保について説明する（医療機器，衛生材料，薬剤など）
			4. 療養者と家族のよりよい自己決定を尊重し援助する	①療養者の終末期の過ごし方（家族に対する気持ちを含む)の希望を確認する ②家族の療養者に対する気持ちを確認する ③療養者と家族で十分話し合える場の設定・自己決定を促す ④終末期の在宅療養についての疑問に丁寧に応える ⑤看取りの場の変更が途中で生じた場合も相談可能なことを説明する
小康期	心身が安定した状態で，残された日々を過ごせるよう援助する	療養者，家族など	1. 療養者の自己実現の探求と実現を援助する	①仕事や地域，家庭内の役割として療養者が行えることを明らかにし，役割が果たせるよう家族と共に援助する（例：在宅勤務の調整，植木やペットの世話など）と同時に家族だからこそできるサポートであることを家族にフィードバックする ②療養者が何をしたいのかを明らかにし，その実現のために家族と共に援助する（例：子どもや配偶者に手記を残す，思い出づくりのための旅行，子どもの入学式や卒業式・結婚式の出席など）
			2. 療養者が望む日常生活の確立を調整する	①食事，排泄，清潔など日頃の生活習慣と希望について確認し，できるだけこれまでの生活習慣を維持できるように，病状に応じた用具や方法の工夫，環境整備を療養者・家族と共に検討する ②療養者の希望に近い形で実現できるように，療養者・家族など，医師，ケアマネジャー，理学療法士，ヘルパーなどの関係職種とカンファレンスを実施し，調整する ③疾病や障害の進行に伴い，食事，排泄，清潔などの日常生活行動の制約が変化することに対し，療養者が大切にしていることが阻害されず選択権が行使できるように，優先順位を確認しながら援助する ④日々の生活のなかで，療養者が楽しみながら生活できるようなスケジュールを療養者・家族などと共に考える
			3. 病状，病気の進行を正確に説明する	①主治医に，現在の病状，病気の進行について正確な説明を依頼する ②主治医からの説明内容を確認し，必要に応じて補足説明する ③家族が療養者の病状や病気の進行について，正確に把握できているか，受け入れがどうかを確認し，状況に応じて追加説明する

時期	目的	対象	必要な項目	具体的内容
			4．死亡時期の予測について説明する	①現在考えられる死亡時期の予測について説明する ②あくまでも現時点の予測であって，不確実であることを説明しておく
			5．必要な処置，可能な処置について説明する	①現在の病状や予測される症状に対しての必要な処置と，在宅で可能な処置，医療の限界について説明する ②今後在宅で行う処置の決定と準備・調整を行う（吸引器，酸素などの物品の確保など）
			6．家族に看取りの方針を確認し，死の準備教育を行う	①今後予測される療養者の状態を説明し，家族に看取りの方針について再度確認する ②死を迎えるにあたっての準備教育を行う ・生活の延長線上として病状の進行に応じ段階的に死が訪れることを説明する ・最終段階で必要となる器具や物品の準備や手配について説明し，心の準備の手助けをする ・一般的な人の死のプロセスについて，症状の変化を含めて説明する ・どのような看取りがしたいか，話し合いながら死への旅立ちをイメージ化する ③医療者への臨死期の連絡について，症状の出現内容と時期について説明する ④臨死期のケアチームの支援体制と連絡方法について説明し，状況により臨終に間に合わない場合があることを理解してもらう
臨死期	療養者が心安らかに旅立てるよう援助する	療養者，家族など	1．ライフレビューをとおして安らかな旅立ちを援助する	①これまでの人生について，療養者がライフヒストリー（生活歴）を語れる機会をつくる ②療養者がライフレビューの内容を家族に説明し，これまでの人生で楽しかったこと，嬉しかったこと，大変だったことなどについて療養者が語れる機会をつくるように働きかける
		家族など	2．看取りの心得について説明する	①看取りの心得と方法について説明する ②看取りについての不安を確認し，不安の除去に努める
			3．死のプロセスについて説明する	①死が数日後に予測されることを家族に伝え，死のプロセスの症状の変化と予測される経過について説明する ②死の間際まで，聴覚が保たれるため，周囲の状況も察知できることを説明し，安らかな旅立ちのための感謝を述べる。今後のことについて引き受ける約束などのかかわりを伝える ③医療者へ臨死期の連絡をする際の症状について説明する
			4．遺影，死後の衣服の準備について説明する	①療養者の遺影の選択と準備について説明する（可能な場合は，療養者の希望を確認するよう勧める） ②療養者の死後の衣服の準備について説明する（可能な場合は，療養者の希望を確認するよう勧める）
			5．予期悲嘆への援助を行う	①療養者を失う悲しみの表出を助け，受容する（次節参照）
死別後	遺族の悲嘆が軽減できるように援助する	家族など	1．エンゼルケアを家族と共に行う	①エンゼルケアについて説明し，家族にエンゼルケアを一緒に行うか，どの部分にかかわるか希望を確認する（可能な状態であればできるだけ一緒に行う） ②エンゼルケアを行う際の処置方法や衣服などの希望を確認する ③療養者の尊厳が損なわれないよう十分配慮する ※エンゼルケアの実際の方法は，p.391を参照
			2．病気の経過について最終的な説明をする	①家族の療養者へのお別れが終わり，落ち着きを取り戻した時点で，主治医から死に至るまでの病気の経過について説明する ②主治医からの説明に対する疑問を確認し，必要時，主治医に追加説明してもらう
			3．遺族と語らう	①家族のこれまでの介護に対するねぎらいの言葉をかける（次節参照）

※1 専門性の高い看護師による訪問看護

実際に，在宅看取りに向けた支援を進めていく過程で，様々な問題に直面することも少なくない。たとえば，社会資源の少ない地域では，在宅看取りを希望していても患者に必要な医療処置やケアの可能な訪問看護ステーションが見つからないということなどが挙げられる。このような問題に対して，「緩和ケア」または「褥瘡ケアまたは人工肛門ケアおよび人工膀胱ケア」に係る専門の研修を受けた看護師が，訪問看護師と一緒に自宅を訪問して患者のケアを立案・実施する「同行訪問（同日訪問）」などの取り組みが始まり，診療報酬上でも評価されている(図1-5)

※2 緊急時の対応

訪問看護師は，保険制度上，常時そばにいることができないため，療養者・家族は医療面における不安や介護面における負担などを抱えながら生活していることが多い。そのため在宅看護は，看取りまでの期間，療養者・家族が安心できる体制を敷き，途切れることのないシームレスなケアを実施することが必要である。そのようななか，訪問看護師が実践している24時間の電話対応はますます重要となる。特に終末期は，療養者の症状・状態が刻一刻と変化する時期であることからも家族の不安が強く，在宅での看取りを希望していたとしてもその意思が揺らぐ場面である。そのため昼夜を問わず訪問看護師が24時間電話で対応することの需要は高い。一方で訪問看護師の24時間電話対応は，療養者・家族の顔や療養環境の見えない状況のなか，相手の電話を受け，緊急の判断や症状マネジメントなど，訪問看護師1人で対応するという特性上，一定の経験が求められるケアである。表1-6は，訪問看護師に求められる24時間電話対応の目標および求められる姿勢とケア内容をまとめた。

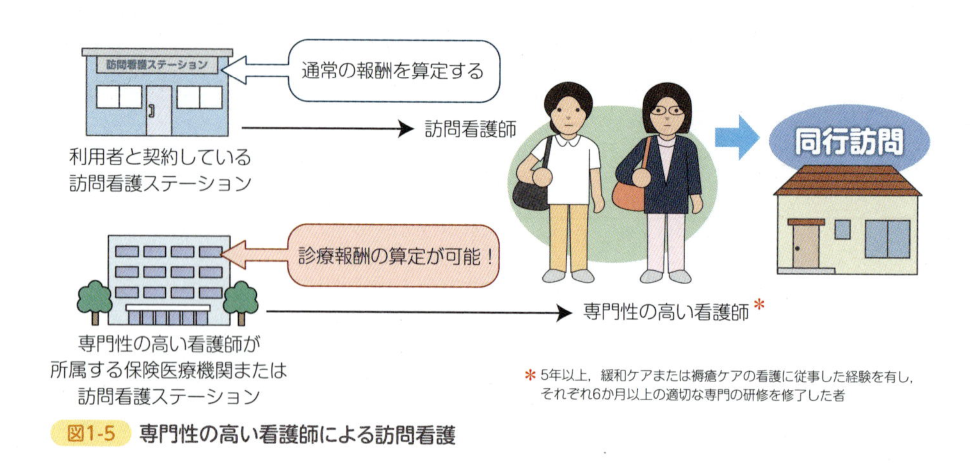

図1-5　専門性の高い看護師による訪問看護

表1-6　訪問看護師の24時間電話対応の目標および求められる姿勢とケア内容

目標	○本人・家族の症状や生活が安定すること ○本人・家族からの24時間オンコール頻度が増えないこと ○本人・家族との信頼関係の構築につなげること ○在宅ケアチームとの信頼関係の構築につなげること
受容・尊厳性を前提とした対応	○本人・家族の不安を受け止めること ○面識のない相手からの電話も含めて相手に不安を与えない配慮をすること ○訴えが聞き取りずらい場合でもニーズを特定できるよう丁寧に対応すること
緊急時の臨床判断	○本人・家族に予測される状態の変化と対処方法を具体的に説明すること ○本人・家族に直近に訪問した看護師などに情報確認や相談を検討すること ○本人・家族の理解度・介護力に合わせて緊急訪問の有無を判断すること ○主治医にすぐに報告・指示を仰ぐ内容かを判断すること ○本人・家族の希望に寄り添い救急車要請の有無を判断すること ○本人・家族の状態に合わせて普段の訪問看護などの回数増を検討すること
療養の場(居宅・施設・病院)を含めた意思決定支援	○チームで提供できる居宅サービスなどについて説明すること ○本人・家族の代弁者となって居宅サービス・病院などへ連絡をとること ○本人・家族の権利や意見を尊重すること

大木正隆：訪問看護師の夜間・休日オンコールにおける自己成長評価ツールの開発，お茶の水看護学雑誌，15（1/2）：1-15，2021．より作成

11 在宅終末期におけるトライアングルケア

在宅終末期ケアを支える家族にとっては時間の経過に伴い心身の負担が増加することも少なくない。特に近年の核家族化の進行や老老介護の増加，さらに自宅での看取りの経験のない家族の増加などの視点からも家族の身体的な負担や不安を十分考慮したケアが求められる。そのためには訪問看護師をはじめとする専門職が療養者宅を訪問し，在宅療養をサポートすることが考えられるが，家族は24時間の見守りを期待され，それ自体が負担となることもある。また，なかには様々なサービスが自宅に入ることが精神的負担と考える療養者・家族も存在する。そのためたとえば療養者本人・家族の希望を尊重しながら，家族のレスパイト目的で近隣の病院に一定期間入院することや定期的に通所施設の１つである療養通所介護などを利用することで，療養者本人・家族の希望する在宅療養を１日でも長

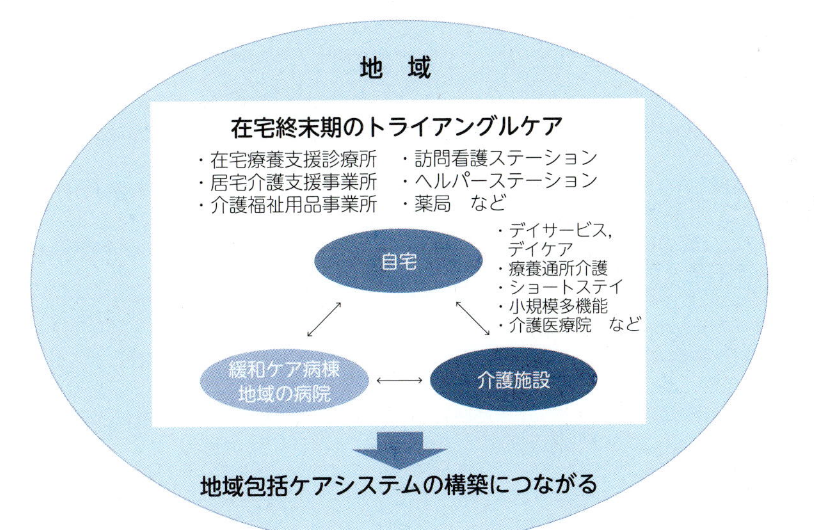

図1-6　在宅終末期におけるトライアングルケアと地域との関係

く継続することが可能となる。このように地域のなかで療養の場を療養者・家族の希望や状態に合わせて行き来することを「トライアングルケア」とよび，在宅終末期ケアにおいて重要な考え方である（図1-6）。この考え方は，わが国の地域包括ケアシステムの理念である「時々入院，ほぼ在宅」の考え方に合致する。

トライアングルケアは，はじめから地域に存在するものではなく，一つひとつの事例の積み重ねによって施設間での信頼関係を築き，つくり上げることができるものである。その結果が各地域に根差した地域包括ケアシステムの構築につながる。

12 情報通信機器（information and communication technology : ICT）を利用した訪問看護師による医師代理の死亡診断

1）死亡診断等を取り巻く課題

日本では，医師が死亡に立ち会えなかった場合は，これまで診療にあたっていた医師があらためて診察し，死亡診断書を交付しなければ，埋火葬の手続きを行うことができない（医師法第20条，戸籍法第5条）。しかし，死亡時にこれまで診療にあたっていた医師が遠方にいるケースなど，死亡後の診察が困難なケースも報告され，円滑に死亡診断書を交付し，埋火葬を行うことができないという課題がある。ICTを利用した診断などを行う際の要件は表1-7となる。

2）ICTを利用した死亡診断等を行う際の要件

死亡診断を取り巻く課題解決のために，一定の教育を受けた在宅領域の看護師が，医師の指示を受けて死亡診断書作成の補助を行い，住み慣れた場所から遠方に遺体を運ぶことなく，埋火葬の手続きが速やかに行うことが検討された。2017年，以下のとおり，情報通信機器（information and communication technology : ICT）を利用した死亡診断等ガイド

表1-7 ICTを利用した診断等を行う際の要件

以下の要件をすべて満たし，死因にも特に異常がない場合に適応されることとなる。
①医師による診察が死亡前14日以内に行われており，早晩死亡することが予測されていること
②終末期の際の取り決め（積極的な治療・延命措置を行わない等）が，医師，看護師，患者および家族と共通の認識が得られていること
③医師間や医療機関・介護施設間の連携に努めたとしても，医師が直接対面での死亡診断等を行うまで，12時間以上を要することが見込まれていること
④法医学等に関する一定の教育を受けた看護師が医師とあらかじめ取り決めた事項など医師の判断に必要な情報を速やかに報告できること
※法医学等に関する一定の教育を受けられる看護師の要件
・看護実務経験５年以上で，その間に３例以上の患者の死亡に立ち会っていること
・看護師として訪問看護や介護保険施設等において３年以上の実務経験を有し，その間患者５人に対してターミナルケアを行っていること
⑤看護師からの報告を受けた医師が，テレビ電話装置等ICTを活用した通信手段を組み合わせて患者の状況を把握することなどにより，死亡の事実や異状がないと判断できること

ラインが示されている[9]。

また，遠隔での死亡診断は，以下の流れである（図1-7）。

- **Step 1**：療養者の死亡前に準備することとして，本人および家族にICTを活用した死亡診断等を行うことの意義を説明し，同意を得なければならない。
- **Step 2**：訪問看護師は，たとえばご遺体の観察や撮影に際しては，必要に応じて家族に別室で待機してもらうなど，家族の心情などに十分な配慮をするとともに，医師と家族が円滑にコミュニケーションを図ることができるよう努める。なぜなら，死亡診断などは，医師から療養者の最期の状況について医学的に説明することも含まれるため，遺された家族が死を受け止めるうえで，重要な意義をもつためである。
- **Step 3**：訪問看護師は，リアルタイムの双方向コミュニケーションが可能な端末を用いて，遠隔からの医師のリアルタイムの指示のもと，遺体の観察や写真撮影を行い，報告する。
- **Step 4**：訪問看護師は，医師から死亡診断書に記載すべき内容についての説明を受け，死亡診断書を代筆することで，医師による死亡診断書作成を補助する。
- **Step 5**：訪問看護師は，リアルタイムの双方向コミュニケーションが可能な端末を用い，医師から患者の死亡についてご遺族に説明後，看護師からご遺族に死亡診断書を手渡す。

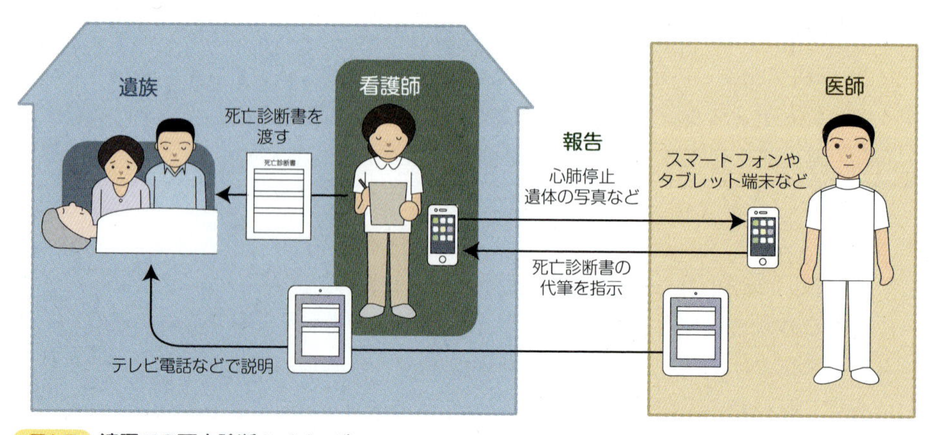

図1-7 遠隔での死亡診断のイメージ

3）ICTを利用した死亡診断等を行う際の留意点

遺族にとって，医師による死後の診察は，死亡の事実だけでなく，これまでの経過などに関する医学的説明を受ける機会であること，死亡診断書は法律上，社会上の重要性が高く，その記載内容は正確である必要がある。

したがって，ICTを利用した死亡診断等を行う場合についても，直接対面での死後の診察と同程度に死亡診断書の内容の正確性が保障され，遺族と円滑にコミュニケーションを図りながら実施することが求められている。

13 エンゼルケア

1）エンゼルケアとは

エンゼルケアとは，医師によって死の判定（心拍の停止，自発呼吸の停止，瞳孔の対光反射消失の三徴候）がされ，死亡が確定した後，死亡した療養者の人権を尊重し，療養者に対する家族の思いを受け止め，慰めと援助のもとに，療養者への「死後の処置」を行うことである。これまで「死後の処置」は，「死によって起こる外見変化を最小限にし，美しく整える」「遺体を清潔にして，体液・排泄物などの流出を防ぎ，感染を防止する」ことを目的とされていた。しかし近年は，単なる処置の範囲を超え，死別後だけでなく臨死期を含めた家族とのコミュニケーションや，創傷・治療部位の処置，エンゼルメイク，グリーフケアなどを包含した広義の概念としてとらえられるようになっている。そのためエンゼルケアの目的は，単なる遺体の清潔・衛生の保持だけでなく，死後に起こる身体の変化を理解したうえでケアを行い，残された家族が気持ちを表出できる時間と場をつくることにある。特に，在宅での看取りは，療養の延長で行われるため，生前からの一連の流れのなかでエンゼルケアが実施される。そのためまだ死を受け入れられていない家族などに対しては，療養者を見送るための心の準備をする時間となることにも留意する。

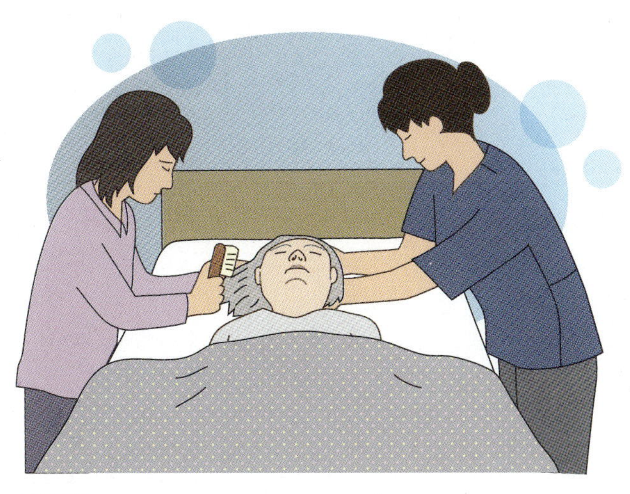

図1-8 自宅でのエンゼルケア（イメージ）

2）エンゼルケアの基本的な方法

（1）必要物品

・エンゼルセット（脱脂綿，綿花挿入用割りばし，T字帯，さらしの白布）
・消毒液（ヒビテン®，逆性石けん）
・清拭用物品（洗面器，バケツ，湯，タオル数枚，綿棒，紙おむつ，ゴム手袋）
・整容物品（化粧品，保湿クリーム，リップクリーム，剃刀，くし，ドライヤー）
・衣類（生前本人が希望したもの，家族が準備したもの）
・その他（ビニール袋，包帯，ベルト，予防衣，マスク，手袋など）
・必要時（創がある場合にはガーゼと医療用テープ，腹帯，さらし）

（2）方　法

死後硬直（死後2～3時間）が始まる前の死体の筋肉が弛緩している間に，以下の手順に沿って，エンゼルケアを実施する。

	方法と観察の視点	療養者・家族支援と根拠
1	スタンダードプリコーションに則り，予防衣・マスク・手袋などを装着する	
2	装着機器類（カテーテルや留置針，カニューレ，胃チューブなど）を取り除く際は，皮膚の変色に留意する。療養者の所有物や貴金属類を身につけている場合は，家族などに渡す	●死後は，血液の停滞や滞留が生じて血液が凝固し，大量の凝固因子の消費から凝固機能を消失した状態，出血傾向となり，皮下出血を起こしやすい。点滴やカテーテルを抜去したあとに皮下出血が起き，変色した場合，家族がつらい思いをすることがあるため，ファンデーションや衣類でカバーするなどの方法を説明する
3	上腹部を圧迫して吐物がないか確認し，紙おむつを当てて下腹部を静かに強く圧迫して尿を出し，摘便する	●遺体の皮膚粘膜の脆弱化を考慮し，皮膚粘膜を傷つけないように愛護的に行う
4	衣服を脱がせる。プライバシーが守れるようにバスタオルで覆うなど配慮する	●脱衣・着衣ともになるべく仰臥位のまま実施する（➡❶） ❶側臥位への体位変換時に，重力の影響による漏液が起こる可能性が高くなる
5	全身清拭を行う。身体の状態によっては石けんや洗髪を行う	●遺体の皮膚粘膜の脆弱化を考慮し，皮膚粘膜を傷つけないように愛護的に行う
6	褥瘡や分泌物の出やすいところはガーゼを厚めに当てて医療用テープでしっかり止める	●家族に死後の身体変化に備えた処置として，ガーゼやドレッシング材を貼ることを説明し，了解を得る
7	漏液のリスクをアセスメントし，漏液のリスクが高い場合，身体に詰め物をする（口，鼻腔に脱脂綿を奥深くに青梅綿を入れ，綿がはみ出さないように，自然の外形が変わらないように整える）。また腹水がある場合，家族の希望により医師に相談して抜いてもらう	●漏液のリスクが高い場合（死亡時の高体温，全身浮腫，腹水や胸水が貯留，著しい肝機能障害など）に実施する。なお身体に詰める前に，家族に保存状態をよくするために詰め物をすることを説明する
8	衣類を着せる。本人や家族が希望に応じる。和服の場合は，左前，縦結びにする。シーツや枕カバーも清潔なものに取り替える	●和服の場合の左前，縦結びといったならわしは，死者らしい整えを希望しない家族もいるため，家族の希望に沿うようにする

	方法と観察の視点	療養者・家族支援と根拠
9	髪を整え，男性はひげを剃り，女性は化粧をして顔をきれいに整える。男性も顔色によっては化粧をしたほうがよい場合もある。併せて眼と口を閉じる。眼瞼が閉じないときは濡らしたティッシュペーパーを両目にのせるか，ティッシュペーパーを切って眼瞼と眼球の間に入れ眼瞼を閉じる。義歯を正しく装着し，口が閉じないときは，枕を少し挙上するか，顎の下にタオルを入れる。両手は前胸部で組ませるか合掌させる	●死後の身体変化に配慮し，家族の療養者を見送るための心の準備をする時間となることも留意しながら，穏やかなその人らしい容貌となるよう整える。こまかに家族に尋ねながら実施する ●また，伝統的に行われている合掌や口を閉じることに宗教的な意味はなく，故人への敬意のために習慣的に行われていることが多い。死者らしい整えを希望しない家族もいるため，家族の希望に沿うようにする。また紐やバンドで拘束をして合掌や下顎を固定することは，拘束部位の陥没やうっ血を引き起こすため，推奨されていない
10	布団の位置，枕の向きは慣習に従う。顔は白布で覆う	●顔に白い布をかけるというならわしは，死者らしい整えを希望しない家族もいるため，家族の希望に沿うようにする
11	医療用廃棄物になるものはビニール袋に入れ，適切に処理する	
12	腹部を中心に保冷剤を当てて保冷する（➡❷）。特に夏場は空調も併用して低温を保つ	❷遺体の腐敗を抑制する目的で，腹部のクーリングが有効である
13	家族に，主治医から死亡診断書を受け取ることを説明する	

3）訪問看護におけるエンゼルケアの留意点

（1）最期を迎える場所や家族のケアへの参加の意向の確認

家族などに生前の療養者の希望を聞き，また，家族がエンゼルケアにどのようにかかわりたいかを確認する。家族が主に行いたい部分，看護師が行う部分を相談し，家族が適切に行えるよう援助する。家族が葬儀社や納棺師による死後の処置を希望した場合は葬儀社に連絡するよう伝える。

（2）看取りの進み方の説明

看取りは，療養者の自然なペースで徐々に進行すること，聴覚は最期まで保たれるため話しかけながら寄り添うことで療養者の苦痛緩和につながることなどを伝える。また在宅での看取りは，病院のように家族や医療者が立ち会っていない場合に最期を迎えることもしばしばみられるため，ずっと見守っていなくてもよいことを説明する。さらに家族が療養者の呼吸停止を発見したら，まず訪問看護師に連絡することを説明しておく。

（3）費　用

死者は医師法の対象外となるため，施設ごとにケアの内容や費用が異なり，診療報酬や介護報酬の対象外となる。そのため，訪問看護師がエンゼルケアを実施する場合，全額が自己負担となる。事前に必要物品や人件費などの実費を考慮した料金を定めることが必要である。

（4）宗教，地域の風習への対応

近年，文化的・宗教的に異なる背景をもつ療養者が増えている。たとえば，イスラム教の社会では，女性への医療を行うのは女性医師のみであり，遺体についても同性の家族が清めるのが原則とされているなどが挙げられる。エンゼルケアの内容や方法が，地域や家ごとの風習・信仰する宗教などによって異なることを念頭に置き，事前の情報収集してお

くことが必要である。

(5) 死亡前の24時間以内に主治医の診察がある場合のエンゼルケア

訪問看護では，一定の要件（在宅で継続療養中，死亡に異常がない，死期が近づいていることやその対応を家族・看護師間で確認できているなど）を満たせば，訪問看護師が死亡の三徴候を観察し，医師に報告後，先に死後の処置を実施することができる。原則は，医師の診察があり死亡時刻の確認後，死後の処置を実施することになるが，家族や医師との間で病状の共通理解を得て，死亡を確認し報告すれば，死亡診断書発行前でも，適切な死後の処置を行うことが法的に可能である。しかしながら，医師が死因に不審を感じたとき（事故，自殺，急死など）は，24時間以内に警察に届け出て検死を受ける。検死後に医師または警察官の指示を受けてから，死後の処置を行う。

文献

1) 全日本病院協会（2016）．終末期医療に関するガイドライン－よりよい終末期を迎えるために．https://www.ajha.or.jp/voice/pdf/161122_1.pdf（アクセス日：2021/10/26）
2) 日本緩和医療学会．WHO（世界保健機関）の緩和ケアの定義（2002）定訳 https://www.jspm.ne.jp/proposal/proposal.html （アクセス日：2021/10/26）
3) The European Association for Palliarive Care:White paper on standards and norms for hospice and palliative care in Europe : part1. European Journal of Palliative Care, 16(6) : 278-289, 2009.
4) 長江弘子編：看護実践にいかすエンド・オブ・ライフケア，第2版，日本看護協会出版会，2018，p.4-5.
5) Silveira MJ, Kim SYH, Langa KM: Advance directives and outcomes of surrogate decision making before death. The New England Journal of Medicine, 362 (13): 1211-1218, 2010.
6) 厚生労働省（2018）．人生の最終段階における医療・ケアの決定プロセスに関するガイドライン．https://www.mhlw.go.jp/file/04-Houdouhappyou-10802000-Iseikyoku-Shidouka/0000197701.pdf（アクセス日：2021/10/26）
7) アルフォンス・デーケン 著：生と死の教育(シリーズ教育の挑戦，岩波書店，2001，p.3-4.
8) 島内節・内田洋子編：在宅におけるエンドオブライフ・ケア 看護職が知っておくべき基礎知識，ミネルヴァ書房，2015，p.157.
9) 厚生労働省(2017)．情報通信機器(ICT)を利用した 死亡診断等ガイドライン https://www.mhlw.go.jp/content/10800000/000527813.pdf（アクセス日：2021/10/26）

2 在宅でのグリーフケア

学習目標
- 死別後のグリーフとグリーフケアについて理解する。
- 在宅看護におけるグリーフケアの意義と方法について理解する。
- 医療者自身のグリーフとグリーフワークについて理解する。

1 グリーフの理解

1）グリーフ（悲嘆）とは何か

グリーフとは，死別による喪失の衝撃により，身体，感情，認知，行動，スピリチュアルな面で示すあらゆる「反応」を指す（表2-1[1]）。そしてグリーフの状態にあるということは，愛着の対象を失い，これまで育んできた愛着を断ち切られ，苦痛を経験していることであり，安心の拠り所であった「想定の世界」が崩壊した状態にいることである。これまで当然のこととして続くはずだった世界は，一人の中心人物を失い，人生における当たり前の仮定の多くが崩れてしまった。しかしその崩壊を語り，崩壊について知り，その状態に適応しようとしていくのがグリーフの過程である。

2）ノーマルグリーフの過程

グリーフは死別後に誰もが通る過程（プロセス）で，自然な反応であり病気ではない。その過程にはニーメヤー（Nemeyer R）が述べる3つのフェイズ（局面）がある（表2-2）[2]。回避のフェイズでは，死を否認することや真っ向からつらさを感じることを避けながら過ご

表2-1 死別に対する反応

1．身体的反応 動悸，息切れ，のどの渇き，疲労感，頭痛，四肢の痛み，不眠，食欲不振，免疫機能・内分泌機能の低下
2．感情面の反応 深い悲しみ，心痛，寂しさ，恋慕，怒り，戸惑い，落ち込み，後悔の念，罪悪感，孤独感，不安
3．認知面の反応 死が信じられない，死を否定する，記憶・集中力の低下
4．行動面の反応 故人をさがす，待つ，緊張する，泣く，社会的引きこもり
5．スピリチュアルな反応 「なぜ人は死ぬのか？」「自分は何か間違っていたのだろうか」「人は死んでからどこに行くのか」など哲学的な質問をする

鈴木剛子：GCCグリーフカウンセラー養成講座（基礎編）資料，グリーフ学・アタッチメントとグリーフ，2014．より転載

表2-2 ニーメヤーのグリーフのフェイズ

フェイズ	特徴
回避のフェイズ	・死に直面し，ショックで無感覚状態になり，現実把握ができない ・愛する人の死は，容易に受け止められない ・喪失の全体像が見え始める ・喪失のつらさを回避するために，死を否認する ・喪失に抗議し，往々にして周囲の人間に怒りとして表現される ・感情が感じられない ・そして次第に感情の波が襲うが，感じないようにする
同化（直面）のフェイズ	・喪失の現実はいつまでも回避できない ・愛する人の不在は否定できない ・会いたい気持ち，恋しさがつのり，激痛や寂寞感に襲われる ・人に苦しみを話したいが，できない（ほかの人にはわかってもらえない，話してわかってもらえないと失望する） ・抑うつ状態に陥る。引きこもりになる ・身体的不調，怒り，後悔，自責感がつのる ・絶望，無気力，虚無感にさいなまれる ・社会生活や経済的問題などの二次的喪失に気がつく
適応のフェイズ	・愛する人の生還をあきらめる。激しい感情の波がなぐ ・現実に目を向ける。将来が不安 ・愛する人のいない生活に適応する ・適応が進むことに罪悪感を募らせる ・新しい生きがい，目的を探す

し，同化・直面は徐々に死別に向き合おうとするフェイズである，そして適応は愛する人のいない生活に適応しながら，自分の生きる目的を見出そうとするフェイズである。グリーフの過程は，この3つのフェイズを行きつ戻りつすることで癒されていく，これらをグリーフサイクルという。しかし遺族の経験は，一人として同じではない，グリーフの典型的なプロセスは，グリーフを理解するための一つの基盤であり，グリーフの期間は個人差が大きく，直線的な過程ではない。その期間は数年かかることもあれば，一生涯の課題となることもある。

グリーフの過程には，様々な個人的要因が関連している。個人差の要因としては以下のものがあげられる[3)]。死生観にかかわる割り切り方，生育環境，現在の家族状況・環境，死者との生前の関係性，宗教的背景，経済的背景，死別者の年齢，死別者の性別などに影響を受ける。

3）複雑化したグリーフ

これらはかつて病的な悲嘆とよばれてきたもので，前述のグリーフのサイクルに行き詰まる状態である。グリーフをまったく経験しない，グリーフが慢性化する，グリーフが過激で生命を脅かすほど重症であるような場合で専門家の介入が必要になる。深刻な罪悪感，自殺念慮，極度の絶望感，長期に及ぶ興奮やうつ状態，生理的症状の長期化，制御できない怒り，仕事や日常生活の雑事をこなす能力が損なわれる，薬物やアルコールへの依存症などの状態である[4)]。グリーフの複雑化の要因としては，トラウマ的な死の状況や故人との非常に深い愛着関係や過度に依存的な故人との関係，または葛藤関係や愛憎関係，過去の未解決なグリーフや死別による経済的問題などが関与していることがある。

4）グリーフワークとは

グリーフの過程は，単にじっとして時とともに癒されるという受動的なものではなく，グリーフワークというように自ら取り組んでいく仕事であり，能動的な姿勢が重要であるといわれる。以下に3つの取り組みのための理論と支援について紹介する。

(1) ウォーデン (Worden J W)[4] の課題理論

ウォーデンは，人の発達課題と同様に，喪失に適応するためには，4つの基本課題が存在することを提言した。ここではさらに相川[5]が，自身の死別経験からわかりやすくウォーデンの課題を修正したものを提示する（表2-3）。喪失を受け止め，その苦痛を体験することで，大切な人がいないなかでも，その人との新しいつながりを築いていく能動的な過程である。

(2) ニーメヤー (Nemeyer R)[2] の意味再構成モデル

ニーメヤーが見出した構成主義の理論，ナラティブ理論を適応したモデルである。構成主義は，人間がどんな体験にも何らかの意味を探りだす存在であるという考えに立つ。意味の再構成は，グリーフ行為の中心的プロセスであり，喪失体験者本人が喪失の意味をできるだけ詳しく正確に表現するための助けをする。ニーメヤーは「人生を物語にたとえるなら，喪失はその流れを中断するものであり，喪失前と後では，決定的な話の矛盾が起きてくるおそれがある。ある章の途中で中心人物を失った小説のように，死別による喪失で崩壊した人生の物語をわかりやすく続行させるために，著者は筋書きに大幅な変更を想定せざるを得ない」と述べ，援助者は遺族の気持ちに寄り添い，自ら新たな物語を執筆することを支えることについて強調している。

(3) ストローブとシュットの二重過程モデル[6]

これは認知ストレス理論の影響を受けた死別体験への対処モデルである。死別への対処過程に関して，喪失志向と回復志向という2種類のストレッサーを特定している。死別体験者は，愛する人の喪失に対処するとともに，死の二次的結果として生じる生活上の変化という問題にも対処していかなくてはならない。しかし同時に取り組むことは不可能であり，1地点においてはどちらか一方を無視し，どちらかに集中することの選択ができる。この二方向のコーピングの調整過程を「揺らぎ」という概念で示し，揺らぎはこの2つのコーピングを行ったり来たりする対処の過程であり，時間の経過とともに，その重心が喪失志向コーピングから回復志向コーピングへと移っていくというもので，日常の喪失における対

表2-3 ウォーデンの4つの課題を相川が修正したもの

課題1	大切な人が死んだ，その人は逝ってしまい，決して戻ってくることはないという事実を理性だけでなく情緒的にも受け入れること （喪失の事実を受容する）
課題2	悲嘆反応を正面から体験すること （悲嘆の苦痛を処理する）
課題3	失ったものに気づき，大切な人がいない環境になれること （故人のいない世界に適応する）
課題4	心のなかに亡くなった人の場所を確保し，変化した自分を受け入れること （新たな生活を歩みだすなかで，故人と持続するつながりを見つける）

相川充：愛する人の死，そして癒されるまで，大和出版，2003，p.150-158．より転載

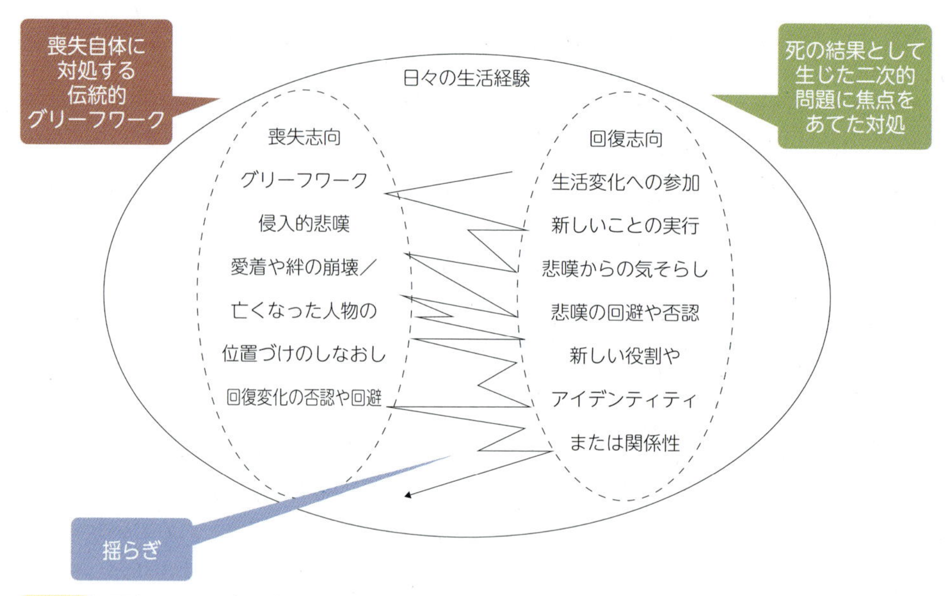

図2-1 死別へのコーピングの二重過程モデル

Neimeyer R: The language of loss: grief therapy as a process of meaning reconstrucion. In Neimeyer (Eds): Meaning reconstruction and the experience of loss. Washington. DC: American Psychological Association, 2001, p261-292.(富永拓郎，菊池安希子監訳：喪失と悲嘆の心理療法，金剛出版，2007，p.71．より引用改変

処の取り組みにおいても理解しやすい。

5）グリーフケア

グリーフケアは，グリーフの過程が自然に進むようにサポートすることである。グリーフケアは死別への病的な影響を予防したり，複雑性悲嘆にある人を発見するのに役立つ[7]。先にあげたウォーデンの4つの課題を達成するようかかわることや，ニーメヤーの死別に意味を見出す過程を支援することなどがある。支援者は医療者やカウンセラーのほかピアサポーターやセルフヘルプグループや葬儀社などが行う地域ケアもある。

6）グリーフケアの目標

NPO法人千葉県とうかつ「生と死を考える会」の理事長である水野の掲げるグループカウンセリングにおけるグリーフケアの5つの目標[8]について紹介する。

①安心して泣ける場をつくり，連帯感情を育てる

外部に漏れる心配がなく他の参加者やスタッフに気遣うことなく，誰からも非難されずに，お説教もされずに，何事も黙って受け入れてもらえるという約束が生み出す安心感が求められる。痛みを少しでも言葉で表現し，他者に聞いてもらうことで，出席者が互いに連帯感情をもって，「私は決して孤立してはいないのだ」と実感してもらうことが大切である。

②十分に痛みを分かち合うために泣き・語ることが大事

思い切り泣けたら次は他者に語ることを通じて自分の身の上に起こった出来事を見渡し，ストーリーを語り直す作業が要請される。話を聞く側に求められることは，黙って誠実に傾聴すること。喪失体験者は傍らに黙って寄り添う人がいれば，自分の感情表現や体験内容を豊かにすることができる。

③語る作用は何をもたらすか―共感と社会復帰

自分の複雑な思いを語ることで複雑に絡み合っていた気持ちがほぐされていく。自分の感情を社会へ押し流すことになる。同じ場所で話を聴いてもらえる人々からの共感の姿勢が何よりも大切なメッセージとなりプレゼントとなる。人生を同行する仲間づくりの好機ともなる。

④体験者の語りの共鳴とナラティブ的な傾聴法

参加者は自然に他者の話を聴くことになるが，他者の喪失感にも耳を傾け一緒に涙することが回復への第一歩となる。自分の抱える喪失体験を自分の外に置き，見ることができるようになる。問題と人を切り離し，問題を問題として語ることは絶対視していた問題を相対化され，思いがけない意味の転換を図ることができる。

⑤人生回顧と人生仲間の再発見

自分に起こってしまった出来事を過去から見るのではなく，未来から見ることで過去中心の心的エネルギーを未来中心の探求型質問へ変化させることで，喪失に向き合うことの姿勢が変わる，人生を裁くような回想と異なり未来に向けて過去の出来事の意味を探し出す。多くの人生仲間とのかかわりを思い起こし，「自分の人生は決して無駄ではなかった」と感謝し，救済し，仲間に贈り物を届ける，亡き人から贈り物を受け取り，過去のつながりを再評価することになる。

2 在宅看護におけるグリーフケア：その意義と実際

現在の日本では看護師によるグリーフケアは，診療報酬を得ることはできない自主的なボランティアの活動である。病院やホスピスにおけるグリーフケアには手紙の送付や遺族会の開催があるが，病院は家族の住んでいる地域から必ずしも近い距離にあるわけではない，また家族が亡くなった病院にはつらくて足が向かないという遺族もいる。しかし在宅看護の特徴は，訪問看護ステーションから近隣のお宅を訪問するということにある。あくまでもボランティアではあるが，利用者が亡くなったあとも，家族を近くで見守ったり，ケアすることができるという利点がある。

1）死別前にできること：遺族のグリーフを見越した家族ケア

多くの死別ケアの専門家は死別後から遺族とかかわりをもつが，看護師は遺族となる家族に対して生きているうちに死別後のグリーフを見越したケアをすることができる。

人生の最期を過ごす患者と家族は，医療のみではない人間的かかわりを医療者に期待している。そしてこれまでの経過をわかっている医療者に癒されたいという期待も大きい。在宅看護は特に近隣のお宅を訪問することで，親しみや信頼感が深まり，死別後もグリーフケアにおいてその役割を果たすことができる存在である。

2）遺族のグリーフを支えるものを知る

遺族のグリーフを支えるものとして，朱亀[9]は，良い見送りができたこと，医療従事者に良いケアを受けられたこと，本人のためによい選択ができたことの3点を述べている。こちらは，前節の「在宅看取りとエンゼルケア」の項を参照いただきたいが，心残りや悔いを少しでも減らすかかわりが重要といえる。また嬉しく感じた医療者のケアとして，朱亀[9]は，①真摯に命に向き合ってくれていることが感じられること，配慮のある言葉と心遣い，②知識とできる限り尊厳を大事にした対応や技術，③迅速な対応や連携といった調整役を担ってくれたこと，について述べていた。

遺された家族の心残りや悔いは死の瞬間から取り戻せないものとなり，その思いは尽きない。死別後の心残りや悔いを一つでも減らすことは亡くなる前のかかわりで重要となる。

3）死別後に有益な看護[10]

宮下らの研究において，有益な看護として遺族に評価されていたものは，死別後の自身のことを教えてくれた，涙を流すことや感情表出の場に寄り添ってくれたであった。また要望としては家族が十分悲嘆できる時間を確保してほしいことがあった。遺族は自身のこれからの助けになる手立てを求めていることがわかり，死別の際に助けとなるグリーフの過程やサポートグループの情報が入ったパンフレットの配布などは有益であると考える。

4）在宅におけるグリーフケアの方法

（1）個別の対応

手紙やカードを贈ることで看護師の気持ちを伝えたり，電話訪問，家庭訪問をして，その後の様子を伺ったり，思いを表出する機会をつくるケアがある。これらのかかわりは，複雑性悲嘆の発見にもなり，グリーフの過程が長引いていたり，様々な症状が出ているようなら，受診につなげることにも役立つ。

（2）遺族会や追悼式，お茶会などの催し

かかわりのあった医療者と故人の思い出を語り合ったり，遺族同士で思いを語り合うことができる。そのなかで死別による喪失感を感じているのは自分だけではないことを知ったり，同じ境遇同士支え合える関係へと発展したり，出会いの機会ともなる。さらに遺族がピアサポーターとなり会を支援したり，独立して遺族会を運営するまでに発展することもある。

（3）グリーフの演習を勧める

グリーフワークは自身で取り組む能動的な行為である。以下の取り組みを個人で行うことを勧めてみたり，お茶会など数人で取り組むことを支援する場合もある。故人のライフストーリーを伝記に書く，故人が自分に刻み付けたものを見直す，形見の品々を集めてそれにまつわる思い出を語る，自分の喪失の特性を描写する，故人の追悼集を作るなど，これらは故人との関係を見直し，絆を深めるために有益なケアである。

5）グリーフケアのポイント

（1）まずはじっくりと聴くこと

相川[5]は，たいていの人は以下の理由で良い聞き手になれないという。最後まで聞いてくれない，道徳的，倫理的判断を下す，感情をそのまま受け入れてくれない，解釈や診断

をくだす。つまり良い聞き手は，感情をそのまま受け入れてくれる人である。

（2）Not doing, But being

シシリー・ソンダースは何かをするのではなく，そこにいることがケアの原点であると述べた。広瀬も「逃げずにそこにいることが大切」と言い，何かをしてあげないとプラスにならないのではない，そこにいることはゼロではない。私たちはつい形あるケアをしなければと焦りがちだが，ただそこにいて寄り添うという姿勢を学ぶことは重要である。

6）これから地域の看護師に寄せられる期待

グリーフケアは死生学の教育として，地域全体にその意識を広めていく必要がある。自分が死別したらどのような過程をたどるのか，そして自分の周囲の人が死別したら，どうやってサポートするのかを学んでいくことは国民全体の重要課題である。互いに寄り添う社会を目指す取り組みは，死を看取る看護師には重要な役割であり，宗教関係者・教育者・臨床心理士，葬儀関係者などグリーフを見聞する機会をもつ人々と連携し，ネットワークを形成する必要がある。

遺族は家族であるが，亡くなった人と関係を結んでいた人がすべて家族とは限らない。特に地域では長年にわたりお付き合いしてきた親戚以上のご近所さんがいることも多い。ただし多くの死別者が存在するなかで，グリーフの対象を定めることは難しく，遺族がケアの対象になっていることがほとんどである。今後は地域のつながりを含めたグリーフケアの広がりが重要である。

英国のCruse Bereavement Care（https://www.cruse.org.uk/）はParksの死別研究から発展した，チャリティによって運営されている団体である。12歳から80歳までのボランティアカウンセラー6,000人ほどが所属し，グリーフケアを行っている。1対1，グループ，メールでの対応，電話でのカウンセリングと様々な形態がある。子ども専用のウェブサイトもあり，家族のみならず，どんな立場の死別者もケアを受けることができる。Cruse Bereavement Careの医師への認知度は100％で，参加者の50％は医師の紹介や勧めでカウンセリングを受けている。医療機関でのケアでなくとも，医療機関と密着したグリーフケアの機関である。日本においてもこのようなケアが発展することを望みたい。

3 看護師のグリーフケア

1）看護師が経験するグリーフとは

人生の最期を自宅で過ごす利用者に全人的なケアを行う看護師は，死に向かう利用者と家族の予期悲嘆に寄り添い，死後も定期的な訪問や遺族会の開催など，遺された家族への継続的なケアにも中心的な役割を担っている。しかし看護師は看護基礎教育でも臨床の継続教育においてもグリーフケアに関する専門的なトレーニングをほとんど受けていない[11]。ましてや自分自身がグリーフを経験することやその対処の仕方について学ぶこともほとんどない。

看護師は患者と家族の苦悩に寄り添うことで築いた信頼関係や絆が強いほど，喪失によるグリーフを経験する。しかし悲しんでいる家族の前や患者が死を迎えたとき，看護師はその苦しさを抑え込んでしまう[11]。Shimoinabaは，これを「奪われるグリーフ」と表現し，看護師に特徴的なもので，それはオープンに認識されず，公的に悲しめず，社会的にサポートされない[12] ものであると述べている。死別後，多くの看護師は解決やバランスを取り戻す感覚を得るが，幾人かは解決のないグリーフの道をたどり続けている[12]。特にエンド・オブ・ライフにある利用者の多い訪問看護ステーションでは，看護師はその経験を短い期間に幾度となく繰り返し，自身で意識することなく，積み重なるグリーフを経験する[13]。家族の死別のように一人の死を悼み悲嘆が癒されるまで時がたつのを待つことはできない。

近藤[14] は，2011年に「死を看取り続ける看護師の悲嘆過程」を説明する理論を発表した。死を看取り続ける看護師の悲嘆過程の特徴として，悲嘆をもたらす原因は，「命に正面から向き合う」という状況であり，そこには「特定の患者が特別な人になる」という条件が示され，それは愛着形成と対応の難しい患者の両極で起こることが明らかにされ，その中間にある大多数の患者では起きてこない可能性を示唆した。すなわち関心をもち多くのエネルギーを傾けた患者とのかかわりが悲嘆をもたらすことを明らかにした。

近藤が述べる悲嘆の本質的要素としては，多彩な情緒的体験を伴うこと，答えの出ない問を抱え込み看護師としての自信を失い，深く傷つくというアイデンティティの混乱を招いたり，苦悩を回避できずに深く傷つくこと，悲嘆過程に能動的に取り組む必要があり多くのエネルギーを費やすことが示された。さらに看護師としての規範意識から「命にかかわる限界を突きつけられる」「死の脅威に晒される」「命にかかわる責任の重みを突きつけられる」の3つの苦悩があり，ここでも看護師の悲嘆は公に表す場がなく情緒の反応を抑圧することで，悲嘆の順調な進行を妨げている可能性を示唆した。しかしこれは一個人としての資質ではなく看護師という職業のもつ構造的問題とだととらえている。

看護師のグリーフは長期間にわたって，繰り返されるプロセスであり，時間経過に伴う癒しをもたない。このような積み重なるグリーフの結果として，新しい患者に感情を注ぐことへの躊躇やバーンアウト，感情疲労などが起こりうる。しかしグリーフが受け止められ，適切な支援がされれば，自分自身を癒すことができ，より思いやり深いケア提供者になるとKaplanは述べている[15]。

2) 看護師へのグリーフケア

看護師へのグリーフケアは，ひとえに「看護師が人として大切にされること」であると考える。看護師が死に逝く患者と家族に向き合い，より良い死を迎えられることに尽力する結果として生じるグリーフを個人も組織も認め，そして人としてケアされるべきだと認め合うことである。

Shimoinaba[12] は，看護師のグリーフケアには，組織としてのサポート，病棟レベルでのサポート，個人のセルフケアの3つのレベルのサポートが必要と述べている。また近藤[16] も同じく，看護管理への示唆やグリーフを経験している看護師の支援や成長段階に応じた支援の必要性について述べている，また看護基礎教育や継続教育への示唆を提起している。

在宅看護においては，一日のなかで同じ場所で働くことはほとんどないが，病院と比較して組織の規模はそれほど大きくないため，昼の時間や夕方の時間などを活用しカンファレンスを開くことで情報共有の時間がある。また比較的個人の変化に気づくことや気持ち

表2-4 在宅看護における看護師のグリーフ支援

1．ポジティブな職場環境をつくること	・サポーティブな職場環境でグリーフを出せること，それが受け止められること ・グリーフを解決する対処方法を獲得するための支援があること ・そこから離れて休むための心地よい場所に行けること ・死後に家族と共に悲しめる場所と時間があること
2．同僚と話し合えること	・同僚と気持ちを語ること，分かち合えること ・サポーティブなデスカンファレンスを行う ・家にグリーフをもち帰らないようにできること ・グリーフコーディネーターや宗教カウンセラーを利用できること ・家族や友人と気持ちを分かち合えること
3．エンド・オブ・ライフの教育やグリーフのトレーニング	・症状緩和や意思決定支援など患者への最善のケアの仕方を学ぶこと ・看護師のグリーフへの対処能力を高めるための研修や教育が受けられる ・教育やトレーニングはグリーフに巻き込まれる前に受けられること
4．利用者の受け持ちを考慮する	・同時に複数のEOLの状態の患者の受け持ちを避ける ・一つのグリーフのステップを完了させる ・必要なときに助けを求める
5．仕事のスケジュール管理	・休み時間の確保 ・休息がとれる勤務体制
6．看護師の特別な努力への感謝	・亡くなった患者と家族をフォローする機会をつくる（カードを送る，訪問の機会，葬式への参加，贈り物など） ・看護師の貢献に対しての表彰や感謝

を出しやすい場で，サポートが受けやすいともいえる。しかしパートタイム勤務の職員も多く，短い時間のなかでのかかわりとなる職員には，心の負担やグリーフに気を配る必要がある。以下は，「看護師の求めるグリーフを解決する支援」[12)] [15)] の文献のレビューから得られた内容を参考に，在宅看護における看護師のグリーフ支援の提案を表2-4に示す。

以上はまだあくまで提案ではあるが，このような取り組みができることは望ましい。

在宅ケアを担う看護師が死に向かう利用者と家族のケアに身を投じることで経験するグリーフが，サポーティブな環境の中でケアされ，自分をケアするすべを身につけ，適切なグリーフの過程をたどれるようにすることが，看護師の疲弊を防ぎ，さらに死を看取る専門職としてさらに成長していくことにつながると考える。

文　献

1) 鈴木剛子：GCCグリーフカウンセラー養成講座（基礎編）資料，グリーフ学・アタッチメントとグリーフ，2014.
2) ニーメヤー RA（著），鈴木剛子（訳）：<大切なもの>を失ったあなたに，春秋社，2006.
3) 宮林幸江・関本昭治：初めて学ぶグリーフケア，日本看護協会出版会，2012.
4) ウォーデン J W（著），山本力（監訳）：悲嘆カウンセリング，誠心書房，2011.
5) 相川充：愛する人の死，そして癒されるまで，大和出版，2007.
6) ニーマイアー，R A（編），富田拓郎・菊池安希子（監訳）：喪失と悲嘆の心理療法，金剛出版，2007.
7) 広瀬寛子：悲嘆とグリーフケア，医学書院，2011.
8) 水野治太郎：ナラティブによるグリーフケアのためのグリーフカウンセリング，NPO法人とうかつ「生と死を考える会」，2015.
9) 朱亀佳那子：「死」なんてもっと遠いものだと思っていた．大切な人を亡くすということ，医療者のかかわりと，第1回ターミナルケア・グリーフケア研究会講演，2019.12.7（東京医科歯科大学）.
10) 宮下光令・他：遺族によるホスピス・緩和ケアの質の評価に関する研究，（公）日本ホスピス・緩和ケア研究振興財団編集 JHOPE3.
11) Shimoinaba K, et al：Staff grief and support systems for Japanese health care professionals working in

palliative care. Palliative Supportive Care, 7：245-252, 2009.
12) Wisekal A E: A concept Analysis of nurses' Grief. Clinical Journal of Oncology Nursing, 19(5):103-107,2015.
13) Shimoinaba K, et al：Losses Experienced by Japanese Nurses and the Way They Grieve. Journal of Hospis & Palliative Nursing, 16(4)：224-230,2014.
14) 近藤真紀子：死を看取り続ける看護師の悲嘆過程，風間書房，2011.
15) Kaplan, LJ :Toward: a model caregiver grief. Nurses' experiences of treating dying children. Omega, 41:187-206, 2000.

索　引　index

[欧　文]

ACP　5，85，379
ACT　203
ALS　73，168
APD　250
CAPD　250
CIC　263，269
COPD　17，176
CPAP　192
CRBSI　227
CSII　310
CTZ　366
CVC　222
DESIGN-R　329
DTI　323
EN　222
EPUAP　323
FPS　360
HMV　188
HOT　176
HPN　222
ICF　64
ICT　389
MRSA　89
NIV　188
NPUAP　323
NRS　360
NST　228，244
PD　250
PEG　237
PICC　225
PN　222
PPN　222
PS　301
PUBS　266
QOL　77
SAS　189
SMBG　311
SMUG　311
SPN　222
TIV　188
TPN　222
VAS　360

[和　文]

ICTを利用した診断　390
アイスマッサージ　101
家族アセスメント　39
アドバンス・ケア・プランニング　5，85，379
安楽尿器　108

医業　17
医行為　17
意識状態　35
痛み　358
——の評価スケール　360
医療処置　16
イレオストミー　275
胃瘻　237
——チューブ　239
インスリン　306
——アナログ製剤　308
——自己注射　306，313
——製剤　308
——注射部位　310
——注入器　309
——療法　306
陰部洗浄　122，126
インフルエンザ　89

奪われるグリーフ　402
ウロストミー　276
ウロストメイト　274
運動療法　349

エアスタッキング　207
栄養アセスメントのアルゴリズム　335
栄養剤の注入　246
栄養サポートチーム　228，244
栄養状態　95
——低下　329
栄養チューブ　239
栄養補助食品　98
栄養療法　222
ABC-Xモデル　43
液剤　294
液体酸素装置　178
エコマップ　48
NPUAP/EPUAPによる褥瘡の深達度分類　324
嚥下訓練　100
嚥下食　98
嚥下マッサージ　100
エンゼルケア　391
エンド・オブ・ライフケア　379

嘔吐　366
——中枢　366
悪心　366
悪心・嘔吐　304，365，366
オストメイト　274
オピオイド　362
おむつ　110

介護・訓練支援用具　172
介護支援専門員　78
介護保険　3，186
介護予防　3，76
介護老人福祉施設　75
概日リズム　144
介助手袋　332
疥癬　89
回腸ストーマ　275
回腸導管　276
外来がん化学療法　299
加温加湿器　193
化学受容体引金帯　366
家系図　48
家族アセスメントモデル　45
家族エンパワーメント　45
——モデル　45
家族危機理論　42
家族支援　52
家族システム理論　41

家族生活力量　46
家族生活力量モデル　46
家族の機能　39
家族の定義　38
家族のニード　40
家族発達理論　42
活動　139
　――への援助　145
家庭内事故　163
カテーテル関連血流感染症　227
カテーテルチップシリンジ　240
下半身の移動　149
カプセル剤　294
顆粒剤　294
カルガリー家族アセスメント・介入モデル　45
看護師のグリーフケア　402
看護小規模多機能型居宅介護　7, 76
観察　24
患者会　186
慣性モーメント　140
関節拘縮　329
灌注排便法　279
漢方薬　294
関連図　69
緩和ケア　354, 379

機械的咳嗽補助装置　207
気管カテーテル　205
気管吸引　205, 208
気管切開　60
　――式人工呼吸　188, 198
きざみ食　98
義歯の手入れ　123
気道クリアランス　207
気道内持続陽圧　192
吸引　203
　――圧　205
　――カテーテル　205
　――力　205
吸気・呼気補助　207
休息　143
仰臥位から座位　152
仰臥位からの起き上がり　151
仰臥位から右側臥位　145, 147
共感的理解　57
強制排便法　279
居宅介護支援事業者　78
居宅生活動作補助用具　172
筋萎縮性側索硬化症　73, 168

口すぼめ呼吸　185, 349
グリーフ　395
　――ケア　398
　――ワーク　397
グループホーム　75
車椅子への移乗　156
　――介助　113
グローションバルブ　226
クロックポジション　105
クロレートキャンドル型酸素発生器　180

ケアカンファレンス　78
ケアコーディネーション　79
ケアプラン　78
ケアマネジメント　79
　――の機能　81
ケアマネジャー　79
経口血糖降下薬　312
携帯型接触圧力測定器　334
経腸栄養法　222, 236
傾聴の技法　56
経鼻経管栄養法　236
経鼻チューブ　239
　――挿入　244
経皮内視鏡的胃瘻造設術　237
ケースマネジメント　79
血圧　35
結核　90
血管外漏出　216
結腸ストーマ　275
血糖自己測定　311, 317
ケトアシドーシス　310
下痢　304, 368
ケリーパッド　129
倦怠感　373

更衣　123, 127, 134
口腔・咽頭疾患　101
口腔ケア　99, 123, 133
口腔内炎症　304
口腔内吸引　205
口腔・鼻腔吸引　211
高齢者救急搬送　163
誤嚥性肺炎　90, 241
呼気弁式　192
呼気ポート式　192
呼気補助　207
呼吸　35
　――困難　371
　――同調式酸素供給調節器　180
　――理学療法　203
　――リハビリテーション　185, 348
国際生活機能分類　64
固形化補助食品　239
骨髄抑制　304
粉状皮膚保護剤　280
コミュニケーション　55
ゴム製便器　109
コロストミー　275
コロストメイト　274
コンドーム型カテーテル　264, 268

サーカディアンリズム　144
在宅悪性腫瘍等患者指導管理料　17
在宅看護　2
　――過程　64
在宅患者訪問褥瘡管理指導料　325
在宅患者訪問点滴注射管理指導料　217
在宅患者訪問点滴注射指示書　217
在宅緩和ケア　354
在宅経腸栄養法　235
在宅酸素療法　176
在宅持続陽圧呼吸療法　189
在宅人工呼吸療法　188
在宅成分栄養経管栄養法指導管理料　244
在宅中心静脈栄養法　222
在宅での看取りのケア　381
在宅寝たきり患者処置指導管理料　244
在宅版K式スケール　325

在宅末梢点滴静脈注射法　214
在宅リハビリテーション　342
在宅療養指導管理料　16，204
在宅療養等支援用具　172
差し込み式便器　109
坐薬　294
作用・反作用　140
散剤　294
酸素濃縮装置　178
酸素ボンベ　180

CVポート　225
ジェットコースターモデル　42
ジェノグラム　48
死後の処置　391
支持的ケア　379
支持療法　379
自然排便法　279
持続的皮下インスリン注入療法　310
持続陽圧呼吸　202
シックデイ　312
至適吸引圧　205
自動吸引式集尿器　108
自動腹膜透析　250
死の準備教育　384
死別に対する反応　395
死亡診断書　389
シャワー洗髪　130
シャワーチェア　124
シャワー浴　123
重症管理加算　16
住宅改修　171
　——費　172
終末期ケア　379
手浴　123，131
障害者総合支援法　186
消化管瘻　237
消化器ストーマ　274
　——装具の交換　284
消化態栄養剤　238
錠剤　294
小腸皮膚瘻　275
上半身の移動　149
情報・意思疎通支援用具　172
静脈栄養法　222
静脈炎　216
静脈注射　214，218
初回訪問　60
褥瘡対策に関する診療計画書　328
食行動　95
食事　94
　——介助用具　97
　——環境　96
　——姿勢　98
　——動作　98
　——の援助　102
食生活　96
褥瘡　322
　——予防のための援助　339
食欲不振　370
自立生活支援用具　172
シロップ剤　294
侵害受容性疼痛　359
新型コロナウイルス　89
神経・筋疾患　101
神経障害性疼痛　359
神経難病　17
人工肛門　274
人工濃厚流動食　238
人工鼻　193
人工膀胱　274
親水性コーティングカテーテル　267
人生会議　85
人生の最終段階における医療・ケア　378
人生の最終段階における医療の決定プロセスに関するガイドライン　380
心臓リハビリテーション　349
身体障害者手帳　283
身体診査　24
身体の引き上げ　154
身体力学　140
深部組織損傷　323
腎瘻　276

水平移動　149
睡眠時無呼吸症候群　189
睡眠への援助　158
スキン－テア　329
スタンダードプリコーション　88
ストーマ　274
　——ケア　274
　——袋　281
ストレッチ　351
スプリングバランサー　168
スポンジブラシ　133
住まい　160
スモールシフト　331
スライディングシート　332
スロープ　165

生活環境　160
清潔間欠導尿　269
生活機能障害　36
生活の質　77
清潔　119
　——間欠導尿　263，268
　——行動　119
清拭　122
成分栄養剤　238
整容　123
セクシャルハラスメント　91
舌の運動　100
セパレート型集尿器　108
全身清拭　127
全人的苦痛　354，383
洗腸　279
洗髪　122，129
洗面　136
せん妄　375

創傷被覆材　338
　——の貼付　340
足浴　123，131
ソフト食　98
ソモジー効果　312

ターミナルケア　379
体圧分散寝具　332
体位ドレナージ　207
体位の調整　330
体位変換　330
退院調整　77
体温　35
体外式カテーテル　224
脱臭剤　282
WHO３段階除痛ラダー　363
痰の吸引　18

地域包括ケアシステム 3, 72
地域包括支援センター 76
地域連携室 82
小さな体位変換 331
中心静脈栄養法 215, 222
中心静脈カテーテル 222
長座位から端座位 151

通所介護 75
ツーピース（二品系）装具 281
爪切り 136

定期巡回・随時対応型訪問介護看護 6
低血糖 311
ディスポーザブルシリンジ注入器 309
手すり 165
手持ち式集尿器 107
点眼薬 294
電気式吸引器 204
点滴静脈注射 215, 218
転倒・転落 143
天然濃厚流動食 238
点鼻薬 294
貼付薬 294

トイレ 166
 ——への移動 112
透析バッグ交換 260
疼痛の治療 362
トータルペイン 354, 383
特定行為 19
特定疾病療養受療証 259
特別訪問看護指示書 87
徒手的咳補助 207
トライアングルケア 389
トルクの原理 141

内服薬 294
 ——の服用 298

二重ABC-Xモデル 44
二層式エアマットレス 334
入退院支援 77
入浴 122, 123
尿管皮膚瘻 276
尿器 107
尿糖自己測定 311
尿道留置カテーテル 263
尿路感染症 89
尿路結石 266
尿路ストーマ 274
 ——装具の交換 289
人間対人間の関係 57
認知症対応型共同生活介護 75
認認介護 38

寝たきり老人 2
熱中症 87
眠気 365
粘液瘻 275
粘着剝離剤 282
粘度調整食品 239

脳血管疾患 100
脳血管疾患後遺症 17
ノンレム睡眠 144

肺炎 90
排泄 106
 ——援助 111
 ——管理支援用具 172
 ——行動 107
バイタルサイン 35
排痰法 348
排痰補助装置 208, 212
廃用症候群 383
バスボード 124
「パ」「タ」「カ」「ラ」運動 100
撥水性皮膚保護剤 336
パフォーマンスステータス 301
バリアフリー住宅 161
パルスオキシメーター 181
半固形栄養剤 239
半固形剤注入加圧バッグ 241
半消化態栄養剤 238
板状皮膚保護剤 280

ピークフローメーター 181
皮下埋め込み式CVポート 225
皮下埋め込み式カテーテル 229
皮下埋込み式ポート 218
皮下血腫 216
鼻腔内吸引 205
ひげそり 136
非侵襲的人工呼吸 188, 197
悲嘆 395
ヒトインスリン製剤 308
被囊性腹膜硬化症 251
皮膚湿潤 329
皮膚障害 304
皮膚被膜剤 282
皮膚保護剤 280
ヒューバー針 230
標準予防策 88
病的な悲嘆 396
病的骨突出 329

不安 374
フィジカルアセスメント 24
フィジカルイグザミネーション 24
フェイススケール 360
不均衡症候群 251
複雑化したグリーフ 396
腹式呼吸 185, 349
福祉用具のレンタル 172
腹膜炎 254
腹膜灌流用紫外線照射器 254
腹膜透析 250
服薬 293
 ——カレンダー 297

——箱　297
部分浴　123
不慮の事故　163
ブレーデンスケール　325

ベクトル　140
ベッドパン　109
ヘパリンロック　233
ヘルスアセスメント　24
ペン型インスリン注入器　309
便器　109
便座からの起立の介助　113
便失禁用装具　336
便秘　304，365，368

膀胱萎縮　267
膀胱刺激症状　267
膀胱瘻　276
訪問看護　2
　——師　2
　——のマナー　9
訪問入浴サービス　121
訪問バッグ　11
ポータブルトイレ　110
　——への移動　115
補完的中心静脈栄養　222
歩行介助　155
ポジショニング　330
ボディメカニクス　140

マスクフィッティング　197
末梢静脈栄養法　222
末梢神経損傷　216
末梢挿入式中心静脈カテーテル　225
末梢点滴静脈注射　219
慢性肺胞性低換気　190
慢性閉塞性肺疾患　17，176

ミキサー食　98
脈拍　35

紫色採尿バッグ症候群　266

メチシリン耐性黄色ブドウ球菌　89

薬物療法　292
病の軌跡　379

ゆ

輸液ポンプ　226
輸液ライン　218

良い姿勢　140
洋式便器　109
腰殿部の挙上　151
抑うつ　374
浴室　166

リスクマネジメント　87
リムーバー　282
流動食　98
療養通所介護　75
倫理原則　10

れ

レジメン　300
レスキュードーズ　361
レッグバッグ　264，268
レム睡眠　144
練状皮膚保護剤　280
連続携行式腹膜透析法　250

瘻孔造設部分のスキンケア　248

ワンピース（単品系）装具　281

看護実践のための根拠がわかる　**在宅看護技術　第4版**

定価（本体4,000円＋税）

2008年11月10日　第1版第1刷発行
2010年 1 月15日　第2版第1刷発行
2015年 1 月 8 日　第3版第1刷発行
2021年12月15日　第4版第1刷発行
2025年 3 月21日　第4版第4刷発行

編　著　　正野逸子・本田彰子 ©　　　<検印省略>

発行者　　亀井 淳

発行所　　株式会社 メヂカルフレンド社

〒102-0073　東京都千代田区九段北3丁目2番4号
麹町郵便局私書箱48号　電話(03)3264-6611　振替00100-0-114708
https://www.medical-friend.jp

Printed in Japan　落丁・乱丁本はお取り替えいたします
ISBN978-4-8392-1679-5　C3347

印刷・製本／日本ハイコム(株)
107128-115

看護実践のための根拠がわかる
シリーズラインナップ

基礎看護技術
●編著：角濱春美・梶谷佳子

成人看護技術―急性・クリティカルケア看護
●編著：山勢博彰・山勢善江

成人看護技術―慢性看護
●編著：宮脇郁子・籏持知恵子

成人看護技術―リハビリテーション看護
●編著：粟生田友子・石川ふみよ

成人看護技術―がん・ターミナルケア
●編著：神田清子・二渡玉江

老年看護技術
●編著：泉キヨ子・小山幸代

母性看護技術
●編著：北川眞理子・谷口千絵・藏本直子・田中泉香

小児看護技術
●編著：添田啓子・鈴木千衣・三宅玉恵・田村佳士枝

精神看護技術
●編著：山本勝則・守村洋

在宅看護技術
●編著：正野逸子・本田彰子